Dictionnaire
du Nouveau Testament

Du même auteur

AUX MÊMES ÉDITIONS

Les Évangiles et l'Histoire de Jésus
coll. *Parole de Dieu*, 1963, 1986

Études d'Évangile
coll. *Parole de Dieu*, 1965, 1967

Résurrection de Jésus et Message pascal
coll. *Parole de Dieu*, 1971, 1985

Dictionnaire du Nouveau Testament
coll. *Parole de Dieu*, 1975

Les Miracles de Jésus
selon le Nouveau Testament
en collaboration
coll. *Parole de Dieu*, 1977, 1978

Face à la mort, Jésus et Paul
coll. *Parole de Dieu*, 1979, 1982

Le Partage du pain eucharistique
selon le Nouveau Testament
coll. *Parole de Dieu*, 1982, 1990

Édition et présentation de
Exégèse et Herméneutique
coll. *Parole de Dieu*, 1971, 1976

Lecture de l'Évangile selon Jean
(chap. 1-4), coll. *Parole de Dieu*, 1988
(chap. 5-12), coll. *Parole de Dieu*, 1990

CHEZ D'AUTRES ÉDITEURS

Saint François Xavier
Itinéraire mystique de l'apôtre
La Colombe, Paris, 1953

Vocabulaire de théologie biblique
avec le concours de 69 collaborateurs
Éditions du Cerf, Paris, édition revue et augmentée, 1970
(traduit en dix-neuf langues)

Xavier Léon-Dufour

Dictionnaire du Nouveau Testament

Deuxième édition revue

Éditions du Seuil

IMPRIMI POTEST, PARIS, 4 MAI 1975,
A. COSTES, S.J., PROVINCIAL DE FRANCE.
IMPRIMATUR, PARIS, 17 MAI 1975,
E. BERRAR, VICAIRE ÉPISCOPAL.

ISBN 2-02-004884-1.
ISBN (2-02-004297-5, 1re publication)

© *Éditions du Seuil*, 1975.

Avant-propos

Il y a sept ans, Paul-André Lesort me confiait un projet : mettre à la disposition du public un instrument maniable qui réponde aux questions soulevées par la lecture du Nouveau Testament. J'étais séduit, et en même temps terrifié. L'expérience du précédent *Vocabulaire de théologie biblique* n'était-elle pas suffisante? Mais l'avocat des lecteurs se faisant pressant, j'ai décidé de me mettre à l'ouvrage et de tenter la gageure : le lecteur du Nouveau Testament, croyant ou incroyant, pourrait-il ainsi trouver aisément la réponse aux premières questions que soulève le texte?

Le *Nouveau Testament*, domaine d'investigation de ce Dictionnaire, constitue un ensemble littéraire dont la production s'échelonne seulement sur quelque cinquante années; ce court laps de temps autorise à considérer ce corpus comme un ensemble conceptuel suffisamment unifié; la difficulté, et l'intérêt aussi, vient de ce qu'il relève de deux civilisations différentes : celle des Sémites et celle des Grecs. Aussi tentons-nous de marquer le rapport de ces deux couches de pensée. Davantage encore, puisque nous interprétons ici le français qui est traduction du grec, nous cherchons à mesurer la distance qui sépare l'esprit du XXe siècle et celui du Ier siècle; non pas en nous imaginant que ce grand fossé va être comblé, car on ne peut se mettre à la place des premiers chrétiens; mais afin de se situer mutuellement, condition élémentaire d'une saine intelligence du texte.

Précédant le vocabulaire proprement dit, se trouve une *Introduction*, entreprise originale dans ce genre d'ouvrage, qui a été projetée par Paul-André Lesort. Elle poursuit deux fins. D'abord, offrir au lecteur la possibilité de découvrir le non-dit du Nouveau Testament. Celui-ci, dans son écriture, suppose connues de nombreuses réalités, parce qu'elles faisaient partie de l'environnement du temps : la terre et les hommes, l'histoire antérieure, le monde méditerranéen et l'héritage culturel, les aspects variés de l'existence : politique, juridique, économique, domestique, culturel, enfin les courants religieux et la foi d'Israël. Toutes ces données, ordinairement non explicitées dans le Nouveau

7

Testament, sont pourtant indispensables au lecteur. Sur cet arrière-fond seulement, le Nouveau Testament cesse de flotter sans attache avec le monde des humains.

L'autre objectif de l'*Introduction* est d'assembler le contenu des diverses notices éparses dans le vocabulaire. En effet l'un des défauts de tout Dictionnaire provient de son genre même : c'est un recueil de mots rangés dans l'ordre alphabétique qui offre des notices attentives à suivre le sens des mots, mais par là même séparées les unes des autres, sans que leur rapport s'impose immédiatement; certes les flèches apposées ici au bas des notices invitent le lecteur à grouper un certain nombre de termes; mais la synthèse n'est pas toujours aisée à reconstituer. Aussi l'*Introduction* s'efforce-t-elle de donner sous forme synthétique les aspects d'un même sujet, épars dans le vocabulaire : ainsi pour ce qui concerne le mariage au temps de Jésus, ou pour les diverses couches sociales ou la vie culturelle. Voilà pourquoi, très fréquemment, les notices renvoient elles-mêmes à l'*Introduction*, pour que le lecteur puisse compléter ou situer la notice en question par une vue synthétique.

Quant au *vocabulaire* lui-même, il demande un mot de justification. D'abord sur le choix des mots. Nous estimons que, sur les quelque 5 500 mots grecs du Nouveau Testament, nous avons retenu *tous* les termes (un millier et même davantage) qui requièrent une explication à quelque ordre qu'ils appartiennent : historico-géographique, archéologique, littéraire ou théologique; il s'agit donc d'un véritable *Dictionnaire*, exhaustif à ce point de vue; nous avons écarté la plupart des noms de personnes ou de lieux qui ne sont cités qu'une fois ou qui n'importent guère à l'intelligence du texte; en de nombreux cas, nous avons choisi tel ou tel mot français en raison de sa prédominance dans notre parler courant, quitte à mentionner le terme écarté et à renvoyer par une flèche à celui qui a été préféré. De toute manière, nous nous sommes appliqué à indiquer le mot grec employé par le texte du Nouveau Testament, et éventuellement le mot hébraïque de l'Ancien Testament; parfois même est indiquée l'étymologie des divers mots.

Ordinairement, les mots sont ventilés selon leurs nuances propres, car il importe de dissiper les confusions qu'entraînent souvent ces apparentements. Voici quelques exemples de ces chaînes de mots. Confiance - constance - espérance - fidélité - foi - patience - persécution. Ou encore : Confiance - fierté - gloire - orgueil. — Envie - jalousie. — Agonie - angoisse - crainte - souci.

Parfois, nous avons dû procéder à des *regroupements* thématiques, afin de ne pas allonger démesurément le nombre des notices et pour conserver une vue synthétique de quelques sujets. Ainsi pour les animaux, les étoffes, les pierres précieuses, les vices, les vertus...

Parfois encore, le mot français recouvre plusieurs mots grecs ou hébraïques, découvrant l'*ambiguïté* de ces termes. Ainsi pour l'arche, l'abîme, les enfers, la folie, la médisance, le nouveau, le « siècle »...

Enfin de nombreuses notices doivent *renseigner* le lecteur en divers domaines. Dans l'ordre historique, elles sont très variées : par exemple, adoption, affranchissement, anathème, chronologie, centurion, collecte, concile de Jérusalem, préfet, procurateur, province, tétrarque, autant de notions qu'il est difficile de se remémorer exactement. Je passe ici les notices concernant les lieux et les personnes, pour signaler les nombreux renseignements d'ordre archéologique, comme agora, airain et bronze, miroir, Nag Hammadi ou Qoumrân. Les notions exégétiques élémentaires sont présentes, telles que genre littéraire, critique, unité littéraire, agrapha, apocryphes, canon des Écritures, deutérocanoniques, parabole et allégorie, structure. Nous avons même tenté de fournir en langage moderne l'équivalent de certaines notions délicates, comme l'éternité, le temps, la fin du monde, le mythe, la prédestination. Enfin, comme il se doit, il fallait tracer des pistes dans la forêt de la théologie sur Dieu, le Christ, les anges ou la rédemption, avec toutes les notions connexes.

Les notices comportent deux registres : un texte courant et des séries de références. A celui qui cherche un renseignement rapide, le texte suffira sans doute; mais celui qui désire approfondir le sens proposé pourra se reporter aux références généreusement indiquées : tantôt il découvrira par les renvois à l'Ancien Testament l'épaisseur du terme, son enracinement dans la tradition biblique, tantôt il justifiera ou complétera les rapides indications du texte.

Au lecteur de feuilleter sans se lasser, à moins qu'il ne préfère se borner à découvrir le sens du mot difficile qu'il a rencontré dans le Nouveau Testament; mais qu'il ne craigne pas de se laisser emporter par le jeu des flèches qui l'entraîneront bien au-delà de ce qu'il était venu chercher. Tableaux et cartes (dus en grande partie à Bernard Lagaillarde) faciliteront sa tâche, pour saisir d'un seul coup d'œil quels sont les livres de la Bible, quels sont les apocryphes, quelle correspondance peut être établie entre les heures et les veilles du jour et de la nuit...

Pour mener à bien ce projet, il a fallu se garder d'un certain nombre d'écueils. Pour les notices, c'eût été de les transformer en une longue phrase collant bout à bout les textes scripturaires; c'eût été une Concordance mise en style (à ce propos, je dois dire ici l'immense service rendu par l'incomparable *Concordance du Nouveau Testament*, publiée au Cerf en 1970). Or les *notices* ne veulent pas retracer l'histoire de Césarée ou de Pierre selon le Nouveau Testament, mais renseigner le lecteur qui, à tel moment de sa lecture, veut connaître le présupposé de ce qu'il lit. Pour l'*Introduction*, il était possible d'esquisser les grandes lignes d'une Théologie de l'Ancien Testament, et de l'état de la pensée juive au temps de Jésus. Ainsi a pu être brossé un tableau complet, sinon exhaustif, des connaissances élémentaires dont a besoin tout lecteur du Nouveau Testament.

Pour achever cet ouvrage, démesuré pour un seul homme, il a fallu l'aide et l'appui d'un grand nombre de personnes. Je tiens à remercier tous ceux qui m'ont assisté. A l'origine, Jacqueline Thevenet qui rédigea une première version des notices de lieux et de personnes, ainsi qu'un bon nombre de celles des noms communs. Puis ceux qui ont rassemblé divers éléments de l'Introduction : Jean-Pierre Berger pour les questions romaines et helléniques, Michel Sales et Bernard Corbin pour les questions juives. Et cependant il restait un immense travail à accomplir qui dura plus de trois ans. C'est alors que Renza Arrighi améliora les ébauches de notices et accumula d'autres documents nécessaires pour l'*Introduction*. Si je donne ces détails, c'est pour expliquer comment, de fait, il m'a fallu, en plus des notices théologiques qui m'avaient été réservées d'emblée, reprendre et unifier l'ensemble de l'ouvrage. Voilà pourquoi j'assume la responsabilité entière du contenu de ce *Dictionnaire*. Cependant, pour ne point parler des nombreuses suggestions faites par Paul-André Lesort et Jean-Pie Lapierre, je tiens à nommer deux spécialistes de grande classe : Charles Morel qui a veillé à la sûreté des étymologies et Joseph Trinquet dont la compétence solidement établie s'est jointe à une patiente et minutieuse lecture de l'ensemble du texte. Enfin, d'avance, je remercie les lecteurs qui, à l'usage, m'aideront à perfectionner cette œuvre, élaborée avec conscience et courage, dans l'espoir de leur rendre service.

Lyon-Paris, septembre 1968-août 1975   X.L.-D.

SIGLES DES LIVRES BIBLIQUES

Ab	Abdias	3 Jn	3e épître de Jean
Ac	Actes des Apôtres	Jon	Jonas
Ag	Aggée	Jos	Josué
Am	Amos	Jr	Jérémie
Ap	Apocalypse	Jude	Épître de Jude
Ba	Baruch	Lc	Évangile selon saint Luc
1 Ch	1er livre des Chroniques	Lm	Lamentations
2 Ch	2e livre des Chroniques	Lv	Lévitique
1 Co	1re épître aux Corinthiens		
2 Co	2e épître aux Corinthiens	1 M	1er livre des Maccabées
Col	Épître aux Colossiens	2 M	2e livre des Maccabées
Ct	Cantique des Cantiques	Mc	Évangile selon saint Marc
		Mi	Michée
Dn	Daniel	Ml	Malachie
Dt	Deutéronome	Mt	Évangile selon saint Matthieu
Ep	Épître aux Éphésiens		
Esd	Esdras	Na	Nahum
Est	Esther	Nb	Nombres
Ex	Exode	Ne	Néhémie
Ez	Ézéchiel		
		Os	Osée
Ga	Épître aux Galates		
Gn	Genèse	1 P	1re épître de saint Pierre
		2 P	2e épître de saint Pierre
Ha	Habacuc	Ph	Épître aux Philippiens
He	Épître aux Hébreux	Phm	Épître à Philémon
		Pr	Proverbes
Is	Isaïe	Ps	Psaumes (cités selon la numérotation hb.)
Jb	Job		
Jc	Épître de Jacques	Qo	Ecclésiaste (Qohélet)
Jdt	Judith		
Jg	Juges	1 R	1er livre des Rois
Jl	Joël	2 R	2e livre des Rois
Jn	Évangile selon saint Jean	Rm	Épître aux Romains
1 Jn	1re épître de Jean		
2 Jn	2e épître de Jean		

Rt	Ruth	1 Th	1re épître aux Thessaloniciens
1 S	1er livre de Samuel	2 Th	2e épître aux Thessaloniciens
2 S	2e livre de Samuel		
Sg	Sagesse	1 Tm	1re épître à Timothée
Si	Ecclésiastique (Siracide)	2 Tm	2e épître à Timothée
So	Sophonie	Tt	Épître à Tite
Tb	Tobie	Za	Zacharie

ABRÉVIATIONS

ap.	après	étym.	étymologiquement
ar.	araméen	g	gramme
AT	Ancien Testament	gr.	grec
auj.	aujourd'hui	hb.	hébreu
av.	avant	*Intr.*	*Introduction*
cf	*confer* : voyez	J.C.	Jésus Christ
ch.	chapitre	lat.	latin
comp.	comparez	NT	Nouveau Testament
env.	environ	p. ex.	par exemple
Ép.	Épître	s.	siècle
Év.	Évangile	s	et verset suivant

EXEMPLES DE RÉFÉRENCES

Mt 5,7	Évangile de Matthieu, chapitre 5, verset 7.
Mt 5,7s	Évangile de Matthieu, chapitre 5, versets 7 et 8.
Mt 5,7-10	Évangile de Matthieu, chapitre 5, versets 7, 8, 9, 10.
Mt 5,7—6,9	Évangile de Matthieu, du chapitre 5, verset 7 au chapitre 6, verset 9 inclus.
Mt 5,7.15	Évangile de Matthieu, chapitre 5, versets 7 et 15.
Mt 5,7; 8,9	Évangile de Matthieu, chapitre 5, verset 7 et chapitre 8, verset 9.

AUTRES SIGLES

* Le mot qui suit, ou un terme apparenté, fait l'objet d'une notice dans le Dictionnaire.

→ Renvoie soit à des notices, soit à des paragraphes de l'*Intr.*, qui situent ou complètent l'exposé.

□ indique le caractère exhaustif des références au NT pour le mot objet de la notice.

△ Indique le caractère exhaustif des références au NT pour le terme désigné par l'appel de note.

[ ] Enclavent un mot qui n'est pas dans le texte du NT.

= Désigne les textes parallèles des évangiles.

( ) Les passages du NT ainsi indiqués au cours d'une référence ne sont pas dans tous les manuscrits.

TABLEAUX & CARTES

TRANSCRIPTIONS

	DU GREC			DE L'HÉBREU	
α	alpha	a	א	aleph	'
β	bêta	b	ב	beth	b
γ	gamma	g	ג	guimel	g
δ	delta	d	ד	daleth	d
ε	epsilon	e	ה	hé	h
ζ	dzèta	z	ו	vav	w
η	èta	è	ז	zaïn	z
θ	thèta	th	ח	heth (aspiré)	h
ι	iota	i	ט	teth	th
κ	kappa	k	י	yod	y
λ	lambda	l	כ	kaph	k
μ	mu	m	ל	lamed	l
ν	nu	n	מ	mem	m
ξ	ksi	x	נ	nun	n
ο	omicron	o	ס	samek	s
π	pi	p	ע	aïn (aspiré)	'
ρ	rô	r (rh)	פ	phé	p (ph)
σ,ς	sigma	s	צ	çadé	ç
τ	tau	t	ק	qoph	q
υ	upsilon	y (u)	ר	rech	r
φ	phi	ph	שׂ	sin	s
χ	khi	kh	שׁ	chin	ch
ψ	psi	ps	ת	tav	t
ω	ôméga	ô		*vocalisations*	
'	(esprit rude)	h	◌ַ (patah)		a
			◌ָ (qâmeç)		â
			◌ֵ (çéré)		é
			◌ֶ (segol)		è
			◌ְ (chewah)		e
			◌ִ (hîreq)		î (i)
			◌ֹ (hôlem)		ô (o)
			◌ֻ (chûreq)		û (u)

Introduction

IV. LE MONDE MÉDITERRANÉEN

1. *Situation historique*
2. *Situation politique*
   A. L'empereur
   B. Les provinces
      a. sénatoriales
      b. impériales
      c. assemblées locales
   C. Villes et communautés
3. *Situation économique*
   A. *Pax romana*
   B. Voies maritimes
   C. Routes terrestres
4. *Situation sociale*
   A. Nobles et chevaliers
   B. Peuple et citoyens
   C. Affranchis
   D. Esclaves
5. *Situation culturelle*
6. *Situation religieuse*
   A. Culte de Rome
   B. Religions orientales
   C. Mystères philosophiques
   D. Astrologie et magie
   E. Les juifs
7. *La diffusion de la foi chrétienne*

V. L'HÉRITAGE CULTUREL

1. *Cosmologie*
2. *Anthropologie*
3. *Langages*
   A. araméen
   B. hébreu
   C. grec

VI. VIE POLITIQUE ET JURIDIQUE

1. *État civil*
   A. Les juifs
   B. Les étrangers résidants
   C. Les esclaves

18

B. Fondation et vie du foyer
   a. Le mariage
   b. L'homme
   c. La femme
   d. Le couple
   e. La veuve
C. Les âges de la vie
   a. La naissance
   b. Les filles
   c. Les garçons
   d. Les adultes
   e. La vieillesse
D. La maladie et la mort

IX. VIE CULTURELLE

1. *La tradition*
2. *L'éducation*
3. *Mode d'écriture et transmission des nouvelles*
4. *Les connaissances*
5. *Les arts*
6. *Musique*
7. *Danse*
8. *Théâtre et divertissements*
9. *La culture grecque*

X. LA FOI D'ISRAEL

1. *L'alliance*
2. *Dieu*
3. *Le peuple*

XI. LES COURANTS RELIGIEUX

1. *Les sadducéens*
2. *Les pharisiens*
3. *Les esséniens*
4. *Les zélotes*
5. *Le peuple du pays et les confréries*

I. SITUATION HISTORIQUE

Les textes bibliques, critiquement examinés, permettent à l'historien de déterminer les grandes étapes de l'histoire qui leur est sous-jacente. Certains de ces résultats sont en outre confirmés par des documents extra-bibliques. Voici ce qui peut être affirmé, quelle que soit l'interprétation, de foi ou non, qu'on donne des événements établis.

1. *Avant Jésus*

A. Depuis 63 av. J.C., la *Palestine est occupée par les Romains et intégrée à l'empire. *Hérode le Grand (40-4 av. J.C.) et ses descendants (*Archélaüs, Antipas et *Philippe, puis *Hérode Agrippa) ne sont que des vassaux au pouvoir instable et fictif. Dès le VIIIᵉ siècle av. J.C., le peuple d'Israël avait déjà perdu son indépendance nationale. L'ancien royaume israélite, dans ses deux parties, le Nord et le Sud, avait été détruit par les invasions assyrienne (721) et babylonienne (587). Le peuple, déporté, vécut en *exil jusqu'à la victoire du roi perse Cyrus qui autorisa son retour (538). Mais les rapatriés n'en demeurèrent pas moins sous la domination des Perses, à laquelle se substitua celle d'Alexandre le Grand (332) et de ses successeurs, les Séleucides. Des juifs, d'autre part, restèrent à l'étranger, constituant les premiers noyaux de la *diaspora juive dans tout le bassin méditerranéen.

B. On appelle *judaïsme le milieu juif, au sens religieux et culturel, qui correspond à la période postexilique de l'histoire d'Israël (après 538). Il est caractérisé par la résistance d'Israël à toute influence des autres civilisations qui tendent à l'absorber ou à l'altérer. Le patrimoine religieux et la tradition originale du peuple sont préservés jalousement dans une scrupuleuse observance. Certains apports étrangers constituent tout au plus un enrichissement, intégré sans inconvénient pour la pureté de la foi et de la mentalité traditionnelle.

C. Cette étonnante réussite spirituelle connaît un épisode de gloire : la guerre des *Maccabées (167-164 av. J.C.). Le roi de *Syrie Antiochus Épiphane (175-164) avait tenté de détruire la religion juive et de contraindre le peuple à adopter les coutumes grecques. La victoire des Maccabées est la victoire de la Loi juive; elle eut alors pour résultat d'accentuer davantage la séparation entre les juifs et leurs voisins païens. De 142 à 63 av. J.C., Israël retrouva même, sous les Asmonéens, descendants des Maccabées, l'indépendance politique. A celle-ci *Pompée mit fin en s'emparant de *Jérusalem (63), par suite de la conquête et de l'annexion de la Syrie à l'empire romain. Il plaça le prince asmonéen Hyrkan II comme *Grand Prêtre et *ethnarque (63-40). En fait, c'est le ministre iduméen de celui-ci, Antipater, qui gouvernera en son nom, ouvrant la voie à son fils Hérode.

D. *Hérode le Grand devint « roi des juifs » en 40 av. J.C. avec l'aide de Rome, d'autant que son origine non juive le faisait mal accepter des juifs. A sa mort (4 av. J.C.), ce fut encore par l'intervention d'*Auguste que ses trois fils lui succédèrent selon sa disposition testamentaire : *Archélaüs (4 av.-6 ap. J.C.) reçut la *Judée, l'Idumée et la *Samarie, *Hérode Antipas (4 av.-39 ap. J.C.) la Galilée et la Pérée, *Philippe (4 av.-34 ap. J.C.) la Gaulanitide, l'*Iturée et la *Trachonitide. Quoique l'on continuât en Palestine de les appeler rois, Archelaüs avait le titre d'ethnarque et les deux autres de *tétrarque. Le petit-fils d'Hérode le Grand, *Hérode Agrippa I, parvint à réunir l'ancien domaine de 37 à 41 ap. J.C. Après sa mort en 44, la Judée ne connut plus d'autre autorité que les fonctionnaires de l'empereur.

E. Des tentatives de révolte contre l'occupation romaine se produisirent à plusieurs reprises, celle de *Theudas (probablement peu après la mort d'Hérode le Grand, en 4 av. J.C.), celle de Judas le Galiléen (à l'occasion du *recensement de Quirinius, en 6-7 ap. J.C.), celles qui eurent lieu sous les gouvernements de Fadus (vers 44), de Cumanus (48-52), de *Félix (52-60). La plus violente, due au mouvement *zélote, éclata en 66. Un gouvernement insurrectionnel fut alors installé à Jérusalem. La « guerre juive » dura quatre ans; elle aboutit, après une résistance acharnée, à la destruction de Jérusalem et du

*Temple par les légions de *Titus en 70, et à la dispersion des juifs dans le monde.

2. *Jésus de Nazareth*

*Jésus de Nazareth n'est pas une figure mythique. Son existence est située topographiquement en Palestine, et plus spécialement en *Galilée, chronologiquement aussi grâce à son baptême par Jean, daté de l'an xv du principat de Tibère César (Lc 3,1), c'est-à-dire l'*année qui suit le 1er octobre 27 (ou 19 août 28). Le ministère du Baptiste, qui se présentait tel un *prophète, connut une grande popularité et suscita un mouvement original, visant la *conversion à Dieu dans l'imminence de sa venue et de son jugement; il s'exerça dans le désert de Judée, non loin de Jérusalem. Jean baptisait dans le Jourdain, soit à *Béthanie (Jn 1,28), soit à Aenon (3,23) lieu situé près de Selim (à l'E.N.E. de Sichem). C'est dans le rayonnement de ce grand prophète que Jésus dut commencer son propre ministère.

L'autre point de repère majeur de l'histoire de Jésus est sa mort au *Golgotha. Elle eut sûrement lieu un vendredi, très probablement à la veille de la fête de la Pâque, le 14 ou le 15 du mois de *nisan. Les dates les plus vraisemblables sont le 7 avril 30 ou le 3 avril 33.

Entre son baptême par Jean et sa mort violente, Jésus parcourt la Galilée et la Judée, invitant ses contemporains à se préparer à la venue imminente du *règne de Dieu. Par ses *miracles et par sa parole, il soulève un enthousiasme *messianique qui menace de dégénérer en soulèvement politique. Mais Jésus veut seulement jeter dans les cœurs de quelques disciples une semence qui, en germant, fera sauter les barrières dans lesquelles s'enfermaient les dirigeants religieux de l'époque. Son message est la Bonne Nouvelle de l'amour qui doit régner sur terre comme au ciel.

Cette histoire n'est pas complètement passée inaperçue des historiens du temps. Ainsi, en un texte qu'on peut reconstituer sous les transformations dues aux éditeurs chrétiens, *Josèphe mentionne non seulement le succès de Jésus et sa condamnation à la croix par Pilate, mais aussi le fait que les disciples ne cessèrent pas de l'aimer, parce qu'« il leur était apparu vivant après sa mort » (*Antiquités juives*, XVIII,3.3). De fait, après les événements de Pâques, les disciples ont un comportement qui contraste radicalement avec le découragement dû à la mort de Jésus : ils croient que Jésus est *ressuscité.

3. *La communauté primitive*

La première communauté chrétienne est *née de la foi pascale*. A l'origine de cette foi, l'historien ne trouve pas un phénomène de suggestion collective ou d'affabulation mythique, mais l'affirmation sobre de *témoins privilégiés. Ceux-ci déclarent *Seigneur vivant à jamais ce Jésus crucifié dont la mort a laissé les disciples désemparés et pleins de peur : il est ressuscité d'entre les morts.

A. La première communauté est *judéo-chrétienne*, c'est-à-dire que tous ses membres sont des juifs. La *prédication des Apôtres à Jérusalem a atteint d'emblée des résidents parlant l'*araméen, observateurs stricts de la Loi mosaïque, et des juifs originaires de la *diaspora, parlant grec, appelés *Hellénistes.

La communauté gravite autour d'un centre, *le collège des *Douze*, les témoins du Ressuscité. *Pierre jouit d'un prestige exceptionnel. Parmi les disciples de la première heure, il y a les *frères du Seigneur (1 Co 9,5 ; Ga 1,19) qui, membres de sa parenté au sens large, avaient été d'abord opposés à son ministère. Ils sont vénérés comme ayant été les proches de Jésus.

Dans l'adhésion à la même foi, l'attitude des croyants diffère selon le milieu respectif. Les *Hébreux* n'ont pas le sentiment de se séparer du *judaïsme, ils continuent d'en observer les lois et les prières. Ils se groupent autour de *Jacques, le plus influent des « frères du Seigneur ». Les *Hellénistes* par contre, dont *Étienne est le chef de file, critiquent la surévaluation du culte judaïque et en prônent la spiritualisation. Une certaine tension a dû exister entre les deux groupes ; le conflit, de soi banal, du service des *tables pourrait en témoigner (Ac 6,1-6).

B. La diatribe d'Étienne contre le Temple (Ac 7) déclenche la *persécution*, déjà latente, de la part de l'autorité religieuse juive contre cette nouvelle secte (cf Ac 24,5 ; 28,22). Les Hellénistes d'abord, Pierre ensuite, peut-être aussi les Douze, doivent quitter Jérusalem.

Cette dispersion inaugure la mission chrétienne. Auprès des juifs d'abord, vers 34-36 ap. J.C. en *Samarie, puis dans diverses villes de la Judée et de la Galilée. Les Apôtres envoient de Jérusalem Pierre et *Jean apposer leur sceau sur l'œuvre commencée, en invoquant l'Esprit Saint sur les nouveaux convertis. Mais un pas décisif reste à franchir, l'admission des païens d'origine dans la communauté chrétienne.

C. C'est à l'occasion d'une de ses tournées pastorales que Pierre comprend, et fait ensuite admettre au groupe de Jérusalem, que le même don de Dieu est accordé aux *païens (Ac 10,1-48; 11,4-18). L'expansion connaît une nouvelle étape : en Phénicie, à *Chypre, à *Antioche enfin (Ac 11,19). C'est dans cette ville que la jeune secte, libérée de la pression juive, va atteindre sa majorité : là, pour la première fois, les disciples de Jésus sont nommés « *chrétiens » (11,26) et sont dits célébrer le culte du Seigneur (13,2).

La communauté primitive a ainsi deux pôles : Jérusalem et Antioche. Une tension éclate : des « conservateurs », les *judaïsants de Jérusalem, voudraient imposer, au nom du salut, la *circoncision aux païens convertis. Pour résoudre le conflit, se réunit à Jérusalem en l'an 48 une assemblée qu'on pourrait appeler le premier « *concile ». C'est bien l'Église-mère qui tranche, mais dans le sens de la catholicité : les païens convertis ne seront pas tenus à observer la Loi de Moïse (Ga 2,1-10), quitte à les engager plus tard à garder des observances juives mineures (Ac 15,23-29). Cette ouverture ne nuit pas à la *tradition, dont l'exactitude est assurée par la multiplication de liens vivants; la *collecte est le signe tangible de l'unité des Églises (Ac 11,28-30; 1 Co 16,1-4). De toute manière, celles-ci sont désormais multiples et vigoureuses.

4. *Paul*

De cette œuvre d'évangélisation et d'universalisme radical, *Paul de Tarse est le principal acteur. Juif exemplaire avant sa rencontre du Christ et persécuteur des chrétiens, il atteint par ses trois voyages missionnaires, entre 48 et 60, l'*Asie, la *Macédoine et la *Grèce; prisonnier, il connaît les îles de *Crète et de Malte, pour aboutir enfin à Rome. Il fonde avec ses collaborateurs un grand nombre d'Églises. Celles-ci, en communion les unes avec les autres, sont structurées : constamment suivies par l'apôtre fondateur, elles ont généralement à leur tête des *presbytres institués par l'imposition des *mains. Progressivement, ce sont *Éphèse et *Rome qui deviennent les pôles de l'Église universelle. Paul dut, plus que quiconque, affronter le problème des observances juives : il réagit avec vigueur aux hésitations de Pierre, qui, à Antioche, n'osait pas s'affranchir des lois alimentaires (Ga 2,11-14); surtout il affirme, en théologien, l'égalité des juifs et des païens sous l'empire du *péché et dans l'attirance de la *grâce : pour tout homme, le *salut est un don gratuit de la miséricorde divine dans le Christ. Les juifs certes ont été *élus les premiers, mais la *Loi n'a été qu'un régime provisoire et de fait impuissant; la *foi qui, avec les patriarches, préexistait à la Loi, est la voie unique du salut. Se soumettre aux observances anciennes, c'est ne pas reconnaître l'unique *médiateur Jésus Christ, en qui il n'y a plus « ni grec ni juif, ni circoncis ni incirconcis, ni barbare ni Scythe, ni esclave ni homme libre » (Col 3,11).

5. *Expansion*

L'expansion du christianisme paraît surprenante : elle est caractérisée par une rapidité sans égale dans l'histoire de la mission et par la rencontre avec le monde païen, à l'égard duquel la religion juive demeurait intransigeante. Ce monde a été à la fois un terrain favorable et défavorable à la croyance nouvelle (cf *Intr.* IV.7). Jusque vers 60, l'évangélisation s'appuie d'abord sur les *synagogues : là, le Christ est annoncé lors des offices du *sabbat auxquels assiste la communauté juive de l'endroit, mais aussi de nombreux *craignant-Dieu. D'ordinaire, seul un petit nombre adhère à la nouvelle prédication; les missionnaires, poursuivis et persécutés, portent alors directement le message aux *païens, à l'aide des premiers convertis déjà insérés dans le milieu local. L'Église chrétienne se distingue parmi les païens grâce à sa foi au Dieu unique de l'*Alliance et à son envoyé Jésus Christ, mais aussi par sa vie morale, caractérisée par la *charité et la *pureté.

II. LA TERRE

1. Au Iᵉʳ siècle, la « terre d'Israël » (Mt 2,20) était officiellement appelée *Judée* (Lc 4,44; Ac 10,37); après la révolte juive de 135, elle fut dénommée improprement « Syrie Palestine », puis « Palestine ».

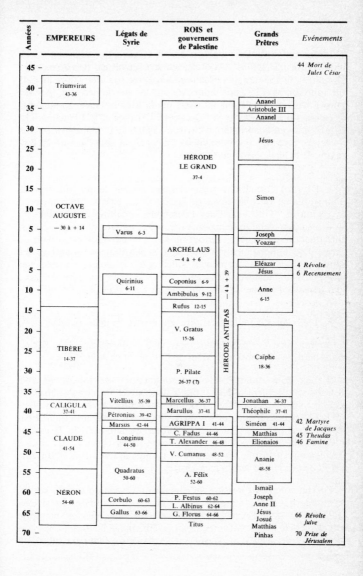

Années	EMPEREURS	Légats de Syrie	ROIS et gouverneurs de Palestine	Grands Prêtres	Evénements
45 –					44 *Mort de Jules César*
40	Triumvirat 43-36				
35 –				Ananel	
				Aristobule III	
				Ananel	
30					
				Jésus	
25			HÉRODE LE GRAND 37-4		
20					
15				Simon	
10	OCTAVE AUGUSTE – 30 à + 14				
5		Varus 6-3		Joseph	
0				Yoazar	
			ARCHÉLAUS – 4 à + 6		
5		Quirinius 6-11		Eléazar	4 *Révolte*
			Coponius 6-9	Jésus	6 *Recensement*
10			Ambibulus 9-12	Anne 6-15	
15			Rufus 12-15		
20			V. Gratus 15-26		
25	TIBÈRE 14-37			Caïphe 18-36	
30			P. Pilate 26-37 (?)		
35					
	CALIGULA 37-41	Vitellius 35-39	Marcellus 36-37	Jonathan 36-37	
40		Pétronius 39-42	Marullus 37-41	Théophile 37-41	
	CLAUDE 41-54	Marsus 42-44	AGRIPPA I 41-44	Siméon 41-44	42 *Martyre de Jacques*
45		Longinus 44-50	C. Fadus 44-46	Matthias	45 *Theudas*
			T. Alexander 46-48	Elionaios	46 *Famine*
50			V. Cumanus 48-52	Ananie 48-58	
55		Quadratus 50-60	A. Félix 52-60		
60	NÉRON 54-68			Ismaël	
		Corbulo 60-63	P. Festus 60-62	Joseph	
65		Gallus 63-66	L. Albinus 62-64	Anne II	66 *Révolte juive*
			G. Florus 64-66	Jésus Josué	
			Titus	Matthias	
70 –				Pinhas	70 *Prise de Jérusalem*

HÉRODE ANTIPAS – 4 à + 39

Bien que ses « frontières » soient difficiles à délimiter, elle comprenait alors plusieurs régions : la Judée au sens étroit du terme (incluant l'Idumée), la *Samarie, la *Galilée et la Pérée (ou « territoire au-delà du Jourdain »). Elle était limitée au sud-est par le désert d'*Arabie, au sud par celui du *Sinaï, à l'ouest par la Méditerranée, au nord par le Liban, au nord-est par la *Décapole, l'*Iturée et la *Trachonitide. Elle formait un quadrilatère d'environ 250 km de long sur 40 à 140 km de large, couvrant quelque 25 000 km², soit la superficie de la Bretagne, de la Sicile ou de la Belgique.

2. Diverses formations rocheuses constituent le *sol*, du grès de Transjordanie au sable rouge de la côte et au basalte qui caractérise la région de *Tibériade. Dans l'ensemble, le calcaire prédomine; on doit à sa perméabilité le manque d'eau des rivières durant l'été ainsi que quantité de sources, surtout en Galilée. La roche est à fleur de terre, d'où l'abondance des pierres et le peu de terrains arables. Le sous-sol du pays est fort pauvre. A défaut de fer, on exploite quelques gisements de cuivre et de basalte. Le *sel est fourni en abondance par les eaux de la mer Morte, ou « mer de Sel » (Gn 14,3; Dt 3,17).

3. Le *relief* divise le territoire en quatre bandes parallèles :

A. Au bord de la Méditerranée, une plaine (Shéphélah, Saron) dans laquelle se trouvent les villes de Césarée et de Joppé.

B. Une zone montagneuse, en continuation du Liban, où trois massifs se succèdent à des altitudes variées. Au nord, les collines de Galilée, autour de Nazareth (500 m). Au centre, après l'interruption de la plaine d'Esdrelon, les sommets du Garizim (881 m) et de l'Ébal (940 m) en Samarie. Au sud, en Judée, les hauteurs de Jérusalem (790 m), du mont des Oliviers (812 m) et de l'Hébron (1 027 m); ce dernier massif justifie l'expression « monter à Jérusalem »; du côté est, il descend à pic vers la mer Morte.

C. Une longue dépression au-dessous du niveau de la mer, la plus profonde du globe, marquée par le cours du Jourdain. La rivière, jaillie au pied de l'Anti-Liban à 45 m d'altitude, descend en pente rapide vers le lac de Guennésareth (= Tibériade) à 210 m au-dessous du niveau de la mer, et, traversant la plaine du Ghôr où subsistent

des oasis, serpente en d'innombrables méandres jusqu'à la mer Morte
(— 392 m), aux rives désertiques.

D. Surplombant la vallée du Jourdain, le plateau de Transjordanie.

4. A. A la grande diversité des paysages correspondent les contrastes
du *climat*, de type subtropical, où se mêlent les influences de la mer,
de la montagne et du désert. Chaque région, en raison de son régime
propre d'humidité, se différencie plus ou moins des autres. Dans
l'ensemble cependant, à l'exception du fossé du Jourdain, le pays
connaît un climat tempéré, marqué par deux *saisons* : d'avril à octobre
un été totalement sec, de novembre à mars un hiver où la pluie peut
tomber durant une soixantaine de jours.

B. Quoique redoutée pour sa violence (plus elle est rare, plus elle
est torrentielle), la *pluie* est décisive pour la fécondité du sol, surtout
la pluie précoce d'octobre ou la pluie tardive d'avril (Jc 5,7). La plu-
viosité dépend des *vents* qui soufflent de l'ouest (cf Lc 12,54). La côte
est la plus favorisée, ensuite la crête montagneuse centrale avec un
taux de précipitations qui, par exemple à Jérusalem, s'approche de
celui de Paris (575 mm); par contre le versant oriental, abrité, conduit
rapidement à l'aridité des déserts de Judée et de la plaine du Jourdain.
En été, les mêmes vents d'ouest apportent d'abondantes rosées noc-
turnes qui vivifient la végétation. A l'inverse, le vent du sud-est (le
hamsin, le sirocco) embrase l'air (cf Lc 12,55). Aux vents dominants
s'ajoutent des brises locales, qui entraînent parfois de violents tourbil-
lons et provoquent de vraies tempêtes dans la cuvette du lac de Tibériade (cf Mt 8,24).

C. Les *températures* sont moins déterminantes que les pluies pour
différencier les saisons. Elles restent douces en hiver (de 8° à 12°) et,
sauf dans la dépression du Jourdain (jusqu'à 50°), tolérables en été
(de 21° à 29°). Par contre l'écart quotidien est très prononcé, pouvant
atteindre, entre midi et minuit, 20° et davantage. Les nuits sont fraîches,
même au seuil de l'été (cf Mc 14,67).

5. La *végétation* au temps de Jésus n'est pas la même que celle de
nos jours. Les forêts nombreuses ont aujourd'hui presque disparu par la

main des hommes ou par la dent des chèvres; des plantes ont été importées au cours des siècles : figuier de Barbarie (du Mexique), eucalyptus (d'Australie), tournesols et tomates (d'Amérique). Pour le reste, la végétation était comme aujourd'hui subtropicale dans l'ensemble : chênes, térébinthes, platanes, caroubiers rouges, cyprès, genévriers. Dans la vallée du Jourdain, elle devient tropicale (*palmier), mais elle se réduit, dans les déserts du sud, à des buissons tenaces. Presque partout, en mars, de la verdure jaillissent tulipes et glaïeuls, anémones vites fanées (Mt 6,28). Parmi les arbres fruitiers, trois sont spécialement cultivés et tellement caractéristiques du pays qu'ils symbolisent parfois Israël : l'*olivier, le *figuier, la *vigne. Parmi les céréales, le *blé et l'*orge dominent, constituant la base de l'alimentation. Il faudrait encore signaler les cultures potagères : fèves, lentilles, oignons, poireaux, aubergines, poivrons, laitues variées.

6. Une *faune* sauvage abondait dans le pays. Au désert, divers types de félins (dont sans doute le *lion : cf 1 S 17,34; Jr 49,19) rappellent la proximité du continent africain. Outre les invasions des *sauterelles et les morsures des *serpents, les paysans craignent le renard et les bergers le loup. Mouches, *vers et insectes pullulent dans les campagnes. Grande est la variété des oiseaux. Les *poissons, d'espèces apparentées à celles connues en Égypte, constituent la richesse du Jourdain et du lac de Tibériade. Les bœufs, les taureaux et les poules sont abondants; les *brebis et les *chèvres forment des troupeaux importants, parfois gardés par un *chien (à l'époque, celui-ci était un demi-loup hargneux et famélique). Le *chameau devient rare, tandis que l'*âne, beaucoup plus vigoureux que dans nos contrées, sert de monture habituelle (Mt 21,7), surtout en montagne, ou de bête de somme (Mt 21,5); les *chevaux ne sont utilisés que par les Romains.

III. LES HOMMES

1. Depuis la plus haute Antiquité, la Palestine a été habitée. Des nomades *sémites, provenant de souches diverses, s'y sont fixés dès le IIIe millénaire. Vers le XVe siècle, les Hébreux chassèrent les *Cananéens (ou Phéniciens) pour s'installer dans la terre qui avait été pro-

mise à leurs pères; ils le faisaient au nom de l'*alliance contractée par Dieu avec Abraham, Isaac et Jacob. Ils avaient la conscience d'être un *peuple unique, élu, chargé de représenter parmi les hommes le *culte du Dieu unique; mais ils ne disposaient pas pour autant d'une terre isolée du monde. Après comme avant leur installation, la côte méditerranéenne demeura le passage presque obligatoire pour aller d'Égypte en Mésopotamie, et inversement. Ce pays était donc un carrefour des nations; il connut les invasions successives des Assyriens (721), des Chaldéens (587), puis l'occupation des Grecs (332) et des Romains (63). Et cependant, si petit qu'il fût, Israël maintint, à travers un *reste fidèle, sa foi au Dieu unique.

2. *Populations diverses*

A. Le terme *Hébreux* se rattache peut-être au nom d'une tribu nomade, les Apirû (2000 av. J.C.); selon la tradition juive, il s'apparente à la racine *'avar* = « passer », signifiant le destin de ce peuple qui est en continuelle transhumance et qui a aussi pour vocation de « faire passer » de l'ignorance à la révélation du Dieu unique.

B. Ce peuple est aussi *Israël*, du nom donné par le visiteur nocturne à Jacob après son combat avec Dieu (Gn 32,29), c'est-à-dire, selon l'étymologie populaire, celui qui a été face à Dieu et qui doit l'emporter sur les hommes.

C. A ce dernier nom plus spécifiquement religieux, vient s'adjoindre celui de *Juif*, généralisé au retour de l'exil (538) et spécifiant davantage l'installation du peuple en sa terre. En effet à cette époque les *Judéens*, descendants de la tribu de *Juda, ont conservé intactes la foi et les traditions, tandis que les autres *tribus se sont laissé contaminer par le paganisme ambiant. Par la suite, le mot a fini par désigner un peuple qui englobait les héritiers de la *promesse, sans que pour autant tous résident en Judée.

D. De leur côté, les *Galiléens*, habitants du nord jadis occupé par les tribus d'Aser, Nephtali, Issachar et Zabulon, les premières envahies par les païens (721), n'offraient plus guère l'authenticité de la foi juive, mélangés qu'ils étaient avec les étrangers. D'où le nom de Galilée, *Gelil-hag-goyyîm* : « cercle des nations » (Is 8,23; Mt 4,15).

33

Terre de paysans rudes, au dialecte particulier (Mt 26,73), elle voyait surgir les révolutionnaires parmi ces juifs, moins rigoristes que ceux de Judée mais plus fougueux dans leur purisme nationaliste.

E. Les *Samaritains*, eux, étaient considérés comme des hérétiques. L'antagonisme entre Juifs et Samaritains ne remonte pas proprement à la sécession d'*Israël (935) qui avait constitué le royaume du nord (1 R 12); il dérive surtout du retour de l'*exil de Babylone (538). Les Judéens avaient désormais pour voisins des païens d'origine qui, certes, avaient adopté les croyances des Israélites demeurés au pays lors de la déportation, mais limitaient la révélation divine aux cinq livres de *Moïse; en outre, ayant bâti vers 330 un sanctuaire sur le mont Garizim, ils y avaient fixé leur culte plutôt qu'à Jérusalem; bien que leur temple ait été détruit en 128 av. J.C., ils prétendaient toujours être les vrais adorateurs de Yahweh (cf Jn 4,20). Au temps de Jésus, les juifs avaient été outrés par le comportement d'Hérode qui avait rebâti la capitale de la Samarie en lui donnant le nom de l'empereur *Auguste (= Sébaste).

F. Quant aux *Iduméens* (dont le nom, selon l'étymologie populaire, dériverait d'Edom=Esaü, fils d'Abraham), on ne peut pas dire qu'ils faisaient partie du peuple juif, en dépit de toutes les tentatives de judaïsation. Habitant depuis peu la région au sud de *Juda et de Hébron, ils demeuraient les « cousins » du peuple élu. C'est pourtant un Iduméen, Hérode le Grand, qui présida trente-six ans au destin de la Judée.

G. Les païens étaient nombreux en Palestine, ainsi les *Cananéens* autochtones, et surtout les *Grecs*. Dès le IVe siècle, avec Alexandre, bien des villes n'avaient rien de juif : ainsi, les cités grecques de la *Décapole, situées pour la plupart en Transjordanie, qui avaient résisté victorieusement à la pression juive; d'autres sur la côte, depuis Acco (Acre) jusqu'à Gaza, en passant par Césarée; ainsi encore, en Galilée, Tibériade (fondée au temps de Jésus en 17-22) et la capitale Sepphoris. Quant aux *Romains*, on ne peut pas dire qu'ils faisaient partie de la population : ils sont les « occupants », résidant dans des garnisons, surtout à Césarée, à Jérusalem et à Acco. Les païens, quelle que soit leur provenance, cananéenne ou gréco-romaine, sont majoritaires dans les villes, sauf à Jérusalem. Il est donc faux d'imaginer la « terre sainte » comme un pays où les hommes rendaient d'un commun accord le culte au Dieu unique. La présence de ces non-juifs devait favoriser l'universalisme annoncé par Jésus.

H. Parmi les *chrétiens*, il faut distinguer ceux d'origine païenne et ceux d'origine juive, judéo-chrétiens et judaïsants.

Il est difficile d'évaluer la population de la Palestine au temps de Jésus. Les juifs proprement dits ne devaient pas excéder quelque 500 000 habitants; en leur adjoignant les Samaritains, les Iduméens et la Décapole, on parviendrait, à peine, au million.

3. *La diaspora*

La *diaspora juive, c'est-à-dire l'ensemble des juifs dispersés dans l'Empire tout entier, invite à ne pas se contenter des indications précédentes. Le « peuple juif » ne peut en effet être limité aux seuls habitants de la Palestine. Très tôt, les Israélites ont essaimé. Il suffit d'évoquer les *déportations assyrienne et babylonienne, la fondation au Ve-IVe siècle de la colonie d'Éléphantine près d'Assouan en Égypte, les engagés volontaires dans l'armée d'Alexandre en Mésopotamie (IVe), les mercenaires juifs d'Antiochus déportés en Italie, le temple de Léontopolis en Basse-Égypte (IIIe), l'activité commerciale enfin. Les juifs se trouvaient surtout à Rome et à Alexandrie.

On estime à quelque 7 ou 8 millions les juifs vivant dans l'empire romain, constituant ainsi de 8 à 10 % de la population de l'Empire. Ces communautés juives avaient su s'insérer dans la vie économique et politique des divers États, au point que certains devinrent familiers de l'empereur. En gros, ils restaient fidèles à leur foi ancestrale, tel *Philon, le grand philosophe d'Alexandrie (13 av.-45/50 ap. J.C.). Ils cherchaient même à rayonner leur foi, p. ex. en traduisant entre 250 et 150 av. J.C. la Bible en grec (la *Septante) ou en attirant des *prosélytes, des *craignant-Dieu, tel *Corneille (Ac 10,1) : ainsi s'ouvrait un champ fertile en futurs croyants.

IV. LE MONDE MÉDITERRANÉEN

1. *Situation historique*

Au Ier siècle av. J.C., la « *Paix romaine* » inaugure une période nouvelle dans l'histoire du monde méditerranéen. Les luttes qui déchiraient le peuple et le royaume ont fourni successivement aux Romains l'occasion d'intervenir et d'imposer leur autorité ; parfois, comme dans le cas de la Judée, ce sont les chefs rivaux d'une nation qui ont fait appel à la puissance romaine pour trancher les conflits, ou en obtenir protection. A Rome et dans toute l'*Italie, les victoires de *César (48 av. J.C.) et d'Octave (31 av. J.C.) ont mis fin à une longue guerre civile. Le gouvernement républicain, qui régit Rome des siècles durant, est transformé par César en une dictature personnelle, et par Octave, progressivement, en une monarchie absolue. Le terme *imperium*, qui a signifié jusque-là le pouvoir exécutif du consul, chef d'armée, désigne désormais l'autorité du souverain *(imperator)* sur les peuples conquis, Égyptiens ou Gaulois, Grecs ou « *Barbares ». Cette autorité est illimitée dans la durée, dans l'espace et dans la compétence. L'ère des conflits violents est terminée : du Rhône à l'Euphrate, Rome se présente comme le garant de l'ordre public et de l'unité.

2. *Situation politique*

Une vaste remise en ordre se fait progressivement, à l'aide d'une administration complexe. Ce qui va caractériser le gouvernement de Rome dans les pays occupés est d'une part la centralisation de l'autorité entre les mains de l'empereur, d'autre part la différenciation des statuts accordés aux peuples conquis. Cette différenciation respecte avec habileté les situations locales ; elle dépend aussi de la sélection que Rome fait de ses relations, suivant ses sympathies et ses intérêts.

A. A la tête, l'*EMPEREUR. A l'époque du NT, il n'a pas encore acquis l'importance de droit qui sera la sienne dès le siècle suivant. Cependant, élu à vie, il est en théorie le premier *(princeps)* des citoyens et des magistrats ; sa magistrature concerne tout l'Empire. Les populations orientales le considèrent comme le roi au sens hellénistique du terme, c'est-à-dire comme un personnage ayant reçu son pouvoir de Dieu; à Rome, il est le chef religieux, le pontife suprême. Ainsi Octave (63 av.-14 ap. J.C.), le premier empereur, est appelé *Auguste : « digne de révérence », et devient après sa mort, par l'apothéose, un être divin. Dès lors le culte de l'empereur (ou de « Rome ») se généralise dans tout l'Empire; on reconnaissait par là que la puissance romaine était parvenue à supprimer les tyrannies locales, la corruption politique ou le désordre, et à établir des conditions favorables à la vie économique et sociale des peuples conquis. L'empereur est inviolable; outre son pouvoir sur l'ensemble, il exerce sa protection sur les particuliers par la possibilité qu'ont tous les *citoyens (romains) de faire appel à lui de toute décision judiciaire; il gagne ainsi une influence de fait considérable.

B. Les *PROVINCES. Un pays occupé devient *province romaine* : sénatoriale si, déjà pacifiée, elle est administrée par le Sénat, impériale si, nécessitant encore la présence de troupes, elle relève plus explicitement de l'empereur en personne, qui avait le haut commandement de l'armée.

a. *Les provinces sénatoriales* (*Asie — la principale —, *Achaïe, *Chypre, *Macédoine) ont à leur tête un *gouverneur qui porte le titre de proconsul (p. ex. *Sergius Paulus, *Gallion : Ac 13,6-12; 18,12-17). Son office, d'une durée de deux ans, concerne le bon fonctionnement de la justice et le prélèvement des impôts. Les coutumes judiciaires déjà existantes sont cependant respectées dans la mesure où elles ne contredisent pas le droit romain. Seules les sanctions les plus graves, et notamment la peine de mort, échappent aux autorités locales qui doivent en référer au gouverneur. Le prélèvement des impôts nécessite des *recensements et un cadastre pour évaluer les fortunes : un personnel, les « *publicains », est recruté et contrôlé par des « fermiers généraux ».

b. *Les provinces impériales* (p. ex. *Syrie) sont administrées par un *légat (p. ex. *Quirinius), nommé par l'empereur pour un temps indéterminé (Ac 24,10). Certaines régions sont spécialement confiées à un *préfet qui, à partir de 42 ap. J.C., sera appelé « *procurateur » : ainsi Ponce *Pilate, *Félix ou *Festus (Mt 27; Ac 24,27). Ces fonctionnaires ont les pouvoirs militaires et des troupes; ils sont accompagnés d'une *cohorte qui leur sert de garde; le *prétoire, où ils rendent la justice, est une sorte de commandement militaire.

c. L'empereur se réserve, d'autre part, le droit d'accorder aux provinces de son choix une apparence d'autonomie par la reconnaissance d'*assemblées locales* (municipales ou provinciales). Celles-ci font contrepoids au pouvoir personnel des magistrats romains; soutenues par le pouvoir central, elles renforcent paradoxalement le loyalisme envers Rome. Un autre moyen qui favorise ce loyalisme est l'octroi de la **citoyenneté* romaine à tel individu ou telle catégorie de personnes, plus rarement à des villes entières. On pouvait acheter ce privilège, ou le posséder par droit héréditaire (Ac 22,28). Ce titre avait grande valeur; il exemptait des peines corporelles (Ac 16,37) et des travaux forcés, soustrayait à la juridiction locale et légitimait l'appel direct à l'empereur (Ac 25,10.12.21.25).

C. VILLES ET COMMUNAUTÉS. Le statut interne à chaque *province varie selon la relation que Rome établit d'après son jugement ou ses sympathies. Cette différenciation se constate en particulier au niveau des villes, qui déjà constituaient dans le système antérieur des entités souvent autonomes.

Dès lors les cités peuvent être rangées selon une hiérarchie très précise. Quelques villes, en partie repeuplées après la guerre civile par des vétérans romains, telle *Corinthe, sont privilégiées : appelées « *colonie » ou « municipe romain », elles sont assimilées aux villes d'Italie et ceux de leurs habitants qui descendent de colons romains ont la plus grande partie des droits des *citoyens romains (= les habitants libres de Rome et d'Italie).

D'autres villes ne jouissent que de certains droits. Ces villes privilégiées cependant sont perdues dans le nombre des cités, petites et grandes, dont les aristocraties seules sont susceptibles d'acquérir tel ou tel droit des citoyens. Ces cités ont leur propre organisation et possèdent leur propre citoyenneté et parfois certaines magistratures, ainsi *Tarse, *Éphèse, *Smyrne. Elles administrent un territoire plus ou moins étendu, tout en dépendant, en dernier ressort, du magistrat romain à qui est confiée la *province. Enfin, dans les territoires qui ne relèvent d'aucune ville, certaines communautés, qui forment une unité ethnique ou religieuse, vestige d'une organisation antérieure aux conquêtes grecques, conservent un statut à part : ainsi les *Galates et de nombreux petits protectorats que Rome tend de plus en plus à administrer directement (royaume d'Hérode, *tétrarchie de Lysanias, *Décapole). En outre, certains temples importants (celui de Jérusalem entre autres) jouissent d'un statut spécifique, et parfois d'un territoire propre. Dans tous les cas, les habitants sont tenus au paiement d'*impôts, car le pays appartient comme tel à l'occupant romain.

3. *Situation économique*

A. A l'époque de la PAX ROMANA, le monde méditerranéen jouit, dans son ensemble, d'une prospérité économique considérable par rapport au passé, même si elle reste le fait de groupes privilégiés. Témoin les travaux publics, les théâtres, les nouveaux sanctuaires, les nombreuses villes restaurées, certaines industries célèbres. La cessation des guerres, une administration et un système monétaire unifiés expliquent ce progrès, mais un facteur décisif a joué : le réseau des voies de communication étendu à tout l'Empire. Débarrassé du brigandage, ce réseau a favorisé les relations commerciales déjà traditionnelles en Méditerranée et les échanges « internationaux » de toute sorte.

B. Les voies principales sont les VOIES MARITIMES. Par temps favorable, on avance à la moyenne de 4 à 6 nœuds. Ces voies servent principalement à acheminer le blé (qui nourrit Rome), mais aussi les aromates, les métaux, les esclaves. Le coût du transport est moins élevé que par voie de terre. Seules les marchandises de luxe empruntent les routes de l'intérieur. Les relations maritimes entre Rome et Alexandrie sont privilégiées et très régulières. De nombreux navires alexandrins relâchent au passage à *Rhodes ou dans le sud-ouest de l'*Asie, l'actuelle Turquie. Une autre grande voie maritime part de Rome pour gagner la mer Noire ou l'Asie. *Corinthe y joue un rôle important de redistribution : l'empereur Néron entreprit, sans y parvenir, de percer l'isthme de Corinthe pour faciliter le trafic. Les autres grands axes (Rome-Carthage, Rome-Gaule méridionale, Rome-Espagne) ne sont pas mentionnés dans le NT.

C. Les ROUTES TERRESTRES, que suivront les apôtres, relient pays à pays; aboutissant aux ports principaux, elles mettent les villes de l'intérieur en relation avec les voies maritimes. Ainsi la route de Petra à Césarée passe par Jérusalem et celle qui, des vallées du Tigre et de l'Euphrate, aboutit à Antioche, traverse Damas. Un réseau routier préexistait en Asie Mineure; les Romains l'utilisent, l'améliorent par un solide pavage et en développent le tracé. Le voyage d'Antioche à Rome, par exemple, devient relativement aisé : passant par Tarse et Éphèse, on gagnait la Macédoine par mer, puis on traversait les Balkans jusqu'en Illyrie, à Dyrrachium en face de Brindisi : de là on pouvait s'embarquer pour l'Italie. Le soin de la construction et de l'entretien des routes revient aux gouverneurs de province; payées par les impôts des habitants, elles sont l'œuvre des légionnaires et des forçats. Les distances routières se comptent en *milles ($= 1\,500$ m), inscrits sur des bornes à partir d'une ville capitale : outre Rome, Lyon en Gaule, Éphèse en Asie, Carthage en Afrique. On voyageait à cheval (30 à 50 milles par jour) ou à pied (25 milles par jour).

4. *Situation sociale*

Les deux extrêmes de l'échelle sociale, la noblesse ancienne et les esclaves, conservent leur statut traditionnel, mais les couches intermédiaires, les hommes libres de naissance ou affranchis, se transforment; dès lors une mutation profonde affecte l'ensemble des structures de la société. Le régime aristocratique, typique de la Rome républicaine, tend à se transformer en un régime démocratique par l'accès aux magistratures ouvert aux citoyens de diverses catégories sociales.

A. Une NOBLESSE RÉCENTE se constitue, celle des hauts magistrats que nomme l'empereur, à l'esprit beaucoup plus ouvert que la noblesse ancienne (p. ex. *Gallion, proconsul d'Achaïe, frère de Sénèque : Ac 18, 12-17), tandis que la frange supérieure des hommes libres forme la classe des *chevaliers*. Celle-ci, qui se définit par la possession d'un certain degré de fortune, est habituée aux affaires et à l'administration. C'est parmi les chevaliers que l'empereur recrute les fonctionnaires pour les provinces impériales. Leur réussite garde un caractère individuel, car la classe à laquelle ils appartiennent n'a pas encore de prestige. Ainsi les chevaliers, tel *Pilate, sont plus cupides et plus sensibles aux accusations qu'on peut porter sur leur administration.

B. Les autres HOMMES LIBRES, la *plebs*, ont des situations en rapport avec leurs ressources : paysans, artisans, commerçants, avocats, orateurs, éducateurs, médecins. S'ils sont d'origine provinciale, ils peuvent devenir *citoyens romains, moyennant une somme importante; ils peuvent alors entrer dans l'armée ou dans les cadres inférieurs de l'administration.

C. D'autre part, une nouvelle classe se mélange à la leur, celle des
★AFFRANCHIS de l'esclavage. Les affranchissements en effet se sont
multipliés au début de notre ère. Motivés par un souci d'humanité,
certains affranchissements sanctionnent des compétences économiques ou administratives. Des affranchis accèdent à des postes importants sur le plan politique ; avides de se libérer des traces du servage,
ils forment une classe dynamique, utile à un monde en construction.
A Rome, leur nombre correspond à un tiers des hommes libres.

D. L'★ESCLAVE, tout au bas de l'échelle, est pour le monde ancien
une chose *(res)*, un « outil » (Aristote). Soumis à l'arbitraire du maître,
il ne jouit d'aucun droit civil, même pas de celui du mariage ; il n'a
pas non plus de droit religieux et est exclu des cultes de la cité. A
Rome, il y a un esclave pour deux hommes libres ; cela revient à dire
que, selon certaines estimations, en 5 av. J.C., il y aurait eu ainsi
280 000 esclaves pour 560 000 citoyens. A Alexandrie, sur une
population proche du million, 300 000 hommes seulement étaient
libres. A Athènes, trois habitants sur quatre étaient esclaves.

5. *Situation culturelle*

En étendant son pouvoir aux pays qui gravitent autour de la Méditerranée, Rome trouve un monde déjà culturellement unifié, du moins
en surface, quels que soient le cloisonnement et les tensions qui subsistent entre les groupes ethniques et sociaux. Cette unification culturelle est due à l'hellénisation accomplie par Alexandre le Grand (336-
323 av. J.C.) au long de ses conquêtes, et par les dynasties qui lui ont
succédé.

Aux colonies commerciales, établies un peu partout sur les côtes
grecques, était venue s'ajouter la fondation de plus de soixante-dix
villes nouvelles ; les villes anciennes, d'autre part, sont progressivement hellénisées. Sauf dans les campagnes les plus reculées, le ★grec
devient la langue commune (la ★*koinè*) et, à Rome, la langue des
gens cultivés ; l'éducation s'inspire de plus en plus du système athénien ;
les coutumes de la Grèce et les courants philosophiques (tel l'★épicu-
risme, le cynisme, le ★stoïcisme : cf Ac 17,18) se répandent par le
brassage des populations (commerce, armée, philosophes et artistes
itinérants). Ainsi la culture grecque s'est greffée sur les multiples

civilisations orientales : on appelle *hellénisme la civilisation et la culture issues de cette rencontre et des échanges qu'elle a provoqués; c'est une culture composite, inférieure certes (si l'évaluation est possible) à celle de la Grèce antique, mais caractérisée par une ouverture étonnante, une osmose culturelle, dont la situation religieuse de l'époque offre l'une des meilleures illustrations.

6. *Situation religieuse*

A. Nous avons déjà mentionné (*Intr.* IV.2.A) le *CULTE DE ROME ou de l'empereur dans les pays occupés, qui dérive de la conception orientale du souverain. Ce culte ne supplantait pas les religions existantes et ne rivalisait pas avec elles : sorte de religion d'État, il était l'expression de l'unité politique et du loyalisme envers Rome. Étant de nature semblable, il s'associait même aux cultes civiques qui préexistaient dans les cités hellènes. Chaque cité en effet se groupait autour d'une divinité dont elle avait fait son symbole et qui était parfois le seul vestige des gloires du passé. Ainsi Athéna à Athènes, *Artémis à Éphèse, Apollon à *Cyrène. Les assemblées civiques ne se réunissaient pas sans un sacrifice préalable au dieu, et les fêtes de la cité comportaient des célébrations cultuelles. Les *prêtres, au rôle exclusivement rituel, étaient des officiers au même titre que les autres fonctionnaires de l'État. Les dieux des villes plus influentes attiraient des étrangers en des *pèlerinages, et leur sanctuaire faisait vivre mainte industrie. D'autres cultes avaient un rayonnement plus étendu en vertu d'une longue tradition; ainsi, par exemple, celui d'Apollon à Delphes, dont on venait consulter le célèbre oracle à l'occasion d'un voyage périlleux, d'un mariage, d'une affaire financière ou politique etc., ou celui de Zeus à Olympie, à cause des jeux célébrés tous les cinq ans, où la Grèce entière prenait conscience de son unité.

B. D'autre part, les RELIGIONS ORIENTALES, au début de l'ère chrétienne, sont adoptées ou bien se sont infiltrées dans les pays grecs et hellénisés, et jusqu'à Rome, malgré les mesures sévères que prend le Sénat. Leurs dieux ne sont pas des protecteurs de la cité : le culte, avec ses pratiques rituelles, assure personnellement à l'individu le secours de la divinité notamment en cas de maladie. Les principales religions de ce type sont nées en Égypte (Isis, Osiris, Horus), en

*Syrie (Atargatis, Adonis) et en *Phrygie (Cybèle). Ces cultes sont marqués par des thèmes naturistes, telle la résurgence de la vie dans la végétation et la fécondité; ils n'exigent ni réforme morale ni doctrine; les rites, dont le caractère est parfois orgiaque et toujours sensible (musiques, bruits, pompeuses cérémonies, phénomènes extatiques) opèrent d'eux-mêmes ce qu'en attend le fidèle. On distinguait les simples fidèles des initiés. Ceux-ci participaient à des rites secrets, appelés *mystères, qui représentaient les vicissitudes attribuées aux dieux, et, en faisant communier l'initié à l'expérience divine, assuraient à celui-ci des biens terrestres (lors des cultes locaux) ou même parfois un bonheur au-delà de la mort.

C. Il existait aussi des MYSTÈRES PHILOSOPHIQUES, dont les rites « re-présentaient » une doctrine, une recherche de la * sagesse, afin de vivre sans trop souffrir et de gagner l'*immortalité. Cela correspondait à une certaine conception du monde et de la destinée humaine. L'*âme est issue d'un ciel supérieur, mais elle est contaminée par son union à la matière; si elle se purifie, elle remontera à son élément d'origine. Selon certains, ces cultes mystériques ont influencé la théologie de Paul à l'occasion de ses voyages en Asie Mineure; cette opinion est rejetée aujourd'hui par les historiens à cause des différences intrinsèques majeures qui distinguent les mystères orientaux de la foi chrétienne. Telle une amulette, l'initiation païenne protège le fidèle d'une manière automatique, elle vaut une fois pour toutes, elle n'a aucun rapport avec la vie morale. Surtout, le fidèle cherche son propre bonheur ou sa propre immortalité, de sorte qu'est absent l'amour pour le dieu ou du dieu pour le fidèle.

D. L'action des dieux, de même que le salut éventuel, est d'ordre cosmique, astral. Ainsi l'ASTROLOGIE tient une grande place dans toutes les classes de la société : les *astres déterminent la vie individuelle, l'homme est livré à un destin aveugle, contre lequel le choix des jours favorables est le seul recours. On croit aussi aux *démons, sortes d'intermédiaires entre les dieux et les hommes, ou indépendants, et le plus souvent maléfiques (cf Ep 6,12). D'où encore les pratiques de *magie, d'origine surtout babylonienne ou égyptienne (cf Ac 19,19).

E. Présents un peu partout à ce monde hellénique, les JUIFS s'en distinguent radicalement par leur foi intacte et leur observance de la *Loi. D'une part, ils jouissent de privilèges propres : leurs tribu-

naux, leurs conseils d'anciens, leurs synagogues, l'autorisation de la
circoncision, la dispense du culte de l'empereur qu'on remplaçait
parfois par des offrandes, alors qu'il arrivait qu'Auguste lui-même fît
offrir des sacrifices à Yahweh. Le Dieu de l'*Alliance reste l'unique
Seigneur; tout autre dieu est jugé faux, car inexistant.

L'attitude du monde gréco-romain à l'égard de ces juifs singuliers
et intransigeants présente deux faces : d'une part, la crainte ou le
mépris, d'autre part une attirance. Du point de vue négatif, on ne
peut pas parler d' « antisémitisme » au sens propre, car le problème
racial est inconnu à l'époque. On ne peut parler non plus, dans un
milieu de syncrétisme religieux, d'une intolérance à l'égard de la foi
juive comme telle. Mais d'une part le nombre très élevé des juifs
(à Alexandrie, ils occupent deux des cinq quartiers de la ville), d'autre
part l'exclusivisme incompréhensible avec lequel ils s'abstiennent de
tout mélange avec les non-juifs et refusent leurs cultes même civiques,
suscitent la méfiance et parfois la haine. L'historien Tacite (55-120
ap. J.C.) dresse un tableau proprement caricatural de leur histoire
et de leurs observances; à Rome, en l'an 50, les juifs sont frappés
d'un décret d'expulsion (cf Ac 18,2) qui étend jusqu'à eux la méfiance
du Sénat à l'égard des rhéteurs et philosophes grecs, expulsés à diverses
reprises (en 173, 161, 155 av. J.C.). Du point de vue positif, par contre,
et sans que les juifs les recherchent par quelque action missionnaire,
beaucoup de païens sont attirés par la *Synagogue et en suivent les
offices. Les juifs les appellent les *craignant-Dieu. Certains en arrivent
à devenir *prosélytes, c'est-à-dire membres du peuple juif, par une
adhésion entière aux observances juives, se séparant par là de leur
groupe d'origine. La piété synagogale offrait en effet ce que ni les
religions civiques ou orientales ni les diverses philosophies ne
pouvaient donner : la découverte d'un *Dieu unique, plus puissant
que le destin, créateur du monde et maître de l'histoire, une lumière
pour la vie morale et une sagesse qui coïncidait avec l'élan religieux,
surtout un Dieu qui écoutait les pauvres et instaurait la justice et la
miséricorde, enfin une espérance de salut définitif.

7. *La diffusion de la foi chrétienne*

A. On est surpris de la rapidité et de l'ampleur de la diffusion de la
foi chrétienne que reflète le NT, surtout les Actes des Apôtres. Sans
doute la PAX ROMANA, le brassage des populations et des idées, la

relative sécurité des voyages rendent partiellement compte de la facilité avec laquelle les prédicateurs chrétiens ont pu atteindre les communautés très diverses du bassin méditerranéen.

La *diaspora juive a joué un plus grand rôle encore : c'est d'abord dans les *synagogues que les Apôtres, et principalement Paul, ont annoncé le Christ. Ils pensaient certes que c'était en premier lieu aux juifs que le message devait être porté (Ac 13,46; Rm 1,16), mais ce faisant ils évangélisaient du même coup des païens, les nombreux *craignant-Dieu qui fréquentaient les offices et qui s'étaient ainsi déjà « tournés vers Dieu, quittant les idoles » (cf 1 Th 1,9). La prédication dans les synagogues, si elle suscite une forte opposition, amène toujours quelques fidèles, juifs ou païens, à la *conversion et, à travers eux, aussitôt constitués en communauté fraternelle, elle rayonne dans les milieux respectifs.

L'annonce chrétienne est surtout accueillie par les plus pauvres, notamment par les *esclaves : exclus des cultes de la cité (cf *Intr.* IV.4.D), ceux-ci se tournaient souvent vers les cultes orientaux, et voilà qu'ils trouvent mieux dans le christianisme : « celui qui n'était qu'une chose devient une personne et prend conscience de sa dignité » (Festugière). Dans les classes cultivées, l'inquiétude spirituelle s'était affirmée à travers la mise en question de la société par les courants philosophiques, surtout par le *stoïcisme récent, qui prônait l'intériorité, et le cynisme qui conduisait au mépris des valeurs communément recherchées, telle la richesse.

B. Les obstacles cependant étaient nombreux. Aux yeux de l'Israélite d'abord (y compris le *prosélyte) qui devait renoncer à son assurance de salut par la descendance d'Abraham et à son signe, la circoncision, ainsi qu'à sa certitude séculaire d'être par la Loi « guide des aveugles, éducateur des insensés » (Rm 2,19).

D'autre part, un compartimentage strict règne d'un bout à l'autre de la société gréco-romaine, résistant à l'unification culturelle qui travaille celle-ci. Malgré une conception nouvelle qui se fait jour, celle qui insère chaque cité, jadis un absolu, dans un ensemble qui embrasse l'univers et pour laquelle l'homme, en tant que tel, se trouve être citoyen du monde (conception dont a hérité la catholicité, l'universalité de l'Église), il reste que les apôtres s'affrontent à des groupes ethniques et sociaux souvent fermés, et donc facteurs de tension. On constate que l'accueil ou le refus de l'Évangile, considérés en dehors du secret des personnes, sont fonction de la mentalité des groupes évangélisés et de la personnalité des prédicateurs. Les réactions à Athènes, à Corinthe, à Éphèse ou chez les Galates se différencient selon les dominantes historiques et sociales respectives.

C'est sur ce fond d'antagonisme, tout ensemble juif et païen, que l'Église a développé son message sur la charité, sur l'abolition en Dieu, par le Christ, des exclusivismes de tous ordres; c'est aussi dans ce contexte qu'elle a dû susciter l'unité communautaire de convertis d'origines diverses : pauvres et riches, ignorants et cultivés, juifs, Grecs et *Barbares.

V. L'HÉRITAGE CULTUREL

1. *Cosmologie*

Juifs et chrétiens ont hérité d'une cosmologie qui est commune au Moyen-Orient, mais qui a été réinterprétée en fonction du monothéisme. L'*univers n'est pas d'abord un cosmos au sens grec, c'est-à-dire un organisme bien agencé, mais un ensemble qu'unifie seulement sa relation au Créateur. Aussi, pour le désigner, trouve-t-on « ciel et terre » (Mt 5,18), « toutes choses » (1 Co 15,28), ou, en sa triple dimension, « les cieux, la terre, sous la terre » (Ph 2,10; Ap 5,3.13).

Lors de la *création, Dieu coupe en deux l'océan primordial, l'*Abîme. Entre ces deux parties, la *terre forme un grand plateau; à son horizon, sur des colonnes, repose le firmament, sorte de coupole solide à laquelle sont accrochés les luminaires (*soleil, *lune, *astres) destinés à marquer les saisons, les jours, les années. Au-dessus de ce firmament ont été refoulées les *eaux de l'océan (céleste), qui peuvent à travers des écluses arroser la terre; par-dessus les eaux se trouve le *ciel invisible (Am 9,6) où Dieu demeure sur un trône (Mt 5,34; Ap 4,2) avec la cour des anges; de là, il observe les habitants de la terre; de là, il peut descendre; là, Jésus glorifié va remonter; là, les croyants ont leur vraie demeure. Au-dessous de la terre se trouvent les eaux primordiales, avec un océan d'eau douce duquel jaillissent les sources, donnant la vie aux plantes. Sous la terre, peut-être dans l'océan primordial, est localisé le séjour des morts, les *enfers (Jb 38,16-17; Rm 10,7); dans l'Abîme sont enfermés les anges apostats (Lc 8,31; 2 P 2,4; Ap 9,1-3.11) et la *Bête (Ap 11,7; 17,8). A la fin du monde, le firmament perdra sa consistance, s'enroulera (2 P 3,7.10), tandis que les luminaires se décrocheront (Is 34,4; Mc 13,24s; Ap 6,13s); alors apparaîtront les nouveaux cieux et la nouvelle terre (2 P 3,12s).

2. Anthropologie

La pensée *sémitique se range parmi les familles d'esprit qui mettent l'accent sur l'unité de l'homme et non sur une pluralité d'éléments composants. En revanche, la conception du Dieu créateur empêche les écrivains bibliques de s'évader dans une *gnose intemporelle : l'homme n'est pas un dieu, qui serait tombé dans la matière et qui se souviendrait des cieux.

A. L'*homme se reçoit continuellement de Dieu dans son existence, si bien qu'on ne peut le considérer sans le rapport à Dieu qui le constitue; l'anthropologie biblique est essentiellement religieuse. D'autre part, un individu n'existe pas seul : naturellement en relation avec l'univers tout entier, il est lui-même essentiellement relation avec les autres hommes. Ce qui est pensé avant tout, c'est l'humanité dans sa totalité, et d'abord le peuple dont on fait partie. C'est ainsi que le chrétien voit en Jésus Christ le nouvel *Adam, l'Homme par excellence en qui tout homme trouve sens.

B. L'homme n'est pas un composé de corps et d'âme, mais il s'exprime tout entier à travers le *corps, le *cœur, l'*âme, l'*esprit, la *chair... La pensée grecque dualiste n'a qu'effleuré la pensée sémitique, en sorte que de nombreux mots sont chargés d'un sens qui risque d'échapper au lecteur occidental pressé.

3. Langages

A. Au temps de Jésus, la langue communément parlée en Palestine n'est pas l'hébreu, mais, depuis plusieurs siècles déjà, l'*araméen, langue sémitique apparentée à l'hébreu. Cet idiome, propre d'abord à des cités-royaumes du Moyen-Orient absorbées au VIIIe siècle par la conquête assyrienne, était devenu la langue diplomatique et commerciale depuis la Mésopotamie jusqu'à la Méditerranée et avait fini par supplanter les langues indigènes, tout en se diversifiant selon les régions, occidentale (palestinien-chrétien, *targoum, samaritain, *talmud palestinien) et orientale (syriaque, talmud babylonien). Un village de Syrie (Maloula) près de Damas le parle encore aujourd'hui.

B. L'ancienne langue, l'*hébreu* était la langue religieuse écrite et continuait, semble-t-il, d'être comprise des juifs : la prière se disait ordinairement en hébreu et les textes de *Qoumrân sont pour la plupart écrits en cette langue. Ainsi Mt 27,46 rapporte en hébreu l'appel à Dieu *(Eli)* adressé par Jésus sur la croix (cf Mc 15,34). Pour faciliter la compréhension des lectures liturgiques de l'AT, on se servait toutefois de paraphrases araméennes *(*targums)*, dont deux étaient devenues officielles ; elles datent du retour de l'exil (vıᵉ s. av. J.C.).

C. En raison de l'occupation romaine, il est hautement vraisemblable que, du moins à Jérusalem, les juifs savaient un peu de *grec et, éventuellement, de *latin* (cf l'inscription sur la croix de Jésus : Jn 19,20). Le grand commerce devait se servir du grec, et les *pèlerinages au Temple amenaient en Palestine un grand nombre de juifs de la *diaspora qui, eux, parlaient grec. On comprend que le message de Jésus, délivré en araméen, ait pu être exprimé dès les débuts de la prédication apostolique dans le grec de la tradition évangélique, si l'on note que, dès les premiers temps de l'Église, il y eut des *Hellénistes dans les communautés chrétiennes. D'emblée, des croyants originaires de la diaspora transposèrent en grec les dits de Jésus et les récits sur Jésus. Araméen et hébreu sont des langues sémitiques, obéissant à une autre logique que celle des langues indo-européennes, c'est-à-dire à une pensée de type symbolique. Les idées n'y sont pas exprimées sous la forme abstraite du concept, mais à travers l'épaisseur de termes concrets. Dans la transposition grecque de la *Septante (version de l'AT, entre 250 et 150 av. J.C.) ou dans les évangiles, le poids des mots sémitiques n'est pas toujours évident. Ainsi en va-t-il pour de nombreux mots présentés dans le *Dictionnaire*, p. ex. gloire, vérité, paix, bénédiction...

VI. VIE POLITIQUE ET JURIDIQUE

La Palestine est un territoire occupé, soumis aux exigences de la puissance romaine. Elle offre un cas spécial dans l'Empire, pour deux raisons majeures.

Les juifs ne comprennent pas seulement les quelque 500 000 habitants de la Palestine, mais aussi les 7 à 8 millions de la *diaspora, qui forment près de 10 % de l'Empire romain. Groupés en communautés étroitement unies, les juifs de la diaspora ont un statut officiel, reconnu par les autorités romaines. Plusieurs ont même le titre de *citoyen romain, et certains occupent des postes importants, jusque dans l'entourage immédiat de l'empereur. Le judaïsme mondial est une puissance qui renforce l'autorité du petit peuple de Palestine et lui permet de s'assurer des appuis en haut lieu.

Israël conçoit la politique d'une manière singulière : il est une « théocratie », c'est-à-dire qu'à ses yeux Yahweh seul commande, l'autorité établie (*Sanhédrin et *Grand Prêtre) n'étant que ses représentants. Le religieux, le politique et le juridique sont donc inextricablement liés.

Pour ce double motif, Rome a jugé bon de tenir compte de la loi israélite et a accordé à Israël un statut propre, grâce auquel la nation juive jouit de certains privilèges qui la différencient des autres provinces de l'Empire.

1. *État civil*

A. LES JUIFS

a. C'est par la *circoncision qu'on devenait *membre du peuple juif.* Toutefois l'appartenance à Israël devait être vérifiée par deux autres critères : l'origine israélite des ancêtres et l'observance de la Loi. De là, les fréquentes mentions généalogiques dans la Bible (Rt 4,18-22; 1 Ch 5,30-41; 6,18-29; Mt 1,1-17; Lc 3,23-38). On pensait même que seuls les membres des familles « pures » étaient les héritiers d'*Abraham (cf Mt 3,9), c'est-à-dire assurés du pardon et de la protection de Dieu, et promis au salut messianique. Il fallait en outre ne pas être impliqué dans une activité pouvant entraîner des fautes contre la *Loi (p. ex.

des gains injustes), ou l'inobservance de certaines prescriptions, ou simplement une souillure légale. Même dans le choix des commensaux, le juif du temps de Jésus excluait toute personne qui n'appartenait pas à Israël. Étaient ainsi tenus à l'écart et ne jouissaient pas, ou pas entièrement, des droits civiques, les circoncis d'origine païenne (les *prosélytes), ceux qui exerçaient des métiers méprisés et les enfants illégitimes (cf Jn 8,41). En raison d'une autorisation spéciale de Rome, les juifs étaient exempts du service militaire.

b. *La *femme* israélite n'a pas un état civil équivalent à celui de l'homme. Perpétuelle mineure, elle ne peut témoigner en justice, elle ne peut acquérir ni agir en justice, ni même hériter de son mari. Elle trouve toutefois dans la Loi sa protection (cf *Intr.* VIII.2).

B. LES *ÉTRANGERS RÉSIDENTS. Les anciens habitants de la Palestine, demeurés au pays après la conquête israélite, et le petit nombre des immigrés sont déconsidérés et le plus souvent indigents. L'AT assimile leur condition à celle des plus démunis, « les veuves et les orphelins », et prévoit pour eux des mesures de protection (Dt 24,17-21). Bien qu'hommes libres et non esclaves, ces païens d'origine ne peuvent avoir tous les droits civiques. Mêlés à la vie active d'Israël, ils sont tenus d'observer le *sabbat et admis sous certaines conditions à participer aux *fêtes religieuses. Certains, par la conversion à la foi juive et par la circoncision, deviennent des *prosélytes, mais même alors leurs droits civiques, quoique plus étendus, ne sont jamais égaux à ceux des juifs. Leur lieu de sépulture est distinct.

C. LES *ESCLAVES. Un *juif* pouvait devenir esclave à la suite d'un vol ou, plus souvent, d'une dette insolvable, mais seulement pour une durée maxima de 6 ans (Ex 21,2-11; Dt 15,12). Sa situation, nullement déshonorante, ressemblait à celle de salariés engagés à long terme par un riche propriétaire. Les esclaves *païens*, par contre, achetés ou nés des serviteurs d'une famille, l'étaient à vie. Le nombre des uns et des autres est difficile à établir; il était sans doute nettement plus faible qu'en Grèce ou à Rome.

2. *Administration*

A. Rome ménageait la susceptibilité des juifs. Le *gouverneur* ne résidait pas à Jérusalem, mais à Césarée; il montait à la Ville Sainte à l'occasion des grandes fêtes pour y surveiller les rassemblements de foule. Les *troupes*, peu nombreuses et composées de Romains, de Gaulois ou d'Espagnols, résidaient en Syrie. Cependant à Jérusalem séjournait une garde romaine de 700 à 1 000 hommes (Ac 21,27-40). En Judée, il n'y avait que des auxiliaires grecs, syriens ou samaritains. Les juifs étaient, en effet, exempts du service militaire (cf *Intr*. VI.1.A). En raison de la répugnance d'Israël pour toute divinisation de la figure humaine, les troupes entrant à Jérusalem avaient ordre de cacher les insignes portant l'effigie de l'empereur; seul le *denier romain d'argent était gravé de la tête de Tibère (cf Mt 22,19). Les *monnaies* frappées en Judée ne portaient, avec le nom du souverain, que des symboles empruntés au judaïsme. Probablement fonctionnaires et militaires procédaient-ils à des réquisitions qui étaient mal accueillies (Mt 5,41).

B. L'autorité romaine n'en était pas moins intolérable à la sensibilité juive. D'une part, l'interdiction par la *Loi de toute relation avec les *païens (Lc 7,3) maintenait une séparation stricte. Ainsi Pilate doit sortir du *prétoire pour discuter avec les juifs qui se tiennent à l'écart (Jn 18,28) et, pour entrer dans la maison du centurion *Corneille, Pierre a dû être éclairé par une vision (Ac 10,28). D'autre part, divers *impôts directs pèsent sur le peuple, déjà grevé du *tribut au Temple; en outre les *recensements (trois de 28 av. J.C. à 14 ap. J.C.) font sentir le joug. Aussi des agitateurs suscitent-ils des troubles relativement fréquents contre l'occupant. Autre est la vision de Paul : pour lui, la *pax romana* est favorable à la diffusion du message chrétien et il demande qu'on se soumette à l'*autorité (Rm 13,1.5).

3. *Finances*

A. *Impôts civils

a. Depuis Salomon (1 R 4,7), les juifs payaient des impôts : le pays était divisé en 12 cantons qui devaient alimenter, à tour de rôle, la caisse royale. Après l'exil à Babylone, un impôt avait été exigé de chacun par les occupants païens successifs (2 R 15,20; 23,35; Esd 4,13; Ne 5,4). Les souverains locaux, Hérode le Grand pour sa politique de prestige et ses successeurs, les *tétrarques, avaient eux aussi prélevé des tributs parfois exorbitants.

b. Au temps du NT, les impôts romains sont directs et indirects.

Les *impôts directs*, perçus par des agents du fisc impérial, concernent la propriété foncière et sont payés en nature; en outre, par « capitation » (= par tête), ils atteignent chaque personne selon l'évaluation de sa fortune (cf Mt 22,17). Les *impôts indirects* correspondent aux droits de *douane et d'octroi. Leur perception est confiée par contrat quinquennal à des *fermiers généraux* qui, à l'aide des percepteurs locaux (les *publicains), se portent garants du versement global.

B. Impôts religieux

a. L'*impôt au Temple*, équivalant à un demi-*sicle, ou à un *didrachme (Mt 17,23), devait être versé durant le mois qui précédait la Pâque par tous les juifs, y compris ceux de la *diaspora. Il servait à l'entretien du sanctuaire et des prêtres en service.

b. La *dîme, perçue par les *lévites, correspondait à 1/10e des produits du sol (Dt 14,22 s). Sans cela, le produit était considéré impur et en manger constituait un péché. Le versement des dîmes était fait de bon cœur; l'offrande des *prémices constituait même une fête, à la fois champêtre et religieuse (Dt 26,1-11).

4. *Droit et justice*

A. Les pouvoirs

a. *Le grand *sanhédrin*, sorte de commission permanente qui siégeait à Jérusalem, dans le Temple, deux fois par semaine, pourrait remonter, non pas à Moïse (Nb 11,16) ni probablement à Esdras, mais à Antiochus III (223-187); il a été institué sous Jean Hyrcan (134-104 av. J.C.).

Le *Grand Prêtre en est le président. Les 71 membres comprennent les *anciens (représentants des grandes familles), les grands prêtres déposés, ainsi que des *sadducéens, tous de la classe sacerdotale, et, moins nombreux, des *scribes et des *docteurs de la Loi, *pharisiens.

Sa fonction est religieuse et politique. C'est d'abord la cour suprême pour les délits contre la *Loi et en même temps une académie théologique qui fixe la doctrine, établit le *calendrier liturgique et contrôle toute la vie religieuse. Du point de vue politique, le sanhédrin vote les lois, dispose d'une police propre et règle les rapports avec l'occupant. Pour une délibération, il suffit de la présence de 23 membres. En cas de séance de nuit pour une affaire grave, aucune condamnation à mort ne peut être prononcée jusqu'à la séance du lendemain.

Les Romains reconnaissent officiellement au sanhédrin le pouvoir d'instruire les causes et de prononcer la sentence selon la loi juive. Dans le cas d'une condamnation à mort cependant, le sanhédrin est tenu d'obtenir la ratification de l'autorité romaine.

Le sanhédrin politique cessa d'exister en 70; le sanhédrin religieux fut alors transféré à Jamnia (auj. Jabné, à 20 km au sud de Jaffa), puis à *Tibériade.

b. *Les autres tribunaux.* En vue d'une décentralisation, attribuée par *Josèphe au légat Gabinius (63-55 av. J.C.), quatre villes (Gadara, Amath, Jéricho, Sepphoris) possèdent une cour de justice de 23 membres. En outre, dans tout le pays, partout où une communauté est régulièrement constituée, fonctionnent des *petits sanhédrins*, composés de 3 membres dont le juge (Mt 5,25), habilités à traiter les causes d'importance secondaire et à infliger le châtiment de la *flagellation (Mt 10,17).

B. LE DROIT CIVIL

a. *Le droit des personnes.* Différentes catégories se distinguent nettement. Seul l'*homme adulte libre* est personne civile de plein droit. *Les fils* jusqu'à leur majorité (en principe 20 ans, souvent plus tard) et les *esclaves* sont soumis à l'autorité du chef de famille. La *femme* est tenue pour inférieure à l'homme; les engagements qu'elle prend peuvent être annulés par le mari (cf *Intr.* VIII.2.B.c.). Les *étrangers résidents* ont un statut encore inférieur et restent des marginaux; cependant la législation prévoit pour eux des mesures de protection (Lv 24,22; Dt 24,17).

b. *Le droit matrimonial.* Deux sortes d'unions étaient prohibées; le mariage avec une femme non juive (loi d'*endogamie*) et les *unions consanguines*, dont une législation minutieuse fixait les limites. La loi du *lévirat faisait cependant une obligation à un homme d'épouser la veuve de son frère, si celui-ci était mort sans enfants, afin de lui assurer une postérité (Mt 22,25).

c. *Le droit de succession.* L'*héritage passait aux descendants mâles, une partie double revenant au fils *premier-né (cf Dt 21,17 et Lc 15,12). Sous l'influence du droit hellénistique, on commença à faire des *testaments (cf Ga 3,15). Les conditions de validité en étaient précisées par les *rabbins.

d. Si les données précédentes sont assez peu précises, les questions *dommages et intérêts* (cf Ex 21 — 22), l'achat et la vente, les prêts, les gages et *les dettes* relevaient d'une législation très détaillée, en raison de l'importance accordée par les juifs aux relations réciproques de *justice.

C. LE DROIT PÉNAL. La législation israélite se caractérise par le rôle qu'y joue l'élément religieux et, si on le compare aux législations méditerranéennes de ce temps, par son côté humanitaire. Relevant de la Loi, c'est-à-dire d'une instruction de Dieu à son peuple, toute prescription s'y trouvait justifiée par un motif.

a. *Exercice.* Il fallait d'abord qu'une plainte fût portée par un accusateur. La preuve par le fait, même flagrant, n'était pas admise. Il fallait que deux *témoins oculaires confirment le délit (Dt 19,15; Mt 18,16). Leur responsabilité était si engagée qu'en cas de sentence capitale, ils devaient être les premiers à jeter les pierres de la lapidation. Les femmes, les mineurs, les esclaves ne pouvaient pas servir de témoins. L'accusé présentait sa défense par un avocat, ou des témoins en sa faveur. Lors du jugement, la majorité relative suffisait pour l'acquittement, tandis que pour une condamnation à mort était exigée la majorité absolue plus deux voix.

b. *Crimes et châtiments.* Les crimes plus graves, et les plus durement punis, sont ceux contre Dieu ou la sainteté du peuple. On y voyait ce que nous appellerions une atteinte à la sûreté de l'État. En faisaient partie : l'*idolâtrie, la *magie (ou même la divination), le *blasphème, la violation du *sabbat, le meurtre (en raison du sang versé), l'*adultère, ou encore toute désobéissance formelle à une loi ecclésiastique, comme ne pas circoncire un fils ou ne pas célébrer la Pâque. Dans tous ces cas, la peine prévue était la mort. Au temps de Jésus cependant, une sentence capitale devait être ratifiée par les Romains.

Pour les crimes et délits portant atteinte au corps humain, à la propriété, à la réputation d'une famille ou d'un individu (cf Mt 5,22), on distinguait le degré de gravité et on appliquait la loi du *talion : œil pour œil, dent pour dent (Ex 21,24; Mt 5,38). Si impitoyable qu'il paraisse, le talion est un progrès par rapport aux mœurs de l'Antiquité (Gn 4,23s), puisqu'il établit une équivalence stricte entre délit et peine.

c. La *peine de mort* était exécutée, chez les juifs, par la *lapidation. On pratiquait aussi la décapitation, la strangulation, la mort par le feu. La *crucifixion a été introduite sous l'occupation romaine. Les autres peines étaient, d'une part la *prison, notamment pour les débiteurs insolvables, d'autre part la *flagellation ou la bastonnade, qui devaient obligatoirement s'arrêter avant que la victime ne succombât.

VII. VIE ÉCONOMIQUE

1. *Ressources naturelles*

A. AGRICULTURE. Comme dans la plupart des pays antiques, l'agriculture est la ressource et l'activité principale de la Palestine du NT. La terre, conquise souvent sur la roche (Mt 13,5), est cultivée au maximum dans les plaines fertiles, où le rendement peut être très élevé (cf Mt 13,8), et sur les coteaux aménagés en terrasses. Les travaux des champs commencent dès que les pluies d'octobre amollissent la terre. Le paysan conduit la charrue de bois (Lc 9,62), au soc de fer, tout en stimulant, avec l'aiguillon, les bœufs ou les ânes soumis au joug. Les semailles se font à la main. La *moisson, menacée par la sécheresse, la brûlure des vents, les oiseaux et les parasites, a lieu pour l'*orge avant Pâque, pour le *blé entre Pâque et Pentecôte. Il n'y a pas encore de faux, les épis sont coupés par poignées à la faucille de fer; le dépiquage, à l'aide de bêtes, seules ou attelées, se fait sur place ou, plus souvent, sur l'aire du village située en un lieu éventé : à la brise du soir on sépare le grain de la paille à l'aide du *van (Mt 3,12). Le blé est recueilli dans des fosses ou dans de véritables granges (Mt 6,26).

Les *vignes, bien le plus précieux des paysans, prospèrent sur les coteaux; leur culture exige des soins de plusieurs années avant que mûrissent les fruits et, dans la suite, demande une attention constante. Les vignobles comportent un *pressoir pour obtenir le vin. D'une tour (Mt 21,33) construite au milieu de la vigne et où il loge en été, le propriétaire guette voleurs et renards. L'*olivier et le *figuier sont constamment replantés, le premier pour l'*huile, indispensable à l'alimentation, les *parfums et la médecine, le second pour l'ombre et pour les fruits, utilisés frais ou séchés.

B. LES TROUPEAUX de *chèvres et de *brebis sont une source importante de revenus (viande, lait, cuir, laine). Les *poissons abondent dans les rivières et les lacs (sauf dans la mer Morte); d'où, surtout en Galilée, l'industrie florissante de la *PÊCHE, organisée en corporations, avec patron et ouvriers (Mc 1,20). La pêche maritime n'est pas pratiquée.

C. LES RESSOURCES MINIÈRES se limitent à quelques gisements de cuivre, aux environs de l'actuelle Aqaba, exploités depuis l'époque royale, et au basalte (Dt 3,11). Ce dernier, appelé « pierre de fer » et utilisé, à défaut de fer, pour divers outillages, sert à la fabrication des *meules et d'autres instruments, surtout agricoles. Il donne lieu à un commerce assez étendu.

2. *Métiers*

Les métiers, de type artisanal, répondent aux nécessités de l'époque et se transmettent de père en fils. Ils concernent l'alimentation, la fabrication des *vêtements (tisserands, *foulons, teinturiers, tailleurs), de l'équipement ménager et agricole (potiers, corroyeurs), des bijoux et des objets précieux destinés au culte (orfèvres, joaillers), des *parfums pour la liturgie du sanctuaire ou l'usage courant. A tout cela il faut ajouter les corps de métier du Temple dont la construction, l'entretien et l'ornementation occupent beaucoup d'ouvriers, bien rétribués et assistés par le trésor du Temple en cas de chômage. Au temps du NT, le judaïsme tient en haute considération l'apprentissage et l'exercice d'un métier. Les premiers disciples de Jésus étaient des pêcheurs (Mt 4,18) qui, après la mort de Jésus, retournèrent d'abord à leur métier d'origine (Jn 21,3). Paul, tels de nombreux *scribes qui recouraient à une profession pour vivre (p. ex. boulanger ou tailleur), fabriquait des tentes (Ac 18,3). Certains métiers toutefois sont déconsidérés, pour un motif moral si l'on y voit des occasions de vol (tel celui de transporteur de marchandises), ou en raison d'une répugnance physique (tels les tanneurs, semble-t-il, à cause de l'odeur du cuir) ou encore parce qu'ils empêchent de pratiquer la Loi (ainsi encore les tanneurs, ou les *bergers).

3. *Commerce*

Les ports palestiniens sont d'importance minime, la mer n'est pas juive; les commerçants utilisent les navires grecs, phéniciens ou romains. En revanche, le pays, au carrefour de l'Asie orientale, de l'Égypte et de l'Arabie, est sillonné par des routes longitudinales et transversales qui drainent des échanges multiples. Malgré le danger de brigandage, de nombreuses caravanes de chameaux ou d'ânes exportent des produits agricoles et des *parfums, ou importent de Grèce, d'Arabie, de Mésopotamie et même de l'Inde, les *étoffes précieuses, le verre, les métaux, les *aromates et aussi, notamment de Syrie, des esclaves. Le grand commerce apparaît assez prospère, ses revenus permettent la constitution de vastes propriétés rurales. Quant au petit commerce, il pourvoit à l'approvisionnement des villes, surtout de Jérusalem, dont l'accès, à l'écart des routes principales, reste difficile. Des *douanes sont installées non seulement aux frontières, mais sur les marchés. Les achats se font avec des *monnaies romaines ou locales. Le troc est également pratiqué. Les très nombreux pèlerins qui se rendent au Temple sont une source de revenus pour Jérusalem et ils apportent au Temple l'impôt prescrit annuellement à tout juif. Par les matériaux utilisés, l'approvisionnement en bois, en étoffes, en *pierres précieuses, en animaux pour les *sacrifices communautaires ou privés, le Temple fait l'importance du commerce de la Ville.

4. *Riches et pauvres*

L'écart entre les classes sociales est considérable. Le souverain et sa cour, les gros négociants, les propriétaires fonciers, les chefs des collecteurs d'impôts et l'aristocratie sacerdotale mènent une vie aisée et parfois fastueuse. Des banquets réunissent un grand nombre de convives (Mt 23,6). A Jérusalem, une coutume veut qu'on invite au repas les pauvres de la rue, lors d'une réjouissance citadine ou pour la fête de Pâque (cf Lc 14,13).

Les artisans et les simples prêtres constituent une sorte de classe moyenne. Les petits fermiers, appauvris par la concentration des terres entre les mains des riches, sont souvent endettés. Parmi les démunis, les journaliers vivent, plus ou moins bien, du salaire quotidien (égal à un *denier, plus la nourriture), tandis que ceux qui ne peuvent travailler — ainsi les infirmes — sont secourus par des organisations de bienfaisance. L'*aumône avait en effet un rôle important dans la vie juive.

Les divers *impôts pèsent lourd et, fixant l'ensemble du peuple dans une situation précaire, font obstacle à l'aisance modeste à laquelle le pays aurait pu, en principe, parvenir.

Dans une telle conjoncture Jésus n'a pas systématiquement écarté les *riches, il en a même appelés à le *suivre, leur proposant un idéal de vie dépouillée (Mt 19,16-29), celui des oiseaux du ciel (Lc 12,22-31).

Il mettait en garde contre la possession des richesses qui conduit à oublier sa condition mortelle et à ignorer le *pauvre (Lc 12,16-21; 16,19-31). Or, sans que soit précisée la cause, la communauté primitive semble avoir eu des difficultés économiques (Ac 6,1) et Paul dut subvenir par une *collecte aux besoins de l'église-mère de Jérusalem (Rm 15,25s; 1 Co 16,1-4; 2 Co 8—9; Ga 2,10).

VIII. VIE DOMESTIQUE ET FAMILIALE

1. *Le cadre*

A. LA MAISON JUIVE. D'après les rares vestiges conservés, on peut conjecturer que les maisons étaient d'ordinaire en briques, crues ou cuites, moins souvent en pierre. Chez les pauvres, elles comprenaient une pièce unique, complétée par des annexes où étaient conservés le blé et les jarres d'eau. Chez les plus aisés, une cour entourée de chambres; dans la cour, une citerne ou, à défaut, des jarres pour l'eau des *ablutions rituelles (cf Jn 2,6). Il y avait peu de *fenêtres* et l'intérieur était assez obscur, d'où l'usage des *chandeliers et la présence, même chez les plus démunis, d'une *lampe à huile toujours allumée. Les maisons situées dans les villes de la *diaspora semblent avoir eu des fenêtres plus grandes (cf Ac 9,25; 20,9; 2 Co 11,33). Les fondations touchaient le roc, les briques reposant sur des pierres (Mt 7,24). Le *toit* était plat, formé de branchages mélangés à de la terre glaise et à de petites pierres; il pouvait être facilement entrouvert (Mc 2,4) et nécessitait de fréquentes réparations. Entouré d'un parapet, il constituait une terrasse, utilisée de multiples façons : le sommeil des nuits d'été, les travaux ménagers, les entretiens, la prière. Lorsqu'il était solide, on y construisait pour les hôtes une chambre, dite *chambre haute* (Ac 1,13; 9,37; 20,8), plus fraîche. Le sol de la maison était d'ordinaire en terre battue; la *porte*, en bois, était munie d'un verrou et d'un battant, et s'ouvrait à l'aide d'une *clef* en bois avec des pointes de fer. Au fronton des portes pendait la *mezouza*, tube contenant un parchemin sur lequel était écrit le texte de Dt 6,4-9; 11,13-21 : le *Chema Israel* (cf *Intr.* XIII.2.B.a.). L'*ameublement* était composé de la table pour les repas, des divans ou sièges sur lesquels on s'étendait pour manger, des lits (divans ou tapis, avec coussins) et armoires.

La cuisine possédait un four à pain, un fourneau à deux foyers, beaucoup d'ustensiles en terre cuite ou en cuivre.

B. L'HABILLEMENT. Depuis l'époque royale, Israël utilise la *laine, le *lin, le coton. Des corps de métiers spécialisés confectionnent les tissus, soit de couleur naturelle, soit blanchis, ou encore teints en *pourpre, *écarlate, bleu ou brun. Les *vêtements sont amplement coupés, drapés plutôt qu'ajustés au corps. Leur beauté dépend des *étoffes (Lc 7,25; Ap 19,8) et des ornements : broderies, bijoux (cf Jc 2,2). *Franges et *phylactères ajoutent une note de piété. Les principaux vêtements sont la *tunique, retenue par une *ceinture, et le *manteau. Le *sac primitif s'est transformé en un tissu noué autour des reins comme vêtement de dessous.

La coiffure consiste en une étoffe enserrant la tête et retombant sur les épaules, ou enroulée, tel un turban ou un *voile; on la garde toute la journée. Les *chaussures, en cuir plus ou moins souple, parfois cloutées, sont enlevées au Sanctuaire et dans les maisons.

C. SOINS DU CORPS

a. La tradition juive exigeait de tous une *propreté* rigoureuse. *Ablutions des pieds, en raison de la poussière des chemins, et des mains étaient pratiquées dès la rentrée à la maison ou avant les repas (Mc 7,3s; Lc 7,44). On se *lavait aussi fréquemment tout le corps, utilisant l'eau des sources ou des citernes et, dans les villes, les *piscines ou les établissements de bains, ceux-ci introduits par les Romains. La propreté était surtout une prescription religieuse : avant de prier au Temple, il fallait se laver et changer de vêtements; des ablutions rituelles étaient exigées pour effacer toute *impureté légale.

b. Depuis l'Antiquité, les *parfums* avaient une grande place dans la vie juive, tant par convention sociale (cf Lc 7,46) que pour alléger les inconvénients de la chaleur.

c. Le soin de la *chevelure* était important : laisser ses cheveux en désordre ou se raser la tête signifiait *deuil ou *tristesse. Se laisser pousser les cheveux faisait d'autre part l'objet d'un vœu (cf Ac 21,23-24). Les femmes tressaient et ornaient avec recherche leurs longs cheveux (cf 1 Tm 2,9).

D. ALIMENTATION

a. Les *produits* du sol, les laitages, la pêche constituent, avec le *pain, la nourriture courante. La viande, rôtie, est réservée aux fêtes et aux banquets, notamment celle d'agneau et de chevreau. Parmi les boissons, le *vin a une place privilégiée dans les repas exceptionnels. Rouge et parfois aromatisé, ou sucré avec du *miel, de divers crus, il est conservé dans des outres ou des jarres; il doit être filtré et coupé d'eau avant d'être bu (cf Mt 23,24).

Cependant, au temps du NT, de nombreux interdits alimentaires continuent de s'imposer, dont l'origine est à chercher dans le caractère religieux conféré au *repas. Ainsi le *porc, le *chameau, les coquillages, tous les insectes à l'exception de certaines espèces de *sauterelles (cf Mt 3,4), enfin toute *viande d'un animal non égorgé et saigné, ou encore immolé aux idoles, rendent « *impur » celui qui en mange. Le tri des poissons mentionné en Mt 13,48 pourrait se référer à ces prescriptions, contre lesquelles Paul aura à lutter (cf Rm 14,14).

b. *La cuisine* est réservée aux femmes et aux esclaves : chaque jour les grains sont broyés à la *meule, la farine est pétrie, mélangée ou non au *levain, puis cuite au four pour obtenir le *pain. Les pâtisseries sont appréciées, le miel sert de sucre. Outre le *sel, de nombreuses épices donnent du goût aux plats, dont la cuisson est à base d'huile. Les ustensiles sont en terre cuite ou en cuivre. Durant les repas pris en commun, le pain, en forme de disque, sert d'assiette; on le trempe aussi dans les sauces placées au centre de la table.

2. La vie familiale

A. LA FAMILLE ET LES AUTRES

La famille, ou encore la *maison (cf Ne 7,4), relève du type patriarcal au point qu'elle est « la maison du père » *(bêt ab)*. Sous l'autorité du père, ou, à sa mort, du fils aîné, elle comprend les parents, les épouses, les enfants (légitimes ou non) ainsi que les serviteurs et les étrangers à demeure. Moins étendue qu'au temps des patriarches, la famille sédentaire reste la cellule fondamentale de la société, et l'individu garde très vif le sens de la lignée, si bien que la conversion du chef de famille entraîne celle des membres (Jn 4,53; Ac 10,2; 11,14; 18,8; 1 Co 1,16). La famille est aussi un rassemblement cultuel pour la Pâque (Ex 12,3-4). La solidarité familiale s'exprime dans la tradition du *gô'èl, *rédempteur, défenseur, protecteur des intérêts de l'individu et du groupe.

Les membres de la famille sont tous des *frères. Face à eux, il y a les autres, qu'on peut grouper sous le terme de *prochain : les autres juifs, les *étrangers résidents, les esclaves, les païens. Les relations avec autrui sont rigoureusement délimitées par les liens du sang. Le cercle de famille tend certes à s'agrandir en vertu de la loi sacrée de l'hospitalité. Toutefois, c'est Jésus qui brisera définitivement ce cercle étroit : tous les hommes sont *frères en J.C.

B. Fondation et vie du foyer

a. C'est dans le cadre de la famille qu'il faut placer l'institution du *mariage*. La femme était cherchée surtout dans la proche parenté, sans porter atteinte à la prohibition de l'inceste (Lv 18,6), mais aussi, en dépit des interdictions, parmi les clans étrangers. Il existait des mariages d'inclination, mais ordinairement, du fait que les futurs époux sont encore très jeunes (les rabbins fixent l'âge minimum à 12 ans pour la fille, à 13 ans pour le garçon), ce sont les parents qui négocient le mariage. Aux parents revenait de discuter le montant du *mohar* (cf Gn 29,15s; 34,12), somme d'argent que le futur fiancé était tenu de verser au père de la jeune fille : non pas achat de la femme, mais compensation donnée à sa famille. Celle-ci, du reste, l'utilisait d'ordinaire pour le trousseau de la jeune fille. Ces tractations terminées, les deux jeunes gens sont *fiancés*, c'est-à-dire qu'ils sont juridiquement liés l'un à l'autre, sans que pour autant ils cohabitent encore (cf Mt 1,18-20).

Enfin, après une durée difficile à préciser (un an?), a lieu la *cérémonie du mariage*, affaire civile seulement, sans rite religieux. Un contrat est rédigé, où figure une formule du type de celle trouvée dans le Wadi Murabba'at : « Tu seras ma femme. » La fête a lieu ordinairement en automne, après les récoltes. Les renseignements épars dans la littérature rabbinique ne permettent pas de préciser la nature du cortège nuptial. Selon les données les plus probables, l'époux est escorté de ses compagnons (Mt 9,15), dont l'un, plus intime, fait fonction de « maître de cérémonie » (Jn 3,29). Il se rend à la maison de la fiancée. La jeune fille, voilée et entourée de ses compagnes, après avoir reçu la bénédiction de ses parents (cf Gn 24,60), se joint au cortège qui se rend à la maison paternelle du fiancé, où les réjouissances se prolongent tard dans la soirée. Selon une autre coutume, que les mœurs palestiniennes du début du xxᵉ siècle semblent confirmer, l'époux, parfois retardé par les dernières formalités du contrat chez ses beaux-parents, ne rentrait qu'à une heure tardive dans la maison paternelle où la fiancée l'attendait, voilée, avec ses compagnes (Mt 25,10). Le mariage était alors consommé.

Les réjouissances (banquet, danses, divertissements) se prolongeaient durant sept jours, parfois le double, réunissant tout le voisinage, ordinairement dans la maison du mari.

b. Désormais *l'homme* exerce un pouvoir absolu *(oikodespotès)* sur le foyer nouvellement constitué.

c. La **femme* reconnaît en l'homme son seigneur (*ba'al* : Gn 18,12), son maître *(âdôn)*, tandis que l'homme, s'appuyant sur certains textes bibliques (Ex 20,17; Dt 5,21), considère la femme comme sa propriété, à l'instar de la maison, du serviteur ou de l'âne. Bien que la femme soit protégée par la Loi contre les abus éventuels (Dt 21 — 22), elle reste juridiquement dépendante en tout de son mari (cf *Intr.* VI.1.A.b.). Elle est chargée des durs travaux domestiques (pain, eau, huile, étoffes) ou elle garde les troupeaux et travaille aux champs. Sa considération augmente en fonction du nombre de ses enfants et de l'efficacité de son travail.

d. Le *couple*, en dépit de cette inégalité, peut exister, conformément au vœu du Créateur (Gn 2,18.24), surtout s'il est béni par le don de fils; les enfants doivent respecter la **mère* autant que le **père* (Ex 20,12). Si l'épouse est stérile, il arrive que l'homme introduise au foyer une concubine, encore que le monogamie soit l'idéal du mariage juif (cf Pr 5,15-19; 31,10-31; Qo 9,9; Si 26,1-4). Si la femme est prise en **adultère*, elle peut être mise à mort ou bien le mari peut la renvoyer en rédigeant un acte de répudiation (Mt 5,31; cf Dt 24,1.3; Is 50,1; Jn 8,3) afin qu'elle puisse légalement se remarier; le motif de répudiation peut être parfois bénin. De son côté, la femme ne peut pas demander le **divorce* (Mc 10,12 implique les usages gréco-romains).

e. La **veuve* reste avec ses fils dans la famille de son mari. Si elle est sans enfants, elle peut également y demeurer grâce à la pratique du **lévirat* (Dt 25,5-10), par laquelle le beau-frère *(lat. levir)* doit lui susciter une descendance pour perpétuer le nom du défunt (Rt 4,5.10). Faute de *levir*, elle peut se remarier hors de la famille et, en attendant, retourner chez ses propres parents.

C. LES ÂGES DE LA VIE

Ordinairement les anciens divisaient la vie humaine en périodes de sept années. Voici en bref, selon Hippocrate, la distribution des sept époques : le petit enfant (0-7), l'enfant (7-14), l'adolescent (14-21), le jeune homme (21-28), l'homme mûr (28-49), l'homme âgé *(gr. presbytès)* (49-56), le vieillard (plus de 56). Chez les juifs, la répartition était semblable, à en juger par les données de la Bible ou de

*Qoumrân. A 13 ans, le jeune juif doit observer la *Loi; à 20 ans, il peut témoigner et, d'ordinaire, se marie; à 25 ou 30, il doit jouer son rôle dans la communauté. Le *lévite exerce de 25 à 50 ans, le prêtre et le juge de 30 à 60. De toute façon, 50 ou 60 ans marque une coupure dans la vie; le *Document de *Damas* en donne un motif : « A 60 ans, les hommes sont privés de leur intelligence avant l'achèvement de leurs jours » (X,9a). L'âge maximum va de 70 à 80 ans (Ps 90,9s).

a. Sur la *naissance* du petit juif, rien de spécial. Les couches étaient sans doute ordinairement douloureuses (Is 26,17; Jr 22,23; cf Gn 3,16), mais la délivrance, nécessaire (Is 13,8; 1 Th 5,3), était source de joie (Jn 16,21). Le bébé était lavé, frotté avec du *sel, enveloppé de langes; il était ordinairement allaité par sa mère, puis, deux ou trois ans plus tard, sevré (Gn 21,8; 2 M 7,27). Au huitième jour, l'enfant recevait son *nom et était *circoncis (Lv 12,3; Lc 2,21); ainsi était-il introduit dans le peuple élu.

b. Jusqu'à leur mariage, *les filles* restaient près de leur mère et aidaient aux occupations ménagères ou à la garde des brebis (Gn 29,6).

c. *L'éducation des garçons* se faisait sous la direction du *père de famille. En travaillant avec son père, en observant les coutumes familiales, l'enfant s'assimilait peu à peu les traditions religieuses de son peuple. Le père lui enseignait les commandements de Yahweh : « Tu les répéteras à tes fils, tu les leur diras aussi bien assis dans la maison que marchant sur la route, couché aussi bien que debout » (Dt 6,7). A l'occasion du sabbat, de la prière quotidienne, d'une circoncision, de la Pâque, etc., il expliquait à son fils les rites et lui en donnait le sens : « Lorsque ton fils demain te demandera : ' Que signifie cette coutume? ', tu lui diras : ' C'est par la force que Yahweh nous a fait sortir du pays d'Égypte ' » (Ex 13,14). Il lui racontait enfin l'histoire des hauts faits de Yahweh pour son peuple. A treize ans et un jour, l'enfant devenait *bar-miçwah* (« fils du commandement ») : il était tenu à observer la Loi, les prières, les jeûnes. Enfin, après un passage à l'école (cf *Intr*. IX.2), l'enfant demeurait auprès de son père qui l'initiait à son propre métier (cf Jn 5,19s).

d. *Les adultes*, qu'ils appartiennent à une famille sacerdotale, à la noblesse laïque ou au commun du peuple, sont tous orientés dans leurs activités par les traditions familiales. Celles-ci déterminent, dans la plupart des cas, leurs occupations et leur rang dans la cité : sacerdoce, rôle d'*ancien, commerce, agriculture ou artisanat. Par l'étude toutefois, tout juif peut devenir *docteur de la Loi. Quelle que soit leur condition, la vie des adultes est tout entière marquée par la vénération de la Loi. Des relations sociales jusqu'aux pensées et aux sentiments, le souci de plaire à Yahweh guide l'existence; ainsi l'ascèse et la fidélité aux prescriptions religieuses inspirent d'ordinaire jugement et conduite.

e. Jusqu'à son extrême *vieillesse*, le chef de famille garde son autorité sur les siens (cf 1 P 5,5); les jeunes doivent avoir des égards pour les vieillards (1 Tm 5,1), d'autant qu'avec l'âge la sagesse a dû se déposer en eux.

D. LA MALADIE ET LA MORT

a. Le NT permet de repérer un grand nombre de *maladies* et d'infirmités : *fièvre et malaria, maladies de la peau (ulcères, gangrène, *lèpre), organes atteints (*aveugles, borgnes, myopes, *sourds, *muets, bègues, paralysés, *boiteux, impuissants, stériles), malaises divers (rhumatismes, hémorragies, apoplexie, hydropisie, dysenterie), affection des nerfs (épilepsie du *lunatique, *folie). Par insuffisance d'hygiène et de moyens prophylactiques, les maladies se propageaient facilement, malgré les prescriptions de la Loi en matière de propreté (cf *Intr*. VIII.1.C) et en dépit des interdits qui frappaient certains malades, p. ex. les lépreux. Parmi les soins apportés, on note l'huile et les baumes, le vin comme désinfectant (Lc 10,34) et fortifiant (1 Tm 5,23), le collyre (Ap 3,18). La profession de *médecin (Co 14,14; cf Si 38) ne semble pas très estimée (Mc 5,26; Lc 8,43). Jésus guérit volontiers les malades (Mt 10,8; 11,5; Jn 9,3) et les chrétiens mentionnent la *guérison parmi les *charismes (1 Co 12,28).

b. *La *mort*. Diminué mais non anéanti par la mort, le défunt continue d'exister tout entier dans l'*Hadès, selon l'anthropologie biblique. Pour assurer sa paix, des rites funèbres et surtout l'*ensevelissement s'imposent, même si le cadavre et la *tombe rendent *impurs ceux qui les touchent. A la différence de ses voisins, Israël rejette tout culte des morts. Ses rites, acte de piété, doivent être exempts de toute *magie.

Les yeux du mort ayant été fermés comme pour un sommeil, le cadavre est lavé (Ac 9,37), oint de parfums (Jn 19,40; cf Mt 26,12; Mc 16,1), puis enveloppé dans un *linceul (Mc 15,46); des *bandelettes enserrent ses mains et ses pieds, tandis qu'un *suaire couvre son visage (Jn 11,44). Le corps est alors exposé sur une civière à l'intérieur de la maison, et les pratiques du *deuil, principalement les lamentations, commencent.

Pour l'*ensevelissement, on porte la civière en grand cortège et aux cris des pleureuses jusqu'au tombeau, où le cadavre est déposé à même le sol. Ni l'embaumement (au sens propre) ni l'incinération ne sont pratiqués en Israël.

IX. VIE CULTURELLE

1. La *tradition

En Israël, comme dans d'autres civilisations antiques, la culture s'exprime et se transmet d'abord oralement. Réunions d'anciens, conversations aux portes des villes, aux banquets, ou sous les portiques du Temple, gardent vivante la connaissance des traditions nationales et religieuses. De manière caractéristique, on procède toujours par questions; les sentences, bien frappées, sont retenues par cœur. Plus tard, des recueils conservent les dits anciens. En les commentant, les *sages et les *scribes instruisent le peuple et guident sa vie morale. La Bible constamment répétée et réinterprétée demeure la source de tout savoir.

2. L'éducation

Outre l'éducation reçue dans la famille (cf. *Intr*. VIII.2.C.c), les enfants fréquentent dès l'âge de 5 ans les *écoles* qui se tiennent dans les synagogues. L'un des membres du petit sanhédrin (cf. *Intr*. VI.4.A) fait office de maître. Il se sert des procédés mnémotechniques de l'époque : parallélisme, antithèse, répétition, assonance. Jésus ne s'adresse pas autrement aux foules : les évangiles offrent maints exemples du type : « Qui s'élève sera abaissé, qui s'abaisse sera élevé. »

Tout l'*enseignement est puisé dans la Bible, qu'il s'agisse de lecture, d'écriture, de géographie ou d'histoire. L'enfant apprend l'hébreu biblique, très proche de sa langue araméenne, et, en psalmodiant les versets de l'Écriture, le chant et la musique. A l'âge de 10 ans, il quitte l'école pour s'initier, le plus souvent, au métier de son père.

3. *Mode d'écriture et transmission des nouvelles*

A. Un grand nombre de juifs du temps de Jésus savent donc lire et écrire (cf Mt 27,37; Mc 12,16...), même si l'on a souvent encore recours à des scribes de profession. On *écrit sur des tablettes d'argile (Lc 1,63) à l'aide d'un stylet et sur les parchemins (ce que nous appellerions des livres) avec un calame trempé dans une encre peu fluide, faite de suie et de gomme. Les parchemins sont enroulés autour d'un manche de bois; on les déroule pour les lire (Lc 4,17; cf He 10,7).

B. Pour la correspondance, on utilise le papyrus, rare et cher; rugueux, il est malaisé d'y tracer les signes. D'où parfois le recours à un calligraphe auquel on dicte. Ainsi Paul dut dicter ses lettres, puisqu'il précise quelquefois que tel passage est de sa main (Ga 6,11; cf Rm 16,22). La *lettre antique est rédigée, à l'aide de formules stéréotypées, selon une structure fixe : (1) mention de l'expéditeur et (2) du destinataire, (3) action de grâces, (4) développement de la lettre, (5) salut et souhait final (de santé, succès, etc.). Comme signature, on appose un *sceau. La lettre fermée et scellée est d'ordinaire portée par un courrier ou un voyageur de commerce. Le *sanhédrin dispose de messagers spéciaux (cf Ac 28,21). Les fonctionnaires romains seuls peuvent se servir du réseau postal organisé par Rome.

C. Pour communiquer des ordres ou des nouvelles, les autorités ont recours à des inscriptions sur les murs. L'écriteau apposé à la croix de Jésus pourrait relever de cet usage. Mais les nouvelles se propagent surtout oralement.

4. *Les connaissances*

La Loi divine et la *sagesse sont le domaine privilégié que scrute la pensée juive. La quête d'un savoir qui a sa fin en lui-même, caractéristique des Grecs, est une quasi-impossibilité pour Israël. Même les sciences élémentaires, nécessaires à la vie, ne sont pas autonomes, mais intégrées dans la perspective religieuse. Ainsi une *astronomie* rudimentaire permet de fixer le *calendrier liturgique; la *géographie*, qui est plutôt une cosmologie, met Israël au centre du monde (cf *Intr.* V.1); les *mathématiques* servent aux calculs qu'on applique à la Bible et les *nombres ont une valeur symbolique. D'autre part, à la différence des peuples voisins, pour les juifs, les forces naturelles ne sont pas des sujets sacrés de pouvoir, ni des objets de tabou ou de crainte : simples créatures, elles sont soumises au Créateur. En ce sens, la vision biblique a dégagé pour la connaissance humaine un champ libre de tout interdit.

5. *Les arts*

A. La défense de toute représentation de Yahweh (cf Ex 20,4; Dt 5,8 : « Tu ne te feras pas d'*image... »*) rend compte de l'absence singulière, en Israël, des arts plastiques, peinture et sculpture. Des motifs décoratifs et des objets précieux seuls ornent le Temple (Ex 35,31). D'autre part, au temps de Jésus, l'architecture est un art d'importation grecque, puis romaine : ainsi les constructions imposantes d'Hérode.

B. En revanche, le génie d'Israël se concentre et se déploie dans la parole, orale puis écrite. L'AT n'est pas seulement un document religieux, mais une création littéraire d'une grande beauté en beaucoup de ses textes. Les divers sentiments de l'homme, la rencontre bouleversante avec Dieu ou les merveilles inépuisables de la création s'y expriment avec une intensité, une joie, une immédiateté dont le son est singulier dans le trésor de la littérature mondiale. Que ce soit en prose ou en poésie, le langage biblique, quoique relativement restreint, est animé d'un rythme incantatoire d'où se dégage une puissance souvent poignante. Refusant toute abstraction, c'est par des images simples et proches tirées des données les plus concrètes de l'existence quotidienne que cette langue introduit à la profondeur du réel. Tout y est animé par le Dieu vivant et vivifiant, dont la présence dispense mouvement, sens et salut à ce qui vit; ainsi, notamment, dans la sobriété lapidaire des évangiles. Aussi a-t-on pu parler d'un mystère du langage biblique.

6. *Musique*

Contrairement aux arts plastiques, la musique jouait un grand rôle en Israël dans la vie familiale et sociale. Elle marquait toute fête (cf Lc 15,25), et faisait partie du cérémonial des funérailles (Mt 9,23). Dans le culte, elle exprimait par excellence la louange.

Le **chant* en était la forme principale; il était riche en demi-tons, à l'unisson, accompagné de divers mouvements du corps, tel le battement des mains, ou de danses, le rythme comptant surtout. Les **Psaumes étaient chantés, notamment lors du repas pascal (Mt 26,30). Au Temple, des chantres assuraient les principaux services. La prière chrétienne est, elle aussi, souvent chantée (Ac 16,25; Col 3,16; Ep 5,19).

Pour les divers *instruments* de musique, cf *cithare, *cymbale, *flûte, *harpe, *trompette.

7. *Danse*

La *danse, aimée des juifs comme de tous les peuples d'Orient, toujours accompagnée d'instruments de musique et presque toujours de chants, est pratiquée en groupe, sauf dans quelques cas (Mt 14,6), aux heures de joie (Lc 15,25), aux vendanges, aux noces. La danse religieuse (cf 2 S 6,14) n'est pas mentionnée dans le NT, mais on sait que des mouvements cadencés accompagnaient, selon l'usage, la prière chantée.

8. *Théâtre et divertissements*

A. Le théâtre est d'importation étrangère. Plusieurs villes hellénistiques en possèdent et il semble qu'Hérode en ait construit un à Jérusalem. Les théâtres étaient utilisés aussi pour les assemblées publiques; ainsi à Éphèse, lors d'une émeute (Ac 19,29-32).

B. Malgré des loisirs fréquents (un tiers de l'année est chômé en raison des prescriptions religieuses), les juifs ne semblent pas avoir recherché des divertissements particuliers. La musique et la danse, des concours d'énigmes et de lectures publiques peuvent toutefois être supposés. Les activités liturgiques, dans une allégresse constamment renouvelée, orientaient le peuple vers la contemplation. Les jeux violents et cruels, aimés des Romains, n'ont jamais été pratiqués en Israël.

9. *La culture grecque*

Elle exerce sans doute une influence en Palestine, au temps de Jésus.
Les successeurs d'Hérode dotent plusieurs villes (Césarée, Tibériade)
d'édifices nouveaux : stades, piscines, etc., et changent leurs noms en
des noms grecs ou romains (ainsi Samarie devient Sébaste). Les relations commerciales et les déplacements de foule lors des fêtes au
Temple favorisent des contacts nombreux; on peut entendre parler
grec dans les rues. Cependant le peuple de Palestine reste fermé à cette
pénétration; les bourgs et les villages ne sont pratiquement pas tou-
chés. Le ministère de Jésus s'est exercé ainsi, malgré ses itinéraires
variés, en milieu juif traditionnel. Tout autre sera la condition de
l'Église naissante.

X. LA FOI D'ISRAËL

1. *L'Alliance*

A l'origine de l'existence d'Israël se trouve la certitude d'un événement qui s'appelle l'*alliance. Dieu a choisi Israël pour se révéler
à lui et pour faire de ce peuple privilégié son témoin face aux nations
de la terre entière. L'initiative en revient à Dieu seul qui *prédestine
(Rm 11,2), mais l'engagement est réciproque : si Israël obéit à la
*volonté de Dieu, Dieu lui accordera sa *bénédiction. Dieu dit ce
qu'il aime, d'abord dans la Loi écrite sur les tables de Moïse et transmise par les prêtres-lévites, ensuite par la voix des prophètes et des
sages, puis par les interprétations des prêtres et des scribes, enfin
définitivement par son fils Jésus, grâce à l'Esprit Saint qui est donné
dans nos cœurs. En dépit des dégradés qu'elle a connus au cours des
siècles, l'alliance dit le projet de communion entre Yahweh et son
peuple. Deux formules sont équivalentes : « Israël, le peuple de
Yahweh », et « Yahweh, le Dieu d'Israël ».

2. *Dieu*

Dans cette relation, Dieu est reconnu comme le *créateur du ciel
et de la terre, le *Dieu unique face au polythéisme ambiant. Voilà

ce que le croyant proclame chaque jour : « Écoute, Israël, le Seigneur notre Dieu est l'unique Seigneur » (Dt 6,4 = Mc 12,29). Les *idoles ne sont rien, Dieu seul est vivant et parle à son peuple.

Le judaïsme n'a pas systématiquement exposé sa foi en une « théologie » (discours sur Dieu); il a parlé de Dieu d'une façon anthropomorphique, lui prêtant ses sentiments et ses manières de voir; c'est ainsi qu'il balbutiait la proximité ineffable de Dieu. Mais il n'était pas dupe de son langage et sauvegardait la transcendance divine, ne serait-ce que par son refus de fabriquer quelque image de Dieu ou de prononcer le *Nom de *Yahweh. Par les multiples noms qu'il lui donne, il s'efforce de dire l'une ou l'autre des relations divines avec les hommes et l'univers : le Seigneur, le Ciel, la Demeure, le Très-Haut, la Gloire, l'Éternel. Jésus retient de préférence celui de Père, car il dit au mieux la *miséricorde qui constitue l'être de Dieu et qui brise l'exclusivisme national dans lequel le judaïsme tardif voulait l'enfermer.

3. *Le peuple*

Par la relation d'alliance que Dieu a établie avec lui, Israël devient un *peuple. Il n'a pas d'autre principe de cohésion que Dieu même. Telle est sa grandeur, tel aussi son paradoxe : sans cesser d'être une *nation parmi les autres, il est le peuple élu entre tous par le Dieu dont l'alliance doit s'étendre à tous les hommes. Jésus va se trouver aux prises avec la tendance nationaliste qui se refuse à accepter le caractère provisoire et *figuratif de l'époque nationale du peuple de Dieu. C'est dans le rapport Israël/Nations que se joue le destin du peuple de Dieu. Il reste que ce qui caractérise ce peuple, c'est la conscience de son *élection et de sa mission. L'Église de Jésus, à son tour, estime être le véritable *Israël, continuant à n'exister que par Dieu qui l'a élu et qui l'*envoie, mais se découvrant liée à Jésus et ouverte à tous les hommes. Jésus n'a pas aboli la Loi et les Prophètes, mais il les a menés à leur *accomplissement, scellant par son *sacrifice l'alliance de tous les hommes avec Dieu le Père.

XI. LES COURANTS RELIGIEUX

Le judaïsme palestinien au temps de Jésus ne constituait pas une religion monolithique et uniforme. Au sein d'une même foi en Yahweh, le peuple juif se diversifiait en de multiples courants spirituels, voire en de véritables partis religieux. Tous les croyants n'appartenaient pas nécessairement à l'un ou l'autre de ces groupements; mais ceux-ci exerçaient une influence déterminante dans la vie religieuse et socio-politique d'Israël.

De ces divers « courants », un seul est proprement hérétique et rejeté comme tel de la communauté juive : le groupe des *Samaritains. Ceux-ci n'admettent en effet d'autre livre saint que le seul *Penta-teuque. Ils ne reconnaissent pas dans le Temple de Jérusalem la vraie *demeure de Dieu, mais présentent leurs sacrifices sur le mont Garizim en Samarie. Quant aux *Hérodiens*, ils ne constituent pas un parti religieux, mais un groupement politique favorable au roi Hérode. De même les *scribes ne sont que des fonctionnaires au service de la Loi. Le *judaïsme officiel* connaît deux partis principaux : les sadducéens et les pharisiens. Le *judaïsme marginal* présente deux *sectes impor-tantes : les esséniens et les zélotes.

1. Les *sadducéens* représentent en Palestine le parti des oppor-tunistes, celui de l'ordre établi (formé sous Hyrcan I : 135-104 av. J.C.), collaborant volontiers avec l'occupant romain, puisque celui-ci permet l'exercice d'une religion par ailleurs assez conservatrice. Parti aristocratique, issu en général de la caste sacerdotale, les sadducéens se montrent assez méprisants à l'égard du peuple. Leur influence concerne surtout le culte et la liturgie; elle ne s'exerce guère au-delà du Temple de Jérusalem. Contrairement aux pharisiens, seule la Loi écrite (Pentateuque et Prophètes) est à leurs yeux normative pour la religion; ils la lisent de manière littérale et quasi juridique, en mettant l'accent sur l'aspect pénal et actuel de la doctrine de la rétribution. *Josèphe et le NT (Mt 22,23; Ac 23,8) disent qu'ils n'attendaient pas la venue du Messie et qu'ils refusaient les croyances plus récentes : résurrection, existence des anges... En revanche, du point de vue politique, ils ne craignent pas les rapprochements avec

l'*hellénisme, sans doute en raison d'une pensée authentiquement fidèle à l'Alliance, à savoir le rayonnement universel de la pensée juive; mais cela dégénérait en un souci politique de sauvegarder la nation, au détriment de la rigoureuse fidélité à la Loi. Leur attitude diffère profondément de celle des pharisiens, mais ils les rejoignent dans l'opposition à Jésus. Ce sont eux qui, semble-t-il, ont pris la responsabilité de l'arrestation de Jésus (Mc 14,53).

2. Les *pharisiens* constituent le parti majoritaire (environ 6 000). Ils sont les héritiers des « pieux » de l'époque (après 125 av. J.C.) qui suivit la guerre des Maccabées, mainteneurs farouches de la Loi restaurée par *Esdras lors des tentatives d'hellénisation de la Palestine, spécialement par Antiochus Épiphane (175-164 av. J.C.). Après avoir exercé une activité politique nationaliste durant quelque 150 ans, ces laïcs se montrent avant tout soucieux d'obéir à la Loi du Seigneur. Animés d'un très haut idéal religieux, ils veulent pratiquer strictement toutes les prescriptions de la Loi, au besoin en les détaillant et les multipliant à l'aide des traditions orales auxquelles ils attribuent valeur normative. Ils se recrutent chez les *docteurs de la Loi et les *scribes qui aident les croyants à appliquer la Loi dans la vie quotidienne. Répandus dans la Palestine entière, ils exercent, surtout par les *synagogues, une forte influence sur le peuple, qui, en retour, les estime et les aime. Seuls de tous les partis, ils survivront à la catastrophe de 70.

Fine fleur du judaïsme au temps de Jésus, ils sont les authentiques héritiers de la *tradition mosaïque, comme le montre leur fidélité jusqu'au martyre. A la différence des sadducéens et des zélotes, leur comportement est exclusivement religieux. Soucieux de justice, ils s'efforcent de pratiquer au mieux la Loi, et, pour cela, ils recourent à la tradition des *Anciens qu'ils font remonter jusqu'à Moïse lui-même et qui a été fidèlement transmise de siècle en siècle. Selon *Josèphe, ils croient en la résurrection des morts et au jugement dernier, ainsi qu'aux anges et aux esprits. Ni fatalistes, ni laxistes, ils estiment que l'homme peut pratiquer la volonté de Dieu. Enfin ils partagent l'espérance messianique commune au peuple juif et attendent, avec la venue du Messie, la libération de leur pays, le châtiment des impies et le retour en Terre sainte de tous les juifs dispersés. En attendant ce jour de victoire, ils se soucient de gagner à la foi juive des adeptes du monde entier.

Jésus a critiqué sévèrement les excès de ces pharisiens, comme l'aurait fait un *prophète, comme le faisait Jean Baptiste. Leur rigorisme dans l'interprétation de la Loi, leur attachement à la lettre plus qu'à l'esprit, les amenait souvent à méconnaître l'immense bonté de Dieu et à rejeter de façon méprisante le menu peuple qui ne pouvait pratiquer à la manière pharisienne. Jésus partageait sûrement l'orientation profonde du pharisianisme, mais il se devait de stigmatiser l'intransigeance casuistique qui, au nom de traditions plus ou moins valables, finit par évacuer la Loi à observer : tel est le « pharisaïsme » que la tradition évangélique a systématisé afin d'en indiquer la tendance permanente dans toute aventure religieuse. Du reste, il ne manqua pas de pharisiens pour sympathiser avec Jésus durant sa vie terrestre (Lc 13,31), pour défendre les premiers croyants (Ac 5,34) ou pour embrasser la foi chrétienne, dont Paul (Ac 15,5 ; Ph 3,5).

Face à Jésus, les pharisiens furent sans doute jaloux de l'influence acquise par lui auprès du peuple et ils regimbèrent aussi sous les virulentes attaques du prophète. Mais là n'est pas le motif profond de leur opposition. Il est frappant de constater qu'ils ne semblent pas être intervenus directement dans l'arrestation et la passion de Jésus. Mais ils ne pouvaient admettre la prétention intolérable qu'affichait Jésus en guérissant le jour du sabbat et en remettant les péchés, tout comme Yahweh ; Jean le dit clairement en systématisant l'opposition sous l'appellation de « *juifs » : « Les juifs cherchaient à le tuer, parce que non seulement il violait le sabbat, mais il appelait encore Dieu son propre père, se faisant l'égal de Dieu » (Jn 5,18). C'est au nom de leur conception de Dieu qu'ils se devaient de rejeter Jésus.

3. Les *esséniens ne constituaient pas un parti officiel comme les deux précédents. Ce sont, d'après Josèphe, de véritables moines qui vivaient retirés dans des parties désertiques du pays. Il semble bien qu'on peut les identifier avec les moines qui habitaient aux environs de la mer Morte, près d'Aïn Fechka, aujourd'hui *Qoumrân. Bien qu'ils ne soient jamais mentionnés dans le NT, leur genre d'existence et leur pensée ont pu être reconstitués ; ainsi les *Synoptiques interprètent le ministère de Jean le Baptiste à la lumière du IIe *Isaïe, lecture familière à Qoumrân. Les différences ne doivent pas pourtant être ignorées. Se considérant comme « le petit *reste » des « purs », ils menaient dans le désert une vie commune, travaillant durant la journée, priant et méditant l'Écriture pendant leurs soirées. Partage

73

des biens, repas en commun, chasteté, telles étaient leurs pratiques. Bien qu'il y eût parmi eux une majorité de laïcs, les prêtres occupaient dans le monastère une place prépondérante. Ils pratiquaient les mêmes célébrations que le judaïsme officiel, sans pour autant observer le même *calendrier; ils se montraient hostiles tant au culte qu'au sacerdoce du Temple de Jérusalem, qu'ils jugeaient impurs. A la différence des pharisiens, ils étaient sensibles à l'aspect *apocalyptique de la révélation, lui incorporant aussi des éléments qui provenaient du *dualisme iranien (bien/mal).

4. Les *zélotes* partageaient les vues des pharisiens, mais leur foi se doublait d'un nationalisme militant. Mêlant le politique et le religieux, leur fanatisme s'exprimait par des actes de terrorisme qui visaient non seulement l'occupant romain, mais aussi ceux de leurs coreligionnaires qu'ils jugeaient trop tièdes. Ce fut une insurrection zélote qui, en 66 ap. J.C., provoqua la répression romaine et la chute de Jérusalem. Ce parti n'est sûrement attesté qu'après 44; certains lui assimilent les Galiléens qui, dès le *recensement de Quirinius (vers 6 ap. J.C.) se révoltèrent sous la conduite de Judas le Galiléen (Ac 5,37); mais ces bandes de « sicaires » ne semblent pas avoir été organisées en parti avant 44. Jésus, en dépit de quelques formules violentes (Mt 10,34), n'a rien à voir avec le comportement des zélotes (cf Mt 26,52s).

5. Le *peuple du pays* (*'am hâ-ârèç)* désignait, au temps d'*Esdras/ Néhémie, les Judéens restés au pays durant l'exil et devenus indifférents à l'égard de la Loi. Au Ier siècle, ce terme de mépris est appliqué aux ignorants dont la piété est inférieure et la morale négligente, spécialement en matière de prescriptions et de pureté légale (Jn 7,49). A l'opposé il existait, semble-t-il, des *confréries (habbérîm)* qui s'astreignaient vigoureusement aux lois de *pureté et organisaient parfois des réunions fraternelles.

XII. SAINTES ÉCRITURES ET PAROLE DE DIEU

Au cours des siècles, la *Parole de Dieu a été consignée par écrit, de sorte qu'au temps de Jésus une collection d'écrits était considérée comme « la Loi et les Prophètes » (Mt 5,17; Lc 24,27) ou « la Loi, les prophètes et les hagiographes », c'est-à-dire « le Livre », la *Bible (cf prologue du Siracide, 1 M 12,9; 2 M 8,23), l'Écriture (Esd 6,18), par opposition au commentaire oral de la Loi (Ne 8,8). Cette collection constituait le *canon des Écritures.

La Bible hébraïque comprend vingt-quatre livres, groupés en trois sections. (1) La *Torah*, ou « Loi », avec les cinq livres qui forment le *Pentateuque. — (2) Les *Nebiim*, au nombre de huit : quatre « prophètes antérieurs » (Josué, Juges, Samuel et Rois) et quatre « prophètes postérieurs » (Isaïe, Jérémie, Ézéchiel et les Douze petits prophètes). — (3) Les *Ketoubim*, au nombre de onze, comprennent trois livres poétiques (Psaumes, Job et Proverbes), cinq « rouleaux » qu'on lisait à différentes *fêtes : Ruth (Pentecôte), Cantique (Pâque), Ecclésiaste (Tentes), Lamentations (destruction du Temple), Esther (Pourim); enfin trois autres écrits : Daniel, Esdras/Néhémie, Chroniques. La fixation de ce canon a été progressive : dès avant le IIIe s. av. J.C. pour les deux premières sections, entre le IVe et le IIe s. av. J.C. pour la troisième section. Au concile de Jamnia (90-100 ap. J.C.), on exclut les sept livres de la Bible grecque, ainsi que certaines additions propres à la Bible grecque.

La Bible grecque a en effet recueilli certains ouvrages dont les uns ont été adoptés par les chrétiens (Judith, Tobie, 1 et 2 Maccabées, Sagesse de Salomon, Sagesse de Sirach et Baruch, compléments à Esther et à Daniel), d'autres rejetés par eux au VIIe s. ap. J.C. (1er Esdras, 3 et 4 Maccabées, Odes de Salomon, Psaumes de Salomon). Comme l'indique le tableau des livres ci-après, cette traduction grecque a modifié l'ordre hébraïque. Les « Écrits » ont été répartis selon leur genre, soit parmi les livres dits « historiques » (ainsi Josué, Juges, Rois, Ruth, les Chroniques, Esdras, Néhémie, Esther, Judith, Tobie et les Maccabées), soit parmi les Prophètes (ainsi Baruch, Lamentations, Daniel). Elle a subdivisé certains *livres (ainsi Samuel, Rois). Le texte enfin présente de notables différences pour un certain nombre d'ouvrages.

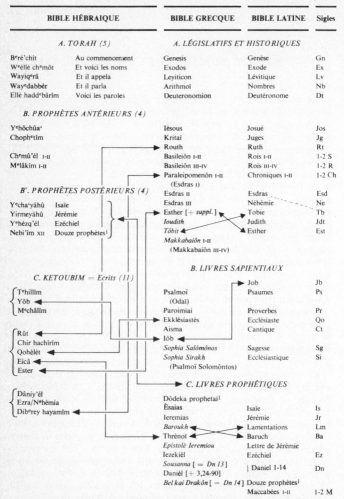

BIBLE HÉBRAIQUE		**BIBLE GRECQUE**	**BIBLE LATINE**	**Sigles**

A. TORAH (5) — *A. LÉGISLATIFS ET HISTORIQUES*

Bᵉré'chît	Au commencement	Genesis	Genèse	Gn
Wᵉèllè chᵉmôt	Et voici les noms	Exodos	Exode	Ex
Wayiqᵉrâ	Et il appela	Leyiticon	Lévitique	Lv
Wayᵉdabbér	Et il parla	Arithmoï	Nombres	Nb
Ellè haddᵉbârîm	Voici les paroles	Deuteronomion	Deutéronome	Dt

B. PROPHÈTES ANTÉRIEURS (4)

Yᵉhôchûaʿ		Iêsous	Josué	Jos
Chophᵉtîm		Kritaï	Juges	Jg
		Routh	Ruth	Rt
Chᵉmû'él i-ii		Basileiôn i-ii	Rois i-ii	1-2 S
Mᵉlâkîm i-ii		Basileiôn iii-iv	Rois iii-iv	1-2 R
		Paraleipomenôn i-ii	Chroniques i-ii	1-2 Ch
		(Esdras i)		

B'. PROPHÈTES POSTÉRIEURS (4)

Yᵉcha'yâhû	Isaïe	Esdras ii	Esdras	Esd
Yirmeyâhû	Jérémie	Esdras iii	Néhémie	Ne
Yᵉhèzq'él	Ezéchiel	Esther [+ suppl.]	Tobie	Tb
Nebi'îm xii	Douze prophètes[1]	*Ioudith*	Judith	Jdt
		Tôbit	Esther	Est
		Makkabaiôn i-ii		
		(*Makkabaiôn iii-iv*)		

B. LIVRES SAPIENTIAUX

C. KETOUBIM = Ecrits (11)

Tᵉhillîm			Job	Jb
Yôb		Psalmoï	Psaumes	Ps
Mᵉchâlîm		(Odaï)		
		Paroimiai	Proverbes	Pr
Rût		Ekklêsiastês	Ecclésiaste	Qo
Chir hachîrîm		Aisma	Cantique	Ct
Qohèlèt		*Iôb*		
Eicâ		*Sophia Salômônos*	Sagesse	Sg
Ester		*Sophia Sirakh*	Ecclésiastique	Si
		(*Psalmoï Solomôntos*)		

C. LIVRES PROPHÉTIQUES

Dâniy'él		Dôdeka prophetaï[1]		
Ezra/Nᵉhèmia		Èsaias	Isaïe	Is
Dibᵉrey hayamîm		Ieremias	Jérémie	Jr
		Baroukh	Lamentations	Lm
		Thrènoï	Baruch	Ba
		Epistolè Ieremiou	Lettre de Jérémie	
		Iezekièl	Ezéchiel	Ez
		Sousanna [= Dn 13]		
		Danièl [+ 3,24-90]	} Daniel 1-14	Dn
		Bel kai Drakôn [= Dn 14]	Douze prophètes[1]	
			Maccabées i-ii	1-2 M

En italique : les *deutérocanoniques. — Entre parenthèses : les *apocryphes.

1. Ordre hébraïque des **douze prophètes** : Osée (Os), Joël (Jl), Amos (Am), Abdias (Ab), Jonas (Jon), Michée (Mi), Nahum (Na), Habacuc (Ha), Sophonie (So), Aggée (Ag), Zacharie (Za), Malachie (Ml). La bible grecque place Amos et Michée aux 2ᵉ et 3ᵉ rangs, les autres étant décalés.

Aux yeux de Jésus comme de tout juif, ces livres sont *inspirés et doivent toujours être maintenus en relation avec la *Parole du Dieu vivant, qui est à leur source et qui leur donne sens. La relation entre Écrit et Parole se transpose dans la relation qui unit Écriture et *Tradition, celle-ci modulant l'interprétation de la lettre selon les époques. D'où le problème toujours épineux de l'actualisation (en quoi ce texte divin me concerne-t-il aujourd'hui?), qui, au temps de Jésus, se manifestait à travers les multiples références aux traditions des Anciens, dont l'abus finissait par évacuer l'Écriture et la Parole de Dieu même.

Au temps de Jésus et de l'Église primitive, l'Écriture consistait dans ce que nous appelons aujourd'hui l'AT. Jésus est plein de respect pour elle, quoiqu'il semble bien qu'il ne l'ait personnellement citée que dans des situations de *controverse; sinon il ne se préoccupe nullement de la lettre, il se contente d'en donner le sens. Les premiers chrétiens, eux, se sont attachés à justifier leur expérience du Ressuscité et de lever le *scandale de la croix en faisant appel aux prophéties, et en découvrant ainsi l'unité du *dessein de Dieu (Lc 24,44; Ac 3,18; 8,32).

1. *La Loi et le présent d'Israël*

A. La *Loi ou TORAH désigne un enseignement communiquant la révélation divine, destiné autant à éclairer les intelligences qu'à diriger l'existence; le sens prédominant a fini par être celui de règle pratique, de loi au sens moderne du mot. Les abus et les subtilités dans lesquelles se sont plu les *rabbins ultérieurs ont imposé une image fausse de la Torah, en la réduisant à être un recueil de jurisprudence. Or la Loi est avant tout l'expression de ce que veut le Dieu vivant, de ce qu'Israël doit faire s'il veut être fidèle à l'*Alliance. De fait, elle ne contient pas seulement des prescriptions, mais aussi l'histoire de l'Alliance. En revanche, de cet enchevêtrement de commandements pour la plupart religieux, il est vain de chercher à dégager une loi civile.

Aussi est-il difficile, sinon impossible, de ramener la Loi à quelques commandements essentiels. Disons plutôt qu'elle a deux aspects : elle révèle les croyances fondamentales (Alliance, Dieu unique, vocation d'Israël), elle promulgue les règles de l'existence. Telle quelle, elle enregistre un grand nombre de prescriptions qui ne valaient que pour une époque et une civilisation donnée, nomade par exemple.

Avec les grands interprètes de son temps, tel Hillel, Jésus a ramené la Torah à l'essentiel, en disant au scribe que le plus grand commandement était d'aimer Dieu et que le second lui était semblable : aimer son prochain comme soi-même (Mt 22,37-39). Davantage, Jésus a protesté contre les interprétations dites « traditions des anciens » (Mt 15,2s.6).

B. Les traditions des *anciens font partie intégrante de la *Torah, en tant qu'elle est transmise. En effet la Loi écrite s'accompagne toujours de « la-Loi-qui-est-dans-la-bouche », destinée à en expliciter et à en préciser le sens. La nécessité de cette *tradition vient de la nature même de la Torah originelle : instruction concernant la doctrine et la pratique, elle devait être transmise aux fidèles. *Esdras la confia aux *docteurs de la Loi, laïcs qui connaissaient la Torah (Ne 8,9). On s'efforça ainsi d'ajuster la Loi et la vie, faisant naître une interprétation traditionnelle qu'on se soucia de faire remonter jusqu'à *Moïse, et par lui jusqu'à Dieu même.

Une série de couples de mots caractérise cette activité : transmettre/recueillir *(mâsar/qibbêl)*, dire/entendre *(âmar/chema')*, donner/recevoir *(nâtan/lâqah)*. Surtout, des listes de décisions étaient établies, toujours plus longues, qu'il s'agissait de « répéter » *(chânah,* d'où *Michnah)*. Ainsi s'ajoutaient aux Écritures « les traditions que Moïse a léguées » (Ac 6,14; cf Mc 7,5; Ga 1,14). Cette « loi orale » poursuit un excellent projet. Il reste qu'elle a entraîné les excès que condamne Jésus, dénonçant les arguties des légistes qui permettaient de contourner la Loi elle-même. On finissait par substituer l'interprétation humaine à la décision divine.

C. Les gardiens de la loi étaient pourtant vigilants. L'instance suprême était une commission permanente siégeant à Jérusalem, le *Grand sanhédrin*, tandis que de *petits sanhédrins* faisaient respecter la Loi dans les villages (cf *Intr*. VI.4.A).

Au Ier siècle, les interprètes autorisés de la Torah n'étaient plus les prêtres, mais les *scribes*, les *légistes* ou *docteurs de la Loi*. *Esdras et l'auteur du *Siracide étaient des scribes. Ces laïcs étaient des gens lettrés qui, simples copistes à l'origine, s'étaient imposés grâce à leur connaissance profonde de la Loi. Ils avaient acquis cette science dans l'une des écoles *(bet-ha-midrach)* que tenaient les docteurs les plus célèbres, tel *Gamaliel qui fut le maître de Paul. L'enseignement consistait en un vaste commentaire de l'Écriture, appelé *midrach*, qui visait à actualiser le texte inspiré tout en l'expliquant et à lui donner des applications pratiques. Deux types principaux de midrachim : la *halaka*, commentaire de la *Torah*, destinée à fournir des règles juridiques, et la *haggada*, qui commentait ou même brodait sur les textes narratifs et édifiants. Un troisième type de commentaire était le *pèchèr*, qui s'efforçait de manifester l'actualité d'un texte biblique. Ce dernier procédé a été employé volontiers par les évangélistes, qui recherchaient dans l'Écriture ce qui avait été annoncé du Christ, et par Jésus lui-même dans la synagogue de Nazareth (Lc 4,16-22). Au terme des études, le nouveau scribe pouvait commenter lui-même l'Écriture et prêcher. S'il avait fait preuve de fidélité dans l'observation de la Loi, il était à son tour reconnu docteur de la Loi et pouvait rassembler des disciples.

On vénérait ces docteurs du nom de *Rabbi, c'est-à-dire « Maître ». Observateurs rigoureux de la Loi, ils vouaient leur existence à commenter l'Écriture dans les *synagogues, à dispenser l'enseignement sous les portiques du Temple, rassemblant autour d'eux les *disciples qu'ils formaient dans l'amour de la Loi. Ils siégeaient au sanhédrin et fixaient la jurisprudence d'Israël. A partir de 70, ils constituèrent la caste des rabbins et furent à l'origine de la littérature *talmudique.

D. Ce n'est pas dans cette direction qu'évolua le *christianisme*, du moins à ses origines. Jésus avait reproché aux scribes, tout comme aux pharisiens, leur casuistique souvent coupable; il avait surtout montré comment la Loi devait être « gardée », à savoir par la fidélité aux *commandements de Jésus lui-même. En outre, la transmission de ces commandements n'était plus assurée simplement par quelque « répétition » littérale, mais par l'Esprit Saint qui se chargeait de raviver le souvenir et d'actualiser le temps passé.

2. *Israël et l'attente messianique*

A. Prophétie et apocalyptique

a. Au Ier siècle, le culte de la Torah et l'admiration pour Moïse avaient éclipsé les grands prophètes. Ceux-ci étaient pieusement dénombrés et relégués dans un passé qui était clos depuis près de 400 ans. Ils avaient apparemment échoué, tandis que les rabbins maintenaient l'authenticité de la Loi. Seul *Élie conserve une place à part, car il doit revenir à la fin des temps comme précurseur du Messie; encore lui assigne-t-on, entre autres, le rôle de résoudre les questions juridiques demeurées insolubles. Cette constatation met en relief la nouveauté chrétienne qui donne tant d'importance aux prophètes.

De fait, si la Torah dit en quoi consiste la *volonté de Dieu qui assure l'Alliance, elle ne précise pas *quand* sera accordée la bénédiction finale. Car le peuple élu a toujours vécu dans l'attente d'une amélioration définitive de son sort. Cette espérance se fonde sur les *promesses divines et prend des visages divers selon les époques et les conjonctures : *Jour du Seigneur, jours du *Messie, *paix, *joie, *salut, *rédemption d'Israël...

b. Avant que les docteurs de la Loi deviennent les interprètes officiels de la volonté de Dieu, deux traditions majeures dominent successivement, même si elles interfèrent : prophétie et apocalyptique. Les *prophètes, chargés de dire au nom de Yahweh la manière de se comporter présentement, ont sans cesse corrigé les espérances populaires de type nationaliste et terrestre pour maintenir dans sa pureté l'attente messianique. Les *apocalypticiens, qui révèlent ce qui est caché, ont pris la relève. Ces visionnaires s'efforcent de préciser le moment où viendra le *Jour et dépeignent cet avenir en des couleurs vives. La littérature apocalyptique, déjà présente avec le prophète Ézéchiel, compte, en plus de *Daniel, des œuvres *apocryphes, non retenues dans le canon juif, qui ont exercé une grande influence entre le IIIe s. av. J.C. et le Ier s. ap. J.C. : ainsi l'ensemble attribué à *Hénok, sauf les « Paraboles » (Ier ap. J.C.), les *Jubilés (vers 125 av. J.C.), les *Testaments des Douze patriarches (100 av. J.C.), l'Ascension d'*Isaïe (Ier s. av. J.C.), l'Apocalypse de *Baruch (70-100 ap. J.C.), l'Apocalypse d'*Esdras (70 ap. J.C.).

On discute encore sur les origines des conceptions *eschatologiques, c'est-à-dire de ce qui a trait aux derniers temps. Ce qui est certain, c'est qu'à travers des langages variés, de provenances diverses aussi, se laisse reconnaître une croyance fondamentale : Israël a *déjà* et il n'a *pas encore*. Cette structure de l'*espérance vaut pour le chrétien comme pour le juif; ce qui varie, c'est la réalité désignée, le *déjà* et le *pas encore*. Cette structure est temporelle, et caractérise l'eschatologie proprement dite.

c. Comme le prophète, le visionnaire veut donner le sens du présent et de l'histoire; mais à la différence du prophète, il embrasse le *temps dans sa totalité : littérairement, il se situe dans un passé originel (faisant parler Adam, Hénok, Moïse, Élie...), par la foi il se place à la *fin des temps. Butant ainsi contre le mur de la fin de l'histoire, il doit trouver un autre langage pour maintenir la distinction des deux mondes, celui des hommes et celui de Dieu. Le temps cessant de couler, le schème de l'*avant/après* ne peut plus servir à distinguer le monde présent et le monde à venir : il faut avoir recours à un autre schème, spatial cette fois, celui du *bas/haut*. Telle est du reste l'ambiguïté que recèle dans le monde juif le terme hébreu *'ôlam* (en grec : *aiôn*; en français : *éon, *siècle) : en effet il a aussi bien un sens temporel (le monde qui est là / le monde qui vient) qu'un sens spatial (le monde terrestre / le monde céleste). De toute manière, que ce soit sous la forme d'une espérance prophétique ou sous celle d'une description anticipée de l'avenir, l'attente se précise vis-à-vis de deux réalités : le règne de Dieu et la personne du Messie.

B. LA VENUE DU RÈGNE DE DIEU

Lorsque Jean Baptiste et Jésus proclament que « le règne de Dieu est tout proche », ils répondent à l'attente commune d'Israël. Mais cette attente est diversement orientée selon les milieux juifs. Pour les uns, parmi lesquels se comptent plusieurs disciples de Jésus (Lc 19,11; 2,38; Ac 1,6), l'avènement du *règne de Dieu consiste dans la restauration de la nation élue; pour d'autres, il s'exprime par un règne de mille années de prospérité (cf Ap 20,4-6); pour quelques-uns enfin, c'est une domination cachée, spirituelle, dans les cœurs.

Les milieux apocalyptiques apportent deux notes particulières. Le règne de Dieu est avant tout universel, cosmique, si bien que la conception en est proprement spirituelle, mais sa réalisation ne peut se faire que dans l'au-delà. D'autre part, les visionnaires proposent de lever les secrets divins en mesurant le temps qui sépare de la fin : des catastrophes cosmiques, des tribulations de tous genres, autant de *signes avant-coureurs qui permettraient de n'être pas surpris par la fin du monde.

Jésus maintient la venue imminente du Règne, mais il se refuse à tout calcul et à toute description; le « discours eschatologique » (Mc 13) est une protestation contre ce genre de spéculations, qui détournent de l'essentiel, à savoir la *conversion. D'autre part, Jésus ne supprime pas l'attente. Ainsi, il n'identifie pas l'Église qu'il veut fonder avec le royaume de Dieu. L'*Église n'est qu'un moment provisoire dans l'avènement du Règne de Dieu.

C. LA PERSONNE DU MESSIE

Ordinairement, l'attente du règne de Dieu est liée à celle d'un personnage mystérieux, chargé d'établir ce royaume. Les représentations messianiques sont fort variées. La plupart du temps, on espère la venue d'un messie personnel, le fils de David. Parfois, comme à *Qoumrân, il se dédouble en deux personnages : le *Messie *fils de David et donc roi temporel, et le Messie fils d'Aaron et donc Grand Prêtre; ainsi se retrouve la dualité fondamentale dans le judaïsme : royauté et sacerdoce. Souvent aussi le Messie connaîtra un précurseur, tel Élie le prophète.

Selon un autre courant, apocalyptique, on attend la venue du *Fils de l'homme*, figure supra-humaine qui provient de la vision de *Daniel 7,13-18 et qui a été reprise et spiritualisée davantage encore par la littérature attribuée à *Hénok.

Jésus, semble-t-il, ne s'est pas explicitement présenté sous un titre quelconque, il s'est contenté de susciter une question sur sa personne. A coup sûr, il a évité de se laisser prendre pour un « messie » qui aurait paru un libérateur politique, mais il a utilisé des appellations comme « le Fils de l'homme » ou « le Fils »; selon certains, il aurait même évoqué la figure du *Serviteur de Dieu annoncé par le IIe Isaïe. Prophétie et apocalyptique sont présentes à la fois dans sa pensée.

Les premiers chrétiens n'ont guère retenu le titre *Fils de l'homme, mais précisé l'appellation « le Fils » en « *Fils de Dieu » et conféré à Jésus le titre de *Christ ou *Messie, lequel n'était plus ambigu, du moment que les croyants ne pouvaient attribuer à un homme crucifié quelque royauté temporelle. Parmi les autres titres donnés par la foi chrétienne à Jésus, relevons celui de *Seigneur.

3. *La tradition sapientielle et la révélation présente*

Au temps de Jésus, les docteurs de la Loi n'ont pas seulement éclipsé les prophètes, ils semblent aussi se prévaloir d'être les sages de leur époque. En réalité, ils ont confisqué la Sagesse au profit de la Loi, attribuant à celle-ci ce que la tradition disait de la Sagesse. Le nomisme (du gr. *nomos* : « loi »), ou légalisme, n'a pas arrêté toutefois le courant sapientiel, qui se manifeste dans les cercles piétistes et même dans la littérature rabbinique. Il est clair d'autre part que le NT a des attaches étroites avec la tradition sapientielle.

A. Comme dans les cultures de l'ancien Orient et du monde entier, la Bible a retenu les traditions des hommes sages, experts en l'art de bien vivre. Telles sont les maximes recueillies dans les *Proverbes*, l'*Ecclésiastique* ou la *Sagesse*, les réflexions de *Job* ou de l'*Ecclésiaste*, tout comme dans les Proverbes égyptiens d'Amenem-Opé (vers 1000 av. J.C.) ou la Sagesse d'Ahiqar (vers 680 av. J.C.). Deux différences sont à noter : la *sagesse biblique est essentiellement orientée vers une perspective religieuse, elle conteste aussi la prétention de la sagesse humaine à apporter le bonheur. Dans cette ligne, Jésus se présente comme plus grand que Salomon (Mt 12,42) et Paul met en opposition sagesse humaine et folie de la croix (1 Co 2), soulevant le problème du rapport entre *philosophie et *révélation.

B. Le maître de sagesse enseigne à l'aide de maximes, de *paraboles, d'énigmes qui piquent l'attention du disciple et l'invitent à questionner le maître. Ainsi naît un genre sapientiel qui se fait sentir encore sous le mode apocalyptique de la *révélation (p. ex. Dn 2,28-30, parlant de la « révélation des *mystères divins »). L'enseignement des sages est un appel à écouter et à s'avancer vers le maître (Pr 9,1. 6; Si 24,18.21). Ainsi parlera Jésus qui retiendra également la doctrine des « deux *voies » et offrira une réponse aux problèmes de la personne.

C. Dans les écrits bibliques, la Sagesse devient personnifiée, réalité divine présente lors de la création (Pr 8,22-31), assistant Dieu dans la maîtrise de l'histoire (Sg 10,1—11,4), au point qu'elle se distingue difficilement de Dieu en train d'agir dans le monde. Cette conception de la *préexistence de la Sagesse est à la base de la christologie qui voit en Jésus le *premier-né de toute créature (Col 1,15-18), l'effigie de la substance de Dieu (He 1,3).

XIII. LA VIE CULTUELLE

La foi d'Israël ne tolère pas deux existences, l'une religieuse, l'autre profane, car le peuple entier est mis à part, voué à Dieu. La vie juive est toute pénétrée par les prescriptions de la Loi. Un exemple suffit à le montrer : la *circoncision, qui symbolise l'Alliance, marque à la fois l'appartenance à Yahweh et à Israël. Elle est un rite et en même temps une tradition familiale, pratiquée par le père de famille et non dans le sanctuaire.

Le peuple circoncis accorde toutefois une place spéciale à la vie *cultuelle. Pour entrer en communion avec Dieu et montrer sa fidélité à l'Alliance, le peuple rend *sacrés certains lieux (temple, synagogue), certaines personnes (prêtres, lévites), certains objets (autel, arche), certains temps (sabbat, fêtes), certains actes (sacrifices, pèlerinages, circoncision, prières), certaines prescriptions (jeûne, interdits...). La multiplication de ces « consécrations » risque de voiler leur finalité et de faire choir dans la *magie.

1. *Lieux de culte*

A. LE TEMPLE ET SON PERSONNEL

a. Comme les autres religions, Israël a construit un édifice sacré où Dieu se rend présent aux hommes pour recevoir leur culte et les faire participer à sa vie. Dès les origines, Israël a été conscient de l'ambiguïté inhérente à toute *demeure de Dieu parmi les hommes : deux traditions concourent, l'une pour célébrer la grandeur du Temple, habitation de Dieu parmi les hommes, l'autre pour rappeler que Dieu ne peut habiter dans une bâtisse humaine. Le *Temple* dont parle le NT n'est pas celui que Salomon fit bâtir. Celui-ci fut détruit en 587 av. J.C. (2 R 25). Reconstruit au retour de l'exil (520-516), le « second Temple » fut profané par Antiochus Épiphane en 167. En l'an 20 av. J.C., Hérode le Grand entreprit la reconstruction du Temple que connut Jésus. Magnifique, le « Temple d'Hérode » suscitait l'admiration (Mc 13,1). Les travaux ne furent achevés qu'en 64. Six ans plus tard, il était détruit (6 août 70). Tandis que les juifs se lamentent sur ses ruines, et, privés du culte sacrificiel, poursuivent leur prière dans les synagogues, les chrétiens, qui avaient eux aussi fréquenté d'abord le Temple, se rendent dans leurs propres édifices.

b. *Le personnel du Temple* atteignait jusqu'à 20 000 hommes. La hiérarchie *sacerdotale est fixée depuis trois siècles et comprend trois classes : le *Grand Prêtre, les *prêtres, les *lévites. A eux tous, ils assurent le service cultuel et rituel, mais aussi diverses charges, comme celle de la police ou des finances du Temple.

B. LES SYNAGOGUES

Les *synagogues apparurent vraisemblablement durant l'exil à Babylone (587-538), en tout cas au temps d'*Esdras (400 av. J.C.). Privés du Temple, irremplaçable lieu des sacrifices, les exilés se réunissent pour prier et pour entendre Dieu parler à travers la Loi. Alors que le Temple est unique, les synagogues se multiplient, même à Jérusalem (Ac 6,9) : au temps de Jésus, il s'en trouve en chaque bourgade palestinienne et dans la *diaspora. Rome en compte treize. Deux facteurs semblent avoir joué : la nécessité d'assurer les lieux de prière, sans contredire à la loi d'unité qui voulait un seul lieu de culte sacrificiel, et la nécessité d'enseigner le peuple. Trait significatif du judaïsme, les synagogues ne sont pas exclusivement réservées à des fonctions proprement religieuses : de même qu'au Temple siège le Grand *Sanhédrin, ainsi à la synagogue se rassemble le sanhédrin local; les procès s'y tiennent et les châtiments y sont exécutés (Mt 10,17; 23,34). Les églises chrétiennes ne succéderont pas au Temple (celui-ci est accompli dans le corps du Christ et dans l'Esprit Saint), mais aux synagogues.

2. *Actes cultuels*

A. Les sacrifices

Ils constituent l'essentiel du culte extérieur du Temple : *sacrifice perpétuel (*encens matin et soir, *holocauste quotidien), sacrifices supplémentaires le sabbat et les jours de fête, enfin tous ceux que la Loi exigeait des juifs en diverses occasions (offrande du *premier-né, relevailles de l'accouchée, guérison de la *lèpre...) et ceux qui étaient offerts volontairement. En dépit des ressemblances que ces rites sacrificiels présentent avec les sacrifices païens, une différence radicale les en distingue, à savoir la notion de Dieu qu'ils supposent. Yahweh, créateur de tout, n'a besoin de rien; Seigneur souverain, il ne peut être capté; lui-même réintègre dans son alliance celui qui par l'*expiation vient reconnaître sa dette ou son péché et veut rentrer en communion avec lui.

B. La prière

La *prière explicite la relation qui se veut permanente avec Dieu; elle fait partie intégrante du culte d'Israël. Communautaire et personnelle, elle scande par ses temps forts l'existence juive, chaque année, chaque mois, chaque semaine, chaque jour. Les *Psaumes, inspirés par Dieu à son peuple, en sont un élément constant : pénétrés de confiance, ils manifestent toutes les dimensions de la prière; ils expriment, dans l'exultation comme dans l'épreuve, la dépendance du Dieu de l'Alliance.

a. *La prière quotidienne*. Le matin, avant toute autre activité, puis le soir, tout adulte (sauf les femmes et les esclaves) était tenu de se mettre en prière. Il s'enveloppait pour cela d'un châle et fixait des *phylactères à son front et à sa main gauche. Il se tournait vers Jérusalem, vers le Temple. On récitait à haute voix deux prières : une prière de bénédiction, et le *Chema Israël* : « Écoute, Israël : Yahweh, notre Dieu, est seul Yahweh. Tu aimeras Yahweh, ton Dieu, de tout ton cœur, de toute ton âme et de toute ta force. Et ces commandements que je te donne aujourd'hui seront dans ton cœur. Tu les inculqueras à tes enfants, et tu en parleras quand tu seras dans ta maison, quand tu iras en voyage, quand tu te coucheras et quand tu te lèveras. Tu les attacheras sur ta main pour te servir de signe, et ils seront sur ton front entre tes yeux. Tu les écriras sur les poteaux de ta maison et sur tes portes » (Dt 6,4-9; cf 11,18-21; Nb 15,37-41). Venait ensuite la longue prière, aujourd'hui appelée *Chemoné Esré* : les « Dix-huit [bénédictions] », dont les trois premières et les trois dernières durent être dites par Jésus et par les Apôtres.

b. *Le *sabbat hebdomadaire*. Le septième jour de la semaine, commençant le vendredi au coucher du soleil, était entièrement consacré au Seigneur. On cessait rigoureusement tout travail pour prier et se reposer, en mémoire du *repos de Dieu après la création du monde, du moins selon la tradition transmise par Ex 20,8-11. Le vendredi, jour de la *préparation (Parascève), on nettoyait la maison et on procédait aux achats nécessaires afin que les repas du sabbat, consommés froids, puissent être apprêtés avec soin. Le sabbat était un jour de joie pour les familles, et l'on devait revêtir de beaux habits. A une heure fixée, les croyants s'assemblaient dans les synagogues pour prier et pour entendre la lecture et l'explication de l'Écriture, tandis qu'au Temple avait lieu une liturgie spéciale.

3. *Le cycle liturgique annuel*

A. Au début de chaque *mois était célébré le rite de la NOUVELLE *LUNE (néoménie); celui de septembre inaugurait l'année religieuse. Celle-ci était jalonnée de grandes fêtes : élément essentiel du judaïsme, elles favorisaient la foi et l'unité du peuple.

B. QUATRE *FÊTES dominent : *Pâque, *Pentecôte, *Tentes, Jour des *Expiations. Les trois premières, d'origine agraire (première gerbe, moisson, vendanges) ont pour objet, au temps de Jésus, le souvenir historique d'événements fondateurs de la vie d'Israël : la sortie d'Égypte, le don de la Loi au Sinaï (selon une tradition d'ap. 70), la marche au désert. Elles comportent un *pèlerinage, tout juif étant tenu en principe de les célébrer à Jérusalem. De fait, elles rassemblent dans une joie débordante une foule énorme, notamment pour la Pâque : « la Fête ». La quatrième solennité, de caractère exclusivement religieux, vise la purification des péchés et la réconciliation avec Dieu.

C. Des fêtes secondaires renforcent fierté nationale et piété; ainsi la *DÉDICACE et les POURIM (« les sorts »), en souvenir de la délivrance des juifs par Esther (Est 9), dont les réjouissances constituent une sorte de carnaval.

D. La signification et le rituel de ces fêtes sont l'arrière-fond qui permet de comprendre la portée de nombreux textes du NT.

XIV. LA VIE MORALE

1. *La Loi de Dieu*

La *Torah précise quelle doit être la conduite de ceux qui veulent entrer dans l'alliance de Dieu : rien ne peut échapper au jugement divin. Ainsi apparaît la différence entre la Torah et les écoles philosophiques; celles-ci proposent un choix; dans la Loi, Dieu impose des *commandements. Aussi le juif pieux doit-il par sa conduite exprimer sa fidélité à l'Alliance, sanctifier et glorifier le *Nom de Dieu aux yeux des païens, manifester concrètement son amour. Alors il tendra à « imiter Dieu », se montrant comme lui « miséricordieux et compatissant ».

A. LES LOIS DE *PURETÉ déterminent ce qui est pur et impur dans différents domaines : la guerre, la sexualité, la mort, certaines maladies, certains aliments, certains animaux. Elles existaient avant leur codification dans la Torah et ont été transformées en prescriptions proprement religieuses. Ces interdits acquièrent valeur de commandements divins et se transforment peu à peu en préceptes moraux dans la mesure où ils sont rattachés à la sainteté de Dieu (Lv 11,44). Ils ont donc pour fonction primordiale de maintenir dans la *sainteté le peuple que le Dieu saint a élu en le séparant des autres peuples : ainsi s'affirme plus nettement que Dieu seul est saint.

Les lois de pureté furent cependant l'occasion de nombreux excès. D'abord elles renforcèrent le caractère nationaliste et exclusif de la religion juive en rendant presque impossible l'adhésion des païens au monothéisme juif. Pierre aura à lutter contre cette étroitesse (Ac 10,9—11,18). Ensuite elles engendrèrent chez les pratiquants une subtilité, un raffinement intolérables (au IIIe s. ap. J.C., on alla jusqu'à dénombrer 613 commandements, dont 365 négatifs et 248 positifs) et un formalisme tel qu'on apprenait à tourner la Loi. A la suite des prophètes, Jésus n'a pu tolérer cela (Mt 15,1-20) et s'est refusé à considérer de telles prescriptions comme obligatoires : il concentra l'attention sur les dispositions intérieures, ce qui amena les premiers chrétiens à situer les lois de pureté en fonction de la sainteté proprement dite.

B. LE *PROCHAIN tient une grande place dans la Torah, mais il ne désigne pas alors n'importe quel homme. Le prochain, c'est le *frère, le compatriote, mais non l'*étranger ni le Samaritain. Si l'on témoigne à l'égard des non-juifs humanité et bienveillance, c'est en vue de sauvegarder la paix, de « sanctifier le nom du Seigneur » et de répondre à un appel profond de la charité. En conduisant jusqu'à son terme l'évolution amorcée, Jésus fera sauter les barrières qui séparent les hommes; désormais le prochain est quiconque dans la difficulté s'approche de moi.

Entre juifs, la vie était réglée par les devoirs de stricte justice et de morale (sincérité, respect du bien d'autrui, respect du *serment). Avant tout, il fallait se soucier de l'honneur du prochain, spécialement pour le maintien de la communauté conjugale ou dans le cas des *insultes publiques ou des *scandales. Jésus manifeste simplement la profondeur de ces prescriptions en atteignant à la racine même de l'agir moral.

Le devoir de *charité faisait à chacun une grave obligation de pratiquer certaines « bonnes *œuvres » : nourrir les affamés, exercer l'hospitalité, secourir les veuves et les orphelins, vêtir les gens dans le besoin, visiter les malades ou les prisonniers, ensevelir les morts. Jésus maintient ces devoirs, mais il leur donne sens quand il déclare : « Alors c'est à moi que vous l'avez fait » (Mt 25,40). Il leur confère une valeur absolue en déclarant que le second commandement est aussi important que le premier (Mt 22,39-40) : on ne peut dire qu'on aime Dieu si l'on n'aime pas le prochain (cf 1 Jn 3,10-14).

C. Loi extérieure et loi intérieure. Trois niveaux se montrent dans la révélation de la *Loi de Dieu. Les prophètes, spécialement Jérémie et Ézéchiel, ont proclamé que, puisque la loi écrite sur la pierre n'était pas observée, on pouvait espérer qu'un jour Dieu l'écrirait dans les cœurs. Cette attente, Paul montre qu'elle est devenue réalité grâce à l'Esprit qui a été donné (2 Co 3,3). Entre l'espérance et la réalité se tient le *commandement de Jésus qui récapitule la Loi ancienne (Dt 30,14). Jésus concentre la Loi dans l'audition de sa parole, et celle-ci consiste à croire en lui et à aimer les frères sans réserve. Là encore, c'est l'Esprit Saint qui seul donne de connaître et de pratiquer ce commandement.

2. *La pratique de la Loi*

A. Liberté de l'homme et jugement de Dieu sont les présupposés de la conduite morale, insérée dans le contexte de l'alliance. L'homme est *libre et peut choisir entre le bien et le mal que lui révèle la Torah ou l'Évangile. Il existe toutefois dans l'homme un penchant au mal qui le tente pour le conduire au péché. C'est ce que Paul dit nettement dans Rm 7,7-24, à la lumière et dans la force de l'Esprit Saint qui est donné. Quant au juif qui ne connaît pas ce don, il sait seulement que l'homme n'est jamais tenté au-dessus de ses forces et qu'il peut vaincre le mauvais penchant par sa propre volonté. Pour Paul au contraire, persuadé que nul ne peut par ses *œuvres pratiquer la *justice, l'homme sous la Loi et sans l'Esprit Saint va irrémédiablement à la mort définitive.

Quant à Dieu, il récompense ou il châtie selon la conduite de l'homme. A chaque commandement, défense ou obligation, se trouve liée la *rétribution qui s'ensuivra, *bénédiction ou *malédiction (Dt 28). Jésus semble bien partager cette croyance (Mt 16,27), mais il fait consister la récompense dans l'unique don que Dieu fait de sa personne (cf Mt 6,4.6.18), dans une perspective céleste. Au contraire, pour le juif, le salaire atteint l'homme dès ici-bas selon un mode de stricte justice rétributive; de là le principe : « Il n'y a pas de mort sans péché, ni de souffrance sans faute », principe qui entraîne de terribles conséquences sur la responsabilité éventuelle de l'homme dans la maladie (cf Jn 9,2). Toutefois nombreux sont les sages qui, à la suite de Job, préfèrent renoncer à élucider le mystère insondable de la souffrance et de la mort des justes et attendre patiemment que soit faite une rétribution après la mort. De toute manière, l'Israélite croit fermement que Dieu, fidèle à l'Alliance, exercera un jour son juste *jugement.

B. Péché, expiation et conversion. Israël a une conscience aiguë du péché qu'il commet sans cesse en transgressant la Loi, ce qui équivaut à rejeter Dieu en personne. Pécher, c'est rejeter la *volonté de Dieu en violant un de ses *commandements, de façon délibérée ou non. Devenu impur, le pécheur ne peut se *réconcilier avec Dieu et rentrer dans l'Alliance que par un sacrifice *expiatoire.

Pour les fautes involontaires qui entraînent une impureté légale, elles écartent momentanément du *culte les personnes qui en sont affectées. Avec l'Évangile, ces lois de *pureté tendent à céder la place à une invitation à prendre conscience de sa responsabilité dans le domaine du *péché.

Si l'homme a volontairement transgressé la Loi, il devra obtenir le *pardon de son péché en revenant à Dieu par divers moyens rituels (*prières et *sacrifices), par des peines corporelles (la maladie et la mort étaient considérées comme des «corrections d'amour» : Os 11,4), par des actes de *pénitence et de conversion, c'est-à-dire par un retour à Dieu impliquant la *confession sincère de ses péchés, le ferme propos de ne pas les commettre à nouveau, de redresser sa conduite et de réparer, au besoin, les torts faits au prochain. Jean Baptiste, Jésus, les premiers chrétiens n'ont pas parlé différemment, mais ils ont concentré l'attention sur l'amour de Dieu et du prochain.

XV. LE NOUVEAU TESTAMENT

1. *Le texte*

Le NT comprend vingt-sept petits *livres de longueur variable, tous écrits en grec par divers auteurs, et à des dates différentes au cours du Ier siècle. Il est transmis en d'innombrables manuscrits. Le plus ancien manuscrit du NT entier, le *Sinaiticus*, date du IVe siècle.

Le plus ancien papyrus intégral de Jean remonte au début du IIIᵉ siècle. Le plus ancien papyrus d'un fragment date de l'an 135. Les variantes importantes pour le sens sont peu nombreuses; citons Mc 16,9-20; Lc 22,19b-20; Jn 5,3b-4; 8,1-11. L'établissement du texte se fait par la *critique textuelle.

2. *Les livres et le Livre*

Les livres sont rangés à la fois en raison de leur *genre littéraire (évangiles, actes, lettres, apocalypse) et de leur longueur plus ou moins grande. On reconnaît quatre *évangiles, un Livre des *Actes des Apôtres, treize *Épîtres constituant le « corpus *paulinien », une Épître aux *Hébreux, sept Épîtres dites catholiques, une *Apocalypse. Tous ces ouvrages sont rédigés par des croyants dans un but d'édification.

Ces livres constituent d'autre part un seul livre, qui exclut tout *apocryphe. Le *canon du NT, établi vraisemblablement au cours du IIᵉ siècle (à quelques exceptions près, ainsi pour Hébreux et Apocalypse), semble avoir pour motivation non pas explicitement le caractère *inspiré de ces livres, ni le fait qu'ils aient été jugés orthodoxes, ni leur attribution à des auteurs *apostoliques, mais la reconnaissance qu'ils étaient tous et eux seuls « reçus universellement » dans les Églises du temps.

Ces livres sont divisés en chapitres, selon la division proposée par Étienne Langton et attestée en 1226; les chapitres ont été eux-mêmes divisés en versets par Robert Estienne, au cours d'un voyage en diligence qui l'amenait de Lyon à Paris en 1551.

3. *De l'interprétation*

Le Nouveau Testament est livré comme texte à l'interprétation des exégètes. Cette *exégèse opère sur des textes plus ou moins étendus. D'abord au niveau des *péricopes ou petits passages, récits ou paroles isolées de leur contexte littéraire. Ensuite l'exégèse examine les écrits en tant qu'ils constituent un tout, soit par leur unité (ainsi chaque évangile), soit par l'auteur sous le nom duquel ils ont été groupés (ainsi la littérature paulinienne). Enfin, dans la mesure où l'on estime que le NT forme un tout, l'exégèse doit opérer sur la totalité du NT;

à ce dernier niveau, il va sans dire que l'hypothèse joue davantage encore puisqu'il faut trouver un langage qui unifie les perspectives des divers livres.

L'interprétation a connu divers âges. *Dogmatique*, au nom de la foi ou de la non-foi. **Critique*, à partir d'analyses littéraires. *Historique*, faisant appel aux milieux de formation des écrits *(*Formgeschichte, *Redaktionsgeschichte)*. **Herméneutique* enfin, ouvrant à la pluralité des sens possibles. Et, tout récemment, un nouveau regard est posé sur le texte grâce à l'*analyse structurale*, encore tâtonnante mais sans doute prometteuse, en dépit de son objectif fort limité.

La méthode historico-critique considère le texte sous l'aspect de son devenir, de sa tradition (en langage technique, de sa « dia-chronie », ou « évolution des faits linguistiques dans le temps »). Cette considération suppose que soit respecté le sens qu'ont les mots à chaque moment de ce devenir. De fait, les mots appartiennent à un système de relations, à un langage qui pour telle époque donnée constitue un tout ; on appelle « syn-chronie » l'ensemble des faits linguistiques considérés comme formant un système à un moment déterminé de l'évolution d'une langue. C'est ainsi que, par une considération syn-chronique (que certains qualifient de « structurale »), l'on est amené à lire le texte tel qu'en lui-même, avant de le considérer dans son histoire. Pour viser les sens possibles du texte, le critique se livre donc successivement à une considération synchronique qui lui permet de découvrir la « structure » du passage, puis à une considération diachronique qui tente de reconstituer l'évolution des structures, enfin à une considération fonctionnelle qui plonge le texte dans le milieu sociologique où il a pris naissance. Ces brèves indications sur les orientations actuelles de la critique invitent le lecteur à approfondir, s'il le juge à propos, ces difficiles questions de méthode de lecture.

Aaron

gr. *Aarôn*, hb. *aharôn*. La tradition a vu en lui le frère de *Moïse [1], qui présida à la fabrication du veau d'or [2], et surtout l'ancêtre de la classe sacerdotale [3], Grand Prêtre par excellence [4], intercesseur qui détourne de la colère divine [5]. Les *esséniens attendaient le Messie d'Aaron, Messie-prêtre souverain. Comme Aaron, le Christ a été appelé par Dieu à la fonction de Grand Prêtre [6], son sacerdoce n'est pourtant pas du même ordre, mais analogue à celui, supérieur, de Melchisédek [7].

[1] Ex 4,14. — [2] Ex 32,1-6; Ac 7,40. — [3] Ex 28,1; Nb 17,16-26; Lc 1,5; He 9,4. — [4] Si 45,6-22. — [5] Sg 18,21-25. — [6] He 5,4. — [7] He 7,3.11-21 □.

→ Grand Prêtre — Melchisédek — sacerdoce.

Abaddôn

hb. *Abaddôn* : « ruine, destruction ». Dans l'AT, lieu de perdition où séjournent les morts [1], personnifié à côté de la Mort [2]. *Ange de l'Abîme [3], dont le nom grec *Apollyôn* signifie « destructeur ».

[1] Jb 26,6. — [2] Jb 28,22. — [3] Ap 9,11 □.

→ abîme — enfers — mort.

abandonner

gr. *eg-kata-leipô* : « laisser, quitter », avec une nuance de rupture de relations personnelles. Le mot est fréquemment utilisé par la *Septante pour dire les vicissitudes de l'*Alliance. Les hommes abandonnent Yahweh [1], tandis que Yahweh promet de ne pas abandonner son élu, son fidèle, et d'être toujours «avec lui» [2]. Aussi le juif prie-t-il sans trêve que Dieu ne l'abandonne pas [3]. De la croix sur laquelle il a voulu rester, Jésus meurt en criant : « Mon Dieu, mon Dieu, pourquoi m'astu abandonné? » [4]; quoique ces mots correspondent au psaume 22,1, il ne convient pas de les édulcorer en supposant que Jésus a dit en secret la fin du psaume qui débouche sur la victoire de la vie [5]; Jésus est mort sur un « pourquoi », mais ce pourquoi il l'a dit s'adressant à Dieu en un dialogue qui suppose Dieu présent. Il a ainsi manifesté sa foi jusqu'au bout, c'est-à-dire jusque dans les ténèbres de la mort [6]. La réponse ne vient qu'après sa mort, dans la confession du centurion [7] ou dans l'affirmation de Pierre à la Pentecôte [8]. Jésus n'a pas triché avec la mort. Peut-être Paul a-t-il éprouvé un abandon semblable de la part des hommes [9].

[1] Jg 2,12; 1 S 8,8; 12,10; 1 R 9,9; 11,33; Jr 1,16; 2,13; cf He 10,25. — [2] Dt 4,31; 31,6.8; Jos 1,5; 1 R 6,13; Ps 37,28.31; cf He 13,5. — [3] 1 R 8,57; Ps 27,9; 38,22; 119,8. — [4] Mt 27,46 (= Mc 15,34). — [5] Ps 22,30s. — [6] Ph 2,8. — [7] Mc 15,39. — [8] Ac 2,27.31. — [9] 2 Co 4,9; 2 Tm 4,10.16.

abba

Terme araméen correspondant à l'hb. *âb* : « père », équivalant à « Papa », utilisé au vocatif et au nominatif. Employée seule sans précision pour s'adresser à Dieu, l'appellation est inusitée dans l'AT et dans le judaïsme postérieur, mais caractéristique du langage de Jésus. Invocation du chrétien qui, par l'Esprit, se sait fils [1].

[1] Mc 14,36; Rm 8,15; Ga 4,6; cf 2 Co 6,18 □.

→ père.

Abel

hb. *hèbèl* : « buée, d'où vanité ». Fils cadet d'Adam et d'Ève, assassiné par Caïn, son frère aîné [1], en raison de ses œuvres que Dieu tient pour agréables; type du *juste persécuté [2]. Son *sang versé est éloquent auprès de Dieu, mais celui de Jésus l'est plus encore [3].

[1] Gn 4,2-16.25; 1 Jn 3,12; cf. Sg 10,3. — [2] Mt 23,35 (= Lc 11,51). — [3] He 11,4; 12,24 □.

Abilène

gr. *abilènè*. Territoire de la ville d'Abila, aujourd'hui disparue, au nord-ouest de Damas, dans l'Antiliban. *Tétrarchie de Lysanias jusqu'en 37 ap. J.C., donnée à *Hérode Agrippa I de 37 à 44, administrée par un procurateur romain jusqu'en 53, puis annexée au royaume d'*Agrippa II, incorporée en 100 à la province romaine de *Syrie [1].

[1] Lc 3,1 □.

abîme

1. gr. *a-byssos* : « sans fond » (gr. *bythos*, *byssos* : « fond de la mer » [1]).

[1] 2 Co 11,25.

2. Lieu souterrain où séjournent les morts [2]; un gouffre (gr. *khasma* [3]) sépare ainsi les méchants des justes.

[2] Rm 10,7. — [3] Lc 16,26 △.

3. Lieu où sont enfermés les démons [4], sous la tyrannie d'un roi[5]; de là sort la *Bête [6]; *Satan y est enchaîné pour mille ans [7].

[4] Lc 8,31; Ap 9,1s. — [5] Ap 9,11. — [6] Ap 11,7; 17,8. — [7] Ap 20,1.3 △.

4. Autres mots grecs : *siros*, litt. « cavité dans le sol, récipient souterrain pour le blé »; *tartaroô* : « plonger dans le tartare », verbe dérivant du nom qui désigne les enfers dans la mythologie latine [8].

[8] 2 P 2,4 △.

→ *Intr.* V.1. — enfers.

ablution

gr. *baptismos*. Rite de purification par l'eau, entre autres par le bain [1]. A ne pas confondre avec l'*aspersion.

[1] Mc 7,4; Lc 11,38; He 9,10 □.

→ *Intr.* VIII.1.C; XIV.1.A. — bain — baptême — laver — pur.

Abomination de la désolation

gr. *to bdelygma tès erèmôseôs*, expression unissant l'image de « la chose dégoûtante » (gr. *bdelyros* : « dégoûtant »), impure [1], idolâtrique [2], à celle de « dévastation » (du gr. *erèmoô* : « rendre désertique » [3]). L'expression désignait originairement l'autel de Zeus (ou sa statue), érigé en 168-167 av. J.C. par Antiochus Épiphane IV dans le Temple de Jérusalem [4]. Elle est reprise dans Mt et Mc [5] comme signe de la *fin des temps; Lc, qui l'ignore, lui fait correspondre le fait historique de la « dévastation » de Jérusalem [6]. Paul en donne un équivalent en la personne de l'Impie, de l'Adversaire, du Perdu [7].

[1] Gn 43,32; Lv 11,43; 18,22; Ap 17,4s. — [2] 1 R 11,5; 2 R 23,13; Pr 15,8; Rm 2,22. — [3] Mt 12,25 (= Lc 11,17); Ap 18,17.19. — [4] Dn 9,27; 11,31; 12,11; 1 M 1,54.59; 2 M 6,2. — [5] Mt 24,15 (= Mc 13,14) □. — [6] Lc 21,20. — [7] 2 Th 2,3s.

→ *Intr.* I.1.C. — Antichrist — Dédicace.

Abraham

gr. *Abraam*, hb. *Abrâhâm*, du babylonien : « il aime le père » ou de l'ar. :
« le père [Dieu] est élevé ». Originaire de Haran, en Mésopotamie
septentrionale, ou de Ur en Chaldée, l'ancêtre du peuple élu [1] vécut
aux environs du XIXe s. av. J.C. (?). Sa figure domine la Bible entière,
au point qu'un des noms divins est le « Dieu d'Abraham, d'Isaac et
de Jacob » [2]. De sa vie, le NT retient surtout sa foi, en plusieurs occasions : son départ [3], la promesse d'une descendance et le sacrifice
d'*Isaac [4]. Abraham est « l'ami de Dieu » [5], le père des croyants et
donc de toutes les nations [6].

[1] Gn 12—25. — [2] Mt 22,32 (= Mc 12,26 = Lc 20,37); Ac 3,13.32 △. — [3] He
11,8. — [4] Gn 15,6; 22,1-19; He 11,17.19; Jc 2,21. — [5] Is 41,8; Jc 2,23. —
[6] Mt 3,9 (= Lc 3,8); Jn 8,33-39; Rm 3,27—4,25; Ga 3,6-29.

→ alliance — foi.

[accadien]

Langue *sémitique des habitants du pays d'Akkad, dans la Babylonie
du Nord, qui eut un rôle prépondérant vers 2250 av. J.C. [1].

[1] Gn 10,10.

accomplir

Dans la perspective biblique, « accomplir » dit plus que « faire ».
C'est « mener à son achèvement » (gr. *teleô*), idée parfois retenue
pour la Parole de Dieu ou les Écritures [1], ou encore à propos de la
passion de Jésus [2]. C'est surtout « remplir » (gr. *plèroô*), au sens de
« combler une attente », d'où résultent la conformité, la fidélité et
l'adéquation exacte du contenu au contenant : l'accomplissement est
semblable à la *prophétie. Accomplir, c'est aussi « porter à sa perfection » : le contenu semble désigner quelque chose de supérieur au
contenant; l'événement dépasse la prédiction comme la réalité l'ombre.
Le même verbe sert à dire que des personnes sont remplies de l'Esprit [3]
ou de Satan [4], de vertus [5] ou de vices [6].

[1] Lc 1,45; 18,31; 22,37; Ac 13,29; Rm 9,28; Ap 17,17. — [2] Lc 12,50; Jn 19,28.
— [3] Lc 1,15.41.67; 4,1; Ac 2,4; 4,8; 6,3.5; 7,55; 9,17; 11,24; 13,9; Ep 5,18. —
[4] Ac 5,3. — [5] Lc 2,40; 5,26; Ac 2,28; 3,10; 6,5.8; 9,36; 13,52; Rm 15,13s;
2 Co 7,4; Ph 1,11; Col 1,9; 2,10; 4,12; 2 Tm 1,4. — [6] Lc 4,28; 6,11; Ac 5,17;
13,10; 19,28; Rm 1,29.

1. *Accomplir les Écritures.* Les premiers chrétiens ont lu dans l'AT la prophétie des événements qu'ils venaient de vivre avec Jésus et dans l'Esprit Saint. De là la formule fréquente : « Cela eut lieu afin que s'accomplisse » l'Écriture ou telle parole, ou ce qui a été dit par tel prophète [7]. L'événement réalisé jette rétrospectivement une lumière définitive sur un texte, montrant ainsi que Dieu avait été à l'œuvre dans l'histoire d'Israël [8].

[7] Mt 1,22. — [8] Ac 3,18; 13,27.

2. *Le *temps est accompli.* Le sens banal de temps révolu (fonction, naissance...) [9] est transposé théologiquement par la conception du *dessein de Dieu qui se réalise [10]. De là l'expression prégnante de « plénitude des temps » [11].

[9] Lc 1,23.57; 2,6.21s; Ac 7,23.30. — [10] Lc 9,51; 21,24; Ac 2,1. — [11] Ga 4,4; Ep 1,10.

3. *Accomplir la *volonté de Dieu*, sa justice [12], et plus spécialement la Loi, par l'amour [13], tel est le dessein de Jésus : en « remplissant » la Loi, il lui fait atteindre sa pleine mesure [14].

[12] Mt 3,15; Rm 8,4. — [13] Rm 13,8.10; Ga 5,14; 6,2. — [14] Mt 5,17.

→ parfait — plénitude.

Achaïe

gr. *Achaïa.* Territoire situé dans le sud de la Grèce actuelle, soumis aux Romains en 146 av. J.C. Depuis le partage des *provinces effectué par *Auguste en 27 av. J.C., l'Achaïe est une province sénatoriale (comme la *Macédoine avec laquelle elle forme l'ensemble des pays grecs), sans importance économique ni politique. C'est à *Corinthe que siège le proconsul, tandis qu'*Athènes demeure la patrie prestigieuse de l'*hellénisme. Évangélisée par Paul [1].

[1] Ac 18,12.27; 19,21; Rm 15,26; 1 Co 16,15; 2 Co 1,1; 9,2; 11,10; 1 Th 1,7s □.

→ Gallion — Kenchrées — *Carte* 3.

[Actes des apôtres]

Seconde partie de l'ouvrage de Luc, voulant montrer comment s'est réalisée, en passant aux nations païennes, la Bonne Nouvelle annoncée et vécue par Jésus, telle qu'elle est relatée dans la première partie, l'évangile (Luc). Ce n'est pas proprement une « histoire de l'Église », ni celle des premières missions, mais une œuvre théologique, rédigée aux environs de 80, en vue probablement de lecteurs païens.

→ *Intr.* I.3-5; IV.7; XV.2. — Luc.

action de grâces

1. gr. *eukharistia* (de *eu* : « bien, très » et *kharizomai* : « faire plaisir » ou *kharis* : « ce dont on se réjouit ») : « reconnaissance »; *eukharisteô* et *kharin echô* : « remercier ». Ce terme n'est guère connu de l'AT qui parle d'ordinaire de *bénédiction. Ainsi la bénédiction avant le repas devient en milieu grec « action de grâces » [1], de même la prière de bénédiction citée dans les évangiles [2], et peut-être la liturgie de l'Apocalypse [3]. Tous les autres emplois se trouvent chez Paul.

[1] Mt 15,36 (= Mc 8,6 = Jn 6,11); 26,27 (= Mc 14,23 = Lc 22,17.19 = 1 Co 11,24); Ac 27,35. — [2] Lc 18,11; Jn 11,41; cf Ac 28,15. — [3] Ap 4,9; 7,12; 11,17.

2. L'action de grâces est une des formes de la prière. Ainsi elle transforme une coutume antique, l'action de grâces épistolaire, par laquelle on commence toujours la correspondance : c'est un merci adressé à Dieu. Chez Paul, ce merci, qui varie selon les correspondants, a essentiellement pour objet la foi, la charité et l'espérance, ainsi que le développement de la vie chrétienne; il débouche ordinairement sur une prière de demande [4]. L'action de grâces est ainsi une *doxologie, par laquelle on félicite Dieu de ses bienfaits [5], de façon analogue aux bénédictions [6]. L'action de grâces apparaît encore comme une réaction de compensation à la suite d'une fâcheuse hypothèse [7] ou comme un « Merci, mon Dieu! » qui manifeste le fond de l'être [8].

[4] Rm 1,8; 1 Co 1,4; 2 Co 1,11; Ep 1,16; Ph 1,3; Col 1,3; 1 Th 1,2; 2 Th 1,3; 1 Tm 1,12; 2 Tm 1,3; Phm 4. — [5] 2 Co 8,16; 9,15. — [6] Rm 1,25; 9,5; 2 Co 1,3; 11,31; Ep 1,3. — [7] Rm 6,17; 7,25; 1 Co 15,57; 2 Co 2,14. — [8] 1 Co 1,14; 14,18.

3. L'action de grâces est l'âme de la vie chrétienne. Cette attitude est obligatoire : à l'opposé des *akharistoï* [9] que stigmatise Paul [10], il faut être des *eukharistoï* [11], débordant de reconnaissance [12] en toutes choses [13], mais surtout pour l'appel entendu et la victoire accordée [14]. L'action de grâces doit sous-tendre toute action humaine [15], ce que fait « l'*eucharistie ».

[9] 2 Tm 3,2. — [10] Rm 1,21. — [11] Col 3,15. — [12] 2 Co 4,15; Col 2,7. — [13] Rm 14,6; 1 Co 10,30; Ep 5,20; 1 Th 5,18. — [14] 2 Co 9,15. — [15] Col 1,12; 3,15-17.

→ *Intr*. IX.3.B. — bénédiction — eucharistie — prière — sacrifice.

Adam

gr. *Adam*, hb. *âdâm* (apparenté à *adâmâ* : « sol ») : « le terreux ». Dans l'AT, le terme désigne quelquefois l'homme créé par Dieu [1], ordinairement la collectivité humaine [2]. Adam, c'est l'*Homme en qui tout homme doit se reconnaître appelé à l'intimité avec Dieu en dépit de son *péché [3]. Dans le NT, en dehors de l'une ou l'autre évocation de l'ancêtre commun des hommes [4] et de quelques réflexions sur le comportement de la femme [5] ou sur le sens du mariage [6], l'intérêt se porte sur Adam face à *Jésus Christ. Semblables en ce qu'ils ont tous deux une fonction universelle, ils diffèrent quant à leur origine, terrestre ou céleste, et à leur œuvre, de mort ou de vie [7]. Avec le langage qu'il reçoit de son époque, Paul parle d'Adam comme d'une *figure du Christ, il n'en affirme pas la réalité historique au sens moderne du mot.

[1] Gn 4,25; 5,1.3-5; 1 Ch 1,1; Tb 8,6; Si 49,16 △ et, peut-être, Gn 2,20; 3,17.21; Sg 10,1s. — [2] Jb 14,1; Ps 8,5; 104,14... — [3] Gn 2—3. — [4] Lc 3,38; Jude 14; cf Ac 17,26. — [5] 1 Tm 2,13s. — [6] Gn 2,24; cf Mt 19,4-6; Ep 5,31. — [7] Rm 5,12-21; 1 Co 15,20-22.45-49 □.

→ création — homme — mythe.

[adieu (discours d')]

*Genre littéraire de la littérature universelle, attesté dans l'AT [1] et le judaïsme (Testaments des Douze Patriarches, Jubilés, etc.), comportant d'ordinaire quatre phases : un moribond prend congé des siens, souvent à l'occasion d'un repas, il exhorte ses enfants, il fait retour sur son passé qu'il offre en modèle, il prophétise l'avenir. Le NT reproduit le discours d'adieu de Paul à Milet [2] ou dans les *Pastorales [3]; il offre plusieurs traditions du discours d'adieu de Jésus qui confère un sens à sa mort : à l'état de vestige chez Mt et Mc [4], il est développé chez Lc [5] et prédominant chez Jn [6].

[1] Gn 49; Dt 33; 1 R 2; Tb 14; 1 M 2,49-70. — [2] Ac 20,17-38. — [3] 1 Tm 4,1s; 2 Tm 3—4. — [4] Mt 26,29 (= Mc 14,25). — [5] Lc 22,15-18.21-38. — [6] Jn 13—17.

adoption

gr. *hyiothesia* (de *hyios* : « fils » et *tithèmi* : « poser, placer, regarder comme ») : « action d'établir comme fils », terme technique de la langue juridique, en Grèce et à Rome. Quoiqu'elle ne fût pas mentionnée dans la législation mosaïque, l'adoption n'était pas inconnue en Israël [1]. Selon le droit romain, elle se faisait par achat devant témoins. Les juifs se considéraient comme ayant reçu de Dieu l'adoption filiale [2]. Ainsi les chrétiens en Jésus [3], par l'Esprit qui fait des croyants des fils en toute vérité [4], même si la pleine adoption est aussi envisagée comme future [5].

[1] Gn 16,2; 48,5s; 50,23. — [2] Rm 9,4.25s; 2 Co 6,18. — [3] Rm 8,15; Ga 3,26; Ep 1,5; He 12,5-8; Ap 21,7. — [4] Ga 4,5-7; 1 Jn 3,1s. — [5] Rm 8,23 □.

→ enfant — Fils de Dieu.

adorer

1. lat. *adorare*, de *orare*, terme appartenant à la langue religieuse et juridique : « prononcer une formule rituelle, une prière, un plaidoyer », d'où *ad-orare* : « adresser une prière à ». L'étymologie populaire rattache le mot à *os* : « bouche ». Le mot gr. *pros-kyneô* (de *pros* : « devant, tourné vers » et *kyneô* : « baiser »), impliquant le geste de s'incliner pour baiser les mains ou les pieds, signifie : « se prosterner ». Le terme est parfois précédé de l'expression « tomber aux pieds de *ou* sur sa face » [1], attitude commune dans le monde antique devant un souverain ou un maître [2]. Dans l'ancien usage cultuel païen, le terme signifiait probablement « baiser, s'incliner pour jeter de la main un baiser à » l'image du dieu. D'où le sens dérivé : « adorer », qu'a pris le terme dans le monde grec et romain. La *Septante l'utilise : s'il n'y a pas chez les juifs de représentation de Yahweh, la prosternation exprime que l'on reconnaît la présence et la souveraineté de Dieu, et que l'on se soumet tout entier à sa volonté [3].

[1] Mt 18,26; Ac 10,25; 1 Co 14,25; Ap 4,10; 7,11; 11,16. — [2] cf Is 51,23; 2 R 1,13. — [3] Ps 96,9; 99,5.

2. Comme l'AT, le NT souligne que l'adoration est un devoir [4] et qu'elle est due à Dieu seul [5], de la part de tous les hommes [6]. Elle caractérise le *ciel [7]. Employé sans complément, le terme signifie le *culte dans le Temple [8]. Jésus annonce l'adoration du Père en esprit et vérité, dépassant toute localisation [9].

[4] Mt 4,10 (= Lc 4,8 = Dt 6,13). — [5] Ac 10,25s; Ap 19,10; 22,8s. — [6] 1 Co 14,25; Ap 14,7; 15,4; cf Rm 14,11; Ep 3,14. — [7] Ap 4,10; 5,14; 7,11... — [8] Jn 12,20; Ac 8,27; 24,11; cf Jn 4,20. — [9] Jn 4,20-24.

3. Adressé au Jésus terrestre, l'acte de la prosternation indique la reconnaissance, en lui, d'un pouvoir supérieur [10] ou est une moquerie lors de sa Passion [11]. Cependant le terme évoque la *foi de l'Église. Ainsi il est appliqué à l'Enfant honoré par les mages [12] et au Ressuscité [13].

[10] Mt 8,2; 9,18; 14,33; 15,25; 20,20; Mc 5,6; Jn 9,38. — [11] Mc 15,19; cf Mt 27,29. — [12] Mt 2,2.(8.)11. — [13] Mt 28,9.17; Lc 24,52.

4. Le *diable et ses représentations exigent ou reçoivent la prosternation [14]; à la suite de Jésus [15], les croyants la lui refusent, au prix de leur vie [16].

[14] Mt 4,9 (= Lc 4,7); Ap 9,20; 13,4.8; 19,20. — [15] Mt 4,10 (= Lc 4,8). — [16] Ap 13,15; cf Rm 11,4.

5. Autre terme : s'agenouiller (gr. *gonypeteô* : « tomber à genoux »). Semblable à la prosternation, le geste de fléchir le genou exprime l'hommage et la supplication [17]. Il est souvent associé à la prière [18]. Par ce geste, tous les hommes reconnaîtront en Jésus le Seigneur [19].

[17] Mt 17,14; Mc 1,40; 10,17. — [18] Lc 22,41; Ac 7,60; 9,40; 20,36; 21,5. — [19] Ph 2,10.

→ baiser — craignant-Dieu — craindre — piété — prier.

Adramyttium

gr. *Adramytteion*. Ville portuaire de *Mysie, face à Lesbos [1].

[1] Ac 27,2 □.

→ *Carte* 2.

adultère

gr. *moikheia* (étymologie incertaine).

1. La loi interdisait l'adultère, c'est-à-dire la relation sexuelle entre un homme (marié ou non) et une *femme mariée, car un tel rapport violait le droit de propriété qu'a le mari sur sa femme [1]. Les deux partenaires devaient être mis à mort, ordinairement par une *lapidation qu'effectuait la communauté, concernée tout entière par le délit [2]. Jésus étend à l'homme ce qui valait jadis pour la femme seule [3] et va jusqu'à condamner le *désir qui est déjà adultère [4]. L'adultère est un des *vices qui ferment l'entrée du Royaume [5], et cependant Dieu peut le pardonner [6].

[1] Ex 20,14.17; Mt 19,18 (= Mc 10,19 = Lc 18,20); Lc 18,11; Rm 2,22; 7,3; 13,9; Jc 2,11. — [2] Lv 20,10; Dt 22,22-24; Jn 8,3-5. — [3] Mt 5,32; 19,9; Mc 10,11s; Lc 16,18. — [4] Mt 5,27s; cf Pr 6,20-35. — [5] Mt 15,19 (= Mc 7,22); 1 Co 6,9s; He 13,4; 2 P 2,14. — [6] Jn 8,3-11; cf Mt 21,31s △.

2. Au sens figuré, sur la trace des prophètes [7], le NT qualifie de ce terme le peuple incrédule et infidèle à son Dieu [8].

[7] Ez 16,15-34; Os 2—3. — [8] Mt 12,39; 16,4 (= Mc 8,38); Jc 4,4; Ap 2,22 △.

→ *Intr.* VIII.2.B.d. — débauche — divorce — époux — mariage — prostitution — vices.

adversaire

gr. *anti-keimenos* : « celui qui est situé en face de, l'ennemi », l'opposant [1]; Satan est l'Adversaire par excellence [2]. De même avec le gr.
en-antios : « vis-à-vis de, contraire », qui se dit aussi bien des éléments
comme le vent [3] que des hommes [4], des forces [5] ou de Satan [6]. Le gr.
anti-dikos signifie la « partie adverse » [7], qui peut aussi désigner
Satan [8].

[1] Lc 13,17; 21,15; 1 Co 16,9; Ga 5,17; Ph 1,28; 1 Tm 1,10. — [2] 2 Th 2,4;
1 Tm 5,14 △. — [3] Mt 14,24 (= Mc 6,48); Ac 27,4. — [4] Ac 17,7; 28,17; 1 Th
2,15; He 10,27. — [5] Ac 26,9; Col 2,14. — [6] Tt 2,8 △. — [7] Mt 5,25 (= Lc 12,58);
Lc 18,3. — [8] 1 P 5,8 △.

→ Satan.

affranchi

1. gr. *ap-eleutheros* (de *ap-eleutheroô* : « rendre libre en se séparant ») :
ancien esclave devenu libre. Chez les juifs, les *esclaves devaient
être affranchis la 7ᵉ année [1]. Chez les Romains, l'affranchissement
s'effectuait selon deux processus distincts. Ou bien l'esclave versait
à un sanctuaire païen la somme nécessaire à son rachat et devenait
ainsi propriété exclusive du dieu; ou bien le maître, pour des motifs
inspirés notamment de la morale *stoïcienne, libérait spontanément
son esclave, sous forme d'une disposition testamentaire ou d'une
déclaration faite de son vivant. Une somme d'argent était toujours due
à l'affranchi. Par crainte d'aggraver le paupérisme, les affranchissements collectifs étaient interdits.

[1] Ex 21,2; Dt 15,12; cf Ac 6,9.

2. Selon Paul, le chrétien est un affranchi du Seigneur [2]. Le verbe
eleutheroô : « rendre libre » est employé aussi pour signifier que le
croyant est affranchi du péché [3] et qu'il est libéré par la vérité [4],
par le Christ [5].

[2] 1 Co 7,22 △. — [3] Rm 6,18.22; 8,2.21. — [4] Jn 8,32s. — [5] Jn 8,36; Ga 5,1 △.

→ *Intr*. IV.4.C. — esclave — libérer, liberté.

Agabus

gr. *Agabos*. Prophète chrétien, de Jérusalem. Il annonça deux événements : une famine et l'arrestation de Paul [1].

[1] Ac 11,27s; 21,10s □.

agape

gr. *agapè* : « amour ». Repas fraternel de caractère liturgique, au cours duquel était célébrée l'eucharistie. Attestée dès la fin du IIe s. (Tertullien), peut-être au début (*Ignace), cette coutume aurait existé au Ier s. [1] et aurait ses origines dans les repas des chrétiens de *Corinthe dont Paul dénonce les désordres [2]. Le repas qu'on dénomme à tort « joyeuse agape » [3] n'est pas une forme originale de l'eucharistie par opposition au repas sacrificiel. L'agape semble avoir souvent dégénéré en bombances [4], et a été interdite au IVe s., pour cesser au VIIe.

[1] Jude 12 □. — [2] 1 Co 11,20.22. — [3] cf Ac 2,46; 20,7. — [4] cf 2 P 2,13.

→ eucharistie — fraction du pain — repas.

Agar

hb. *hâgâr*. Servante égyptienne de *Sara, qui eut d'Abraham un fils, puis fut chassée avec son enfant [1]. *Figure de l'ancienne *alliance, aux yeux de Paul; celui-ci semble jouer sur une étymologie supposée, *ha-hâr* signifiant en hébreu « la *montagne » par excellence qui est le *Sinaï [2].

[1] Gn 16,1-16; 21,9-21. — [2] Ga 4,24s □.

Agneau de Dieu

1. Dans l'*Apocalypse, le Christ ressuscité est présenté sous les traits d'un agneau (gr. *arnion*) égorgé [1], mais vivant et glorieux [2]. Il mène la *combat et libère le peuple de Dieu avec la force d'un *lion [3]. Cette image provient de la littérature apocalyptique (Hénok) qui place à le tête du troupeau non pas une forte *bête, mais un agneau. L'Agneau est le maître de l'histoire [4] et invite les hommes à le suivre [5], jusqu'au jour de ses noces [6].

[1] Ap 5,6.12; 13,8; cf 7,14; 12,11. — [2] Ap 5,8.13; 7,9s; 14,1. — [3] Ap 5,5; 17,14. — [4] Ap 6,1.16s; 14,10. — [5] Ap 7,17; 14,4; 15,3. — [6] Ap 19,7.9; 21,9.

2. Le Christ a été considéré tantôt comme l'Agneau (gr. *amnos*) pascal qui rachète les hommes au prix de son sang [7], tantôt comme accomplissant la figure prophétique du *serviteur de Yahweh, agneau muet qui va au sacrifice [8].

[7] Ex 12,5.13; 1 P 1,19; cf Jn 19,36; 1 Co 5,7. — [8] Is 53,7; Ac 8,32.

3. Selon Jn, *Jean (Baptiste) présente Jésus comme l'Agneau (gr. *amnos*) qui enlève le péché du monde [9]; cette présentation se rattache

103

à la tradition *apocalyptique de l'Agneau vainqueur et à une tradition *essénienne du *Messie qui purifie le monde de son péché [10]. Le langage du Précurseur peut en outre être perçu par un croyant comme désignant l'Agneau pascal et le serviteur de Dieu.

[9] Jn 1,29. — [10] cf 1 Jn 3,4s.

agonie

gr. *agônia* : « lutte, combat, agitation de l'âme, inquiétude, anxiété ». Face à la mort qui venait, Jésus a été en proie à l'*angoisse, terme qui dit plus exactement le sens du mot choisi par Luc [1].

[1] Lc 22,44 □; cf 2 M 3,14-21; 15,19.

agora

gr. *agora* : « assemblée », d'où « lieu de rassemblement, place publique » [1]. A Athènes, l'agora était un emplacement planté d'arbres; il était divisé en quartiers assignés aux diverses corporations de marchands et comprenait diverses constructions (sénat, tribunal, temples, etc.) [2].

[1] Mt 11,16 (= Lc 7,32); 20,3; 23,7 (= Mc 12,38 = Lc 11,43 = 20,46); Mc 6,56; 7,4; Ac 16,19; 17,5. — [2] Ac 17,17 □.

→ place publique.

[agrapha]

gr. *agrapha (logia)* : « paroles non écrites » (*a* privatif et *graphô* : « écrire »). Paroles de Jésus absentes des évangiles *canoniques et connues par la tradition. Les agrapha sont supposés authentiques d'après plusieurs critères : qualité de la transmission, absence d'invention tendancieuse, non-altération des paroles canoniques. En voici quelques-uns, en plus de 1 Th 4,16s, dont on discute l'*authenticité. Le proverbe : « Il y a plus de joie à donner qu'à recevoir » [1] est souvent considéré comme un proverbe répandu dans le monde gréco-romain et attribué à Jésus. — « Aime ton frère comme ta propre âme, garde-le comme la pupille de l'œil » [2]. — « Le riche commença à se gratter la tête et la chose ne lui allait pas. Et le Seigneur lui dit : Comment peux-tu dire : J'ai accompli la loi et les prophètes? Alors qu'il est écrit dans la loi : Tu aimeras ton prochain comme toi-même! Et voici qu'un grand nombre de tes frères, enfants d'Abraham, se couvrent de haillons sordides et meurent de faim, alors que ta maison regorge de biens et qu'il n'en sort absolument rien pour eux! » [3]. — « Le même jour, Jésus vit un homme qui exécutait un travail le jour du sabbat. Il lui dit : Homme, si tu sais ce que tu fais, tu es heureux. Mais si tu ne le sais pas, tu es maudit et transgresseur de la Loi » [4]. — « Celui qui est près de moi est près du feu. Celui qui est loin de moi est loin du Royaume » [5]. — « Si ton frère a péché contre toi par une parole et t'a fait amende honorable, reçois-le sept fois par jour. Simon lui dit : Sept fois par jour? Le Seigneur lui répondit et lui dit : Oui, je te dis même jusqu'à soixante-dix-sept fois sept fois! Car même chez les prophètes, après qu'ils ont été oints de l'Esprit Saint, s'est trouvé le péché en parole » [6]. — « Priez pour vos ennemis, car qui n'est pas contre vous est pour vous. Quiconque se tient éloigné aujourd'hui sera demain proche de vous » [7]. — « Demandez les grandes choses et Dieu vous donnera les petites en plus » [8]. — « Soyez des changeurs experts » [9].

[1] Ac 20,35. — [2] *Év. *Thomas* 25; cf Lv 19,18; Mt 19,19. — [3] *Év. Nazaréens*, dans Origène, *sur Mt* 15,14; 19,16-22. — [4] Lc 6,5, selon *codex D*. — [5] *Év. Thomas* 82; cf Mc 9,49; Lc 12,49; 1 P 1,7; Ap 3,18. — [6] *Év. Nazaréens*, dans Jérôme, *Contre Pélage* 3,2, *sur Mt* 18,21s. — [7] Papyrus d'Oxyrhynque 1224. — [8] Clément d'Alexandrie, *Stromates* I, XXIV 158,2. — [9] Cité dans Origène : non pas des banquiers fidèles, mais des gens qui discernent le bon et le mauvais.

Agrippa
gr. *Agrippas*, lat. *Agrippa*.
1. Hérode Agrippa I.

→ Hérode.

2. Hérode Agrippa II (27-94), fils d'Hérode Agrippa I. En 53, roi de Chalkis, petite principauté du Liban, qu'il échangea contre l'ancienne *tétrarchie de Philippe et l'*Abilène. On lui reprocha sa conduite incestueuse avec sa sœur *Bérénice, sa complaisance à l'égard des Romains et son attitude ambiguë, sinon favorable à l'endroit des chrétiens [1].

[1] Ac 25,13—26,32 □.

aigle
gr. *aetos*. Rapace, difficile à distinguer, dans les textes, du *vautour. Il niche dans les rochers inaccessibles [1], dans les hauteurs qui en font un symbole des êtres célestes [2]. Son vol rapide est proverbial [3]. La

mention du col pelé et la recherche des charognes font songer plutôt au vautour [4].

[1] Jb 39,27-29. — [2] Ez 1,10; 10,14; 17,3.7; Ap 4,7; 8,13; — [3] Dt 28,49; Jb 9,26; Ap 12,14. — [4] Jb 39,30; Mi 1,16; Mt 24,28 (= Lc 17,37) □.

airain

lat. *aes* : « cuivre ». Auj. alliage de cuivre et de zinc, dont la composition date du XIIIe s. ap. J.C. Identifié par erreur au *bronze (gr. *khalkos*) [1].

[1] 1 R 7,13s; Jr 1,18; 1 Co 13,1; Ap 18,12.

Alexandre

gr. *Alexandros* : « qui protège les hommes ».

1. Fils de Simon de Cyrène et frère de Rufus [1].

[1] Mc 15,21 □.

2. Juif de famille pontificale [1].

[1] Ac 4,6 □.

3. Juif d'Éphèse [1].

[1] Ac 19,33 □.

4. Chrétien apostat [1].

[1] Tm 1,20 □.

5. Fondeur, adversaire de Paul, que certains identifient à 3 ou 4 [1].

[1] 2 Tm 4,14 □.

allégorie

gr. *allègoreô* [1] de *allos* : « autre » et *agoreuô* : « parler en public » : « dire autre chose ».

[1] Ga 4,24 □.

1. *Métaphore développée en un récit dans lequel chaque trait a sa signification propre. Ainsi la *parabole du Bon Pasteur de Jn 10,1-5 est un discours mystérieux *(paroimia)* qui est apparenté à l'allégorie : les éléments (berger, brebis, porte, bercail, portier) ont chacun séparément un sens.

2. A la différence du *symbole qui traduit une réalité, elle exprime une idée sous forme d'image.

106

[allégorisation]

Procédé par lequel on confère un ou plusieurs sens aux traits d'un récit ou d'une *parabole qui ordinairement ne les comportait pas. Ainsi « le Seigneur de la maison » *(ho kyrios tès oikias)* devient « votre Seigneur » *(ho kyrios hymôn)* [1].

[1] Mt 24,42 et Mc 13,35.

Alléluia

gr. *Hallèlouïa*, de l'hb. *hallelûyâ*, signifiant « Louez Ya (= Yahweh) ». Acclamation liturgique au début ou à la fin de certains *psaumes [1]. Cri de *louange poussé par les élus pour célébrer la victoire finale de Dieu [2].

[1] Ps 111—117. — [2] Ap 19,1.3.4.6 □.

alliance

gr. *diathèkè* (de *dia-tithemai* : « disposer de ») : acte juridique par lequel quelqu'un dispose de ses biens. Ce terme grec rend mieux que *syn-thèkè* : « traité bilatéral », l'aspect particulier de l'hb. *bᵉrît*, qui dans l'AT reflète ordinairement une alliance entre deux parties iné-gales, sur le modèle des pactes de vassalité : le puissant promet sa protection au faible, à condition que celui-ci s'engage à le servir [1], sous le regard de Yahweh [2]. Ainsi un serment rend solidaire les par-ties : Dieu sera fidèle à ses promesses, le peuple s'engage à observer les stipulations, d'où la *bénédiction ou la *malédiction qui concluent l'alliance [3]. Jamais cependant l'aspect de contrat ne l'emporte sur celui de *don ou de *promesse [4].

[1] 2 S 3,12. — [2] 1 S 20,8; 23,18. — [3] Ex 19,5.8. — [4] Ga 3,15; He 9,16s.

1. L'alliance faite par Dieu avec Abraham [5], avec son peuple Israël [6], avec David [7], est irrévocable, éternelle [8], car la *fidélité de Dieu ne peut dépendre des infidélités des hommes [9] : ainsi, aux yeux de Paul, est levé le scandale de l'*incrédulité d'Israël face au Christ Jésus [10]. Ces « alliances » [11] ont connu des modalités diverses, mais elles se rattachent toutes à l'initiative prise un jour par Yahweh : *circonci-sion et *Loi ne sont que des stipulations ajoutées ultérieurement [12]. De l'acte de Dieu, il faut se souvenir sans cesse [13].

[5] Gn 15,18; 17,2-11; Lc 1,72s; Ac 7,8; Ga 3,15-18; cf He 6,13. — [6] Ps 105,10; Ac 3,25; Rm 11,27; He 8,10; 10,16. — [7] 2 S 7,5-16; Ps 89,4s; Is 55,3; Ac 13,34. — [8] 2 S 23,5; Is 55,3; Ez 37,26; He 13,20. — [9] Dt 7,9; Jr 31,35-37; 2 Tm 2,13; He 10,23. — [10] Rm 3,3; 11,27. — [11] Rm 9,4; Ep 2,12. — [12] Dt 5,15; 8,2. — [13] Lc 1,72; 22,19; 1 Co 11,24s.

2. L'alliance avec le peuple a été scellée dans le *sang du *sacrifice cultuel offert par Moïse [14]. C'est elle que Jésus évoque en parlant de son « sang de l'alliance » [15]. C'est elle que l'Épître aux *Hébreux décrit pour mettre en relief qu'elle a été trahie par Israël [16] et qu'ainsi Jésus a contracté une alliance « meilleure » [17], « nouvelle » [18]; ce n'est pas Moïse mais le Christ qui est seul *médiateur de cette alliance [19]. A la différence de l'AT où le repas cultuel succède à l'alliance, dans le NT l'institution eucharistique précède le sacrifice de la croix où se consomme l'alliance qui fonde l'Église [20].

[14] Ex 24,8; Za 9,11. — [15] Mt 26,28 (= Mc 14,24). — [16] He 8,9; 9,15. — [17] He 7,22; 8,6. — [18] Jr 31,31; He 8,8; 9,15; 12,24. — [19] He 7,22; 8,6; 9,15; 12,24; 13,20. — [20] Ex 24,11; Lc 22,20; 1 Co 11,25.

3. Selon une autre ligne de la tradition, l'alliance qui s'exprimait par la circoncision et la Loi et qui a été méconnue par Israël doit être un jour écrite dans les *cœurs [21]. Paul reconnaît dans le don de l'*Esprit Saint la nouvelle alliance [22]. Il oppose vigoureusement les deux alliances, celle qui a conduit à l'*esclavage de la Loi et celle de la *liberté des enfants de Dieu [23].

[21] Jr 31,33; 2 Co 3,3.6. — [22] Ez 36,27; 2 Co 3,6; Ep 1,13; 2,18; 1 Th 4,8. — [23] Ga 4,22-31.

4. Selon encore une autre ligne, personnelle, de la tradition, « l'alliance dans mon sang », par laquelle Jésus, d'après Luc et Paul, annonce son sacrifice, accomplit l'alliance scellée par le *Serviteur de Yahweh [24].

[24] Is 49,8; 53,12; Lc 22,20; 1 Co 11,25.

5. Nombreuses sont les équivalences et transpositions de l'alliance. *Promesse [25], *réconciliation du peuple avec son Dieu [26], habitation de Dieu parmi les hommes [27], *communion avec le Père [28], *royaume de Dieu [29], tout cela correspond à la formule traditionnelle : « Vous serez mon peuple et je serai votre Dieu » [30].

[25] Ac 13,23; Ga 3,16.18; Ep 2,12. — [26] Ap 21,3. — [27] 2 Co 6,16. — [28] Jn 20,17. — [29] Lc 22,29. — [30] Ex 29,45; Lv 26,11; Ez 37,27; 2 Co 6,16; Ap 21,3.

→ *Intr.* X.1-2. — loi — promesse — testament.

aloès

gr. *aloè*. Parfum extrait d'un bois précieux d'Orient (sans rapport avec la plante officinale du même nom). Il était rarement employé pur; dans la Bible, il est toujours mélangé à un autre parfum comme la *myrrhe [1].

¹ Ps 45,9; Pr 7,17; Ct 4,14; Jn 19,39 □.

→ parfum.

Alpha et Oméga

Première et dernière lettre de l'alphabet grec. L'expression signifie le Premier et le Dernier de l'histoire ¹, le commencement et la fin de tout ce qui existe ². Titre divin ³, attribué à Jésus Christ ⁴.

¹ Is 41,4; 44,6; 48,12; Ap 1,17; 2,8; 22,13. — ² Ap 21,6; 22,13. — ³ Ap 1,8; 21,6. — ⁴ Ap 22,13 □.

Alphée

1. Père du publicain Lévi ¹.

¹ Mc 2,14 □.

2. Père de Jacques, l'un des Douze ¹.

¹ Mt 10,3; Mc 3,18; Lc 6,15; Ac 1,13 □.

âme

Du lat. *anima*, rendant le mot gr. *psykhè*, comme l'hb. *nèphèch*, qui peut être traduit non seulement par « âme », mais par « vie », « personne », ou même par un pronom : « je », « quelqu'un ». Cet éventail de traductions suggère l'amplitude de sens que peut prendre le mot. Il recouvre un domaine bien plus étendu que celui d'une anthropologie vulgarisée limitant l'âme à une des composantes de l'être humain.

1. Au sens primitif, l'âme désigne le *souffle* qui habite l'homme vivant ¹ ou abandonne celui qui expire ². Ce souffle n'est pas propriété de l'homme, mais don de Dieu ³. L'homme est devenu « âme vivante », parce que Dieu, seul vivant, a insufflé en ses narines un souffle de vie ⁴. Cette âme n'est pas par elle-même *immortelle, mais elle peut ne pas mourir à jamais ⁵; en effet, il appartient à Dieu seul de la *ressusciter et de la *sauver ⁶.

¹ 2 S 1,9; 1 R 17,21; Ac 20,10. — ² Gn 35,18; Lc 21,26; Ac 5,5.10; 12,23. — ³ Ps 104,29s; Lc 12,20. — ⁴ Gn 2,7; 1 Co 15,45. — ⁵ Sg 2,23; Mt 10,28; Ap 6,9; 20,4. — ⁶ 2 M 7,9.14.23; Sg 16,14; He 10,39; 1 P 1,9.

2. Par extension, l'âme désigne un *être vivant*, une personne ⁷. Une âme, c'est quelqu'un, c'est le Moi ⁸. C'est moi-même, sous son aspect d'intériorité et de puissance vitale ⁹, pouvant m'exprimer diversement et éprouver des sentiments variés ¹⁰. En un texte, unique dans le NT ¹¹, l'expression « âme et corps » désigne probablement non pas deux composantes de l'homme, mais la personne humaine dans ses manifestations, comme l'a compris Luc. En un autre texte, unique aussi [12], « esprit, âme et corps », Paul ne propose pas une division tripartite de l'homme (ni sémitique ni grecque), mais désigne l'*homme entier sous ses divers aspects.

[7] Gn 1,20s; 46,27; Mc 3,4 (= Lc 6,9); Ac 2,41.43; 3,23; 7,14; 27,10.37; Rm 2,9; 13,1; 1 P 3,20; Ap 8,9; 16,3; 18,13. — [8] 1 S 18,1.3; Mt 12,18; He 10,38. — [9] Am 6,8; Mt 22,37 (= Mc 12,30 = Lc 10,27); 2 Co 1,23; Ep 6,6; Col 3,23. — [10] Dt 6,5; Mt 11,29; 26,38 (= Mc 14,34); Lc 1,46; 12,19; Jn 12,27; Ph 2,19s; He 12,3. — [11] Mt 10,28 (= Lc 12,4s). — [12] 1 Th 5,23.

3. Enfin le terme est ambivalent, comme celui de *vie* par lequel on le traduit ordinairement. Il peut désigner la vie terrestre et mortelle que l'on veut préserver [13], dont il ne faudrait pas se soucier à l'excès [14] et qu'il conviendrait de savoir vouer, risquer [15], ou même sacrifier [16], à l'exemple de Jésus [17]. La perspective de la vie *éternelle, qui est Dieu même, invite à ne pas vouloir assurer par soi la vie temporelle [18], mais à la *haïr [19] pour la remettre à Dieu qui, seul, peut la sauvegarder [20].

[13] Mt 2,20; Lc 21,19; Ac 2,27; Rm 11,3. — [14] Mt 6,25 (= Lc 12,22s). — [15] Ac 15,26; 20,24; Rm 16,4; Ph 2,30. — [16] Jn 13,37s; 15,13; 1 Th 2,8; 1 Jn 3,16; Ap 12,11. — [17] Mt 20,28 (= Mc 10,45); Jn 10,11.15.17. — [18] Mt 10,39; 16,25 (= Mc 8,35-37 = Lc 9,24); Lc 17,33. — [19] Lc 14,26; Jn 12,25. — [20] Jc 1,21; 5,20.

→ *Intr.* IV.6.C. — corps — esprit — homme — vie.

amen

Mot hébreu, de la racine *'mn* : « se montrer ferme, stable ». Il signifie non seulement un souhait : « Ainsi-soit-il ! », mais une affirmation : « C'est vrai ! c'est ferme ! », comme le suggère la traduction par Luc : « en vérité » *(alèthôs, ep'alètheias)* [1]. Le mot vient pour approuver en une occasion solennelle, ordinairement liturgique, ce qui vient d'être dit [2], spécialement après une louange prononcée par l'assemblée [3]. Il est significatif que Jésus l'emploie, alors qu'il parlait *araméen ; il l'utilise surtout à l'occasion des paroles qui disent la tension de son espérance [4] et son opposition au *pharisaïsme [5]. Durant ses discours, l'Amen, redoublé chez Jean [6], devient une formule solennelle qui atteste la *vérité du contenu et (remplaçant l'introduction prophétique : « Ainsi parle Yahweh ») l'autorité du *Révélateur. Jésus Christ est le Oui de Dieu même, qui réalise en lui toutes ses *promesses [7].

[1] Lc 4,25; 9,27; 12,44; 21,3. — [2] Nb 5,22; Dt 27,15-26; Ne 8,6; Ps 41,14; Jr 11,5. — [3] 1 Ch 16,36; Ps 106,48; Rm 1,25; 9,5; 11,36; 16,27; Ga 1,5; He

13,21; Ap 5,14. — [4] Mt 10,23; 19,28; 24,34; 25,40. — [5] Mt 6,2.5.16; 8,10. — [6] Jn 1,51; 3,3.11. — [7] Is 65,16; 2 Co 1,19-21; Ap 3,14.

→ foi — oui — serment — vérité.

amour

1. Le mot hb. *ahâbâ* est traduit dans la Bible par le gr. *agapè*. Le substantif est presque inconnu de la langue profane, mais non le verbe *agapaô* : « accueillir avec affection », spécialement un enfant, un hôte. Ce terme tend à dire le caractère délibéré d'une tendre « inclination vers » quelqu'un (gr. *phileô*, *philia*). On ne trouve jamais le terme *erôs* (« amour passionnel »). Ce qui caractérise la conception de l'amour dans l'AT, c'est son lien essentiel avec l'*élection : avant que le Deutéronome systématise cette pensée, les premiers auteurs bibliques montrent Dieu qui choisit des hommes ou le peuple, agit en leur faveur, etc. *Justice, *Loi, *grâce, *héritage, autant de manifestations de l'amour de Dieu qui a toujours l'initiative [1]. La tradition prophétique, à partir d'Osée, présente l'amour de Dieu sous les traits d'un amour conjugal passionné parce que fidèle [2]. Tous soulignent à l'envi que la réponse de l'homme est d'aimer Dieu, ce qui se vérifie dans l'*obéissance et la *fidélité [3]. La Loi commande d'aimer son *prochain comme soi-même [4], c'est-à-dire comme sa propre vie qu'on ne peut haïr.

[1] Dt 6,5; 7,6-11. — [2] Is 54,4-8; Jr 2; 3,6-10; 31,3s; Os 1—3; 11. — [3] Ex 20,6; Dt 10,12s. — [4] Lv 19,18.

2. La *tradition synoptique*, qui présente Jésus comme le fils *bien-aimé (gr. *agapètos*) [5], ne parle pourtant pas explicitement de l'amour de Dieu pour les hommes, mais de sa *miséricorde [6]; ce n'est pas par des mots, mais par son comportement et son enseignement que Jésus a révélé l'amour divin [7]. Il a pourtant innové par rapport à l'AT en alignant et en fondant le *commandement de l'amour du prochain sur celui de l'amour pour Dieu [8]; il dépasse radicalement la tradition juive en exigeant l'amour des *ennemis [9].

[5] Mt 3,17 (= Mc 1,11 = Lc 3,22); 12,18; 17,5 (= Mc 9,7 = Lc 9,35); Mc 12,6 (= Lc 20,13). — [6] Mt 9,13 (= 12,7). — [7] Mt 18,33; Lc 15. — [8] Mt 22,37.39 (= Mc 12,30s.33 = Lc 10,27). — [9] Mt 5,43-46; Lc 6,27.32.35.

3. *Paul*, en héritier de l'AT, lie ordinairement amour et *élection [10] : les « appelés » sont des « bien-aimés » (gr. *agapètoï*) [11]. L'initiative d'amour se montre dans l'acte du *salut [12], en sorte que c'est Jésus lui-même qui, en se livrant, manifeste son amour [13]. L'amour arrache à la *colère et *réconcilie les hommes à Dieu, car l'amour est plus fort que la mort [14]. Dieu et amour sont en quelque sorte interchangeables [15]. L'amour du Christ est enfin présenté sous les traits de l'amour conjugal, non pas pour en faire un symbole érotique, mais pour souligner l'amour d'élection et la fidélité [16].

Le croyant justifié se reconnaît, par l'Esprit, aimé de Dieu [17]. En réponse il proclame sa (re)connaissance et donne sa foi (liée à l'amour [18]), fort rarement l'amour même [19]. Le croyant doit aimer son prochain [20]. C'est la foi qui fonde l'amour fraternel [21], mais c'est l'amour qui donne son authenticité à une existence de foi [22]. Lui seul crée la communauté des croyants, le *corps du Christ [23].

[10] Rm 9,13.25; 11,28. — [11] Rm 1,7; Col 3,12. — [12] Rm 5,8; 8,35. — [13] 2 Co 5,14s; Ga 2,20; 2 Th 2,13; Ep 3,19; 5,2. — [14] Rm 8,37; 1 Co 15,55; 2 Co 5,1; 1 Th 1,10. — [15] 2 Co 13,11.13. — [16] Ep 5,25. — [17] Rm 5,5; 15,30. — [18] Ep 6,23; 1 Th 1,3; 3,6; 5,8; 1 Tm 1,14. — [19] Rm 8,28; 1 Co 2,9; 8,3. — [20] Rm 13,8-10; Ga 5,14. — [21] Ga 5,6. — [22] 1 Co 13,1-8. — [23] 1 Co 8,1; 14,1; 16,14; Ep 1,15; 3,17; 4,16; Ph 2,1; Col 2,2; 2 Th 1,3.

4. *Jean* va jusqu'à identifier Dieu et l'amour (gr. *agapè*) [24] : Dieu nous a aimés le premier en envoyant son Fils [25]. La réponse de l'homme doit être l'amour, celui que le Fils montre au Père [26] : les croyants sont insérés dans cette relation d'amour [27] et doivent aimer le Père et le Fils d'un même amour [28]. C'est cet amour qui fonde l'amour fraternel [29], celui-ci devant, comme pour Paul, authentifier la foi [30].

[24] 1 Jn 4,8.16. — [25] 1 Jn 3,1.16. — [26] Jn 14,31; 1 Jn 4,19. — [27] Jn 17,26. — [28] Jn 14,21. — [29] Jn 13,34; 1 Jn 4,21. — [30] 1 Jn 3,10; 4,7s.20s.

5. Le verbe *phileô* désigne davantage l'inclination vers quelqu'un ou quelque chose [31]. Il est rarement utilisé pour désigner l'amour de Dieu [32], mais davantage pour manifester l'amour d'amitié que montre Jésus [33] et qu'il exige des fidèles. Il sert parfois à désigner l'amour pour Dieu ou pour Jésus [34], sans qu'on puisse nuancer avec le verbe *agapaô* [35]. Il sert avant tout à désigner l'amour fraternel qu'on peut appeler charité [36]. L'amour d'affection est parfois indiqué par des mots dérivant du gr. *stergô* [37], la camaraderie par *hetairos* [38].

[31] Mt 6,5; 23,6; Lc 7,6; 11,5-8; 14,10.12; 15,6-9.29; 16,9; 21,16; 20,46; 23,12; Jn 19,12; Ac 10,24; 19,31; 27,3; 28,2.7; Tt 1,8; Jc 4,4; 3 Jn 9.15; Ap 22,15. — [32] Jn 5,20; 16,27; Tt 3,4; Jc 2,23. — [33] Mt 11,19 (= Lc 7,34); Lc 12,4; Jn 3,29; 11,3.11.36; 15,13-15; 20,2; Ap 3,19. — [34] Mt 10,37; Jn 16,27; 1 Co 16,22; 2 Tm 3,4. — [35] Jn 21,15-17. — [36] Rm 12,10; 1 Th 4,9; Tt 2,4; 3,15; He 13,1; 1 P 1,22; 3,8; 2 P 1,7. — [37] Rm 1,31; 12,10; 2 Tm 3,3 △. — [38] Mt 11,16; 20,13; 22,12; 26,50 △.

→ bien-aimé — Dieu — élection — Esprit de Dieu — miséricorde.

Ananie

gr. *Ananias*, de l'hb. *ḥananyâ* : « Yahweh est favorable ».

1. Juif chrétien de Jérusalem, mari de Saphire, qui voulut tromper les Apôtres [1].

   [1] Ac 5,1.3.5 □.

2. Juif chrétien de Damas, qui baptisa *Saul [1].

   [1] Ac 9,10-17; 22,12 □.

3. Grand Prêtre (47-59 ap. J.C.), président du *sanhédrin qui jugea Paul [1].

   [1] Ac 23,2; 24,1 □.

anathème

gr. *ana-thema* : « ce qu'on place au-dessus [de l'autel, du Temple] » par suite d'une offrande votive [1]. Le mot traduit dans la *Septante l'hb. *hèrèm* qui désigne ce qui est *consacré exclusivement à Dieu, interdit à l'usage profane [2]. C'est se livrer au *jugement de Dieu et à l'exclusion de la communauté, si l'on ne dit pas la *vérité [3] ou si l'on ne fait pas ce qu'on promet [4]; c'est livrer quelqu'un au jugement de Dieu [5].

   [1] Lc 21,5. — [2] Lv 27,28s; Jos 6,17.21. — [3] Mt 26,74 (= Mc 14,71); Rm 9,3. — [4] Ac 23,12.14.21. — [5] 1 Co 12,3; 16,22; Ga 1,8s; Ap 22,3 □.

→ corban — excommunier — pur — sacré.

ancien

gr. *presbyteros* : « plus vieux [que jeune] », d'où vient le mot français « *prêtre », bien que celui-ci traduise le gr. *hiereus*.

1. Sorte d'aristocratie laïque, les anciens exercent depuis des siècles une autorité collégiale religieuse et civile sur Israël [1], puis sur les affaires des cités palestiniennes [2]. Membres du *sanhédrin, ils veillent au maintien des *traditions [3]. Le terme peut aussi désigner des *rabbis du passé [4].

   [1] Ex 3,16; 12,21; Nb 11,16. — [2] Dt 21,2; Jg 11,5; 1 R 21,8. — [3] Mt 21,23; 26,3.47; 27,1; Ac 4,5; 22,5; 24,1; 25,15. — [4] Mc 7,3.5.

2. Sur le modèle juif, les églises chrétiennes ont à leur tête un collège d'anciens qui prolonge l'action des Apôtres pour gouverner la communauté [5]. Ces anciens — équivalant, semble-t-il, aux *épiscopes [6] — sont recrutés selon des règles précises et établis dans leur fonction par l'imposition des *mains [7]. Parfois se détache du groupe un Ancien, sans doute en raison de sa vénérable autorité [8].

[5] Ac 11,30; 14,23; 15,2-23; 16,4; 20,17; 21,18; Jc 5,14; 1 P 5,5. — [6] Tt 1,5.7. — [7] 1 Tm 4,14; 5,17.19. — [8] 1 P 5,1; 2 Jn 1; 3 Jn 1 △.

3. Les « *vieillards » de l'Apocalypse [9] forment une sorte de sénat céleste dont le nombre 24 n'est pas éclairci.

[9] Ap 4,4—19,4 △.

→ *Intr.* XII.1.B. — épiscope — presbytre.

André

gr. *Andreas*, nom grec. Frère de Simon-Pierre [1], originaire de Bethsaïde [2], habitant Capharnaüm [3], il fut disciple du Baptiste et l'un des deux premiers à suivre Jésus [4]. L'un des *Douze [5].

[1] Mt 4,18 (= Mc 1,16). — [2] Jn 1,44. — [3] Mc 1,29. — [4] Jn 1,40. — [5] Mt 10,2 (= Mc 3,18 = Lc 6,14); Mc 13,3; Jn 6,8; 12,22; Ac 1,13 □.

→ apôtre.

âne

gr. *onos*, *hypozygion* (« sous le joug »). Animal domestique des plus estimés par les Israélites. Ce n'est pas le *cheval, monture guerrière, mais l'âne familial et pacifique (ou même le petit de l'ânesse [gr. *pôlos*]) sur lequel vient le Messie [1].

[1] Za 9,9; Mt 21,2.5.7 (= Mc 11,2.4.5.7 = Lc 19,30.33.35); Jn 12,14s.

anéantir

→ kénose.

ange

gr. *aggelos*, nom de fonction qui signifie « messager » [1]. Rien n'est dit ainsi sur la nature propre de l'ange. La Bible présuppose l'existence des anges de Dieu, qui contribuent à structurer l'univers créé. Par les anges, notre regard s'étend au-delà des choses visibles; à travers eux, se manifestent la *gloire de Dieu, sa présence et sa transcendance. Aussi importe-t-il de ne pas représenter matériellement ces êtres célestes, qui sont même appelés « les Gloires » [2].

[1] Mt 11,10; Mc 1,2; Lc 7,24.27; 9,52; Jc 2,25 △. — [2] 2 P 2,10; Jude 8 △.

1. « L'Ange du Seigneur » est mentionné dans le prologue et l'épilogue de Mt [3], une fois dans Lc et quatre fois dans Ac [4]. Il équivaut à l'Ange de Yahweh, qui n'est guère différent de *Yahweh se manifestant ici-bas sous une forme visible [5].

[3] Mt 1,20.24; 2,13.19; 28,2. — [4] Lc 2,9; Ac 5,19; 8,26; 12,7.23. — [5] Gn 16,7; 21,17-19; comp. Jg 6,11 et 6,14.

2. L'angélologie, ou discours sur les anges, s'enracine dans les représentations des mythologies orientales, selon lesquelles Dieu est entouré d'une cour de « *fils de Dieu » ou de séraphins, d'une armée céleste, destinée à rehausser sa gloire et à le situer dans une hauteur inaccessible aux humains [6]. Les messagers envoyés par Dieu disent la présence de Dieu agissant parmi les hommes. Au cours des siècles, on tend à multiplier leur nombre, à préciser leur fonction dans la cour céleste (ainsi les archanges ou les *chérubins [7]) et même à les désigner par des noms propres : *Michel, *Gabriel, Raphaël [8]. Le sens de cette tradition est de manifester à la fois la transcendance et la présence de Dieu au monde entier.

[6] Jb 1,6; Is 6,2s; Ap 5,11; 7,11. — [7] 1 Th 4,16; He 9,5; Jude 9. — [8] Tb 3,17; 12,15; Lc 1,19.26; Ap 12,7.

3. Le NT ne met pas en question les représentations angéliques, mais freine leur prolifération. Dans les évangiles, les anges apparaissent au service de Jésus ici-bas [9] ou lors de sa venue dernière [10]; ils soulignent la valeur personnelle des enfants ou des pécheurs convertis [11]; leur situation dans la cour céleste [12] aide à comprendre la condition non terrestre des élus [13].

[9] Mt 4,11; Mc 1,13; Lc 22,43; Jn 1,51; cf Mt 26,53. — [10] Mt 13,39.41.49; 16,27; 24,31 (= Mc 13,27); 25,31; 2 Th 1,7; 1 Tm 3,16. — [11] Mt 18,10; Lc 15,10. — [12] Lc 12,8s; 16,22. — [13] Mt 22,30 (= Mc 12,25; Lc 20,36).

4. Le Christ est supérieur aux anges [14]. Paul, qui connaît des classes d'anges [15], lutte contre la place excessive que le milieu syncrétiste de *Colosses tend à leur accorder : on en faisait des *puissances intermédiaires destinées à tamiser la lumière trop éclatante de Dieu et à fournir de nombreux *médiateurs; aussi Paul élabore-t-il une christologie qui met le Christ au-dessus de ces *Dominations [16].

[14] He 1,4-13; 2,2-16. — [15] Rm 8,38s; 1 Co 15,24; Ep 1,21; Col 1,16. — [16] Col 1,15; 2,18; cf Ap 19,10; 22,8s.

5. Face aux anges messagers de Dieu, le NT connaît des anges de *Satan qui agissent au détriment des hommes, mais qui seront vaincus définitivement [17].

[17] Mt 25,41; 2 Co 11,14; 12,7; 1 P 3,19.22; 2 P 2,4; Jude 6; Ap 9,11; 12,7.9.

6. Dans l'Apocalypse, les « anges des Églises » [18] sont diversement interprétés. On y voit des anges chargés de protéger la communauté [19], ou encore en un sens métaphorique les « génies » des Églises, ou enfin les chefs des communautés.

[18] Ap 1,20; 2,1.8.12.18; 3,1.7.14 △. — [19] cf Dn 10,13.

→ démon — diable — Dominations — esprit — gloire.

angoisse

Différente de la peur et du souci, l'angoisse signifie une profonde inquiétude et incertitude face à l'avenir et à la mort. Plusieurs termes grecs disent cet état d'âme. On peut être opprimé, plongé dans la détresse (gr. *stenokhôria*) [1], enserré, étouffé, bloqué, dominé par la crainte (gr. *synekhomai*) [2], anxieux sur l'issue du combat, par exemple face à la mort (gr. *agônia*) [3], ou enfin, au dernier degré, avoir le cœur qui manque devant l'impasse (gr. *aporia*) [4].

[1] Dt 28,53; 2 Co 4,8; 6,4.12. — [2] Mt 4,24; Lc 8,37; 12,50; 2 Co 5,14; Ph 1,23. — [3] 2 M 3,14-21; 15,19; Lc 22,44 △. — [4] Os 13,8; 2 M 8,20; Sg 11,5; Lc 21,25; 2 Co 4,8.

→ agonie — souci.

animaux

gr. *zôa*, pluriel de *zôon* (de *zèn* : « vivre ») : « êtres vivants », et *thèria*, pluriel de *thèrion* : « bête sauvage ». Le NT signale :
— parmi les quadrupèdes (gr. *tetra-pous*) : l'*agneau, l'*âne, l'ânon, le bœuf, le *bouc, les *brebis, le *chameau, le *cheval, le *chien, la génisse, le *lion, le loup, l'ours, la panthère, le *porc, le renard, le taureau, la truie, le veau;
— parmi les oiseaux : l'*aigle, la *colombe, le corbeau, le passereau, la poule et les poussins, la *tourterelle, le *vautour;
— parmi les animaux marins : le *poisson, le « monstre »;
— parmi les reptiles : l'aspic, le *dragon, le *serpent, la vipère;
— enfin sont mentionnés les *mites, les moustiques, les *sauterelles, le *scorpion et le *ver.

→ *Intr.* II.6. — bêtes, Bête — Vivants.

Anne

1. gr. *Anna*, traduisant l'hb. *hannâ* : « comblée de grâce ». Nom de la mère de Samuel [1] et d'une veuve juive prophétesse [2]. Nom *apocryphe de la mère de Marie, mère de Jésus.

116

¹ 1 S 1,2—2,21. — ² Lc 2,36 □.

2. gr. *Annas*, traduisant l'hb. *hananyâ* : « Yahweh a eu pitié ». *Grand Prêtre depuis 6 ap. J.C. ¹, de famille sacerdotale éminente, beau-père de *Caïphe et peut-être chef des *sadducéens. Bien que déposé en 15 ap. J.C. par le gouverneur Valerius Gratus, c'est à lui que Jésus est amené dès son arrestation ² ; il fait partie du *sanhédrin qui juge Pierre et Jean ³.

¹ Lc 3,2. — ² Jn 18,13.24. — ³ Ac 4,6 □.

année

1. gr. *eniautos, etos.* La durée d'une année dépend du *calendrier lunaire ou solaire, qui a été adopté. L'année se divisait en deux saisons : l'*hiver, saison des pluies, du 15 octobre au 15 mai, et l'*été, saison sèche, du 15 mai au 15 octobre. Pour un juif pieux, ce sont les *fêtes qui marquent les étapes de l'année.

2. L'année sert d'unité courante pour désigner l'âge de quelqu'un ¹, la durée d'une maladie ², telle période de l'histoire ³ ou une date déterminée ⁴. Dans les estimations de durée, une fraction d'année en valait une entière ; ainsi les « trois ans » ⁵ ou les « quatorze ans » ⁶ dont parle Paul ne correspondent peut-être qu'à un an et demi ou à douze ans et quelques mois.

¹ Mc 5,42 ; Lc 2,37.42 ; 3,23 ; 8,42 ; Jn 8,57 ; Ac 4,22 ; 1 Tm 5,9. — ² Mt 9,20 ; Lc 13,11 ; Jn 5,5 ; Ac 9,33. — ³ Ac 7,6.30.36.42 ; 13,20 ; Ga 3,17 ; He 3,10.17 ; Ap 20,2-7. — ⁴ Lc 3,1. — ⁵ Ga 1,18. — ⁶ Ga 2,1.

3. Les années de règne d'un *empereur sont comptées à partir de son avènement. Tibère César ayant été élu le 19 août 767 depuis la fondation de la Ville *(ab Urbe condita)*, soit en l'an 14 ap. J.-C., « la quinzième année » de son règne ⁷ s'étend du 19 août 28 au 18 août 29. Mais Luc, au lieu de s'aligner sur le comput romain, a pu suivre le comput syrien qui faisait commencer l'année au 1ᵉʳ octobre ; en ce cas, la quinzième année de Tibère aurait débuté le 1ᵉʳ octobre 27. Les critiques penchent pour cette seconde hypothèse.

⁷ Lc 3,1.

→ calendrier — chronologie — fête — jour, journée — mois — semaine.

Antichrist

gr. *antikhristos* (de *anti* : « contre » et *Khristos* : « Christ »), néologisme chrétien fabriqué d'après le gr. *antitheos* : « anti-dieu ». Le mot est propre aux épîtres johanniques où il désigne tantôt les chrétiens apostats [1], tantôt un personnage mystérieux qui se cache derrière eux [2]. L'ensemble relève d'une conception plus vaste, déjà présente dans l'AT : des forces hostiles à Dieu, actives dès l'origine du monde [3], se manifesteront plus spécialement au temps de la *fin [4]; on peut reconnaître ici l'influence des mythes perse et babylonien du combat entre les dieux et les monstres. Cette personnification est diversement nommée dans le NT : faux christs et faux prophètes [5], l'Impie par excellence, le Perdu par excellence, l'Adversaire [6], les deux Bêtes [7]. Ne devant se révéler qu'à la fin des temps, cette personnification est supratemporelle [8] tout en agissant par des intermédiaires; elle ne doit pas être incarnée en tel ou tel personnage historique, mais elle permet de désigner les hommes qui s'opposent à l'établissement du royaume du Christ [9] et de savoir qu'elle sera vaincue au dernier jour [10].

[1] 1 Jn 2,18. — [2] 1 Jn 2,18.22; 4,3; 2 Jn 7 □. — [3] Jb 9,13; Ps 74,13; 89,10s; Is 51,9. — [4] Ez 38—39. — [5] Mt 24,24 (= Mc 13,22). — [6] 2 Th 2,3-8. — [7] Ap 13. — [8] 2 Th 2,3-12; Ap 13. — [9] 1 Jn 2,18-22; 4,3; 2 Jn 7 — [10] 2 Th 2,8.

→ Abomination de la désolation — bêtes, Bête — Gog — nombres.

Antioche

gr. *Antiocheia*, de *Antiochos*, nom fréquent des rois Séleucides (312-125 av. J.C.).

1. *Antioche de Pisidie.* Malgré son nom, le territoire d'Antioche, *colonie romaine depuis le temps d'Auguste, était situé dans la *Phrygie. Son rôle essentiel était de surveiller la *Galatie. Les juifs y étaient nombreux. Paul y séjourna à trois reprises [1].

[1] Ac 13,14.44.50; 14,19.21; 2 Tm 3,11 □.

→ *Carte* 2.

2. *Antioche de Syrie.* Fondée en 300 av. J.C. par Séleucus, la ville était la capitale des Séleucides, quand Alexandrie était celle des Ptolémées. Foyer de civilisation hellénique, Antioche fut la capitale de la province romaine de Syrie (64 av. J.C.). Troisième ville de l'Empire, après Rome et Alexandrie, elle comptait environ 300 000 habitants, dont 10 % de juifs. Patrie de Nicolas [1]. Évangélisée par des chrétiens *hellénistes [2], puis par *Barnabé et *Paul [3], elle fut avec Jérusalem l'un des deux premiers centres de diffusion de la'foi. Là les disciples reçurent pour la première fois le surnom de *chrétiens [4]. C'est la communauté d'Antioche qui envoya Paul annoncer le Christ au monde méditerranéen [5] et que Paul rallia au retour de ses deux premières missions [6]. Là se déroula la controverse entre chrétiens d'origine juive et païenne :

sur les *viandes sacrifiées aux idoles [7], sur le comportement de Pierre avec les païens [8].

[1] Ac 6,5. — [2] Ac 11,19s. — [3] Ac 11,22.26. — [4] Ac 11,26. — [5] Ac 13,1-3. — [6] Ac 14,26; 15,35s.40; 18,22. — [7] Ac 15,22s.30. — [8] Ga 2,11 □.

→ *Intr*. I.3.C; IV.3.C. — Ignace d'Antioche — Syrie — *Carte 2*.

Antipatris

gr. *Antipatris*. Ville à 60 km au nord-ouest de Jérusalem, où Paul, menacé de mort par les juifs de la capitale, s'arrêta avant d'être conduit à Césarée [1].

[1] Ac 23,31 □.

→ *Carte 4*.

apocalypse

1. gr. *apokalypsis*, action d'enlever (*apo* : « *loin de* ») ce qui cache *(kalyptô* : « *cacher* ») *:* « *révélation* », par ex. sur le jugement divin, le mystère, la personne de Jésus [1]. Charisme particulier, dont l'Esprit gratifie tel ou tel croyant [2].

[1] Mt 11,25.27 (= Lc 10,21s); 16,17; Lc 17,30; Jn 12,38; Rm 1,17s; 2,5; 8,18s; 16,25; Ga 1,12; Ep 1,17; 3,3; 2 Th 1,7; 2,3. — [2] 1 Co 14,26.30; 2 Co 12,1.7; Ga 2,2.

2. Le terme désigne un *genre littéraire caractérisé par la révélation de secrets concernant la fin des temps et le cours de l'histoire, par des mises en scène extraordinaires, et souvent par la pseudonymie; ainsi, en plus d'Is 24 — 27 et de l'Apocalypse de Jean, le Livre d'*Hénok, le 4e Livre d'*Esdras, l'Apocalypse de *Baruch ou le groupement des paroles eschatologiques de Jésus qu'on dénomme « apocalypse *synoptique » [3].

[3] Mt 24 (= Mc 13 = Lc 21).

→ *Intr*. XII.2.A.b-c; XII.2.B.

3. Le Livre intitulé « Apocalypse » ou « Révélation » [4] provient des milieux d'Éphèse, à travers lesquels on remonte à l'apôtre Jean. Deux hypothèses sur la date : la période qui suit la persécution de Néron (65-70) ou la fin du règne de Domitien (91-96). Il ne convient pas d'identifier les différentes visions décrites dans ce livret avec des événements ou des personnages précis : conformément à son genre littéraire, l'ouvrage révèle non l'existence des royaumes à venir, mais les dimensions cachées, la profondeur permanente de l'histoire, où le salut se réalise toujours à nouveau à travers l'action contrastée de ses multiples acteurs. Ce livre est un *deutérocanonique.

⁴ Ap 1,1.

→ *Intr.* XV.

[apocryphes]

1. gr. *apokryphos* (de *kryptô* : « cacher » et *apo* : « loin de, à l'écart ») : « soustrait aux regards, secret ». Écrits ressemblant aux livres canoniques, mais n'appartenant pas au *canon des Écritures. Les chrétiens protestants les dénomment « pseudépigraphes » (du gr. *graphè* : « écrit » et *pseudès* : « menteur ») : « écrits dont le titre est mensonger ». Ils reflètent les courants de pensée et les espérances du peuple juif durant les deux siècles qui précédèrent et le siècle qui suivit le début de l'ère chrétienne, ainsi que les déviations de la foi chrétienne aux premiers siècles. La liste ci-dessous ne comporte pas les quelque vingt textes aujourd'hui perdus, auxquels font allusion les Pères de l'Église.

2. Les *apocryphes de l'AT* sont d'origine palestinienne (*P*) ou hellénistique (*H*). Ils ont exercé une réelle influence sur la littérature chrétienne primitive (ainsi Jude cite au v. 9 l'Assomption de Moïse et aux vv. 14-15 le Livre d'Hénok). Certains comportent même des interpolations chrétiennes. Ces textes, souvent fragmentaires, nous sont parvenus d'ordinaire dans des versions. La date de leur composition est fort approximative.

3. Les *apocryphes du NT* sont postérieurs au Iᵉʳ s.

    3.1. Les *évangiles apocryphes* ont cherché à combler les lacunes que présentent les évangiles *canoniques, en particulier pour ce qui concerne l'enfance et la passion de Jésus. Ils reflètent ordinairement la théologie populaire du temps et trahissent souvent une tendance *gnostique. Ils ont eu une grande influence sur la piété populaire et sur l'art religieux. Parmi les évangiles de *type synoptique*, citons : l'*Évangile des Nazaréens* (avant 180), l'*Évangile des Hébreux*, c'est-à-dire des chrétiens d'origine juive parlant grec (fin IIᵉ s., araméen traduit en grec), l'*Évangile des Égyptiens*, c'est-à-dire des chrétiens d'origine païenne (avant 150), l'*Évangile des Ébionites* (avant 150, en grec), l'*Évangile de Pierre* (fragment grec d'avant 150). Ajoutons la collection de sentences diverses que constitue l'*Évangile de *Thomas* (IIᵉ s.).
— Parmi les *évangiles-fictions*, citons le *Protévangile de Jacques* (sur l'enfance du Sauveur, grec, vers 150), l'*Évangile du Pseudo-Matthieu* (latin, Vᵉ-VIᵉ s.), la *Dormition de la Vierge*, l'*Histoire de Joseph le Charpentier* (avant IVᵉ s., en copte, arabe et latin), l'*Évangile arabe de*

APOCRYPHES DE L'ANCIEN TESTAMENT

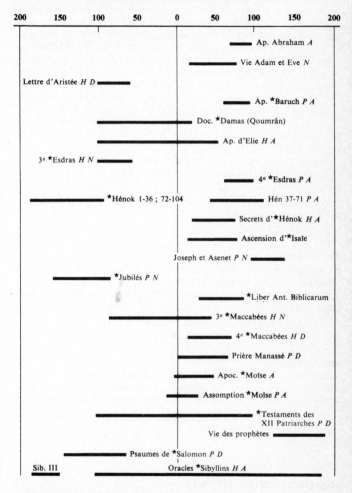

Les ouvrages sont rangés de haut en bas selon l'ordre alphabétique des noms propres. Le trait horizontal indique leur datation approximative. - *A* = apocalyptique - *D* = didactique - *H* = hellénistique - *N* = narratif - *P* = palestinien.

l'enfance (tardif), l'*Évangile de Nicodème* (IVe s., comprenant les *Actes de Pilate* sur la passion de Jésus et la *Descente aux enfers*). Enfin deux contrefaçons : l'*Évangile de Basilide*, l'*Évangile de Marcion*, et deux ouvrages mal nommés : l'*Évangile de Vérité* et l'*Évangile de Philippe*.

3.2. *Les « Actes »* continuent le récit des Actes des Apôtres, en racontant surtout les voyages et les miracles des Apôtres : Jean (avant 200), Paul (avant 200), Pierre (180-190), Thomas (vers 150), Philippe, Barthélemy, Barnabé, Thaddée sont les héros d'un récit.

3.3. *Les Épîtres* tendent à développer les privilèges de certaines Églises ou à développer tel ou tel point de doctrine. La *3e aux Corinthiens*, la *Lettre des Apôtres* (150-180), l'*Épître aux Laodicéens*, l'*Épître aux Alexandrins*, la *Correspondance de Paul avec Sénèque*, l'*Épître de Barnabé* (après 130), le *Kérygme de Pierre*, le *Kérygme de Paul*.

3.4. *Les Apocalypses* veulent encourager leurs lecteurs à faire face à l'avenir. Pierre, Paul, Thomas, Étienne, Jean s'en voient chacun attribuer une.

→ agrapha — Bible — deutérocanoniques — Nag Hammadi — Thomas (évangile de).

Apollos

gr. *Apollôs*, nom abrégé d'*Apollônios*. Juif d'Alexandrie, peut-être de l'école de *Philon, disciple de Jean Baptiste, versé dans les Écritures, puis prédicateur chrétien à grand succès[1]. Certains exégètes lui attribuent, sans fondement solide, l'Épître aux *Hébreux.

[1] Ac 18,24; 19,1; 1 Co 1,12; 3,4-6.22; 4,6; 16,12; Tt 3,13 □.

apostasie

gr. *apostasia*, du verbe *aph-istamai* : « se séparer de ». Au sens spatial[1], comme au sens figuré : les hommes se séparent de Dieu[2], en quoi consiste proprement l'apostasie[3], et Dieu éloigne de lui les impies[4].

[1] Lc 2,37; Ac 22,29. — [2] Dt 32,15; Jr 2,19; Lc 8,13; 1 Tm 4,1; He 3,12. — [3] 2 Th 2,3. — [4] Lc 13,27.

→ scandale.

[apostolique (âge)]

Époque couverte par l'autorité des *Apôtres, allant un peu au-delà de la fin du Ier siècle.

apôtre

gr. *apostolos* (de *apostellô* : « envoyer, députer ») : « envoyé », émissaire, délégué officiel chargé de mission [1], et non pas simplement une personne qui propage une doctrine ou se dévoue à une cause.

[1] Jn 13,16; Ac 9,2; 2 Co 8,23.

1. Au sens large, les ambassadeurs du Christ ressuscité, sur lesquels est fondée l'Église [2], ayant autorité (mais non supériorité) sur les communautés, celle du service pastoral [3].

[2] 1 Co 15,7; 2 Co 5,20; Ga 1,19; Ep 2,20; 4,11; 1 Th 2,7. — [3] Ac 20,28; 1 Co 9,19; 1 P 5,2-5.

2. Au sens étroit, caractéristique de Luc, ce sont les *Douze, collège apostolique chargé d'attester que le Ressuscité est le même que ce Jésus de Nazareth qu'ils ont connu [4]. Le NT en fournit quatre listes [5], identiques pour les noms, mais différentes pour l'ordre; trois groupes de noms. D'abord les quatre premiers appelés : Pierre, André, Jacques et Jean. Ensuite un deuxième groupe de quatre : Philippe, Barthélemy, Matthieu et Thomas. Enfin Jacques, Thaddée (ou Jude), Simon et Judas Iscariote. Pierre vient toujours en tête, Judas toujours en queue de liste. Ce collège a été complété lors de la défection de *Judas, mais non pas à la mort de Jacques [6].

[4] Sauf Lc 11,49; Ac 14,14. — [5] Mt 10,2-4; Mc 3,16-19; Lc 6,14-16; Ac 1,13. — [6] Lc 6,13; Ac 1,15-26; 12,2; Ap 21,14.

3. Paul est, par excellence, « l'Apôtre des Gentils » [7].

[7] Rm 11,13; cf Ac 9,15; 22,21; Rm 1,5; Ga 1,15s; 2,8; Ep 3,8; 1 Tm 2,7.

→ Église — envoyer — ministère.

apparence

gr. *eidos* (d'une racine signifiant « voir »). Ce qui se voit proprement [1], p. ex. selon Lc l'aspect corporel de la *colombe [2] ou du visage de Jésus [3]. Dans le même sens, on juge selon l'apparence (gr. *opsis* : « vue ») [4], selon le visage (gr. *pros-ôpon* : « devant la vue ») [5], on apprécie sous un aspect ce qu'on voit (gr. *horasis*, action de voir) [6]. D'ordinaire, il ne faut pas confondre l'apparence, qui désigne la réalité en tant qu'elle est perçue, avec la *forme qui exprime la réalité elle-même.

[1] 2 Co 5,7. — [2] Lc 3,22. — [3] Lc 9,29. — [4] Jn 7,24. — [5] 2 Co 5,12; 10,7. — [6] Ap 4,3; cf Ac 2,17; Ap 9,17.

→ face — forme — voir.

apparitions du Christ

1. Une liste très ancienne est transmise par Paul en l'an 55 [1], liste qui a pu être composée à partir de deux groupements : *Képhas et les *Douze, Jacques et les Apôtres, auxquels s'est adjointe l'apparition à plus de cinq cents frères. Les évangélistes mentionnent en outre des apparitions à des particuliers : Marie et les Femmes [2], les disciples d'Emmaüs [3], les Sept au bord du Lac [4]. Selon leurs bénéficiaires, ces diverses apparitions peuvent être ramenées à deux groupes : les apparitions officielles [5], destinées au collège apostolique (avec quelques autres), dont les récits pointent sur la mission qui fonde l'Église; les apparitions privées [6], destinées à tel ou tel, dont la narration s'intéresse surtout à la reconnaissance de celui qui apparaît. Enfin, à part, l'apparition à Saul de Tarse [7].

[1] 1 Co 15,3-7. — [2] Mt 28,9s; Mc 13,9-11; Jn 20,11-18. — [3] Mc 16,12s; Lc 24,13-35. — [4] Jn 21,1-23. — [5] Mt 28,16-20; Mc 16,14-20; Lc 24,34.36-53; Jn 20,19-29. — [6] = notes 2,3,4. — [7] Ac 9,3-19; 22,6-21; 26, 12-18; 1 Co 9,1; Ga 1,13-17.

2. Les récits évangéliques ne relèvent ni du genre *apocalyptique (pas de révélation de secrets ni mise en scène extraordinaire) ni de la chronique biographique (impossible de les coordonner dans le temps et l'espace, pas photos-souvenirs); ils veulent traduire une expérience originale en en manifestant la portée théologique, comme le montre l'analyse des récits.

Divers termes désignent les rencontres du Ressuscité avec ses disciples : le plus important, parce qu'il indique l'initiative du Ressuscité : « il se laisse voir, il se fit voir (gr. *ôphthè*) » [8]; ensuite voir [9], apparaître [10], révéler [11], être atteint par [12], connaître [13]. Les descriptions en sont variées : tantôt le contact subit [14], tantôt la lente découverte [15]; mais, dans tous les cas, trois moments les caractérisent : l'initiative du Ressuscité [16], la libre reconnaissance par les disciples [17] et la mission confiée [18]. De l'initiative du Christ vient l'objectivité de la rencontre aux yeux des disciples : la foi est la conséquence et non l'origine de l'expérience. La description de la reconnaissance progressive permet d'affirmer paradoxalement la situation nouvelle du Ressuscité : à la fois soustrait aux conditions normales de la vie terrestre et présent sensiblement aux hommes. La mission confiée donne sens à l'avenir et qualifie le nouveau mode de présence de Jésus.

[8] Lc 24,34; Ac 13,31; 1 Co 15,5-8. — [9] Mt 28,7.10; Mc 16,7.11.14; Jn 20,18.20.25.29; 1 Co 9,1. — [10] Mc 16,9.12.14. — [11] Ga 1,16. — [12] Ph 3,12. — [13] Ph 3,8.10. — [14] Mt 28,9; Lc 24,36; Jn 20,19.26. — [15] Lc 24,11.13-32; Jn 20,11-18.25-29; 21,1-7. — [16] Mt 28,9.17s; Mc 16,9.12.14; Lc 24,15-17.36; Jn 20,14s.19.26; 21,4s; Ac 1,3; 9,3s; 22,6s; 26,12-14; Ga 1,15s; Ph 3,12. —

[17] Mt 28,9.17; Lc 24,31.37-45; Jn 20,16-18.19.25.28; 21,7.12. — [18] Mt 28,10.18-20; Lc 24,46-49; Jn 20,17s.21-23; 21,15-17; Ac 1,8; 9,15s; 22,14s; 26,16-18; 1 Co 9,1s; 15,8-11; Ga 1,16.23.

3. Selon Luc, les apparitions aux Apôtres ont duré *quarante jours [19]; par ce nombre, Luc souligne leur caractère de prototype : le temps de ces apparitions est celui de la fondation de l'Église [20]. Luc ne dit pas que le Christ cessera de se manifester; lui-même situe après l'Ascension l'apparition à Saul de Tarse; il la présente différemment des récits d'apparition aux Apôtres : style *apocalyptique, gloire, orientation non sur Jésus qui a vécu, mais sur l'Église existante [21]. Paul, par contre, assimile son apparition à celle qu'eurent les Onze [22] et en parle dans un style différent de celui de Luc [23].

[19] Ac 1,3. — [20] Lc 24,44-49.50-53; Ac 1,2; 10,41s; 13,31. — [21] Ac 9,3-5; 22,6-11; 26,13-18. — [22] 1 Co 9,1; 15,8. — [23] Ga 1,16; Ph 3,12.

4. A travers les bénéficiaires des apparitions, Jean vise les croyants à venir [24] : ceux-ci n'ont pas vu *ce que* les disciples ont vu, mais ils savent *que* ces témoins l'ont vu. Leur foi repose sur le témoignage des premiers disciples, à savoir qu'ils ont été rencontrés par le Ressuscité; à leur tour, ils sont rencontrés par Jésus vivant après sa mort et venant demeurer en eux [25].

[24] Jn 20,29. — [25] Jn 14,19-23.

→ Ascension — exaltation — résurrection.

Appius (forum d')

gr. *Appiou phoron*. Localité à 64 km au sud de Rome [1].

[1] Ac 28,15 □.

→ *Carte* 3.

Aquilas et Priscille

gr. *Akylas*, *Priskilla (Priska)*. Époux chrétiens d'origine juive. Chassés de *Rome en 49-50 par l'édit de l'empereur *Claude, ils étaient fabricants de tentes à *Corinthe, quand ils furent les hôtes, puis les coopérateurs de *Paul [1].

[1] Ac 18,2s.18s.26; Rm 16,3s; 1 Co 16,19; 2 Tm 4,19 □.

Arabie, Arabes

Le nom collectif hb. *arab* désignait les nomades du désert syro-arabe [1]. L'Arabie (gr. *Arabia*) désigne, dès le IIe s. av. J.C., le territoire du royaume *nabatéen qui longeait la Palestine, de la mer Rouge à Damas, en y incluant le mont Sinaï [2]. Des Arabes (gr. *Arabes*) étaient à Jérusalem pour la Pentecôte [3]. Paul se retire en Arabie après sa conversion [4].

[1] Is 13,20; Jr 3,2. — [2] 2 M 5,8; Ga 4,25. — [3] Ac 2,11. — [4] Ga 1,17 □.

[araméen]

Langue *sémitique apparentée à l'hébreu; la plus répandue en Palestine au temps de Jésus; ainsi *talitha qoum* (Mc 5,41), *ephphata* (7,34), *Marana tha* (1 Co 16,22).

→ *Intr.* V.3.A.

arbre

1. Tout arbre (gr. *dendron*) doit produire des fruits, et de bons, sinon il sera coupé et jeté au feu [1].

[1] Mt 3,10 (= Lc 3,9); 7,17s (= Lc 6,43s); 12,33.

2. En liaison avec le symbolisme de l'arbre cosmique qui représente l'univers, le royaume de Dieu est assimilé à un arbre à l'*ombre duquel s'abritent les peuples [2].

[2] Ez 17,22s; 31,1-9; Dn 4,7-9; Mt 13,32 (= Lc 13,19).

3. Le bois (gr. *xylon*) de la *croix, gibet pour condamnés à mort, symbolise la *malédiction que le Christ a prise sur lui pour nous en délivrer [3].

[3] Ac 5,30; 10,39; 13,29; Ga 3,13; 1 P 2,24.

4. L'arbre (gr. *xylon*) de vie est un symbole de la mythologie mésopotamienne : ses fruits communiquent l'immortalité. L'accès à cet arbre de vie a été coupé dès les origines de l'humanité [4], mais il sera ouvert au *paradis pour tous les fidèles [5].

[4] Gn 3,22-24; Ap 22,19. — [5] Ez 47,12; Ap 2,7; 22,2.14.

→ *Intr.* II.5. — figuier — moutarde — mûrier — olivier — palmier — ronce — sycomore — vigne.

arche

lat. *arca*, traduisant le gr. *kibôtos*.

1. *Arche de Noé* (hb. *tébâ*). Embarcation (longueur : 150 m, largeur : 25 m, hauteur : 15 m) dans laquelle *Noé survécut au *déluge [1]. *Figure du *baptême chrétien [2].

126

¹ Gn 6,13—8,19; Mt 24,38; Lc 17,27; He 11,7. — ² 1 P 3,20 △.

2. *Arche d'alliance* (hb. *arôn*). Caisse en bois qui aurait contenu les « tables de l'Alliance », ou de la Loi, sur lesquelles était gravé le *Déca-logue ³. Sanctuaire portatif des Hébreux au désert, signe visible de la présence de Dieu ⁴. Déposée dans le *Saint des Saints du Temple de Salomon et recouverte par un couvercle d'or, le *propitiatoire ⁵. Elle a disparu par la suite, vraisemblablement lors de la destruction du Temple en 587 av. J.C.

³ Dt 10,1s; 1 R 8,9; He 9,4. — ⁴ Nb 10,35s; 1 S 4,3-7; Ap 11,19 △. — ⁵ Ex 25,17-21.

Archélaüs

gr. *Archelaos*. Fils d'*Hérode le Grand et de Malthaké (env. 23 av. à env. 15 ap. J.C.), frère d'*Hérode Antipas, *ethnarque de Judée, Samarie et Idumée en 4 av. J.C. Accusé de tyrannie et de scandale, il fut exilé à Vienne (Gaule) en 6 ap. J.C. Son territoire devint alors *province romaine ¹.

¹ Mt 2,22 □.

→ *Intr*. I.1.A. — Hérode.

[archétype]

Original (du gr. *arkhè* : « commencement ») servant de modèle, de « proto-type » (du gr. *typos* : « empreinte »). Le terme peut s'appliquer à des personnes ou à des concepts.

Archippe

gr. *Archippos* : « chef de cavalerie » (?). L'un des destinataires de l'Épître à *Philémon, collaborateur de Paul à *Colosses ¹.

¹ Col 4,17; Phm 2 □.

Aréopage

gr. *ho Areios pagos* : « la colline d'Arès [le dieu Mars] », à l'ouest de l'acropole d'*Athènes. La colline a donné son nom au conseil de la ville, haut tribunal religieux qui y siégeait à l'origine, mais qui, au temps de Paul, se tenait au Portique royal, près de l'*agora. Il semble que le discours de Paul sur le dieu inconnu fut prononcé non pas sur la colline mais plutôt devant le conseil [1].

[1] Ac 17,19.22 □.

Arétas IV
Roi *nabatéen de 8 av. à 40 ap. J.C. Sa fille fut donnée en mariage à *Hérode Antipas, mais répudiée vers 37. C'est sous son règne que Paul s'enfuit de Damas [1].

[1] 2 Co 11,32 □; cf Mt 14,3s (= Mc 6,17s); Ac 9,25.

→ Arabie.

argent
gr. *argyrion* : « monnaie d'argent » (de *argyros* : « le métal brillant »). Importé d'Arabie et d'Égypte, ce métal sert à l'orfèvrerie [1], au paiement [2], à la fabrication des monnaies d'après le poids (le *sicle) [3], aux tributs [4], au capital [5]. L'argent n'est pas condamnable [6], mais, mal vu à cause du trafic des *publicains ou des prédicateurs ambulants [7] et de la *convoitise de ceux qui l'aiment [8], il n'est pas une valeur estimable, il est périssable [9].

[1] Gn 24,53; Ac 17,29; 19,24; 2 Tm 2,20; Ap 9,20; 18,12. — [2] Gn 23,9; Ac 7,16; 19,19. — [3] Gn 23,16; Esd 8,27; 1 M 15,6; Mt 26,15 (= Mc 14,11 = Lc 22,5); 27,3-9; 28,12.15. — [4] 2 R 18,14s. — [5] Ex 21,21; Mt 25,18.27; Lc 19,15.23; 1 Co 3,12; Jc 4,13; cf Ap 18,3. — [6] cf Mt 22,19-21 (= Mc 12,15-17 = Lc 20,24s). — [7] Lc 3,13; 2 Co 2,17. — [8] Lc 16,14; Ac 20,33; 1 Tm 3,3; 6,10; 2 Tm 3,2; He 13,5. — [9] Mt 10,9 (= Lc 9,3); Ac 3,6; 8,20; Jc 5,3; 1 P 1, 18 □.

→ Mammon — monnaies — or — richesse — sicle.

Arimathie
gr. *Arimathaia*. Ville au nord-ouest de Jérusalem, probablement identique à Rama(thaim) de l'AT. Patrie de *Joseph qui ensevelit Jésus [1].

[1] 1 S 1,1; Mt 27,57; Mc 15,43; Lc 23,51; Jn 19,38 □.

→ *Carte* 4.

Aristarque
Chrétien de *Thessalonique, fidèle compagnon de Paul [1].

[1] Ac 19,29; 20,4; 27,2; Col 4,10; Phm 24 □.

armée céleste
→ Sabaoth.

armure
→ combat.

aromate
gr. *arôma*. Substance végétale odoriférante servant à fabriquer des
*parfums. Il est difficile d'en préciser la nature [1].

   [1] Mc 16,1; Lc 23,56; 24,1; Jn 19,40 □.

→ *Intr*. VII,3.

arrhes
gr. *arrabôn* (d'origine sémitique). Terme juridique de la langue commerciale. A la différence du gage, rendu au débiteur lorsqu'il acquitte
sa *dette, les arrhes sont une avance sur la somme due, acompte qui
garantit pour l'avenir le versement total. Ainsi le don de l'Esprit
Saint fait partie de l'*héritage promis et en garantit la totalité pour
l'accomplissement des temps [1].

   [1] 2 Co 1,22; 5,5; Ep 1,14 □.

→ héritage — prémices.

Artémis
La déesse anatolienne qui porte ce nom hellénistique est une divinité
distincte de la déesse grecque de même appellation, identifiée avec
Diane la chasseresse. Collègue d'Achéra et d'Astarté, elle était à
*Éphèse la « Grande Mère » de la nature, le symbole de la fertilité [1].

   [1] Ac 19,24-35 □.

→ *Intr*. IV.6.A.

as
gr. *assarion*. Monnaie romaine en bronze. Pour une journée de travail,
on pouvait recevoir 16 as [1].

¹ Mt 10,29 (= Lc 12,6) □.
→ monnaies.

Ascension

Scène rapportée par Luc ¹ et signalée dans la finale de *Marc ². Deux aspects la caractérisent. En tant que séparation (gr. *di-istèmi*) ³, elle dit la cessation d'un certain mode de relation entre le Christ et ses disciples, jusqu'à la *parousie. En tant qu'élévation jusqu'en haut *(ep-airô* ⁴) ou montée *(ana-)* au ciel (gr. *ana-bainô* ⁵, *ana-lambanô* ⁶, *ana-pherô* ⁷), elle symbolise l'*exaltation, la glorification ou la *Seigneurie du Christ présent à l'univers entier.

¹ Lc 24,51; Ac 1,3-11. — ² Mc 16,19. — ³ Lc 24,51. — ⁴ Ac 1,9; cf Mt 9,15 (= Mc 2,20 = Lc 5,35); Jn 14,2s. — ⁵ Jn 6,62; 20,17; Rm 10,6; Ep 4,8-10; cf Ac 2,34. — ⁶ Mc 16,19; Lc 9,51; Ac 1.2.9.11.22; 1 Tm 3,16. — ⁷ Lc 24,51.
→ exaltation du Christ.

asiarque

gr. *asi-arkhès* : « chef de l'*Asie ». Non pas le gouverneur de la *province romaine, mais un *prêtre désigné annuellement par les villes d'Asie pour présider au culte provincial de l'empereur et de Rome. Le titre était conservé à la sortie de charge ¹.

¹ Ac 19,31 □.

Asie

gr. *Asia*. Désigne dans le NT la partie de l'Asie Mineure (Turquie actuelle) qui était une *province romaine sénatoriale depuis 129 av. J.C. Elle comprenait la *Mysie, la Lydie, la Carie et la *Phrygie, encore que, dans les *Actes ¹, la Phrygie soit nommée séparément et que l'Asie ne désigne le plus souvent que le bord de mer ². Plus dynamique et plus ouverte à l'Orient que la province d'*Achaïe, elle est, avec *Éphèse pour centre ³, le vrai foyer de l'*hellénisme, économiquement et intellectuellement. Les sept Églises d'Asie mentionnées au début de l'*Apocalypse ⁴ montrent que les principales villes de cette province étaient évangélisées quand fut écrit ce Livre ⁵.

¹ Ac 2,9. — ² Ac 16,6; 27,2. — ³ Ac 19,26s. — ⁴ Ap 1,4. — ⁵ Ac 6,9; 19,10.22; 20,4.16.18; 21,27; 24,19; Rm 16,5; 1 Co 16,19; 2 Co 1,8; 2 Tm 1,15; 1 P 1,1 □.
→ *Carte 3.*

aspersion

gr. *rhantismos* (de *rhantizô* : « asperger », *rhainô* : « arroser »). Rite de purification accompli avec de l'*eau [1], parfois avec les *cendres d'une génisse [2], ordinairement avec le sang d'un animal immolé [3]. L'expression « sang de l'aspersion » ne conserve plus l'image, car elle est utilisée par comparaison avec le sang d'*Abel qui ne fut pas aspergé [4]. Le sang du Christ purifie incomparablement [5].

[1] Nb 8,7; 1 S 7,6; 2 S 23,13-17; Ez 36,25; Mc 7,3s; He 10,22. — [2] Nb 19,2-12; He 9,13. — [3] Ex 24,3-8; He 9,19.21. — [4] He 12,24. — [5] 1 P 1,2 □.

→ ablution — pur — sang.

assemblée

Divers mots désignent le groupe de personnes qui « se réunissent » (gr. *syn-erkhomai*) [1] en un même lieu et pour un motif commun ; ils s'appliquent indifféremment à une assemblée profane, à une assemblée religieuse juive ou chrétienne. Le mot gr. *plèthos* souligne l'idée de multitude, d'ensemble [2]. Le mot gr. *dèmos* retient la nuance d'assemblée publique du peuple [3], ainsi que le rare *agoraios* [4]. Quant aux termes plus fréquents, *synagôgè* et *ekklèsia*, ils visent la même réalité d'une assemblée (rarement profane [5]) religieuse : *synagôgè* du *sanhédrin [6], des chrétiens [7], ou même du rassemblement céleste [8], *ekklèsia* se dit des Hébreux dans le désert [9], et ordinairement des réunions chrétiennes [10].

[1] Mc 14,53; Jn 18,20; Ac 1,6; 10,27; 16,13; 19,32; 22,30; 28,17; 1 Co 11,17s.20.33s;14,23.26 △. — [2] Ac 6,2.5; 15,12.30; 19,9; 23,7; cf Lc 23,1 △. — [3] Ac 17,5; 19,30.37; cf 12,22 △. — [4] Ac 19,38 △. — [5] Ac 19,32.39s △. — [6] Mt 26,57; Lc 22,66; Jn 11,47; Ac 4,5. — [7] Ac 15,6.30; Jc 2,2. — [8] 2 Th 2,1. — [9] Ac 7,38 △. — [10] 1 Co 11,18; 14,4s.12.19.28.34s; He 2,12; 12,23.

→ agora — Église — peuple — synagogue.

Assos

Port de la côte nord-ouest de la Turquie actuelle, dans l'ancienne *Mysie (*province d'Asie) [1].

[1] Ac 20,13s □.

→ *Carte 2.*

assurance

→ fierté.

[assyrien]

Langue *sémitique du pays du Tigre supérieur. Son nom dérive de la
ville d'Assur [1], capitale, avant Ninive, de l'empire assyrien.

[1] Gn 10,11.

astres

1. Pour les Hébreux, étoiles et planètes (gr. *astèr* : « astre » isolé et
astra, pluriel d'*astron* : « constellation ») sont des êtres animés, mais
non divins : aucun *culte ne doit leur être rendu [1]. Ils sont chargés
d'exécuter les ordres de Dieu et de proclamer sa *gloire [2]. Leur éclat
aide à imaginer le monde à venir [3]. Leur obscurcissement et leur chute
font partie de la représentation de la *fin des temps [4].

[1] 2 R 17,16; Sg 13,2-5; Ac 7,42s. — [2] Jb 38,7.31s; Ps 19,2. — [3] Dn 12,3; 1 Co
15,41; He 11,12. — [4] Is 13,10; Mt 24,29 (= Mc 13,25 = Lc 21,25); Ap 6,13;
8,10-12; 9,1; 12,4; cf Ac 27,20; Jude 13.

2. L'étoile du matin (gr. *phôsphoros* : « porte-lumière ») désigne le
Christ, à partir d'un ancien symbole messianique [5]. L'étoile de Bethléem semble n'être qu'un signe du Messie, rattaché au thème de la
lumière se levant sur les *nations [6].

[5] 2 P 1,19 △; cf Ap 2,28; 22,16. — [6] Nb 24,17; Is 9,1; 60,1; Mt 2,2-10; cf Lc
1,78.

3. Symbole des *anges des Églises [7] et des *tribus d'Israël [8].

[7] Ap 1,16.20; 2,1; 3,1. — [8] Ap 12,1 □.

→ *Intr.* IV.6.D; V.1. — Dominations — orient — Sabaoth — soleil.

Athènes

gr. *Athènaï*. L'ancienne capitale de l'Attique (= Grèce), dont le
rôle fut prépondérant dans le développement de la civilisation antique,
était déchue de toute grandeur politique depuis le IVe s. av. J.C. Si
elle gardait le prestige de son passé et de sa culture, elle n'était plus,
lorsque Paul vint à l'*Aréopage, que la ville principale de la *province
romaine d'*Achaïe [1].

[1] Ac 17,15s.21s; 18,1; 1 Th 3,1 □.

→ *Carte* 2.

athlète

Mot dérivé du verbe gr. *athleô* : « lutter », employé au sens propre [1] et figuré [2] pour caractériser le combat chrétien. Celui-ci est encore décrit à partir d'un autre terme gr. *agônizomai* : « combattre » [3].

[1] 2 Tm 2,5. — [2] Ph 1,27; 4,3; He 10,32 □. — [3] 1 Co 9,25.

→ combat.

Attalie

gr. *Attaleia*. Port de Pamphilie, où Paul et *Barnabé s'embarquèrent pour *Antioche de Syrie [1].

[1] Ac 14,25 □.

→ *Carte* 2.

Auguste

gr. *Augoustos*, du latin, traduisant le gr. *sebastos* : « digne de révérence », tel un dieu. Titre impérial, équivalent à « Sa Majesté », avec une nuance de personnalité divine. Il fut conféré le 16 janvier 27 av. J.C. au premier empereur romain (31 av. — 14 ap. J.C.), Caius Julius Caesar Octavianus (63 av. — 14 ap. J.C.), petit-neveu de Jules*César. Ses successeurs — dont Néron — gardèrent ce titre. *Samarie fut appelée Sébaste [1].

[1] Lc 2,1; Ac 25,21.25; 27,1 □.

aumône

gr. *eleèmosynè*, mot signifiant aussi « pitié, miséricorde », à rattacher en conséquence à la compassion de Dieu [1]; mot traduisant l'hb. *çᵉdâqâ* : « justice », probablement parce que l'aumône est un moyen de rétablir la justice que Dieu veut sur terre (donner à tous les êtres ce dont ils ont besoin), en dépit des *mendiants nombreux que connaît l'Orient [2]. L'aumône est l'une des trois pratiques juives fondamentales, avec la prière et le jeûne, rendant agréable à Dieu quiconque, même non juif, la met en œuvre sans ostentation [3] : c'est un acte de *culte [4] qui purifie [5]. Jésus en fait l'éloge [6], la pratique [7] et l'exige de ses disciples [8]. L'Église primitive tente même d'organiser le partage des biens avec les plus pauvres [9] et Paul entreprend la collecte [10]. Mais, sans l'amour, elle est vaine [11].

[1] Lc 6,36.38. — [2] Mc 10,46 (= Lc 18,35); Jn 9,8; Ac 3,2s; cf Lc 16,3. — [3] Mt 6,2-4. — [4] Ac 9,36; 10,2.4. — [5] Lc 11,41. — [6] Mc 12,41-44. — [7] Jn 13,29. — [8] Lc 12,33; 16,9. — [9] Ac 4,32—5,11; 6,1-6. — [10] Ac 11,29s; 24,17; Rm 15,28; 1 Co 16,1-4; 2 Co 8—9; Ga 2,10. — [11] 1 Co 13,3.

→ collecte — mendiant — miséricorde — pauvre.

autel

lat. *altare, altaria* (à rapprocher de *adoleo* : « faire brûler »), traduisant le gr. *thysiastèrion* (de *thysia* : « sacrifice »).

1. Témoin durable d'une faveur, notamment d'une manifestation divine [1], l'autel juif signifie la présence de Dieu; sanctifiant les offrandes, il est le lieu où se réalise la communion des fidèles avec Dieu [2], d'où le respect qu'on lui doit [3]. Ses quatre coins, relevés en forme de corne [4], en constituent la partie la plus sacrée. Dans les évangiles, le terme désigne à la fois l'autel des *holocaustes et celui de l'*encens. L'autel des holocaustes, construit en pierre dans l'enceinte du Temple, est carré; surélevé, on y accède par une rampe. L'autel de l'encens, placé à l'intérieur du *Saint, est en cèdre, recouvert d'or [5].

[1] Gn 12,7s. — [2] 1 Co 10,18. — [3] Mt 5,23s; 23,18-20. — [4] Ap 9,13. — [5] 1 R 6,20; 7,48; Lc 1,11.

2. Les chrétiens, eux, ont un autel qui a supplanté les précédents [6]. Aussi l'Église primitive n'emploie-t-elle pas d'autel particulier, elle communie à la table du sacrifice du Seigneur [7].

[6] He 13,10. — [7] 1 Co 10,16-21.

→ sacrifice.

[authentique]

1. Ce qui provient de tel auteur (parole de Jésus, récit de Luc) ou appartient à tel livre (versets de Mt).

2. Ce dont la vérité ou l'autorité ne peut être contestée.

autorité

gr. *ex-ousia* (à rattacher au participe de *ex-estin* : « il est permis, libre de... ») [1]. Le mot indique que la *puissance possédée ou reçue ne peut s'exercer que dans le cadre d'un ordre juridique, politique, social, moral [2]. Dieu fixe le cours de l'histoire [3], dispose des créatures qu'il a faites [4], délègue son pouvoir aux hommes [5] ou à des messagers, anges ou autres [6]. Le diable tente de l'usurper [7]. L'autorité de Jésus est liée à la mission qu'il reçoit de Dieu : elle est chez lui parfaite assurance, étonnante liberté [8]. C'est par elle qu'il guérit les malades, qu'il chasse les démons et annonce la Bonne Nouvelle [9]. Il délègue cette autorité à ses disciples [10]; il leur montre, en servant les hommes, comment elle doit être exercée [11]. Fait Seigneur, il la reçoit définitivement de Dieu [12]. Le Christ ne soustrait pas l'autorité aux magistrats [13]; cependant, si « tout est permis » au croyant, ce n'est pas pour tomber au pouvoir de quelqu'un [14].

[1] Mt 12,2.10; 22,17. — [2] Ac 8,19; 9,14; 26,10.12. — [3] Ac 1,7. — [4] Lc 12,5; Rm 9,21. — [5] Jn 19,11; Rm 13,1s. — [6] Ap 6,8; 9,3.10.19. — [7] Lc 4,6; 22,53; Ep 2,2; Col 1,13; Ap 3,2.4.12. — [8] Mt 21,23-27 (= Mc 11,27-33 = Lc 20,1-8); Jn 5,27; 10,18; 17,2. — [9] Mt 7,29; 9,6 (= Mc 2,10 = Lc 5,24); 9,8; Mc 1,27 (= Lc 4,36). — [10] Mt 10,1. — [11] Mt 20,25-28 (= Mc 10,42-45 = Lc 22,24-27). — [12] Mt 28,18. — [13] Rm 13,1-3; Tt 3,1. — [14] 1 Co 6,12; 8,9; 9,4-18; 10,23.

→ *Intr*. VI.2.B. — liberté — puissance.

Autorités
→ Dominations.

avènement
→ Jour du Seigneur — parousie.

aveugle
gr. *typhlos*.

1. Très répandue en Orient, la cécité, provoquée surtout par l'ophtalmie purulente, était tenue pour un châtiment de Dieu [1]. Bien que la Loi recommandât de secourir les aveugles [2], ceux-ci étaient souvent réduits à *mendier [3]. Leur guérison, rarissime, était considérée comme un grand *miracle [4].

[1] Ex 4, 11; Jn 9,2; Ac 13,11. — [2] Dt 27,18. — [3] Mc 10,46; Jn 9,1. — [4] Jn 9,16.

2. En relation avec la présentation prophétique du salut comme *lumière [5], la cécité symbolise les *ténèbres spirituelles et l'*endurcissement [6]. Aussi, en rendant la vue aux aveugles, Jésus a fourni un *signe des temps messianiques [7]; celui qui le reconnaît [8] comprend que Jésus est la lumière du monde [9]; il est, comme Paul, disposé à recouvrer la vue [10].

⁵ Is 35,5. — ⁶ Is 6,9s; Mt 15,14; 23, 16-26; Jn 9,41; 12,40; Rm 2,19; 2 Co 4,4; 2 P 1,9; 1 Jn 2,11; Ap 3,17. — ⁷ Mt 11,5 (= Lc 7,22). — ⁸ Jn 9,39; cf Mt 13,16s. — ⁹ Jn 9,5. — ¹⁰ Ac 9,8.17s; 22,11.13; Ap 3,18.

→ endurcir — lumière — maladie — œil — voir.

Azot

Nom grec *(Azôtos)* de la ville d'Achdod de l'AT, entre Gaza et Joppé. La ville et son territoire furent évangélisés par *Philippe, l'un des *Sept [1].

[1] 1 S 5; Ac 8,40 □.

→ *Carte* 4.

azymes

gr. *a-zymos* : « non levé », traduisant l'hb. *maççôt.*

1. *Pains sans levain.* On les préparait la veille de la Pâque afin de commémorer le repas des Hébreux durant la nuit de l'*Exode [1]. Ils étaient estimés plus purs que les pains levés [2].

[1] Ex 12,34.39; Dt 16,3. — [2] Ex 34,25; 1 Co 5,7s △.

2. *Fête des Azymes* : fête agraire qui durait sept jours (offrande des premières gerbes, puis du pain sans levain) [3]. Comme le premier jour coïncidait avec la Pâque au moins dès le VIIᵉ s. av. J.C., on identifiait volontiers la fête des Azymes avec celle-ci [4].

[3] Ex 12,18; 23,15; Lv 23,6. — [4] Dt 16,1-8; Mt 26,17; Mc 14,1.12; Lc 22,1.7; Ac 12,3; 20,6 △.

→ *Intr.* XIII.3.B. — fête — Pâque.

B

Baal

hb. *ba‘al* : « maître, propriétaire ». Nom de divinités méditerranéennes. Les prophètes ont lutté contre la baalisation du culte de Yahweh [1]. Le mot est au féminin parce qu'on assimilait Baal à « la honte » (gr. *aischynè*, hb. *bôchèt*) [2].

[1] 1 R 18; 19,18. — [2] 2 R 21,3; Jr 2,8; 12,16; Rm 11,4 □.

Babylone

gr. *Babylôn*, hb. *Bâbèl*. Très ancienne ville au Sud de la Mésopotamie, où Juda fut déporté en 586 av. J.C. [1]. Symbolisant dès l'AT la cité de la puissance ennemie de Dieu [2], elle désigne cryptiquement *Rome dans le NT [3].

[1] Mt 1,11s.17; Ac 7,43. — [2] Gn 11,9; Is 13,1. — [3] 1 P 5,13; Ap 14,8; 16,19; 17,5; 18,2.10.21 □.

bain

gr. *loutron* (de *louô* : « laver, baigner », *louomai* : « se baigner, prendre un bain »). Le bain complet était d'usage en certaines circonstances [1]. Il symbolise la parfaite *pureté, à la différence du lavage d'une partie du corps [2]. Le croyant a été purifié de ses péchés, grâce au *sang de Jésus [3], par le bain qu'est le *baptême [4].

[1] Ac 9,37; 16,33; cf 2 P 2,22. — [2] Jn 13,10. — [3] Ap 1,5. — [4] Ac 22,16; 1 Co 6,11; Ep 5,26; Tt 3,5; He 10,22 □.

→ *Intr*. VIII.1.C. — baptême — eau — laver — pur.

baiser

gr. *(kata-) phileô, philèma*. Marque d'affection et de tendresse [1]. Signe de respect, feint ou vrai [2]. De l'usage cultuel, le NT n'offre pas de trace du baiser à des *idoles [3], mais le geste est évoqué pour signifier l'unité de la communauté [4].

[1] Gn 29,13; Ex 4,27; Lc 15,20; Ac 20,37; cf Mc 9,36; 10,16. — [2] 2 S 20,9s; Mt 26,48s (= Mc 14,44s = Lc 22,47s); Lc 7,38.45. — [3] 1 R 19,18; Os 13,2. — [4] Rm 16,16; 1 Co 16,20; 2 Co 13,12; 1 Th 5,26; 1 P 5,14 □.

→ adorer.

bandelette

gr. *keiria* : « sangle, bandage, bande » [1] et *othonion* : « pièce de linge » (de *othonè* : « linge fin ») [2]. Au pluriel, bandes de toile employées lors de l'ensevelissement pour lier les mains et les pieds du cadavre.

[1] Jn 11,44 △. — [2] Lc 24,12; Jn 19,40; 20,5-7 △.

→ *Intr.* VIII.2.D.b. — ensevelir.

banque

gr. *trapeza* : « table » des *changeurs de monnaie, que Jésus a renversée dans le Temple [1]. Banque et banquiers sont évoqués par Jésus qui ne critique pas l'intérêt, pourtant réprouvé par la Loi [2].

[1] Mt 21,12 (= Mc 11,15 = Jn 2,15). — [2] Ex 22,24; Dt 23,20; Mt 25,27 (= Lc 19,23) □.

baptême

gr. *baptisma/baptismos*, de *baptô*, verbe peu à peu limité au sens de « teindre », remplacé par *baptizô* : « tremper, plonger dans ».

1. Rite commun à de nombreuses religions (*eau purificatrice et source de vie), adopté par les *esséniens sous la forme d'un bain quotidien symbolisant l'effort vers une vie pure et l'aspiration à la grâce purificatrice; il était aussi pratiqué chez les juifs lors de l'admission des *prosélytes dans le peuple d'Israël. Le baptême de *Jean Baptiste se différencie des autres sur deux points : il est proposé à tous et il ne se renouvelle pas : il signifie un appel à la *conversion et l'anticipation du baptême messianique dans l'Esprit et le feu [1]. Il continua à être pratiqué par des sectes baptistes longtemps après la mort de Jean [2]. La tradition évangélique tend à estomper l'activité du Baptiste au profit de celle du Précurseur [3].

[1] Mt 3,6-12 (= Mc 1,4-8 = Lc 3,3-18); 21,25 (= Mc 11,30 = Lc 20,4); Lc 7,29s; Jn 1,25-33; 3,23; Ac 1,22; 10,37; 11,16; 13,24. — [2] Ac 18,25; 19,3s. — [3] comp. avec Mt/Mc : Lc 3,21; Jn 1,32.

2. Jésus a été baptisé par Jean [4], acte interprété comme une volonté de se solidariser avec les pécheurs [5] dont il ôte le péché. Jésus a lui-même pratiqué le rite du baptême [6], par le moyen de ses disciples, baptême qui ne peut être assimilé à celui de Jean ni à celui de l'Esprit, mais à celui « au nom de Jésus » [7].

[4] Mt 3,13-17 (= Mc 1,9-11 = Lc 3,21s). — [5] Mt 3,14s; Jn 1,29. — [6] Jn 3,22. — [7] Jn 3,23-30; 4,1s; cf Ac 2,38.

3. Dès ses origines, l'Église a baptisé [8] au *nom de Jésus [9], c'est-à-dire en vue d'une appartenance à Jésus et par la puissance du Seigneur[10]; elle a compris son activité en la faisant remonter à un ordre du Ressuscité [11].

[8] Ac 2,41; 8,12.16.36.38; 9,18; 10,47s; 16,15.33; 18,8; 19,5; 22,16; 1 Co 1,13-17; 15,29; He 6,2. — [9] Ac 2,38; 8,16; 10,48; 19,5. — [10] Ac 22,16; 1 Co 10,2; 12,13; Ep 4,5. — [11] Mt 28,19.

4. Diverses interprétations sont données du rite. Le baptême est signe d'unité des croyants [12] qui sont tous appelés à vivre de la vie même du Christ [13]. Il plonge le catéchumène dans la mort du Christ et devient exigence de vie nouvelle, à la manière du Ressuscité [14]. C'est une nouvelle naissance [15], un sceau [16], une illumination [17], une circoncision nouvelle [18], un bain de régénération [19] : être dans le Christ, c'est une *création nouvelle [20].

[12] Ep 4,5. — [13] Ga 3,27. — [14] Rm 6,3-5; Col 2,12; 1 P 3,18-21. — [15] Jn 3,5. — [16] 2 Co 1,22; Ep 1,13; 4,30. — [17] Ep 5,8-14; He 6,4. — [18] Col 2,11. — [19] Tt 3,5. — [20] 2 Co 5,17.

5. Métaphore désignant la passion de Jésus [21].

[21] Mc 10,38s; Lc 12,50.

→ *Intr.* XI.3. — ablution — bain — eau — Esprit de Dieu.

Barabbas

gr. *Barabbas*, de l'araméen *bar abbâ* : « fils du père ». Chef de bande révolutionnaire et meurtrier, prénommé Jésus. Les juifs ont préféré la mise en liberté de Jésus Barabbas à celle de Jésus Christ [1].

[1] Mt 27,16s (= Mc 15,7); 27,20s.26 (= Mc 15,12.15 = Lc 23,18); Jn 18,40; cf Ac 3,14 □.

Barachie

gr. *Barachias* : selon Mt, père de Zacharie [1].

[1] Mt 23,35 □.

barbare

gr. *barbaros* : « étranger ». A l'origine, onomatopée désignant celui qui baragouine. Le terme désigne, dans l'Antiquité, ceux qui parlaient mal le grec ou le latin. Il n'a pas alors de nuance de mépris et signifie d'abord « étranger » : le Barbare est aux Grecs et aux Romains ce que le Gentil est aux juifs [1].

[1] Ac 28,2.4; 1 Co 14,11 □.

Barnabé

gr. *Barnabas*, nom d'étymologie incertaine; selon Ac 4,36, « fils de la consolation ». Surnom de Joseph, *lévite originaire de *Chypre, un des premiers chrétiens, modèle de détachement. « *Apôtre », « prophète et docteur », il joua un rôle important à l'égard de *Saul, récemment venu au Christ, et dans les rapports d'*Antioche avec Jérusalem [1].

[1] Ac 4,36; 9,27; 11,22.30; 12,25; 13,1s.7.43-50; 14,12-20; 15,2-39; 1 Co 9,6; Ga 2,1-13; Col 4,10 □.

Barsabbas

gr. *Barsabbas*, de l'ar. *bar sâbâ* : « fils de l'élevé » ou *bar chabbâ*, « fils du sabbat ». Surnom de *Joseph (5) et de *Jude (7) [1].

[1] Ac 1,23; 15,22 □.

Barthélemy

gr. *Bartholomaios*, de l'ar. : « fils de Tolmaï ». Un des *Douze, toujours associé à Philippe, qu'à partir du IXe s., certains identifient avec Nathanaël [1].

[1] Mt 10,3 (= Mc 3,18 = Lc 6,14); Ac 1,13; cf 2 S 13,37 □.

[Baruch (Apocalypse de)]

*Apocryphe de l'AT, datant de la fin du Ier s. ap. J.C. Composé en hb., il n'est conservé qu'en syriaque et en un fragment grec. Sa pensée est proche de la théologie rabbinique. Il cherche une réponse au pourquoi de la destruction de Jérusalem et au problème du péché, en relation avec le jugement eschatologique.

bath

gr. *batos*, hb. *bat*, transposé parfois en « jarre » ou « baril ». Mesure hébraïque de capacité des liquides, correspondant à la *mesure grecque (gr. *metrètès*), valant 36,44 litres [1].

[1] Lc 16,6 □.

→ mesures.

béatitude

→ heureux.

Béelzéboul

gr. *Beelzeboul*. Vieille divinité phénicienne [1]. Terme dérivant probablement de l'hb. *Baal-z^e bûl*, seigneur élevé, *Baal le Prince. Selon des textes rabbiniques, seigneur du fumier, du sacrifice offert aux idoles. Ou encore, mot déformé en *Baalzéboub*, seigneur des mouches. Prince des *démons [2]. Le lat. *Beelzebub* a été traduit en français par Belzébuth ou Belzébul.

[1] 2 R 1,2-16. — [2] Mt 10,25; 12,24 (= Mc 3,22 = Lc 11,15); 12,27 (= Lc 11,18) □.

Bélial, Béliar

gr. *Belial* ou *Beliar*, d'étymologie incertaine, probablement : « le Vaut-rien ». Dans les *Testaments des XII Patriarches* désigne le *Satan; à *Qoumrân, l'esprit des ténèbres [1].

[1] 2 Co 6,15; cf Ps 18,5 □.

bénédiction

gr. *eulogia* (de *eu* : « bien » et *legô* : « parler ») : « louange » [1].
1. Ordinairement le terme retient le substrat sémitique du mot hb. qu'il traduit : *b^e râkâ* : plus qu'une parole, c'est un acte par lequel est transmis un don, en particulier, aux origines de la tradition biblique, le don de la *vie [2]. Bénir, c'est dire et communiquer le don divin [3]. Aussi *hérite-t-on la bénédiction [4].

[1] Ap 5,12; 7,12. — [2] Gn 27,25-30. — [3] Nb 6,24-26; Dt 28,3-6. — [4] Ga 3,8; 1 P 3,9.

2. Dieu est, par excellence, celui qui bénit [5]. La bénédiction atteint

141

son sommet dans le Christ qui donne le Saint Esprit, héritage ultime [6].

[5] Mt 25,34; He 6,7. — [6] Ac 3,25; Ga 3,14; Ep 1,3; He 12,17.

3. A la bénédiction de Dieu, l'homme répond par l'*action de grâces, par l'*eucharistie [7]. L'homme qui bénit Dieu reporte la bénédiction à sa source [8]. Jésus a ainsi béni ses disciples [9], mais il n'est pas dit qu'il ait « béni le pain » [10] : il a « prononcé la bénédiction sur le pain et la coupe » [11]. Si l'on bénit quelqu'un, c'est au nom de Dieu qui seul peut bénir et intégrer dans le courant de sa propre vie [12]. L'homme enfin reconnaît que tel ou tel est béni de Dieu [13].

[7] 1 Co 10,16. — [8] Lc 1,64; 2,28; 24,53; Ep 1,3; Jc 3,9; 1 P 1,3. — [9] Mc 10,16; Lc 24,50s. — [10] Exception : Lc 9,16. — [11] Mt 14,19 (= Mc 6,41); 26,26 (= Mc 14,22); Lc 24,30. — [12] Lc 1,42; Rm 12,14; 1 Co 4,12; 1 P 3,9. — [13] Mt 21,9 (= Mc 11,9s = Lc 19,38 = Jn 12,13); 23,39 (= Lc 13,35); Lc 1,42.

→ heureux — maudire.

Benjamin

gr. *Beniamein*, hb. *Bin-yâmîn* : « fils de la [main] droite » ou « fils du Sud ». Second fils de *Jacob et de Rachel, dont il était l'enfant de prédilection après *Joseph. *Éponyme d'une des douze *tribus d'Israël, celle dont sont issus le roi Saül et Saul (Paul) de Tarse [1].

[1] Gn 35,18; 42,4; Ac 13,21; Rm 11,1; Ph 3,5; Ap 7,8 □.

Bérée

gr. *Beroia*. Ville de Macédoine, auj. *Werria*; patrie de Sopater [1]. Paul, chassé de Thessalonique, s'y rendit avec *Silas [2].

[1] Ac 20,4. — [2] Ac 17,10-13 □.

→ *Carte* 2.

Bérénice

gr. *Bernikè* (née en 28 ap. J.C.). Fille aînée d'*Hérode Agrippa. Veuve à 20 ans de son oncle *Hérode, roi de Chalcis, elle vécut avec son frère *Agrippa II, épousa Polémon, roi de Cilicie, puis retourna auprès d'Agrippa. Elle eut une liaison avec *Titus, venu mener la guerre juive [1].

[1] Ac 25,13.23; 26,30 □.

142

berger

gr. *poimèn*.

1. Au petit matin, le berger du village marche devant *brebis et *chèvres qu'on lui a amenées; le soir, il les reconduit s'abreuver à la source; là, chaque propriétaire regroupe ses bêtes en se faisant reconnaître d'elles à un claquement de langue. Au temps de Jésus, les bergers faisaient partie du menu peuple qui ne connaît ni ne pratique la Loi. A ceux-là pourtant est annoncée la Bonne Nouvelle de la naissance de Jésus [1].

[1] Lc 2,8-20.

2. Le berger est dans la littérature universelle une figure traditionnelle du guide, politique ou religieux, d'une communauté. De même dans l'AT, quoique le titre ne soit donné qu'exceptionnellement à Yahweh ou aux rois d'Israël [2]; d'autre part, est vivace l'espérance du Berger qui viendra à la fin des temps pour paître son peuple à la place des guides infidèles à leur mission [3].

[2] Gn 48,15; 49,24; Nb 27,15-20; 2 S 7,7s; Ps 23. — [3] Is 40,10s; Jr 23,1-4; Ez 34,2-10; Mi 4,6s.

3. Comme Dieu, qu'il décrit tel un Pasteur plein de sollicitude [4], Jésus est rempli de miséricorde pour les brebis perdues [5], sans berger [6]; il se laisse même frapper, car il a confiance en Dieu qui lui fera rassembler le petit troupeau [7]. Au dernier jour, le *Fils de l'homme le rassemblera pour le jugement [8]. Tous ces traits ont été groupés par le IVe évangile dans l'allégorie du Bon Pasteur [9]; de même, les croyants ont vu en Jésus le Pasteur définitif [10].

[4] Lc 15,4-7. — [5] Mt 10,6; 15,24; Lc 19,10. — [6] Mt 9,36 (= Mc 6,34). — [7] Mt 26,31s (= Mc 14,27s); Lc 12,32. — [8] Mt 25,31s. — [9] Jn 10,1-30. — [10] He 13,20; 1 P 2,25; 5,4; Ap 7,17.

4. A leur tour, des pasteurs, dont Pierre le premier [11], sont chargés de veiller sur l'Église [12], d'aller chercher la brebis égarée [13] et de préserver le troupeau contre les loups [14].

[11] Jn 21,16. — [12] Ep 4,11. — [13] Mt 18,12-14. — [14] Ac 20,28-31.

bêtes, Bête

gr. *thèrion* (même racine que lat. *ferus* : « sauvage »), traduisant l'hb. *ḥayyâ* : « vivant », et plus spécialement « animal redoutable ».

1. Bête sauvage.

→ *Intr*. II.6.

2. Parfois, pour les anciens, les bêtes (appelées aussi des « *vivants »,

143

gr. *zôa*)[1] sont porteuses ou médiatrices d'un pouvoir supérieur à l'homme, maléfique ou favorable[2].

[1] He 13,11; 2 P 2,12; Jude 10. — [2] Mc 1,13; 16,18; Ap 4,6-9; cf Gn 3,1-3; Ez 1,5-25.

3. Selon quelques textes bibliques qui font écho à des mythologies orientales, l'Adversaire de Dieu aux origines ou à la fin du monde est une Bête, *serpent, *dragon, animal fabuleux[3]. Cette Bête obéit à *Satan, se dédouble au besoin, produisant avec le Dragon la triade satanique[4], mais sa défaite est assurée[5]. L'Apocalypse détaille son œuvre et sa chute[6].

[3] Jb 9,13; 26,12; Ps 74,13s; 89,10s; Is 27,1; 51,9; Ap 12,9s; 20,2. — [4] Ap 16,13. — [5] Ap 15,2; 19,19s. — [6] Ap 11,7; 13; 14,9.11; 16,2.10.13; 17; 20,4.10 □.

→ animaux — Antichrist — Vivants.

Béthanie

gr. *Bèthania*, selon une étymologie populaire : « la maison du pauvre *ou* d'Ananie ».

1. Bourgade à environ 3 km à l'est de *Jérusalem[1], sur la route de *Jéricho, au versant oriental du mont des *Oliviers[2]. Auj. *el azariyé*, déformation arabe du nom de *Lazare. Village de *Simon le lépreux, de *Marthe et *Marie[3], familier de Jésus[4], où il ressuscita Lazare[5] et d'où Jésus monta au ciel[6].

[1] Jn 11,18. — [2] Mc 11,1 (= Lc 19,29). — [3] Mt 26,6 (= Mc 14,3); Jn 11,1; cf Lc 10,38. — [4] Mt 21,17; Mc 11,11s. — [5] Jn 12,1. — [6] Lc 24,50 □.

→ *Carte* 4.

2. Selon Jn, bourg situé sur la rive gauche du Jourdain, où *Jean baptisait[1].

[1] Jn 1,28; cf 3,23.26; 10,40 □.

Bethléem

gr. *Bèthleem*, d'étymologie incertaine : « maison de Lahmu » (divinité *accadienne) ou « la maison du' pain ». Bourgade de *Judée[1], à environ 8 km au sud de * Jérusalem, appelée « ville de *David »[2] parce que celui-ci y avait reçu l'onction royale[3]. Selon la prophétie et selon les évangiles, lieu de la naissance du *Messie[4].

[1] Mt 2,1. — [2] Lc 2,4.11.15. — [3] Rt 1,2.19; 4,11; 1 S 16,4.18. — [4] Mi 5,1; Mt 2,5s.8.16; Lc 2,15; Jn 7,42 □.

→ *Carte* 4.

Bethphaguè

gr. *Bèthphaguè* : « Maison des figues ». Hameau sur le versant Est du mont des *Oliviers, probablement au nord de *Béthanie[1]. Jésus y envoya chercher l'*ânon sur lequel il devait faire son entrée à Jérusalem.

[1] Mt 21,1; Mc 11,1; Lc 19,29 □.

→ *Carte* 4.

Bethsaïde

gr. *Bethsaida*, cf ar. *bét-çaydâ* : « maison d'approvisionnement *ou* de la pêcherie. » Village de *Galilée, au nord du lac, érigé en ville par le *tétrarque *Philippe, sous le nom de Julias. Auj. *et-tell*[1].

[1] Mt 11,21 (= Lc 10,13); Mc 6,45; 8,22; Lc 9,10; Jn 1,44; 12,21 □.

→ *Carte* 4.

Bézatha, Béthesda

gr. *Bèthesda*, lat. *Bèthzatha*. Piscine située au nord de l'esplanade du Temple de Jérusalem. Les fouilles à l'église Ste-Anne ont permis de reconstituer l'existence de deux bassins séparés par une colonnade de 6,50 m, l'ensemble étant entouré de 4 colonnades mesurant respectivement à l'est 49,50 + 40 m, au sud 65,50 m, à l'ouest 40 + 48 m, au nord 50 m. De là, on peut évoquer les cinq portiques mentionnés chez Jn[1]. C'était un lieu de guérison païen.

[1] Jn 5,2 □.

→ piscine — *Carte* 1.

[Bible]

lat. *Biblia* : « livre », provenant du gr. *ta biblia* : « les livres ». Recueil des ouvrages considérés comme inspirés par Dieu et constituant le canon des Écritures. Pour les juifs, la Bible comporte 24 ouvrages; pour les protestants qui ont retenu les ouvrages écrits en hébreu et subdivisés selon la Bible grecque, elle comporte 40 livres de l'AT et 27 du NT; pour les catholiques qui retiennent les ouvrages écrits en grec, elle comporte 46 livres de l'AT et 27 du NT.

→ *Intr.* XII; XV. — apocryphes — canon — deutérocanoniques — Écriture — livre.

bien-aimé

gr. *agapètos*. Appliquée à Jésus, l'épithète a valeur *messianique; elle correspond à « unique » et « *élu » [1]. Elle caractérise la filiation spéciale de Jésus [2]. Fréquemment appliquée aux croyants, elle dit l'amour dont ils sont l'objet de la part de Dieu [3] et des frères [4]. Sur le « disciple bien-aimé », cf *disciple 3.

[1] Comparer Mt 12,18 et Is 42,1; Mt 17,5 (= Mc 9,7) et Lc 9,35. — [2] Mt 3,17 (= Mc 1,11 = Lc 3,22); Mc 12,6 (= Lc 20,13); 2 P 1,17 □. — [3] Rm 1,7. — [4] Ac 15,25; Rm 16,5; Jc 1,16; 1 Jn 2,7.

→ amour — élection — Fils de Dieu.

bienheureux

→ heureux.

Bithynie

gr. *Bithynia*. Ancien royaume d'*Asie réuni au *Pont par Pompée en 64 av. J.C. pour former la * province sénatoriale de Bithynie et du Pont. Paul ne put y rayonner, mais, au témoignage de *Pline le Jeune, les chrétiens y étaient nombreux vers 110 [1].

[1] Ac 16,7; 1 P 1,1 □.

→ *Carte* 3.

blanc

gr. *leukos* (de même origine que le lat. *lux*, *lumen*). Dans le monde de la Bible, le blanc, couleur de *lumière éclatante [1], s'oppose au noir qui évoque les *ténèbres. Il peut signifier la *pureté et l'innocence [2], mais s'accorde plutôt avec les fêtes de *joie et de triomphe [3]; c'est la couleur des êtres *glorieux, célestes [4] ou *transfigurés [5].

[1] Mt 17,2. — [2] Ps 51,9; Is 1,18; Ap 3,4.18. — [3] 2 M 11,8; Qo 9,8; Ap 2,17; 6,2.11; 7,9.13s; 19,11.14. — [4] Dn 7,9; Mt 28,3 (= Mc 16,5); Jn 20,12; Ac 1,10; Ap 1,13s; 4,4; 14,14; 20,11. — [5] Mt 17,2 (= Mc 9,3 = Lc 9,29); Ap 3,5; cf Mt 5,36; Jn 4,35 □.

→ caillou blanc — laine.

blasphémer

1. gr. *blas-phèmeô* (de *blas*, apparenté à *blabè* : « tort » et *phèmi* : « parler ») : « injurier, dire du mal de, calomnier ». Visant le Dieu

146

saint, dont les juifs évitent même de prononcer le *Nom, blasphème et profanation des choses saintes, fautes typiques des païens [1], sont punis de mort par *lapidation [2]. Il faut en outre éviter de provoquer le blasphème [3]. Le terme, selon l'usage du grec profane, peut avoir le sens large d'outrages en actes ou en paroles contre Dieu, sa *voie, les *envoyés [4].

[1] 2 R 19,4.6.20-22; Rm 2,24; Ap 13,6. — [2] Lv 24,16; Ac 6,11. — [3] 1 Tm 6,1; Tt 2,5. — [4] Ac 13,45; 18,6; 1 Tm 1,13; 1 P 4,4; 2 P 2,2; Ap 2,9; 16,9.

2. Principal chef d'accusation contre Jésus s'attribuant, notamment par le pouvoir sur les péchés, une *autorité divine [5]. Rejet de la personne et de la parole du Christ [6].

[5] Mt 9,3 (= Mc 2,7 = Lc 5,21); 26,65 (= Mc 14,64); Jn 5,18; 10,33. — [6] Ac 18,6.

3. Le blasphème contre l'Esprit consiste à attribuer au *diable les *exorcismes faits par Jésus; selon d'autres, il signifierait l'opposition à Dieu qui intervient à la *fin des temps pour pardonner les péchés et sauver les hommes. Prendre cette attitude, c'est s'écarter du Dieu qui pardonne [7].

[7] Mt 12,31s (= Mc 3,28s = Lc 12,10).

→ injurier — insulter — maudire — médire.

blé

gr. *sitos*. Le blé constituait la principale source d'alimentation de la Palestine, avec le vin et l'huile [1], et l'on en exportait [2]. Semé en terre [3] en novembre-décembre, le grain était récolté en mai-juin. Selon *Pline, le rendement du blé autour de la Méditerranée était exceptionnel : de 100 ou même de 400 pour 1. Criblé sur l'aire [4], il était ramassé dans des greniers [5]. Il servait de mesure de paiement [6], valant trois fois plus que l'*orge [7]. Le grain était broyé pour produire de la farine ou grillé pour être mangé en grains.

[1] Jr 31,12; Ap 18,13. — [2] Ac 27,38. — [3] Mt 13,25.29s; Mc 4,28; Jn 12,24; 1 Co 15,37. — [4] Lc 22,31. — [5] Mt 3,12 (= Lc 3,17); Lc 12,18. — [6] Lc 12,42; 16,7. — [7] Ap 6,6 □.

→ *Intr.* II.5; VII.1.A.

boisseau

gr. *modios*, lat. *modius*. Mesure romaine de capacité des solides, valant environ 8,75 litres. Le récipient pouvait servir aux pauvres de plat ou de support pour déposer la nourriture [1].

[1] Mt 5,15; Mc 4,21 (= Lc 11,33) □.

→ mesures.

boiteux

gr. *khôlos*. Infirme aussi fréquent en Palestine que l'aveugle. Il était inapte, selon la Loi, à la prêtrise [1], mais aussi objet de la sollicitude de Dieu [2], de Jésus [3] et des Apôtres [4].

[1] Lv 21,18. — [2] Is 35,6; Mt 11,5 (= Lc 7,22). — [3] Mt 15,30s; 18,8 (= Mc 9,45); 21,14; Lc 14,13.21. — [4] Ac 3,2; 8,7; 14,8; cf Jn 5,3; He 12,13 □.

bouc

1. gr. *tragos*. Animal traditionnellement offert en sacrifice surtout pour l'*expiation [1].

[1] Lv 4,23; He 9,12s.19; 10,4 □.

2. Le terme gr. *eriphos* : « chevreau » signifie « *chèvre » [1].

[1] Mt 25,32s; Lc 15,29 □.

bourse

Outre la ceinture, dont les plis servaient de bourse [1], le NT cite la besace à provision (gr. *pèra*) [2], l'aumônière (gr. *ballantion*) [3], et la cassette portative, anciennement tronc à embouchure (gr. *glôssokomon*) [4].

[1] Mt 10,9. — [2] Mt 10,10 (= Mc 6,8 = Lc 9,3); Lc 10,4; 22,35s △. — [3] Lc 10,4; 12,33; 22,35s △. — [4] Jn 12,6; 13,29 △.

bras (du Seigneur)

gr. *brakhion (tou Kyriou)*. Métaphore de la puissance de Dieu intervenant dans l'histoire de son peuple « à bras étendu » [1].

[1] Dt 4,34; Is 52,10; 53,1; Lc 1,51; Jn 12,38; Ac 13,17 □.

brasse

gr. *orgyia* : « longueur des deux bras étendus de l'extrémité d'une main à l'autre », mesure romaine d'arpentage d'environ 1,85 m. En Palestine, elle pouvait valoir 2,05 m [1].

148

[1] Ac 27,28 □.

→ mesures.

brebis

gr. *probaton*, désignant souvent le « petit bétail » (hb. *sè*). L'une des ressources principales de la Palestine (laine, lait, peau, viande). Offertes fréquemment dans les *sacrifices [1]. Comme les prophètes, Jésus les évoque souvent afin de dire la sollicitude de Dieu pour les hommes, à l'inverse des mauvais bergers [2].

[1] Dt 15,19; 18,4. — [2] Nb 27,17; 1 R 22,17; Ps 23,1; Is 53,7; Jr 11,19; Ez 34,5; Mt 7,15; 9,36 (= Mc 6,34); 10,6.16; 18,12; 26,31 (= Mc 14,27); Lc 15,4-6; Jn 10,1-27; 21,16s; He 13,20.

→ *Intr.* II.6. — Agneau de Dieu — berger — probatique.

bronze

gr. *khalkos*. Alliage de cuivre et d'étain. L'âge de bronze succède à l'âge de pierre de 3000 à 1200 av. J.C. Fondu [1], martelé ou ciselé, on en fabriquait des plats [2], des objets d'art [3], des idoles [4], des monnaies [5]. Il a moins de valeur que l'or et l'argent [6], à moins que l'un de ces métaux entre dans sa composition (*khalkolibanon* : « orichalque ») [7].

[1] 2 Tm 4,14. — [2] Mc 7,4. — [3] Ap 18,12. — [4] Nb 21,9; Dn 2,32; Ap 9,20. — [5] Mt 10,9 (= Mc 6,8); Mc 12,41. — [6] Jr 6,28; Ez 22,18; 1 Co 13,1 □. — [7] Ap 1,15; 2,18 △.

C

caillou blanc

La pierre blanche (gr. *psèphos leukè*) d'Ap 2,17 peut correspondre à divers objets antiques : jeton d'entrée, tablette d'acquittement du tribunal, instrument de divination ou talisman (Ex 28,30). La couleur blanche est associée à l'idée de bonheur (*Pline : « un jour heureux marqué d'une pierre blanche ») ou de victoire. C'est ce que précise le *nom nouveau gravé sur la pierre.

Caïn

gr. *Kaïn*, de l'hb. *qaîn* : « forgeron [?] », ancêtre des Qénites (?)[1]. Fils premier-né d'Adam et Ève. Jaloux, il a tué *Abel, dévoilant la *haine qui, dès les origines, habite le cœur des hommes[2]; il est le type du méchant, celui qui hait le juste, son frère[3].

[1] Nb 24,21s. — [2] Gn 4,1-16; He 11,4. — [3] 1 Jn 3,12.15; Jude 11 □.

Caïphe

gr. *Kaïaphas*. Prénommé Joseph, gendre d'*Anne, il fut *Grand Prêtre de 18 à 36. *Sadducéen, il collabora volontiers avec *Pilate. Il mena le *procès de Jésus et des Apôtres[1].

[1] Mt 26,3.57; Lc 3,2; Jn 11,49; 18,13s.24.28; Ac 4,6 □; cf Mt 26,51 (= Mc 14,47 = Lc 22,50).58 (= Mc 14,53 = Lc 22,54).62s (= Mc 14,60s).65 (= Mc 14,63); Mc 14,66; Jn 11,51; 18,10.15.16.19.22.26; Ac 5,17.

[calendrier]

1. La manière de subdiviser le temps varie avec les civilisations. Israël semble avoir adopté d'abord le calendrier lunaire des nomades : année de 354 jours totalisant douze *mois (alternativement de 29 et 30 jours), chaque mois commençant lors d'une nouvelle *lune. A l'époque de Jésus, le calendrier officiel tenait compte aussi de l'année solaire des agriculteurs : pour aboutir aux 364 jours de cette année, un mois supplémentaire était ajouté tous les trois ans aux douze mois lunaires, ou encore, à partir de Séleucus (IVᵉ s. av. J.C.), sept mois supplémentaires étaient ajoutés tous les 19 ans. Selon le calendrier solaire, les fêtes tombaient le même jour de la semaine : la Pâque un mercredi, la Pentecôte un dimanche.

2. L'année civile commençait, selon l'usage babylonien, avec le premier mois du printemps, appelé *nisan. A l'origine toutefois, Israël avait fixé le départ de l'année en septembre, à la fin des travaux agricoles; un vestige de cette coutume transparaît dans l'ancien calendrier liturgique qui part de la fête de la nouvelle lune de septembre « à la fin de l'année » (Ex 23,16), plutôt que de la fête de la Pâque (Lv 23,5).

3. Diverses ères sont connues dans l'Antiquité. L'ère des Olympiades commença le 1ᵉʳ juillet 776 av. J.C. L'ère romaine commençait à la fondation de Rome *(a(b) U(rbe) c(ondita) : a.U.c.)* le 1ᵉʳ janvier 753 av. J.C. L'ère séleucide commença le 1ᵉʳ octobre 312 av. J.C. L'ère chrétienne a été fixée par un moine arménien, Denys le Petit (en 526 ap. J.C.) au 25 mars de l'ère romaine 754 *a.U.c.* Au temps de Jésus,

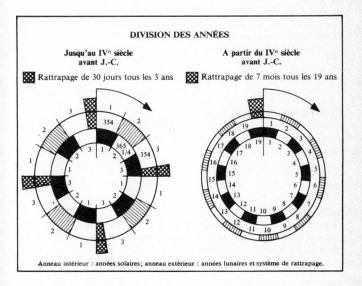

DIVISION DES ANNÉES

Jusqu'au IVᵉ siècle avant J.-C.

A partir du IVᵉ siècle avant J.-C.

▨ Rattrapage de 30 jours tous les 3 ans

▨ Rattrapage de 7 mois tous les 19 ans

Anneau intérieur : années solaires; anneau extérieur : années lunaires et système de rattrapage.

on estimait que le monde avait été créé depuis env. 5000 ou 4000 ans. Le calendrier julien (de Jules César, qui le fixa en 45 av. J.C.) détermine l'existence des années bissextiles (le sixième jour avant le 1er mars est répété tous les quatre ans). Le calendrier grégorien (du pape Grégoire XIII qui le fixa en 1582), pour accorder le calendrier julien avec le soleil, supprima dix jours entre le 4 et le 15 octobre 1582; puis il fut précisé que les années séculaires ne seraient bissextiles que si leur millésime était divisible par 400, de sorte que jusqu'en 2099 le calendrier julien est en retard de treize jours sur le calendrier grégorien. Le calendrier juif actuel fait commencer l'année 5736 au 6 septembre 1975.

4. A *Qoumrân, le calendrier était solaire (12 mois de 30 jours avec un jour intercalaire chaque trimestre). L'année commençait toujours au même jour de la semaine, soit normalement un mercredi, et la *Pâque également. Selon cet usage, la Cène aurait pu être célébrée le mardi et non le jeudi.

→ année — chronologie — fête — journée — mois — semaine.

Cana

gr. *Kana*, de l'hb. *qânè* : « roseau ». Village de *Galilée, à localiser non pas à Kafar Kenna, mais à Hirbet Qana, à quelque 14 km au nord-est de Nazareth. Selon Jean, Jésus y changea l'eau en vin [1].

[1] Jn 2,1.11; 4,46; 21,2 □.

→ *Carte* 4.

Canaan

L'expression « pays de Canaan » désigne dans l'AT une entité géographique assez indéterminée : la *Palestine proprement dite et aussi la côte *syrienne; elle désigne encore la *terre promise aux Hébreux [1].

[1] Gn 11,3; Ex 3,8; Is 19,18; 23,11.

Cananéen

1. gr. *Kananaîos*, surnom de Simon. Si le grec ne fait que transcrire l'ar. *qan'ânayâ*, ce surnom le désigne comme animé d' « ardeur ». Le parallèle Lc 6,15 écrit « Simon appelé Zélote » [1].

[1] Mt 10,4 (= Mc 3,18) □.

152

2. gr. *Khananaïos*, habitant de Canaan, terme générique pour Phénicien [1].

[1] Mt 15,22; cf Mc 7,26 □.

Candace
gr. *Kandakè*. Nom dynastique, comme Pharaon, des souveraines de Méroé, royaume de la Nubie méridionale ou *Éthiopie [1].

[1] Ac 8,27 □.

candélabre
→ chandelier.

[canon des Écritures]
gr. *kanôn* : « règle », d'où : « règle de la foi ».
Liste des livres bibliques, officiellement reconnus par les juifs et par les Églises comme *inspirés par Dieu.

→ *Intr.* XII; XV. — Bible — deutérocanonique.

cantique
→ chant — psaume.

Capharnaüm
gr. *Kapharnaoum*, hb. *Kᵉphar nâḥûm* : « village de Nahum », à 4 km à l'ouest de l'embouchure du *Jourdain dans le lac de *Guennésareth. Poste frontière aux confins des États des *tétrarques *Hérode et *Philippe, siège d'une garnison romaine, mais non pas hellénisé, à la différence de *Magdala ou de *Tibériade. Capharnaüm est la « ville de Jésus », la patrie de Pierre et d'André. Auj. *tell ḥum* [1].

[1] Mt 4,13; 8,5 (= Lc 7,1); 11,23 (= Lc 10,15); 17,24; Mc 1,21 (= Lc 4,31); 2,1; 9,33; Lc 4,23; Jn 2,12; 4,46; 6,17.24.59 □. Cf Mt 9,1; Mc 1,33.

→ *Carte* 4.

Cappadoce

gr. *Kappadokia*. Région du centre de la Turquie actuelle. *Province romaine depuis 17 av. J.C. [1].

[1] Ac 2,9; 1 P 1,1 □.

→ *Carte* 3.

captif

gr. *aikhmalôtos* (de *aikhmè* : « pointe, lance, bataille », et *haliskomai* : « être pris ») : « prisonnier de guerre, captif ». Employé au sens général de *prisonnier [1]. En souvenir de la *déportation des juifs à Babylone et de leur retour [2], l'homme est dit captif du péché [3], mais Jésus vient le délivrer pour en faire son propre captif [4]. En outre, la captivité est un châtiment terrible, qui est annoncé pour la *fin des temps [5], mais dont Dieu délivre par Jésus Christ [6].

[1] Rm 16,7; Col 4,10; Phm 23. — [2] Is 45,13; Jr 1,3; Ez 1,1s. — [3] Rm 7,23; cf 2 Tm 3,6. — [4] Ep 4,8; cf 2 Co 10,5. — [5] Jr 15,2; Lc 21,24. — [6] Is 61,1; Lc 4,18.

→ déportation — esclave — exil — libérer — prison.

catéchiser

gr. *kat-èkheô* : « faire retentir aux oreilles », informer [1], d'où « instruire ». Le substantif « catéchèse » n'existe pas dans le NT. Catéchiser, c'est enseigner les faits essentiels de la vie de Jésus [2]; instruction qui, probablement, faisait suite à l'annonce (gr. *kèryssein*) de l'*Évangile, préparant au baptême ou le suivant immédiatement. Du milieu catéchétique, analogue à celui qui chez les juifs instruisait de la Loi [3], relève l'enseignement de la doctrine (gr. *didakhè*) à un degré plus ou moins poussé [4].

[1] Ac 21,21.24. — [2] Lc 1,4; Ac 18,25. — [3] 1 Co 14,19; Ga 6,6. — [4] Mt 28,20; Ac 2,42.

→ enseigner — prêcher.

Cédron

→ Kédron.

ceinture

gr. *zônè*. Long morceau d'étoffe ou de cuir, parfois richement décoré [1],

154

ordinairement destiné à retrousser les pans de la *tunique pour faciliter la marche et le travail [2]. Métaphoriquement, avoir les reins ceints, c'est se montrer parfaitement disponible [3]. La ceinture pouvait porter diverses choses, dont la *bourse [4]. Le même mot grec désigne encore le *pagne [5].

[1] Ex 28,4; Ap 1,13; 15,6. — [2] Ex 12,11; 2 R 4,29; Lc 12,37; 17,8; Jn 13,4s; 21,7; Ac 12,8. — [3] Jr 1,17; Lc 12,35; Jn 21,18; Ac 21,11; Ep 6,14; 1 P 1,13. — [4] 2 S 20,8; Ez 9,2; Mt 10,9 (= Mc 6,8). — [5] Mt 3,4 (= Mc 1,6) □.

→ vêtement.

cénacle

lat. *cenaculum* (de *cena* : « repas, dîner ») : « salle à manger ». Depuis le XIIIe s., le mot désigne trois salles de réunion des disciples, sans qu'on puisse prouver qu'elles correspondaient à une seule et même salle.

1. La « pièce du haut » (gr. *anagaion*, de *ana* : « au-dessus » et *gaia* : « terre, sol ») [1], vaste et jonchée de tapis, devant constituer la « salle de séjour » (gr. *katalyma*) [2] où Jésus célébrerait la Pâque avec ses disciples.

[1] Mc 14,15 (= Lc 22,12) △. — [2] Mc 14,14 (= Lc 22,11); cf Lc 2,7 △.

2. Le lieu où les disciples étaient rassemblés après la mort de Jésus et où le Ressuscité leur apparut n'est pas désigné par un mot grec particulier : c'est seulement un « là où » [3].

[3] Lc 24,33; Jn 20,19.26.

→ *Carte* 1.

3. La « chambre haute » (gr. *hyperôon*, de *hyper* : « par-dessus ») qui voit les 120 disciples après le départ de Jésus rassemblés pour l'élection de Matthias et pour la descente de l'Esprit au jour de la Pentecôte [4]; elle est située à l'étage supérieur de la maison, en vue de recevoir ordinairement les gens de passage [5].

[4] Ac 1,13. — [5] Ac 9,37.39; 20,8 △.

→ *Intr.* VIII.1.A.

Cenchrées

→ Kenchrées.

cendre

gr. *spodos*. Telle la poussière, image à la fois du péché et de la fragilité de l'homme [1], la cendre, sur laquelle on s'assied ou dont on se couvre la tête, exprime la *pénitence et le *deuil [2]. Les cendres d'une génisse étaient *aspergées en des cas majeurs de *purification légale [3].

[1] Gn 18,27; Jb 30,19. — [2] Is 58,5; 61,3; Jr 6,26; Mt 11,21 (= Lc 10,13). — [3] He 9,13 □.

Cène

lat. *cena* : « dîner ». Le dernier repas de Jésus fut-il le repas juif de la Pâque? Les opinions critiques sont partagées, du fait que, selon les *Synoptiques, Jésus a célébré le repas pascal le jeudi soir, veille de sa mort [1], tandis que, selon Jean, Jésus est mort juste avant le repas pascal des juifs [2]. Trois hypothèses sont proposées : (*a*) repas pascal, anticipé volontairement par Jésus; (*b*) repas pascal selon un *calendrier non officiel; (*c*) repas fraternel auquel Jésus donna une coloration pascale. Selon la dernière hypothèse, Jésus a accompli le rite juif de la Pâque, non pas par un autre rite, mais par l'acte de sa mort sacrificielle qui eut lieu au moment de la Pâque.

[1] Mt 26,17.20 (= Mc 14,12.17); Lc 22,15s. — [2] Jn 18,28; 19,14.31.

→ Pâque — repas du Seigneur.

cens

→ recensement.

centenier

→ centurion.

centurion

gr. *kentyriôn*, *hekatontarkhès* : « qui commande à cent ». Officier romain subalterne, sorti du rang, appelé aussi centenier. Il commande une centurie de 60 à 100 hommes, mais il peut être détaché pour des tâches administratives ou judiciaires, surtout dans les *provinces éloignées, comme la *Judée. Plus indépendant que les magistrats à l'égard des situations locales, il apparaît, dans le NT, comme un homme droit : ainsi *Corneille [1].

[1] Mt 8,5.8.13 (= Lc 7,2.6); 27,54; Mc 15,39.44s; Lc 23,47; Ac 10,1.22; 21,32; 22,25s; 23,17.23; 24,23; 27,1.3.6.11.31.43 □.

Céphas
→ Képhas.

cercueil
gr. *soros*. Les cercueils retrouvés en Palestine sont d'origine étrangère. Les morts, enveloppés d'un *linceul, étaient exposés, puis transportés sur une sorte de civière ou litière. On les déposait tels quels dans le *tombeau [1].

[1] 2 S 3,31; Lc 7,14 □.

→ *Intr*. VIII.2.D.b. — ensevelir.

César
gr. *Kaisar*, du lat. *Caesar*. Surnom de la gens Julia, rendu célèbre par Jules César (100-44 av. J.C.). Avec « *Auguste », titre officiel de l'empereur romain [1]. Les « amis de César » sont les courtisans les plus étroitement liés à sa personne [2]. En Ph 4,22, la « maison de César » désigne le personnel au service de l'*empereur.

[1] Mt 22,17 (= Mc 12,14 = Lc 20,22); Lc 2,1; 3,1; Jn 19,15; Ac 25,21. — [2] Jn 19,12.

→ empereur.

Césarée
gr. *Kaisareia*, nom de villes ainsi appelées en l'honneur de *César *Auguste.

1. *Césarée de Palestine.* Port de Palestine construit en 12-9 av. J.C. par *Hérode le Grand à 30 km au sud de Haïfa. Depuis 6, résidence du préfet/*procurateur romain et de sa garnison [1]. *Philippe (qui y a sa maison [2]) ainsi que Pierre y vont en mission [3]. Paul s'y rend à plusieurs reprises [4] et y vit prisonnier pendant deux ans [5].

[1] Ac 10,1; 23,23.33; 25,1.6.13. — [2] Ac 21,8. — [3] Ac 8,40; 10,24; 11,11; 12,19. — [4] Ac 9,30; 18,22; 21,8.16. — [5] Ac 25,4 □.

→ *Carte* 4.

2. *Césarée de Philippe.* Ville située au pied de l'Hermon, aux sources du Jourdain. Reconstruite vers 2-1 av. J.C. par Hérode *Philippe II sur les vestiges de Paneion (grotte dédiée au dieu Pan). Auj. *Banias* [1].

[1] Mt 16,13 (= Mc 8,27) □.

→ *Carte* 4.

chair

gr. *sarx*, hb. *bâsâr*.

1. *Condition de créature.* L'homme *est* chair plutôt qu'il *a* une chair. Celle-ci caractérise l'aspect extérieur, corporel, terrestre de l'homme ; elle n'est pas une « matière » (corps) qu'une « forme » (âme) modèlerait en être humain. Comme avec le mot « *âme » *, le sémite utilise « chair » pour désigner la personne [1], la parenté [2]. Le signe de reconnaissance entre les époux n'est pas qu'ils sont une même âme, mais une chair unique [3] ; jusqu'en son fond, la personne est corporellement déterminée. « Toute chair » désigne la totalité de la création animée [4].

La chair qualifie la condition terrestre et fragile, par opposition à l'*esprit qui indique l'origine divine ou céleste [5] : hormis Dieu, tout est chair [6]. L'homme, ici-bas, est « selon la chair » [7], il vit « dans la chair » [8] : par elle, il est visible, présent [9], il souffre [10], il survit [11]. En ce sens le *Verbe devenu chair, est un homme véritable, assujetti aux limites de ce monde [12], mais il n'a pas vu la corruption [13]. « Chair et *sang » désigne l'homme en sa fragilité terrestre [14] .« Manger la chair et boire le sang » de Jésus, c'est « *le* manger », c'est s'unir profondément à lui par l'Esprit qui vivifie, car la chair ne sert de rien [15].

Parfois, sous l'influence de l'*hellénisme, la chair peut désigner la pesanteur de l'homme et la propension au mal, au péché [16].

[1] Ps 63,2 ; 84,3 ; Ac 2,26. — [2] Rm 11,14 ; He 12,9. — [3] Gn 2,24 ; Mt 19,5 (= Mc 10,8) ; 1 Co 6,16 ; Ep 5,31. — [4] Jb 34,15 ; Ps 56,5 ; Is 66,23 ; Mt 24,22 (= Mc 13,20) ; Lc 3,6 ; Jn 17,2 ; Rm 3,20 ; 1 Co 1,29 ; Ga 2,16 ; 1 P 1,24 △. — [5] Jn 3,6 ; Rm 1,3s ; Phm 16 ; He 7,16 ; 1 P 4,6. — [6] Is 40,6.8 ; Jr 17,5 ; Ez 10,12 ; Jn 1,13 ; 1 P 1,24. — [7] Rm 4,1 ; 9,3.5 ; 1 Co 1,26 ; 10,18 ; Ep 6,5 ; Col 3,22. — [8] 2 Co 10,3 ; Ga 2,20 ; Ph 1,22-24 ; 1 P 4,1s. — [9] Col 2,1.5. — [10] 2 Co 7,5 ; 12,7 ; Ga 4,13s. — [11] Ep 5,29. — [12] Jn 1,14 ; He 2,14 ; 5,7 ; 1 Jn 4,2 ; 2 Jn 7. — [13] Ac 2,31. — [14] Mt 16,17 ; Jn 6,51-56 ; 1 Co 15,50 ; Ga 1,16 ; Ep 6,12 ; He 2,14 △. — [15] Jn 6,53-58.63 ; cf 3,6. — [16] Mt 26,41 (= Mc 14,38) ; 2 P 2,10.

2. *Pécheur devant Dieu.* À la suite du *judaïsme tardif qui joignait volontiers chair et péché, sans pour autant faire de la chair la source du péché, Paul a accentué un aspect inconnu de l'AT. De soi bonne, parce que créée par Dieu, la chair devient cause du *péché, dans la mesure où elle « se glorifie devant Dieu » [17]. La chair peut désigner le régime périmé de la *Loi [18]. Si Paul vit encore *dans* la chair, il ne peut plus vivre *selon* la chair, car ce serait devenir charnel [19]. Paul a systématisé cette présentation à l'aide du couple chair/esprit [20] : cette opposition ne correspond pas à celle que l'on met souvent entre le corps et l'âme, entre la pureté et l'impureté. Elle orchestre l'opposition terrestre/céleste en vertu de la double expérience de l'Esprit Saint qui est donné aux chrétiens et du péché qui s'est installé dans la chair [21]. Mais de cette lutte le croyant sort vainqueur grâce au Christ qui, prenant ce « corps de chair » [22], est venu dans une chair de condition pécheresse et a condamné le péché dans la chair même [23]. Vivant dans le Christ, le chrétien a crucifié la chair [24].

[17] Jr 17,5s; 1 Co 1,29. — [18] Rm 7,5; Ga 3,3; 6,8; Ph 3,3s. — [19] Rm 8,12s; 1 Co 3,3; 2 Co 1,12; 10,2-4; 11,18; 1 P 2,11. — [20] Rm 8,4-9; Ga 4,23.29; 5,16.17.19. — [21] Rm 7—8; Ga 4,21-31. — [22] Col 1,22. — [23] Rm 8,3; 1 P 4,1. — [24] Ga 5,24; 1 Jn 2,16.

→ âme — corps — esprit — homme — os.

chaire de Moïse
Siège honorifique (gr. *kathedra*, d'où dérive le mot « cathédrale »), réservé dans chaque *synagogue aux *docteurs de la Loi [1].

[1] Mt 23,2 □.

[chaldéen]
Langue des habitants de *Babylone. A cause de Dn 2,4, le terme désigne, chez les rabbins et les lettrés chrétiens, l'*araméen biblique.

chameau
gr. *kamèlos*, hb. *gâmâl*. L'une des plus anciennes bêtes de selle et de trait connues en Proche-Orient; l'un des signes de richesse des Bédouins [1]. On en utilisait le poil pour confectionner des *vêtements [2]. Sa grande taille était proverbiale, soit par elle-même [3], soit par comparaison avec la petite mouche [4].

[1] Gn 12,16; 30,43; Jg 6,5; Is 60,6. — [2] Mt 3,4 (= Mc 1,6). — [3] Mt 19,24 (= Mc 10,25 = Lc 18,25). — [4] Mt 23,24 □.

chandelier
gr. *lykhnia*.
1. *Ustensile* domestique pour porter les lampes [1].

[1] Mt 5,15 (= Mc 4,21 = Lc 8,16 = 11,33).

2. *Objet cultuel* : un chandelier d'or à sept branches était placé à l'intérieur du *Saint [2]; enlevé par les Romains et représenté en 81 sur l'arc de triomphe de *Titus à Rome, il symbolise l'espérance d'Israël. Dans l'Apocalypse, le terme désigne les Églises [3].

[2] He 9,2. — [3] Za 4,1-14; Ap 1,12s.20; 2,1.5; 11,4 □.

→ lampe.

changeurs

gr. *kollybistès, kermatistès*. Pour pouvoir payer en monnaie juive l'impôt dû au Temple, des changeurs étaient tolérés dans le sanctuaire, qui la fournissaient contre de la monnaie étrangère, à raison d'une *obole d'argent par demi-*sicle [1].

[1] Mt 21,12 (= Mc 11,15 = Jn 2,15); Jn 2,14 □.

→ banque — Temple.

chant

gr. *ôidè* (de *aidô* : « chanter, célébrer ») : chant, cantique. Au cours de la liturgie, les chrétiens exprimaient leur foi dans des *hymnes de joie [1]. On peut difficilement distinguer ces cantiques des *psaumes inspirés qui appartiennent à ce genre liturgique [2]. *Pline rapporte en l'an 112 que les chrétiens disaient un hymne au Christ comme à un dieu *(carmen Christo quasi deo dicere)*. On peut en reconnaître des vestiges dans l'Apocalypse [3].

[1] Ep 5,19; Col 3,16; Ap 5,9; 14,3; 15,3 △. — [2] 1 Co 14,15.26; Ep 5,19; Col 3,16; Jc 5,13 △. — [3] Ap 5,9s.12-14; 7,12; 11,15s; 12,10-12; 15,3s; 19,1s.6-8.

→ *Intr.* IX.6. — doxologie — hymne — psaumes.

chant du coq

gr. *alektorophônia*, de *alektôr* : « coq » et *phônè* : « *voix ». Fin de la 3e *veille (3 h du *matin) [1].

[1] Mc 13,35 □; cf Mt 26,34 (= Mc 14,30 = Lc 22,34 = Jn 13,38); 26,74s (= Mc 14,68.72 = Lc 22,60s = Jn 18,27).

→ heure — journée.

charisme

gr. *kharisma* (de *kharizomai* : « faire plaisir » et *kharis* : « grâce, ce dont on se réjouit »).

1. *Sens large* : les *dons gratuits faits par Dieu : don spirituel en général, l'Esprit Saint, le salut en J.C., la vie éternelle, les privilèges d'Israël,
la libération d'un danger [1].

[1] Rm 1,11; 5,15s; 6,23; 11,29; 2 Co 1,11.

2. *Sens technique* : don gratuit approprié à telle ou telle personne, lui
permettant d'accomplir par l'*Esprit des actions adaptées au bien
de la communauté [2]. Ces charismes sont ordonnés à l'*édification du
*Corps du Christ; s'ils doivent être l'objet d'un discernement des
*esprits, ils sont souhaitables en fonction de la *charité [3]. Il est difficile
d'établir une liste commune des charismes [4].

[2] Rm 12,6; 1 Co 1,7; 7,7; 1 Tm 4,14; 2 Tm 1,6; 1 P 4,10. — [3] 1 Co 12,4.9.28.30s
□. — [4] Cf Rm 12,6-8; 1 Co 12,28-30; Ep 4,11.

→ don.

charité

lat. *caritas* (dérivé de *carus* : « cher, de haut prix »), traduisant le gr.
agapè : « amour », qui peut avoir pour objet Dieu ou le prochain [1].

[1] 1 Co 13.

→ amour — aumône.

charpentier

Mot traduisant improprement le gr. *tektôn* (d'où vient : « architecte »), car les charpentes étaient quasi inconnues en Palestine. Au
sens large, le gr. désigne un ouvrier ou un artisan qui travaille un
matériau préexistant, de bois, de pierre ou même de métal : un « tailleur » de pierre, un maçon, un sculpteur, etc. [1].

[1] Sg 13,11; Si 38,27; Is 40,19s; Jr 10,3; Mt 13,55; Mc 6,3 □.

châtier

1. gr. *kolazô* : élaguer, émonder, retrancher, contenir, d'où « châtier,
punir ». Le mot implique un aspect d'éducation, bien conforme à la
tradition de Yahweh éduquant son peuple pour l'amener à ne plus
pécher ,: le châtiment est ordonné à la révélation de l'amour de Dieu
et à la transformation du peuple pécheur [1]. Dans le NT, outre le sens
ordinaire [2], un seul texte parle du « châtiment définitif » [3], destiné à
ceux qui refusent la conversion; en outre, le mot permet de situer la
*crainte par rapport à l'*amour [4].

[1] Ex 20,5; 34,7; Ez 11,10; 15,7; 18,31; Os 11,9. — [2] Ac 4,21. — [3] Mt 25,46; cf 2 P 2,9. — [4] 1 Jn 4,18. △

2. gr. *timôreô* (rattaché à *timè* : « honneur ») [5] : protéger l'honneur, venger la justice (gr. *dikè*), avec idée de faire payer celui qui a fauté; à l'arrière-fond se trouve le schéma des relations d'une justice sociale vengeresse : celle de l'autorité responsable de la cité (gr. *ek-dikos*) [6]. Il s'agit avant tout de la sanction méritée par le coupable.

[5] Ac 22,5; 26,11; 2 Co 2,6; He 10,29 △. — [6] Rm 13,4; 1 P 2,14; cf Ju 7 △.

→ colère — enfer — justice — vengeance.

chaussure

gr. *hypo-dèma* (de *deô* : « attacher » et *hypo* : « en dessous »), précisé parfois en *sandalion*. La chaussure usuelle, portée seulement à l'extérieur, était la sandale [1], semelle de cuir attachée au pied par des lanières [2]. A cause de la poussière des chemins, l'*hospitalité faisait un devoir de *laver les pieds aux visiteurs. En voyage on emportait volontiers une paire de rechange [3]. L'iconographie témoigne de chaussures fermées pour les personnages de marque [4].

[1] Mc 6,9; Ac 12,8 △. — [2] Mt 3,11; Mc 1,7 (= Lc 3,16 = Jn 1,27); Ac 7,33; 13,25; Ep 6,15. — [3] Mt 10,10 (= Lc 10,4); Lc 22,35. — [4] cf Lc 15,22.

→ vêtement.

chefs des prêtres

Équivaut à *grands prêtres.

chemin

→ voie.

[chéol]

hb. *chᵉôl* (étym. obscure, attribuée à diverses racines, signifiant « corruption », « être humble », « lieu d'interrogation ») : le lieu où séjournent les morts, « les enfers ». Ordinairement traduit par le gr. *haïdès* : « *Hadès ».

→ enfers.

chérubins

gr. *kheroubin* (pluriel de *kheroub*), de l'hb. *k^erubîm*, pluriel d'un mot dont la racine *accadienne *karâbu* signifie « bénir » et produit le participe *karibu* : divinité mésopotamienne de second rang. Êtres célestes mystérieux, représentés sous forme de lions ailés à face humaine; serviteurs de Yahweh [1], supports de la majesté divine [2].

[1] Gn 3,24; Ps 18,11; Ez 28,14; 41,18s. — [2] Ex 25,18-22; 1 S 4,4; Ps 80,2; He 9,5 □.

→ anges — Vivants.

cheval

gr. *hippos*. Bête de trait et de selle, utilisée pour les combats [1]. Signe de la puissance humaine [2], critiqué dans la Bible [3] ou transposé dans l'*apocalyptique [4].

[1] Jr 6,23; Jc 3,3. — [2] 1 R 9,19.22; 10,28. — [3] Dt 17,16; Ps 20,8; Is 2,7; Mi 5,9; Za 9,10. — [4] Za 1,8; Ap 6,2-8; 19,11-21.

chevelure

Tandis que, selon l'AT, les hommes portaient volontiers les cheveux longs (ainsi Absalom qui les coupait une fois par an, en sorte que sa chevelure pesait 2 kg 300 [1]), Paul stigmatise cet usage [2]. D'autre part, en signe de deuil [3] ou à l'expiration d'un *vœu [4], on les rasait (en ce dernier cas, pour les brûler [5]). Les femmes considèrent leur chevelure comme un vêtement [6], mais ne doivent pas les soigner à l'excès [7]. Tous conseils qui marquent les usages d'une époque, sans plus.

[1] 2 S 14,26. — [2] 1 Co 11,14. — [3] Is 3,24; Jr 7,29; Am 8,10. — [4] Jg 5,2; 13,5; Ac 18,18; 21,23s. — [5] Nb 6,18. — [6] 1 Co 11,15. — [7] Is 3,16s; 1 Tm 2,9; 1 P 3,3.

→ *Intr*. VIII.1.C.c.

chèvre, chevreau

gr. *eriphos* : « chevreau, chevrette » (des papyrus en parlent au pluriel, à côté de brebis, pour désigner non les *boucs, mais les chèvres). Mêlées au pâturage avec les brebis blanches, les chèvres noires en étaient séparées dans l'étable [1]. Le chevreau (gr. *eriphion*) était un mets de fête [2].

[1] Ex 12,5; Lv 1,10; Mt 25,32. — [2] Gn 27,9; Lc 15,29; cf Mt 25,33 □.

[chiasme]

gr. *khiasma* : croisement.

Distribution des mots d'une phrase ou des éléments d'une **péricope,
de telle sorte qu'ils se correspondent deux à deux autour d'un centre
qui n'est pas toujours explicite : A B C D ⊠ D′ C′ B′ A′.

Ex. : Qui veut sauver sa vie (A) la *perdra* (B),

     Qui *perd* sa vie à cause de moi (B′) la trouvera (A′) (Mt 16,25).

chien

gr. *kyôn, kynarion.* A côté de l'animal domestique familier [1], existait
le chien sauvage, redouté [2]. Terme de mépris, injurieux [3].

[1] Ex 11,7; Tb 6,1; 11,4; Mt 15,26s (= Mc 7,27s). — [2] 1 R 14,11; Ps 22,17;
59,7; Lc 16,21. — [3] Dt 23,19; 1 S 17,43; 24,15; Mt 7,6; Ph 3,2; 2 P 2,22;
Ap 22,15 □.

chlamyde

gr. *khlamys.* Sorte de casaque de soldat, sans manches. D'origine
grecque. Ample pièce de drap agrafée sur l'épaule gauche, les deux
bouts relevés sur la droite [1].

[1] Mt 27,28-31 □.

→ vêtement.

choisir

→ élection.

Chorazin

gr. *Khorazin.* Ville située dans la montagne de **Galilée, à environ 3 km
au nord-ouest de Capharnaüm [1].

[1] Mt 11,21 (= Lc 10,13) □.

→ *Carte* 4.

chrétien

gr. *khristianos,* dérivant de *khristos* : disciple ou sectateur du **Christ,
comme les **hérodiens sont les partisans d'Hérode. L'appellation, fort

rare dans le NT, fut donnée pour la première fois à *Antioche : elle provenait vraisemblablement de l'autorité romaine [1], car les juifs désignaient les sectateurs du nom de *Nazaréens [2] et les chrétiens s'appelaient eux-mêmes frères, disciples, croyants...

[1] Ac 11,26; 26,28; 1 P 4,16 □. — [2] Ac 24,5 △.

Christ

gr. *Khristos* (de *khriô* : « oindre »), traduisant l'hb. *Mâchiaḥ* : « oint ». Surnom apposé à Jésus : « le Christ ». Lorsque le mot est employé par Paul sans article, il équivaut à un nom propre.

→ Jésus Christ — Messie — oindre.

[chronologie]

Du gr. *khronos* : « temps, durée du temps » et *logos* : « science, discours » : science cherchant à fixer les dates des événements historiques.

1. Le NT indique fréquemment des *chronologies relatives* : la quinzième *année du principat de Tibère [1], « après quatorze ans » [2], « durant deux années » [3]. La fixation de la date dépend de la date à laquelle se réfère l'événement dont il est question. En certains cas, par exemple pour « le troisième *jour », l'auteur veut non pas préciser une date, mais indiquer par ce *nombre que l'événement est décisif dans le dessein de Dieu [4].

[1] Lc 3,1. — [2] Ga 2,1. — [3] Ac 28,30. — [4] Gn 22,4; 42,18; Ex 19,11.16; Mt 16,21; 17,23; 20,19; Lc 13,31-33.

2. La *chronologie absolue* est fort difficile à préciser, mais elle est parfois établie à une année près. La naissance de *Jésus* est fixée d'ordinaire à partir de deux faits : la mort d'Hérode qui eut lieu en l'an 4 av. J.C. et le *recensement de Quirinius qu'on peut fixer à l'an 7 ou 8 av. J.C., date qui correspondrait à celle de la naissance de Jésus. — Le commencement de la prédication de *Jean Baptiste, fixé à la quinzième *année du principat de Tibère, est daté ou bien à partir du 19 août 28 (comput romain) ou bien à partir du 1er octobre 27 (comput syrien); les historiens penchent pour cette dernière date. — La date de la mort de Jésus est déterminée d'après la coïncidence des 14-15 *nisan avec un vendredi, ce qui eut lieu aux années 29, 30, 31, 33, 34; le 7 avril 30 et le 3 avril 33 ont le plus de partisans.

3. La *chronologie paulinienne* est fixée à partir d'une date certaine : le séjour de Paul à Corinthe. En effet Paul y a été arrêté lors du proconsulat de Gallion, le frère de Sénèque, après qu'il y eut séjourné durant dix-huit mois (Ac 18,11) : telle est la chronologie relative. Or on peut aboutir à une chronologie absolue, grâce à une inscription découverte à Delphes en 1905 qui reproduit une lettre de l'empereur Claude, lorsqu'il était « acclamé » pour la 27e fois. Grâce à une autre inscription trouvée à la Porte Majeure de Rome (Aqua Claudia) qui fixe la 27e acclamation avant le 1er août 52, et grâce à une troisième inscription trouvée à Kys en Carie, qui fixe la 26e acclamation pendant la douzième année du règne de Claude (25 janvier 52 et le 24 janvier 53), on peut dater la 26e acclamation entre le 25 janvier et le 1er août 52. Comme, en vertu d'une décision de Claude en 42, les procurateurs entraient en charge au mois d'avril avec la nouvelle lune, on estime que Gallion était déjà en charge à Corinthe en avril 52. Si donc Paul a été traduit devant le proconsul après avoir séjourné dix-huit mois à Corinthe, et comme il devait s'embarquer en été avant la mauvaise saison, Paul dut vraisemblablement arriver à Corinthe vers la fin de 50 et en repartir en août-septembre 52.

Des raisonnements analogues permettent de dire que Paul a quitté Césarée pour Rome durant l'hiver 59-60, au début du procuratorat de Festus. Il est plus difficile de dater la « conversion » de Paul ; d'après Ga 1,18 ; 2,1, elle remonterait à 14 + 3 années avant le *concile de Jérusalem (48/49) ; selon le comput juif (une *année commencée vaut une entière), l'intervalle est ramené à 12 ½ + 1 ½ = 14 ans, ce qui conduit à l'an 34/35.

Pour les autres dates, voir le *Tableau* p. 572. Se souvenir, en le consultant, que les dates sont toutes approximatives, au moins à un an près.

chute

Deux termes, parfois unis pour une meilleure description [1], désignent le fait ou la cause de la chute du croyant. On peut heurter (gr. *pros-koptô*) une pierre [2], qui alors devient *pierre d'achoppement (gr. *proskomma*) [3] : expression voulant désigner tout obstacle contre lequel on vient buter et qui fait tomber [4]. Considérant cet obstacle comme une réalité active, on parle de *skandalon* : une personne [5], une parole [6], une action [7], un organe [8], un événement [9], quelque chose [10] ; c'est un piège [11]. La *croix de Jésus est l'obstacle par excellence [12].

[1] Is 8,14 ; Rm 9,33 ; 14,21 ; 1 Co 8,9.13 ; 1 P 2,8. — [2] Mt 4,6 ; Lc 4,11 ; Jn 11,9s. — [3] Rm 9,32s ; 1 P 2,8. — [4] Ac 24,16 ; Rm 14,13.20s ; 1 Co 8,9 ; 10,32 ; 2 Co 6,3 ; Ph 1,10 △. — [5] Mt 11,6 ; 13,57 ; 18,6 ; 26,31.33 ; Mc 6,3 ; 9,42 ; 14,27.29 ; Lc 7,23 ; 17,2 ; Rm 16,17. — [6] Mt 15,12 ; Jn 6,61. — [7] Mt 17,27, Rm 14,13.21 ; 1 Co 8,13. — [8] Mt 5,29s ; 18,8s ; Mc 9,43.45.47. — [9] Mt 13,21 ; 24,10 ; Mc 4,17 ; Jn 16,1 ;

2 Co 11,29. — [10] Mt 13,41; 18,7; Lc 17,1; Rm 9,33; 11,9; 1 P 2,8. — [11] Ps 124,7; Ap 2,14. — [12] 1 Co 1,23; Ga 5,11 △.

→ scandale.

Chypre, Chypriote

gr. *Kypros*. Ile de la Méditerranée orientale [1], avec *Salamine et Paphos pour villes principales [2], *province romaine sénatoriale depuis 22 av. J.C. Terre de refuge pour les chrétiens dispersés après le martyre d'Étienne [3], évangélisée par Barnabé et Paul qui accueillirent dans la foi le premier proconsul qui se convertit [4]. Patrie des Chypriotes *Barnabé, Mnason et quelques autres [5].

[1] Ac 21,3; 27,4. — [2] Ac 13,5s.13. — [3] Ac 11,19. — [4] Ac 13,4-12; 15,39 △. — [5] Ac 4,36; 11,20; 21,16 △.

→ *Carte* 3.

ciel

gr. *ouranos*, hb. *châmayim*.

1. Partie de l'univers, nommée toujours avant la terre avec laquelle elle constitue cet univers.

2. Selon la cosmologie des anciens, le ciel désigne d'abord une région inaccessible [1], située « en haut ». Une voûte solide (firmament) sépare le monde d'en haut (céleste) de celui d'en bas (terrestre); elle s'entrouvre pour laisser passer les richesses divines; la *pluie [2], la *manne [3], l'*Esprit [4]. Au-dessus du ciel visible, et au-dessus des *eaux d'en haut, se trouve le ciel invisible, « les cieux des cieux » [5]. Dieu siège dans le ciel, la terre est le domaine des hommes [6]. En ce sens, la distinction ciel/terre exprime la distinction radicale Dieu/homme, c'est-à-dire la transcendance de Dieu.

[1] Dt 30,12s; Jn 3,13; Rm 10,6. — [2] Lc 4,25; Ac 14,17; Jc 5,17s; Ap 11,6. — [3] Ex 16,14; Ps 78,24; Jn 6,31. — [4] Mt 3,16s (= Mc 1,10 = Jn 1,32); Ac 2,2; 1 P 1,12. — [5] 2 Co 12,2; Ep 4,10. — [6] Ps 2,4; Mt 5,34; Ac 7,49.

3. D'autre part, le ciel est le lieu qui domine la terre, d'où s'exerce la souveraineté de Dieu. Dieu est le Dieu *du ciel*, le *Seigneur, maître de la terre [7]. Le ciel est moins un lieu qu'un point de départ de la Seigneurie divine. C'est du ciel que Dieu envoie ses anges [8], qu'il se révèle et fait entendre sa *voix [9], qu'il envoie le *feu de sa *colère [10]; c'est là qu'il fait monter Jésus [11] et « asseoir » les croyants [12]. En ce sens, comme l'a fait le judaïsme tardif, le Ciel est un des noms de Dieu [13]. Lever les yeux vers le ciel, c'est les lever vers Dieu [14].

[7] Ap 11,13; 16,11. — [8] Mt 24,31; Lc 22,43; Ga 1,8. — [9] Mt 3,17 (= Mc 1,11 = Lc 3,22); Jn 12,28; 2 P 1,18. — [10] Lc 9,54; 17,29s; Rm 1,18; Ap 20,9. — [11] Ac 1,11; Ep 4,10; 1 Th 1,10; He 7,26. — [12] Ep 2,6. — [13] Mt 5,10; 6,20; 21,25 (= Mc 11,30); Lc 10,20; 15,18.21; Jn 3,27. — [14] Mt 14,19 (= Mc 6,41 = Lc 9,16); Mc 7,34; Lc 18,13; Jn 17,1; Ac 7,55.

4. Les juifs n'étaient pas dupes du langage précédent et savaient que le ciel n'est pas un lieu, mais Dieu même. Seigneur de tous, présent à tous, celui que les cieux et même les cieux des cieux ne peuvent contenir [15], « le Père du ciel » veille sur tous ses enfants [16]. En ce sens, le ciel n'est pas au-dessus de nous, il est en nous, tout en restant distinct de nous. Enfin, en Jésus, le ciel est présent sur la terre et les anges montent désormais du ciel vers la terre [17]. « Entrer au ciel », c'est trouver Dieu.

[15] 1 R 8,17; cf 8,13. — [16] Mt 6,26.32. — [17] Jn 1,51; cf Gn 28,12.

5. Selon la tradition *apocalyptique, la terre a son destin écrit dans le ciel. Prier pour que tout s'accomplisse « sur la terre comme au ciel », « sur la terre à l'image du ciel » [18], c'est demander à Dieu que la terre soit ce qu'elle doit être, selon le plan divin.

[18] Mt 6,10.

→ *Intr*. V.1. — paradis — terre — univers.

Cilicie

gr. *Kilikia*. Région côtière du sud-est de la Turquie actuelle, *province romaine depuis 57 av. J.C., avec *Tarse pour ville principale [1].

[1] Ac 6,9; 15,23.41; 21,39; 22,3; 23,34; 27,5; Ga 1,21 □.

→ *Carte* 3.

circoncision

gr. *peritomè* (de *temnô* : « couper », *peri* : « tout autour »).

1. Ablation du *prépuce. Coutume antique chez les Égyptiens, les Édomites, les Ammonites, les Moabites et les Israélites, mais non chez les Assyriens, les Chaldéens, les Philistins. Elle signifie l'appartenance à une communauté.

2. Chez les Hébreux, rite religieux rattaché à *Abraham, père du peuple [1], prescrit dès le huitième jour après la naissance [2] et ayant priorité sur l'observance du *sabbat [3]. Signe physique de l'*alliance avec Yahweh, il symbolise l'intégration à la vie religieuse juive. D'où la métaphore de la « circoncision du cœur » pour dire la fidélité à

Yahweh [4]. Incirconcis(ion) (gr. *akrobystia*) est synonyme de païen et circoncis(ion) l'est d'Israélite [5].

[1] Gn 17,8-14; Rm 4,10-12. — [2] Lv 12,3; Lc 2,21; Ac 7,8; Ph 3,5. — [3] Jn 7,22s. — [4] Dt 10,16; Jr 9,25; Rm 2,29. — [5] Rm 15,8; Ga 2,7s; Ep 2,11; Col 4,11.

3. L'Église primitive refuse d'imposer aux païens convertis la circoncision juive [6]. Paul montre que la *foi la rend inutile, car seul le Christ sauve [7]. La vraie circoncision est intérieure; non faite de main d'homme, elle s'identifie à la *conversion au Christ [8].

[6] Ac 15,1-20. — [7] Rm 3,30; 4,9; 1 Co 7,19; Ga 5,2.6; 6,15. — [8] Ph 3,3; Col 2,11.

→ *Intr.* IV.7.B; VI.4.C.b. — baptême — foi — prépuce.

[citation]

Passage d'Écriture rapporté dans un texte en vue de l'éclairer : ainsi Mt 1,22s cite le verset Is 7,14.

cité

lat. *civitas* : réunion des hommes jouissant des mêmes droits et participant à des degrés divers à l'administration de leurs intérêts communs; la cité est distincte de la « ville » (lat. *villa* : « maison de campagne ») qui désigne un ensemble de maisons habitées. Le gr. *polis* correspond aux deux sens. Celui de « cité » apparaît fort probablement quand on parle des « cités des nations » [1], de « cité céleste » [2], ou, avec les dérivés du mot, de « droit de cité » [3], de « citoyenneté » [4].

[1] Ap 16,19. — [2] He 13,14. — [3] Ep 2,12. — [4] Ph 3,20.

→ *Intr.* IV.1.C. — citoyen.

cithare

gr. *kithara*, hb. *kinnôr*. Instrument de musique à six ou huit cordes, qui accompagne le chant. Ce terme technique peut être valablement rendu par « harpe », même si des nuances distinguent ces deux instruments [1].

[1] 1 Co 14,7; Ap 5,8; 14,2; 15,2; 18,22 □.

→ *Intr.* IX.6. — harpe.

citoyen

Chaque *cité (gr. *polis*) grecque ou *hellénisée a son droit de citoyenneté (gr. *politeia*) : le titre de citoyen (gr. *politès*) donne aux résidents (p. ex. les Galates) un statut supérieur par rapport à celui des populations qui ne peuvent encore s'adapter à une « civilisation » urbaine [1].

La citoyenneté romaine (gr. [*anthrôpos*] *Rômaios*) est une promotion supplémentaire surtout en Orient. Rare, elle sanctionne en principe un attachement reconnu à la cause romaine [2]. Hors d'*Italie, elle ne confère pas d'avantages fiscaux, mais donne la possibilité d'en appeler de tout *tribunal au tribunal impérial [3]. Les empereurs veillent jalousement au respect de ce droit qui fait de tout citoyen un obligé virtuel [4].

[1] Ac 21,39. — [2] Ac 22,28. — [3] Ac 25,11.20s.25 ; 26,32. — [4] Ac 16,37s ; 22,25-29 ; 23,27.

→ *Intr*. IV.2.B.c ; IV.4. — cité.

Claude

gr. *Klaudios*, lat. *Claudius*. Tiberius Claudius Nero (10 av. J.C. à 54 ap. J.C.), petit-fils d'*Auguste et neveu de *Tibère ; 4e empereur romain, depuis 41. Sous son règne, une famine en 48 et un décret en 49-50 par lequel les juifs étaient expulsés de Rome sont confirmés par les historiens Dion Cassius, Tacite et Suétone [1].

[1] Ac 11,28 ; 18,2 □.

clef

gr. *kleis* (de *kleiô* : « fermer »). Permettant d'ouvrir et de fermer la *porte [1], la clef symbolise chez celui qui la possède l'autorité et la domination sur le *royaume des cieux, la science, la *Mort, l'*Hadès ou l'*Abîme [2].

[1] 1 S 23,7 ; Ap 3,7. — [2] Is 22,22 ; Mt 16,19 ; Lc 11, 52 ; Ap 1,18 ; 9,1 ; 20,1 □.

→ *Intr*. VIII.1.A. — lier et délier — porte.

Cléopas, Clopas

1. gr. *Kleopas* (abréviation gr. de *Kleopatros*). Un des deux disciples d'Emmaüs. Certains l'identifient à Clopas [1].

[1] Lc 24,18 □.

2. *Klôpas* (nom sémitique : *qlôpha*). Époux (ou père ?) de *Marie, la mère de *Jacques le Mineur et de *Joseph (ou Josès). Invraisemblablement identifié avec *Alphée [1].

[1] Jn 19,25 □.

Cnide

gr. *Knidos*, auj. *cap Krio*, entre les îles de Cos et de Rhodes, sur la côte sud-ouest de l'Asie Mineure [1]. Le navire qui emmenait Paul prisonnier essaya en vain de s'y abriter.

[1] Ac 27,7 □.

→ *Carte* 2.

cœur

gr. *kardia*, hb. *léb*. Dans le NT, le mot désigne parfois le lieu des forces vitales [1]; il a ordinairement un sens métaphorique. Il ne signifie pas exclusivement la vie affective [2], mais vise la source des diverses manifestations de l'homme : le lieu caché, par opposition à la *face ou aux *lèvres [3], la source des pensées intellectuelles [4] (très proche d' « *esprit » : gr. *nous* [5]), de la foi [6], de la compréhension [7], de l'*endurcissement [8]; il est le centre des choix décisifs [9], de la *conscience morale, de la *loi non écrite [10] et de la rencontre avec Dieu [11] qui, seul, l'atteint [12]. Le cœur se réchauffe à la voix du Christ [13]; l'esprit du Fils qui y habite [14] révèle à l'homme l'amour de Dieu [15] et lui fait crier : « *Abba, Père » [16]. Le cœur du croyant ne *craint plus [17], il est purifié par le *sang du Christ [18], devenant un cœur pur [19], fort [20], en paix [21].

[1] Lc 21,34; Ac 14,17; Jc 5,5. — [2] Jn 16,6.22; Ac 2,26.37. — [3] Mt 15,8 (= Mc 7,6); 2 Co 5,12; 1 Th 2,17; 1 P 3,4. — [4] Mc 2,6.8; Lc 3,15. — [5] Lc 9,47; Ac 16,14; 2 Co 3,14s; Ph 4,7; Ap 2,23. — [6] Mc 11,23; Rm 10,8s. — [7] Lc 24,25; Ep 1,18. — [8] Mc 6,52. — [9] Mt 22,37 (= Mc 12,30 = Lc 10,27); 1 Co 7,37; 2 Co 9,7. — [10] Mt 15,18s (= Mc 7,19.21); Rm 2,15. — [11] Mt 13,19 (= Lc 8,12.15). — [12] Lc 16,15; Ac 15,8; Rm 8,27; 1 Co 4,5; 1 Th 2,4. — [13] Lc 24,32. — [14] 2 Co 1,22; Ep 3,17. — [15] Rm 5,5. — [16] Ga 4,6. — [17] 1 Jn 3,19-21. — [18] He 10,22. — [19] Mt 5,8; 1 Tm 1,5. — [20] 2 Th 2,17; He 13,9. — [21] Jn 14,1.27; Col 3,15.

→ âme — conscience — endurcissement — esprit.

cohorte

gr. *speira*, lat. *cohors*. Comprenant de 600 à 1 000 hommes et commandée par un *tribun, la cohorte est l'unité de base de la *légion romaine (10 cohortes par légion, 6 centuries par cohorte). Il existe aussi des cohortes auxiliaires réparties dans les *provinces agitées ou importantes stratégiquement; elles sont recrutées hors d'*Italie et seuls les cadres sont romains. Une cohorte assure en permanence la surveillance de Jérusalem. Une autre accompagne le *procurateur dans ses déplacements et protège sa résidence [1].

[1] Mt 27,27 (= Mc 15,16); Jn 18,3.12; Ac 10,1; 21,31; 27,1 □.

colère

gr. *orgè* et *thymos*, traduisant tous deux l'hb. *aph* : « nez, emportement, fureur, colère ».

1. Sauf dans le cas des « saintes colères » [1], emportement et colère sont condamnables, sans réserve [2].

[1] 1 R 18,40; Jr 6,11; Mc 3,5; Ac 17,16. — [2] Mt 5,22; 1 Co 13,5; Col 3,8; 1 Tm 2,8.

2. Attribuée à Dieu, la colère dit de façon anthropomorphique que le Dieu de sainteté ne peut tolérer le *péché [3]. La colère divine n'a rien de commun dans sa source avec la mythologie qui représente les dieux jaloux des hommes. Dieu n'a d'autre désir que de faire participer l'homme à sa *sainteté; il n'est pas un dieu de colère, mais le Dieu de la *miséricorde [4], qui, en invitant à la *conversion, a le dernier mot [5]. Mais l'homme, percevant dans le désir de Dieu une opposition radicale au péché, l'éprouve comme colère; elle se révèle à lui à travers le désordre du monde : maladies, fléaux, guerres [6].

[3] Rm 1,18-22. — [4] Is 54,7s; Os 11,9. — [5] Rm 11,32. — [6] Ps 88,16; 90,7-12.

3. Jésus a laissé se rassembler en sa personne les puissances de l'amour et de la sainteté, si bien qu'au moment où la colère s'abat sur celui qui est « devenu *péché » [7], c'est l'*amour qui demeure vainqueur, nous faisant devenir en lui « *justice de Dieu ». La colère de la *fin des temps a été anticipée en Jésus, de sorte que les croyants sont délivrés de la colère qui vient [8]. On ne dit pas « Dieu de colère », mais Dieu d'amour.

[7] 2 Co 5,21. — [8] Rm 5,9; 1 Th 1,10.

→ châtier — justice — sainteté — vices.

collecte

1. gr. *logeia* (de *legô* : « rassembler ») : « récolte » de biens pour venir en aide aux pauvres. Le terme n'est cependant guère utilisé dans le NT [1]. Trois autres caractérisent l'action charitable à partir de l'union qui lie les frères dans la foi : *diakonia* : « **service** » [2], *koinônia* : « [mise

172

en] communion » [3] et *leitourgia* (de *leitourgeô* : « officier dans le culte ») : « ministère » [4]. Deux autres termes en montrent l'origine et le résultat : *karpos* : « fruit » [5], *kharis* : « don gratuit » [6]. Le thème de l'« empressement » *(spoudè)* [7] y est associé et celui de l'exemple du Christ [8].

[1] 1 Co 16,1s△. — [2] Ac 11,29; Rm 15,25.31; 2 Co 8,4.19s; 9,1.12s. — [3] Rm 15,26; cf Ac 2,44; 2 Co 8,4. — [4] 2 Co 9,12; cf Rm 15,27. — [5] Rm 15,28. — [6] 1 Co 16,2s. — [7] 2 Co 8,8.(17.)22; cf Ga 2,10. — [8] 2 Co 8,9.

2. Les deux collectes mentionnées (à plusieurs reprises) dans le NT sont en faveur des frères *judéo-chrétiens : pour ceux de Judée, à Antioche [9], pour ceux de Jérusalem, en Galatie, à Corinthe, en Macédoine et Achaïe [10]. Paul, promoteur de la seconde, y attache une importance particulière, voyant dans le don et dans son acceptation [11] un signe de l'unité réalisée entre les communautés d'origine païenne et juive. Ces collectes peuvent être mises en relation avec la coutume juive de l'*impôt religieux au Temple de Jérusalem.

[9] Ac 11,28-30. — [10] 1 Co 16,1-4; 2 Co 8—9; cf Rm 15,25-28. — [11] Rm 15,31.

→ *Intr.* I.3.C; VII.4. — aumône — charité — communion.

collecteur d'impôts

→ publicain.

colombe

gr. *peristera*. Nom commun à plusieurs oiseaux : biset, ramier, pigeon et tourterelle. La colombe, fort répandue en Palestine, est l'oiseau le plus mentionné dans la Bible. Offrande des pauvres, surtout dans les rites de *purification [1]. D'où la présence au Temple de marchands de colombes [2]. La colombe à laquelle est comparé l'Esprit descendant du ciel sur Jésus baptisé [3] est d'interprétation incertaine : elle peut évoquer l'amour de Dieu [4] ou, dans la ligne de certaines interprétations juives, la création nouvelle [5]. La simplicité — ou la naïveté — de la colombe est proverbiale [6].

[1] Lv 5,7; 12,8; Lc 2,24. — [2] Mt 21,12 (= Mc 11,15); Jn 2,14.16. — [3] Mt 3,16 (= Mc 1,10 = Lc 3,22); Jn 1,32. — [4] cf Ct 2,14; 5,2. — [5] cf Gn 1,2. — [6] Os 7,11; Mt 10,16 □.

colonie

gr. *kolónia*, du lat. *colonia* (de *colere* : « cultiver »). Le terme caractérise certaines villes où avaient été établis des soldats romains et qui, par suite, jouissaient des droits des *citoyens romains. Ainsi Philippes [1].

[1] Ac 16,12 □.

→ *Intr*. IV.2.C.

Colosses
gr. *Kolossaï*. Ville de *Phrygie, dans la vallée du Lycus, auj. disparue. *Epaphras y fonda une Église [1].

[1] Col 1,2 □.

→ *Carte* 2.

[Colossiens (Épître aux)]
Écrite par Paul, très probablement lors de sa captivité à Rome (61-63) ou déjà à Césarée (58-60), à l'Église de *Colosses, à l'occasion d'une crise de type doctrinal. Selon certains critiques, son *authenticité est douteuse.

→ *Intr*. XV. — Épîtres.

combat
1. La guerre (gr. *polemos*) au sens propre n'est signalée que dans des contextes *apocalyptiques, sauf en Lc 14,31 (et en Jc 4,1 s : graves disputes entre frères). L'expédition militaire, la campagne (gr. *strateia*) prend parfois un sens métaphorique : Paul se connaît des compagnons d'armes [1] et demande à *Timothée d'être un bon soldat [2]; la vie chrétienne est un rude combat [3], il faut revêtir une armure (gr. *pan-oplia*) pour résister au *diable [4] qui a été dépouillé de la sienne par Jésus, l'*Agneau de Dieu [5]. Pour ce combat, les armes (gr. *hopla*) sont indispensables [6] : cuirasse [7], casque [8], bouclier [9], glaive [10].

[1] Ph 2,25; Phm 2. — [2] 2 Tm 2,3s; cf 1 Co 9,7. — [3] 2 Co 10,3s; 1 Tm 1,18; Jc 4,1; 1 P 2,11; cf Rm 7,23. — [4] Ep 6,11.13. — [5] Lc 11,22; Jn 1,29. — [6] Rm 6,13; 13,12; 2 Co 6,7; 10,4; 1 P 4,1. — [7] Ep 6,14; 1 Th 5,8. — [8] Ep 6,17; 1 Th 5,8 △. — [9] Ep 6,16 △. — [10] Ep 6,17.

2. Les jeux sportifs du stade [11] étaient en honneur chez les Anciens, les Grecs surtout : jeux olympiques tous les quatre ans, jeux isthmiques à Corinthe tous les deux ans. Ils comportaient le pugilat (gr. *pykteuô*) [12], la lutte (gr. *palè*) [13], le saut, le disque, le javelot et surtout la course sur douze à vingt-quatre stades [14]. Le combat sportif (gr. *agôn*) peut caractériser la lutte du chrétien pour résister au péché, être ferme dans la foi [15]. Ces exercices (gr. *gymnazô*) sont recommandés [16].

[11] 1 Co 9,24. — [12] 1 Co 9,26 △. — [13] Ep 6,12 △. — [14] 1 Co 9,24.26; cf 2 Tm 4,7; He 12,1. — [15] Lc 13,24; Rm 15,30; 1 Co 9,25; Ph 1,30; Col 1,29; 2,1; 4,12; 1 Th 2,2; 1 Tm 4,10; 6,12; 2 Tm 4,7; He 12,1.4; Jude 3 △. — [16] 1 Tm 4,7s; He 5,14; 12,11 △.

→ athlète.

[comma johannique]

gr. *komma* : « incise, membre de phrase ». Nom donné à une glose inauthentique interpolée au IVe s. entre les versets 7 et 8 de 1 Jn 5; originaire d'Espagne ou d'Afrique du Nord, elle remonte peut-être à S. Cyprien. Sa teneur : [7] car il y en a trois qui témoignent *dans le ciel : le Père, le Verbe et le Saint Esprit; et ces trois sont un; et il y en a trois qui témoignent sur la terre :* [8] l'Esprit, l'eau et le sang, et ces trois sont vers l'un.

commandement

gr. *entolè* (de *entellomai* : « commander, prescrire »), hb. *miçwâ*.

1. Le terme désigne un précepte particulier de la Loi (gr. *nomos*) ou de la vie chrétienne [1]. Il est ordinairement utilisé pour souligner le caractère personnel de la prescription; celle-ci n'est pas seulement article d'un recueil, mais interpellation [2]; le mot permet aussi de caractériser ce qui fait l'essentiel de la Loi [3].

[1] Mt 5,19; Mc 10,5; Lc 1,6; 23,56. — [2] Mt 15,3 (= Mc 7,8s); 19,17 (= Mc 10,19); 1 Co 7,19; 14,37; Ep 2,15. — [3] Mt 22,36.38.40 (= Mc 12,28.31 = Lc 18,20).

2. Jean, qui réserve *nomos* au sens de loi juive, retient dans *entolè* l'aspect positif de la Loi. Dans le commandement s'exprime et se révèle l'amour du Père; par lui, le croyant entre en communion avec le Père [4]. Comme l'avait déjà dit la tradition commune [5], l'unique commandement de Jésus est l'amour [6]; cet amour trouve sa source dans l'amour mutuel du Père et du Fils, et son modèle dans le comportement de Jésus de Nazareth [7].

[4] 2 Jn 4-6. — [5] Rm 13,9; Ep 6,2. — [6] Jn 13,34; 14,15.21; 15,10.12.14.17; 1 Jn 2,3s.7s; 3,23s; 4,21; 5,2s; cf Ap 14,12. — [7] Jn 10,17s; 12,49s; 14,31; 17,26.

→ *Intr.* XII.1.D. — loi.

communion

gr. *koinônia* (de *koinos* : « commun », *koinoô* : « mettre en commun ») : « action d'avoir en commun, de partager, de participer à (gr. *metekhô* : « avoir avec ») », d'où communauté, sympathie. La communion à l'*autel, ainsi qu'au *corps et au *sang du Christ, est dite avec les deux termes [1]. Elle est participation au Christ [2], à l'Esprit [3], à la nature divine [4], dans une même vie de foi [5]. Celle-ci se traduit dans l'union fraternelle [6], la mise en commun des biens [7], la *collecte en faveur de Jérusalem [8].

[1] 1 Co 10,16s.18.20s. — [2] Ph 3,10; 1 P 4,13; He 3,14. — [3] 2 Co 13,13; Ph 2,1; He 6,4. — [4] 2 P 1,4. — [5] Tt 1,4; 1 Jn 1,3. — [6] Ac 2,42; 2 Co 1,7; Ph 4,14; 1 Jn 1,6s. — [7] Ac 2,44; 4,32; Ga 6,6; 1 Tm 6,18; He 13,16. — [8] cf Rm 12,13; 2 Co 8—9.

→ collecte — coupe — repas du Seigneur.

[concile de Jérusalem]

Dénomination fréquente de l'assemblée qui se tint en 48/49 à Jérusalem et qui est racontée par Luc dans Ac 15. En fait, le récit d'Ac 15 semble bloquer deux événements originairement indépendants; ainsi Jacques paraît apprendre à Paul en Ac 21,25 la teneur d'un décret porté bien auparavant et dont il n'a jamais fait mention dans des lettres qui l'auraient requis. Aussi de nombreux critiques estiment qu'il y eut deux assemblées à Jérusalem. L'une concernait l'obligation de la loi juive pour les convertis d'origine païenne (Ga 2,1-10; cf Ac 15,1-4); l'autre, postérieure à l'incident d'*Antioche, précisait par un décret quels devaient être les rapports entre chrétiens d'origine juive avec ceux qui sont d'origine païenne (Ga 2,11-14; Ac 15,29).

[concordance]

1. Répertoire alphabétique fournissant tous les mots d'un certain corpus textuel, de sorte qu'ils puissent être comparés et groupés. Depuis le XVIe s., il existe des concordances de la Bible en hébreu, en grec, en latin.

2. Pour les traductions de la Bible en langue moderne, comme il n'existe pas de traduction officielle, une telle concordance verbale doit être complétée par une disposition thématique. Ainsi la *Concordance du Nouveau Testament*, publiée en 1970 par G. Bardy, O. Odelain, P. Sandevoir, R. Séguineau, combine l'index des 5 594 mots grecs du NT avec 358 thèmes majeurs des familles de mots français; en effet un même mot français peut correspondre à plusieurs mots grecs.

3. Une *Concordance des évangiles synoptiques* a été publiée en 1956 par X. Léon-Dufour. Elle offre, grâce à l'utilisation de sept couleurs, la concordance, non pas des mots, mais des *péricopes *synoptiques, ce qui permet pour chaque passage évangélique d'embrasser d'un seul regard la condition propre (la relation qu'il a avec le reste de l'évangile qui le contient) et la condition synoptique (la relation qu'il a avec les deux autres évangiles).

4. La Concordance ne doit pas être confondue avec les « Concordes des évangiles », mot ancien pour désigner les *synopses évangéliques, dans le but de faire apparaître qu'ils s'accordent entre eux. Elle ne doit pas être confondue avec le « concordisme », théorie d'interprétation qui veut faire concorder, coûte que coûte, les textes bibliques, soit entre eux, soit avec les disciplines profanes, en méconnaissant les perspectives propres à la Bible, ou encore les *genres littéraires qui caractérisent ses textes.

condamner

Ce mot traduit proprement des termes grecs qui n'ont pas d'équivalent hébraïque : *katakrinô* [1], *kataginôskô* [2], *dikazô* [3], et l'adjectif *epithanatios* : « condamné à mort » [4]. Dans d'autres cas, ce verbe est une interprétation, par le contexte, de *krinô* : « juger » [5], ce qui rend souvent hésitant sur la traduction [6].

[1] Mt 12,41s; 20,18; 27,3; Mc 10,33; 14,64; 16,16; Lc 11,31s; Jn 8,10s; Ac 16,37; 22,25; Rm 2,1; 5,16.18; 8,1.3.34; 14,22s; 1 Co 11,32; 2 Co 3,9; 7,3; Tt 3,11; He 11,7; 2 P 2,6 △. — [2] Ga 2,11; Tt 2,8; 1 Jn 3,20s △. — [3] Mt 12,7.37; Lc 6,37; Ac 25,15; Jc 5,6 △. — [4] 1 Co 4,9 △. — [5] Mt 23,33; Mc 12,40; Lc 20,47; 23,40; 24,30; Jn 5,29; Ac 13,27; Rm 3,8; 13,2; 1 Co 11,29.34; Ga 5,10; 1 Tm 3,6; 5,12; 2 P 2,3. — [6] Jn 3,17-19; 12,47s; Rm 2,1.3; 14,3s.10.13a; Col 2,16; Jc 4,11s.

→ jugement.

condition

Traduction possible du gr. *morphè* : *forme.

confesser, confession de foi

gr. *homologeô* : « parler *(legô)* semblablement, en accord [1] *(homos)* », convenir de, s'engager à [2], re-connaître [3], proclamer ouvertement [4]. Terme de la langue juridique profane. Au sens d'attestation par affirmation et négation, le mot renforce la déclaration publique [5]. A la suite de la *Septante (qui joint le préfixe *ek*), le terme équivaut à louer

Dieu (hb. *yâda‘*) [6]. Appliquant l'usage profane au monde religieux, il signifie « proclamer publiquement » sa foi [7], d'où les « confessions de foi » que les critiques reconnaissent à travers les textes actuels du NT [8]. Enfin confesser ses péchés, c'est non seulement avouer les torts qu'on a envers Dieu, mais proclamer la sainteté divine [9] : ainsi Pierre, face à Jésus [10].

[1] Lc 22,6. — [2] Mt 14,7. — [3] He 11,13. — [4] Ac 7,17; 24,14. — [5] Mt 7,23; 10,32 (= Lc 12,8); Jn 1,20; Ap 3,5. — [6] Mt 11,25 (= Lc 10,21); Lc 2,38; Rm 14,11; 15,9; He 13,15. — [7] Mt 10,32; Jn 9,22; 12,42; Ac 23,8; Rm 10,9s; 2 Co 9,13; Ph 2,11; 1 Tm 3,16; 6,12s; Tt 1,16; He 3,1; 4,14; 10,23; 1 Jn 2,23; 4,2s.15; 2 Jn 7. — [8] Rm 1,3s; 10,9; 1 Co 12,3; 15,3-5; 1 Th 1,10; 1 Tm 6,12. — [9] Mt 3,6 (= Mc 1,5); Ac 19,18; Jc 5,16; 1 Jn 1,9. — [10] Lc 5,8.

→ lèvres — témoignage.

confiance

1. gr. *pepoithèsis* (du parfait *pepoitha* de *peithomai* : « se fier à », d'où le fait d'« être persuadé, convaincu »); *pistis* (de *pith-ti-s*) : « action de donner sa confiance ». Aspect de la *foi qui, face à l'avenir incertain, s'appuie indéfectiblement sur Dieu, rocher solide [1], et sur l'acte définitif par lequel Dieu a en Jésus vaincu la mort. En fait, on peut se confier aussi à des hommes [2] ou en ses propres actions [3]. Les traductions sont donc nuancées : « se flatter de » correspond parfois à « être convaincu que », ou bien « être fier de » à « s'appuyer sur ». A la base de l'expression, il y a une persuasion intime qui peut s'épanouir en *fierté (gr. *parrèsia*).

[1] Mt 27,43; He 2,13. — [2] Lc 18,9; 2 Co 1,9; 2 Th 3,4; Phm 21. — [3] Mc 10,24; Lc 11,22; 2 Co 3,4; Ep 3,12; Ph 1,14; 3,3s.

2. gr. *tharseô* : « avoir confiance », non pas en un autre, mais en soi, parce que la peur est surmontée : on est réconforté, rassuré, encouragé [4].

[4] Mt 9,2.22; 14,27; Jn 16,33; 2 Co 5,6.8; He 13,6.

3. gr. *hypostasis* : « fondement solide » sur lequel on peut reposer [5].

[5] 2 Co 9,4; 11,17; He 3,14 △.

→ angoisse — fierté — foi — souci.

connaître

gr. *ginôskô* : « connaître, reconnaître », au parfait : « savoir ».

1. Selon la Bible, la connaissance ne se réduit pas à l'acte de l'intelligence qui saisit un objet. Le mot conserve une dimension expérimentale qui le caractérise : remarquer, expérimenter, savoir [1], discerner, apprécier [2], établir une relation intime entre deux personnes [3], d'où choisir, élire [4], s'unir sexuellement [5], enfin reconnaître [6]. Conformément à la notion de *vérité, connaître c'est rencontrer quelqu'un; ne pas connaître, c'est l'écarter de soi [7]. La connaissance de Dieu est possible, parce que c'est un « re-connaître » celui qui, par sa création, est déjà là [8]. Connaître, c'est être disposé à *obéir [9].

[1] Gn 3,7; 41,31; Is 47,8; Jn 4,1; Ph 1,12. — [2] 2 S 19,36; Is 7,16; Mt 7,16.20; 12,33; Jn 5,42; 10,27; Rm 2,18; 1 Co 16,18; 1 Jn 2,29; 3,16; 4,2.13. — [3] Dt 34,10; Is 54,13; Jr 31,34; Mt 11,27 (= Lc 10,22); 17,12; Jn 10,14s; 1 Co 2,12; 8,2s. — [4] Jr 1,5; Am 3,2; 1 Co 13,12; Ga 4,9; 2 Tm 2,19; 1 P 1,2.20; 1 Jn 3,20. — [5] Gn 4,1.17; 19,8; Mt 1,25; Lc 1,34. — [6] Ez 6,7.13s; Os 4,1s; Ac 22,14; Rm 2,4; Ga 2,9; Ap 3,9. — [7] Mt 7,23; 25,12; Lc 13,25-27; Rm 7,7; 10,3; 2 Co 5,16.21. — [8] Rm 1,19-21.28; 1 Co 1,21; cf Sg 13,1-9. — [9] Jn 7,49; Rm 1,28; 2,18.20; 2 Co 10,5.

2. Le NT parle encore de « connaissance » (gr. *gnôsis*) de Dieu, dans le sens de l'AT [10]; mais le terme survient ordinairement dans la lutte avec la *gnose de l'époque. Paul la combat en soulignant que c'est Dieu qui nous a connus (= choisis) et que la connaissance est subordonnée à l'*amour [11]. Jean se refuse à toute gnose en affirmant que Dieu n'est connu qu'à travers son Fils venu en chair (en cela consiste la *vie éternelle) [12] et à la mesure de la charité fraternelle [13].

[10] Rm 11,33; Ep 4,13; Ph 1,9; 3,8; Col 1,9; 3,10; Phm 6. — [11] 1 Co 8,1.10s; 13,2.12; Ep 3,19. — [12] Jn 14,7; 17,3; 1 Jn 4,2. — [13] Jn 13,35; 1 Jn 2,3s; 3,19.

→ élection — goûter — mystère — révélation — sagesse — vérité.

consacrer

Dans l'AT, le terme gr. *hagiazô* ne signifie « consacrer », au sens de « rendre sacré », que pour qualifier des actes *cultuels posés par les hommes [1]; quand Dieu est sujet du verbe, cela signifie « *élire », « assigner une mission » [2]. Dans le NT, le mot gr. ne devrait pas être traduit ainsi, car la terminologie ne vaut plus pour caractériser l'activité cultuelle chrétienne. En particulier, Jésus demande au Père de « sanctifier » les disciples, comme lui-même s'est « sanctifié » [3]. En un mot, les chrétiens ne sont pas des « consacrés », mais des « saints ».

[1] Ex 29,37. — [2] Si 45,4; Jr 1,5. — [3] Jn 10,36; 17,17.19.

→ culte — naziréat — pur — sacré — sacrifice — saint.

conscience

gr. *syneidèsis* (sans terme hb. correspondant). Pouvoir de jugement pratique, par lequel on déclare que ceci est (ou a été), pour soi, bien ou mal. Par exemple, Job peut dire que son cœur ne lui reproche rien [1]. Le mot grec, emprunté par Paul au langage religieux de l'époque, exprime le jugement réflexe requis par la notion biblique de *cœur. En parlant de la « loi inscrite au cœur des païens », Paul décrit la conscience qu'ils ont en faisant naturellement ce qu'ordonne la *Loi [2]; le projet de Dieu est inscrit au cœur de tout homme, avant même que la révélation le précise définitivement : l'homme naît en dialogue avec Dieu [3] et, dans l'action, réagit plus ou moins selon le projet de Dieu.

La conscience n'est pas autonome (fondée sur la science humaine du bien et du mal), mais « théonome » : son jugement est toujours soumis à celui de Dieu [4]. La foi seule éclaire la conscience [5] qui peut s'estimer bonne et irréprochable [6].

La bonne conscience rend libre [7], mais la liberté est elle-même conditionnée par les exigences de la conscience d'autrui [8] et par Dieu même [9]. Le mot est utilisé par l'Épître aux Hébreux dans un contexte sacrificiel [10].

[1] Jb 27,6. — [2] Rm 2,14s. — [3] cf Rm 1,19-21. — [4] 1 Co 4,4; 2 Co 4,2; 5,11. — [5] Rm 13,4s; 1 Tm 1,5.19; 3,9; 4,1s; 2 Tm 1,3; Tt 1,15. — [6] Ac 23,1; 24,16; Rm 9,1; 2 Co 1,12; He 10,22; 13,18; 1 P 3,16.21. — [7] 1 Co 10,29. — [8] Rm 14,15-20; 1 Co 8,7-13; 10,23-29. — [9] 1 Co 6,12; 1 P 2,19. — [10] He 9,9.14; 10,2 □.

→ cœur.

constance

gr. *hypomonè* (de *menô* : « demeurer » et *hypo* : « en dessous ») : « endurance »; on ne s'enfuit pas, mais on tient bon sous le choc, sous le poids. Cette attitude ne peut être identifiée à la patience : on ne dit jamais de Dieu qu'il est constant, mais qu'il est fidèle et patient. Le « support » dont il s'agit concerne presque exclusivement l'*épreuve, la *souffrance, la *persécution : il s'agit de « tenir bon ». Ainsi Jésus a enduré la croix [1], montrant l'attitude que doit avoir le chrétien et spécialement l'apôtre [2]. La constance, soutenue par Dieu [3], exprime la *foi authentique [4], caractérise et produit l'*espérance [5], conduisant à la victoire [6]. Telle est la condition du *salut [7].

[1] He 12,2s. — [2] Rm 12,12; 1 Co 13,7; 2 Co 1,6; 6,4; 12,12; 1 Tm 6,11; 2 Tm 3,10. — [3] Rm 15,4s; 2 Th 3,5; Ap 1,9; 3,10. — [4] 2 Th 1,4; Jc 1,3; Ap 13,10; 14,12. — [5] Rm 5,3s; 8,25; 1 Th 1,3. — [6] Lc 8,15; Rm 2,7; Col 1,11; 2 Tm 2,12; Jc 1,12; 5,11. — [7] Mt 10,22 (= Mt 24,13 = Mc 13,13); Lc 21,19.

→ espérance — fidèle — patience — persécution.

[controverse]

*Genre littéraire selon lequel est rapportée une discussion poussée sur une question libre : ainsi Mt 22,15-22.

conversion

lat. *conversio* : « retournement ». Le gr. *epi-strephô* : « retourner [1], revenir », et le gr. *meta-noia* : « changement *(meta)* de mentalité *(nous)* » [2], correspondent tous deux dans le NT à l'hb. *chûb*, caractéristique de la prédication prophétique [3]. Le français « retournement », « conversion » doit être préféré à « pénitence », qui évoque surtout la peine subie pour la faute, et à « repentir » (gr. *meta-meleisthai*), qui est insuffisant pour exprimer la transformation radicale de l'être et les fruits de la conversion [4].

[1] Mt 12,44; 24,18; Lc 2,39. — [2] He 12,17. — [3] Jr 18,8; 24,7; Ez 33,9.11; Am 4,6-12. — [4] Mt 3,8 (= Lc 3,8); Ac 26,20; Ep 4,23.

1. A la suite des prophètes, *Jean Baptiste requiert de tout homme qu'en se faisant baptiser il se re-tourne vers le *règne imminent de Dieu [5], tandis que Jésus proclame la même exigence face à Dieu qui agit présentement en lui [6] : il a pouvoir de remettre les péchés [7] et rappelle que Dieu se réjouit de toute conversion [8]. Ressuscité, il confie à ses disciples la mission de proclamer la conversion [9].

[5] Mt 3,2 (= Mc 1,4 = Lc 3,3).11; Ac 13,24. — [6] Mt 4,17; 11,20s (= Lc 10,13); 12,41 (= Lc 11,32); Lc 5,32. — [7] Mt 9,6 (= Mc 2,10 = Lc 5,24). — [8] Lc 15,4-32; Rm 2,4; 11,22; 2 Tm 2,25; Ap 2,5.16.21; 3,3.19. — [9] Lc 24,47.

2. La communauté primitive appelle de même à se détourner des *idoles [10] pour adhérer à Dieu et au Christ [11], grâce au baptême [12] et à la rémission des péchés [13]. Cet acte définitif ne peut être renouvelé [14], et pourtant tous sont constamment appelés à la conversion, Pierre le premier [15]. Le terme conversion peut être transposé par exemple dans le retour à l'état d'enfants [16], ou, chez Jean, par l'expression « aller à, suivre Jésus » [17].

[10] Ac 14,15; 1 Th 1,9. — [11] Ac 9,35; 11,21. — [12] Ac 2,38; cf Rm 6,4; Ep 5,26; Tt 3,5. — [13] Ac 3,19; 5,31. — [14] He 6,6. — [15] Lc 22,32; 2 P 3,9. — [16] Mt 18,3. — [17] Jn 1,43; 8,12; 10,27; 13,36.

→ *Intr.* XIV.2.B. — baptême — endurcissement — pardonner — pénitence — repentir.

convoitise

gr. *epithymia*. Tout en conservant parfois le sens neutre de « *désirer fortement », le NT confère ordinairement au terme un sens moral péjoratif : « désir excessif ». La tradition juive connaissait le « penchant mauvais », « l'esprit de perversion » qui est au cœur de l'homme. Ainsi la convoitise originelle [1] qui entraîne les passions en général [2] (autre mot : *pathos* [3]), spécialement dans l'ordre sexuel [4]. La convoitise est reliée le plus souvent à la *chair [5], au péché [6] et au monde [7], une fois à Satan [8], et une fois à la richesse [9] (en ce dernier cas le NT utilise de préférence le mot *pleonexia* : « *cupidité »).

[1] Rm 7,7; 13,9; cf Ex 20,17; Jc 4,2; 1 Jn 2,16s. — [2] Mc 4,19; Rm 1,24; 1 Co 10,6; Col 3,5; 1 Th 4,5; 1 Tm 6,9; 2 Tm 2,22; 3,6; 4,3; Tt 3,3; 1 P 1,14; 2 P 3,3; Jude 16.18. — [3] Rm 1,26; 7,5; Ga 5,24; Col 3,5; 1 Th 4,5. — [4] Mt 5,28. — [5] Rm 13,14; Ga 5,16.24; Ep 2,3; 1 P 2,11; 4,2s; 2 P 2,10.18. — [6] Rm 6,12; 7,8; Jc 1,14s. — [7] Tt 2,12; 2 P 1,4; 1 Jn 2,16s. — [8] Jn 8,44. — [9] Ac 20,33.

→ *Intr.* XIV.2.A. — cupidité — désirer — vices.

corban

gr. *korban*, de l'hb. *qorbân* : offrande apportée au *Trésor du Temple (gr. *korbanas*). Formule *consécratoire par laquelle la chose ainsi vouée ne pouvait être employée à un usage profane [1].

[1] Lv 1,2; Nb 7,3; Mc 7,11 □; cf Mt 15,5.

→ anathème.

Corinthe

gr. *Korinthos*. Antique ville grecque sur l'isthme du même nom, rasée en 146 av. J.C., rebâtie en 44 av. J.C. par Jules César, capitale de la *province d'*Achaïe et municipe romain. Par ses deux ports (dont *Kenchrées) donnant sur deux mers, Corinthe est un nœud de communication entre Est et Ouest et un grand centre économique. Les contrastes sociaux y sont marqués (les deux tiers de la population sont des *esclaves) et les mœurs si dissolues que le verbe *korinthiazesthaï* signifie « mener une vie de débauche ». Ville cosmopolite, l'attachement à l'*hellénisme y domine moins qu'ailleurs. Elle est au carrefour des religions grecques et orientales; le culte d'Aphrodite y est florissant. Paul y séjourna quelque dix-huit mois vers 50-52 [1].

[1] Ac 18,1.8.10.27; 19,1; 1 Co 1,2; 2 Co 1,1.23; 6,11; 2 Tm 4,20 □.

→ *Intr.* IV.2.C; IV. 6. — Achaïe — Apollos — Kenchrées — *Carte* 2.

[Corinthiens (Épîtres aux)]

Dans la 1ʳᵉ lettre (qui, en fait, est la 2ᵉ : cf 1 Co 5,9), Paul s'adresse d'*Éphèse, vers 56, à la communauté de Corinthe où l'insertion de la foi chrétienne dans une culture païenne suscitait de nombreux problèmes.

La 2ᵉ lettre (qui, en fait, est la 4ᵉ : cf 2 Co 2,3; 7,8) est adressée de *Macédoine, vers 57, aux mêmes destinataires, que, après des heurts violents, Paul compte aller retrouver.

→ *Intr.* XV.

corne

gr. *keras*, hb. *qèrèn*. Arme du bélier et du taureau, signifiant la force et la fierté chez un peuple de pasteurs [1]. D'où le symbole de la *puissance du *Messie et de l'*Agneau [2]. Celles du *Dragon et de la *Bête symboliseraient les puissances vassales de Rome [3]. On discute sur le sens des quatre cornes de l'*autel (excroissances aux quatre coins) [4], peut-être en relation avec les pierres levées (hb. *maççéba*).

[1] 1 S 2,10; Jb 16,15; Ez 29,21; Lc 1,69. — [2] Ps 132,17; Dn 7,7s; Ap 5,6. — [3] Ap 12,3; 13,1.11; 17,3.7.12.16. — [4] Ex 27,2; 29,12; 1 R 1,50; Ap 9,13 □.

Corneille

*Centurion d'une *cohorte en garnison à *Césarée. Il fut le premier païen *craignant-Dieu à se convertir [1].

[1] Ac 10,1-31 □.

corps

gr. *sôma*, traduisant l'hb. *bâsâr*, qui est aussi rendu par *sarx* : « chair ». Ce mot désigne, selon un usage courant, l'ensemble de chair et d'os que l'individu trouve chaque jour à sa disposition [1] et qui, à sa mort, deviendra cadavre [2] (plus souvent, gr. *ptôma* [3]); parfois encore, selon les Grecs, ce qui ramène à l'unité la pluralité des membres [4]. Ordinairement, selon la Bible, le corps est ce par quoi l'homme entre en relation avec ses frères et avec l'univers, il est sa capacité d'expression.

[1] Mt 5,29s; 6,22s (= Lc 11,34.36).25 (= Lc 12,22s); 1 Co 5,3; 7,34; 9,27; 13,3; Ga 6,17; Jc 2,16. — [2] Mt 27,52.58 (= Mc 15,43 = Lc 23,52 = Jn 19,38); Lc 17,37 (cf Mt 24,28); 23,55; 24,3.23; Jn 19,40; 20,12; Ac 9,40. — [3] Mt 14,12 (= Mc 6,29); 24,28 (cf Lc 17,37); Mc 15,45 (cf 15,43); Ap 11,8s △. — [4] Rm 12,4; 1 Co 12,12-26.

1. Le corps désigne la personne sous son aspect extérieur et visible [5], au point que le mot peut équivaloir à un pronom personnel [6]. Sa dignité réside avant tout dans la faculté de procréation [7]. Le « péché contre le corps » [8] désigne probablement le péché contre la personne humaine dans l'expression qu'elle donne d'elle-même. Il n'y a pas de liste de péchés du corps, mais seulement de la chair [9]. Cependant le corps est l'enjeu des puissances que sont la chair et l'esprit.

[5] Rm 6,12; 12,1. — [6] comp. 1 Co 6,19 et 3,17; ou 1 Co 6,15 et Ep 5,30. — [7] Rm 1,24; 4,19; 1 Co 6,13-20; 7,4. — [8] 1 Co 6,18. — [9] Ga 5,19.

2. Sans mettre en question la dignité du corps, Paul en propose une théologie particulière. La chair, habitée par le *Péché [10], s'est asservi le corps. Il existe désormais un « corps de péché », car le péché peut dominer le corps [11], et celui-ci mener à la mort [12]. Le corps s'identifie alors à la *chair mauvaise [13] : il désigne la personne humaine devenue esclave du péché.

[10] Rm 7,20. — [11] Rm 6,6.16. — [12] Rm 7,24; 8,10. — [13] Rm 6,12; 8,13.

3. Mais le Christ a pris le « corps de chair » [14] et est devenu le lieu où s'opère la *réconciliation. Le croyant voit « son corps de péché détruit [15] », il est dépouillé de ce corps charnel qui va à la mort [16]. Désormais il peut glorifier Dieu dans son corps, « offrir son corps » en un *culte vivant [17]. En nous incorporant à lui, le Christ fait ainsi de nos corps son Corps unique. Aussi, à la différence de la chair, le corps doit-il *ressusciter [18]. Être de misère, il sera *transfiguré, non par une simple transition mais à travers une véritable rupture [19], en un corps de *gloire, en un corps spirituel [20].

[14] Col 1,22. — [15] Rm 6,6. — [16] Col 2,11. — [17] Rm 12,1; 1 Co 6,20. — [18] Rm 8,11; 1 Co 6,14. — [19] 2 Co 5,8. — [20] 1 Co 15,44; Ph 3,21.

→ *Intr.* V.2.B. — âme — chair — corps du Christ — esprit — homme — os.

Corps du Christ

gr. *sôma tou Christou.*

1. *Le *corps de Jésus.* Durant sa vie terrestre, Jésus s'est exprimé à travers son corps, tout comme un autre homme [1]; ce corps, livré à la mort [2], n'a plus été trouvé au lendemain du sabbat [3]. C'est qu'il est devenu le *temple du *culte nouveau [4], corps spirituel [5]. Par son corps de *gloire, nos corps de misère seront un jour *transfigurés [6].

[1] Mt 26,12 (= Mc 14,8); He 10,5; cf 1 Jn 4,2. — [2] Mt 27,58 (= Mc 15,43 = Lc 23,52 = Jn 19,38); Lc 23,55; Jn 19,40; Rm 7,4; Col 1,22; He 10,10; 1 P 2,24. — [3] Lc 24,3.23; Jn 20,12. — [4] Jn 2,18-22. — [5] 1 Co 15,44. — [6] Ph 3,20s.

2. *Le *corps eucharistique.* Jésus a utilisé l'expression pour désigner sa présence nouvelle, *eucharistique [7], à laquelle nous participons pour constituer un seul corps [8].

[7] Mt 26,26 (= Mc 14,22 = Lc 22,19 = 1 Co 11,24). — [8] 1 Co 10,16s.

3. *Le corps du Christ.* L'expression a connu des étapes préparatoires. Paul s'est représenté d'abord, sur le mode *hellénistique, les croyants comme les membres multiples que le Christ ramène à l'unité d'un seul corps [9]. En même temps, il considérait chaque chrétien comme un membre du Christ [10] : la pensée était ici sémitique. Elle l'est encore lorsque, dans les *Épîtres de la captivité, il aboutit à la conception de l'*Église, corps du Christ, rassemblant juifs et païens [11] : l'Église exprime le Christ au fur et à mesure de sa croissance [12].

[9] Rm 12,4s; 1 Co 12,12-27; cf Ga 3,27. — [10] 1 Co 6,15. — [11] Ep 1,22s; 2,14-16; 3,6; 4,4; 5,23.30; Col 1,18.24; 2,17.19; 3,15. — [12] Ep 4,12.16.

coudée

gr. *pèchys*, lat. *cubitus* : « coude ». Mesure de longueur s'étendant du coude à l'extrémité du majeur, valant environ 0,45 m ou même 0,52 m [1].

[1] Mt 6,27 (= Lc 12,25); Jn 21,8; Ap 21,17 □.

→ mesures.

coupe

1. gr. *potèrion* (apparenté à *potos* : « boisson », *pinô*, boire). Vase pour boire, en argile ou en métal, de forme évasée et peu profonde [1]. Selon l'usage des repas, le chef de famille présentait à chaque convive une coupe déjà remplie; aussi, boire à une même coupe symbolise-t-il la *communion entre les hôtes [2]. De là encore, l'emploi métaphorique de la coupe pour désigner le sort de quelqu'un [3], l'épreuve à traverser [4] ou le châtiment à subir [5].

La « coupe du salut », offerte et bue au Temple en *action de grâces pour un bienfait reçu, impliquait la communauté avec Dieu [6]; il existait un rite analogue dans le culte des *idoles [7].

Au cours du *repas pascal, on passait plusieurs coupes [8] dont la troisième était dite « coupe de *bénédiction », pour l'action de grâces finale [9]. Enfin la « coupe du Seigneur » désigne l'*eucharistie [10].

[1] Mt 23,25s (= Lc 11,39); Mc 7,4. — [2] Ps 16,5; 1 Co 10,20. — [3] Mt 20,22s (= Mc 10, 38s). — [4] Nb 5,12-28; Mt 26,39.42 (= Mc 14,36 = Lc 22,42 =

185

Jn 18,11). — [5] Is 51,17.22; Jr 25,15-29; 51,7; Ap 14,10; 16,19; 17,4; 18,6. — [6] Ps 116,13. — [7] 1 Co 10,21. — [8] Lc 22,17.20. — [9] 1 Co 10,16. — [10] Mt 26,27 (= Mc 14,23 = Lc 22,20 = 1 Co 11,25); 26,29 (= Mc 14,25 = Lc 22,18); 1 Co 11,21.26-29 △.

2. gr. *phialè* : « coupe des *parfums [11], symbolisant la *prière [12] ou la *colère divine [13].

[11] Ex 25,29; Nb 7,84.86; 1 R 7,50; Jr 52,18. — [12] Ps 141,2; Ap 5,8; 8,3s. — [13] Ap 15,7; 16,1-17; 17,1; 21,9 △.

courir

gr. *trechô* : « courir » et gr. *diôkô* : « poursuivre, chasser, d'où persécuter ». Termes employés au sens propre et au sens figuré. La Parole de Dieu court rapidement et accomplit sa course [1]. L'existence humaine, souvent comparée à une marche [2], devient une course quand on veut évoquer une obéissance empressée ou une mission urgente [3]. Enfin, sous l'influence des *combats sportifs, il s'agit de la course pratiquée dans le *stade [4], dans laquelle nous sommes précédés par le chef de notre foi, notre « précurseur » (gr. *prodromos*, de *edramon*, aoriste de *trechô*) [5]. Le tout, c'est de ne pas courir en vain, mais d'achever sa course [6].

[1] Ps 147,15; Sg 18,15; 2 Th 3,1. — [2] Jn 8,12; 1 Jn 1,6-7. — [3] Ps 119,32; Is 40,31; Ac 13,24s; 20,24. — [4] 1 Co 9,24-27; Ph 3,12-14. — [5] He 6,20 △; cf 12,1s. — [6] 1 Co 9,26; Ga 2,2; Ph 2,16; 2 Tm 4,7; cf Rm 9,16.

couronne

gr. *stephanos*. A l'origine, bandeau pour retenir les cheveux, puis emblème pour signifier la dignité d'une personne ou d'un objet; ensuite, pour exprimer la joie d'une fête, elle est transformée en guirlande [1].

[1] Is 3,20; 61,10; Ez 24,17; Ac 14,13.

1. Dans l'ancien Israël, elle signifie la *consécration à Yahweh de la personne entière du *roi [2] ou du *Grand Prêtre [3]. En métaphore, une gloire morale [4].

[2] 2 R 11,12; Ps 21,4. — [3] Ex 29,6; 39,30; Lv 8,9. — [4] Pr 12,4.

2. Dans le NT, la récompense promise [5], incorruptible comme l'*or [6].

[5] 1 Co 9,25; Ph 4,1; 1 Th 2,19; 2 Tm 2,5; 4,8; He 2,7.9; Jc 1,12; 1 P 5,4; Ap 2,10; 3,11; 6,2; 12,1. — [6] Ap 4,4.10; 9,7; 14,14 □.

3. La couronne d'*épines imposée à Jésus est une caricature du diadème royal [7].

[7] Mt 27,29 (= Mc 15,17); Jn 19,2.5.

craignant-Dieu

gr. *ton theon phoboumenos* (de *phobeomai* : « craindre ») ou *sebomenos* (de *sebomai* : « rendre un culte »). Ainsi appelait-on les non-juifs, nombreux dans la *diaspora, attirés par la foi monothéiste des juifs et observant seulement telle ou telle de leurs pratiques : *sabbat, prescriptions alimentaires, *tribut au Temple, *pèlerinages. A la différence des *prosélytes, ils restent incirconcis et sont donc légalement des *païens. On pourrait les appeler des « adorateurs » [1].

[1] 2 Ch 5,6; Ac 10,2.22; 13,16.26.43.50; 16,14; 17,4.17; 18,7 □.

→ *Intr.* IV.6.E; IV.7.A. — adorer — piété — prosélyte.

craindre

gr. *phobeomai*.

1. Devant certains dangers, la mort [1], le démon [2], le jugement de Dieu [3], les catastrophes de la *fin des temps [4], la dureté du maître exigeant [5], l'homme éprouve un sentiment qui lui fait appréhender un effet nuisible. Dans le Christ, le croyant doit surmonter cette crainte [6].

[1] He 2,15. — [2] Mt 10,28 (= Lc 12,5). — [3] He 10,27. — [4] Lc 21,11. — [5] Mt 25,25. — [6] Mt 10,28; He 2,15.

2. La *crainte de Dieu* n'a rien à voir avec cette frayeur. C'est un sentiment de révérence devant Dieu qui se manifeste, lui-même ou ses anges; en entendant « Ne crains pas! », l'homme convertit sa crainte en *adoration et en une *confiance filiale qui bannit toute peur [7]; il devient un homme *pieux (gr. *eulabès*) [8]. A l'inverse, le pécheur *endurci peut trembler [9]. L'amour bannit la crainte [10].

[7] Mt 14,27; 17,6s; 28,5.10; Lc 1,12s.30; 2,9s; 5,10; cf 2 Co 7,15. — [8] He 5,7; 11,7. — [9]He 10,27.31. — [10] 1 Jn 4,18; 5,3.

→ adorer — piété — sacré.

création

gr. *ktisis* (de *ktizô* : « fonder, installer, construire, créer »), hb. *bârâ*.

1. A l'origine, Dieu a fondé (gr. *katabolè* : « fondation »; de *ballô* : « jeter » et *kata* : « vers le bas ») le monde, auquel il préexistait [1], en vue de ses interventions dans l'histoire des hommes [2]. Tel un *potier, il a « modelé, façonné » (gr. *plassô*) [3] Adam et Ève, il les a « faits, fabriqués » (gr. *poieô*) [4] ainsi que l'univers [5]. Le créateur (gr. *ktistès*) [6] est le « ayant créé » (gr. *ktisas*) [7] qui a tout organisé par sa *parole [8], appelant à l'existence ce qui n'est pas [9]. Le Dieu créateur ne se limite pas à cet acte originel [10], il maintient sans cesse les créatures en vie [11], les oriente vers lui [12], leur donnant sens et bonté [13] et assurant ainsi leur confiance [14].

[1] Jn 17,24; Ep 1,4; 1 P 1,20. — [2] Mt 13,35; 25,34; Lc 11,50; He 4,3; 9,26; Ap 13,8; 17,8 △. — [3] Gn 2; Rm 9,20; 1 Tm 2,13 △. — [4] Mt 19,4 (= Mc 10,6). — [5] Ac 4,24; 7,50; 14,15; 17,24; Rm 1,20; 9,20s; He 12,27; Ap 14,7. — [6] 1 P 4,19 △. — [7] Mt 19,4; Rm 1,25; Ep 3,9; Col 3,10. — [8] He 11,3. — [9] 2 M 7,28; Rm 4,17. — [10] Mc 10,6; 13,19; 1 Co 11,9; He 9,11; 2 P 3,4; Ap 4,11; 10,6. — [11] Ac 17,28; 1 Tm 6,13; He 1,3. — [12] Rm 11,36; 1 Co 8,6; He 2,10; 4,13. — [13] Rm 1,20.25s; Ep 4,24; 1 Tm 4,3s. — [14] Ac 4,24; Rm 8,39.

2. Ce qui est neuf dans le NT, c'est d'abord que Jésus, intimement associé à Dieu son Père, est lui-même créateur, modèle et fin de toutes choses [15]. Dans le Christ ensuite est inaugurée une création nouvelle [16]. D'où un parallélisme des situations : Jésus est le nouvel *Adam [17], chef de l'humanité rachetée [18]. Tous les hommes sont « créés dans le Christ Jésus en vue des œuvres bonnes » [19]. Davantage, l'*univers entier, dont la *structure pécheresse se dissout sans cesse [20], mais auquel la Bonne nouvelle est annoncée [21], accédera en lui à la glorieuse *liberté des enfants de Dieu [22], et tout sera remis à neuf [23].

[15] Jn 1,1s.14; 1 Co 8,6; Col 1,16s; He 1,2s; Ap 3,4. — [16] 2 Co 5,17; Ga 6,15; Col 3,10. — [17] Rm 5,12.18; 1 Co 15,21.45. — [18] Ep 1,22s; 2,15; Col 1,18. — [19] Ep 2,10; cf Jn 1,12; Rm 8,14-17; Ga 3,26-28. — [20] 1 Co 7,31. — [21] Mc 16,15; Col 1,23. — [22] Rm 8,18-22; Jc 1,18. — [23] Ap 21,1-5.

→ monde — univers.

crèche
gr. *phatnè*. Mangeoire des animaux dans une étable; d'où, par extension, l'étable elle-même [1].

[1] Lc 2,7.12.16; 13,15 □.

Crète, Crétois
1. gr. *Krètè*. Ile de la Méditerranée, dont la civilisation minoënne remonte au 3e millénaire. Rattachée en 27 av. J.C. à la *province romaine sénatoriale de *Cyrénaïque. Les juifs y étaient mal vus [1].

[1] Ac 27,7.12s.21; Tt 1,5 □.

→ *Carte* 3.

2. gr. *Krès*. Des Crétois étaient à Jérusalem pour la Pentecôte. Le NT prend à son compte une citation peu flatteuse du poète crétois Épiménide de Cnossos (VIe s. av. J.C.) transmise par Callimaque [1].

[1] Ac 2,11; Tt 1,12s □.

[critique historique]

Science qui cherche à déterminer l'historicité du récit d'un événement comme : « Ceci eut lieu », ou l'*authenticité d'une parole : « Ceci fut dit par un tel. »

[critique littéraire]

Science qui cherche à établir l'histoire antérieure, la *structure et le sens d'un texte, en particulier par la critique des *sources.

[critique textuelle]

Science qui cherche à établir le texte original à partir des variantes des *recensions manuscrites.

croire

→ foi.

croissance, croître

1. gr. *prokoptô* (de *koptô* : « frapper, trancher », avec *pro* : « en avant ») : « étirer, d'où progresser, croître ». Ainsi la nuit s'avance [1]. On peut progresser en sagesse [2] ou en doctrine juive [3]. L'Évangile [4], le chrétien [5] ou l'impie [6], eux aussi, sont en progrès.

[1] Rm 13,12. — [2] Lc 2,52. — [3] Ga 1,14. — [4] Ph 1,12. — [5] Ph 1,25. — [6] 2 Tm 2,16; 3,9.13 △.

2. gr. *auxô, auxanô* : « augmenter, accroître ». Ainsi les lis [7] ou le blé [8] poussent. Jésus ou Jean croissent [9]; la parole du Seigneur croît [10], ainsi que le peuple [11]; c'est Dieu qui donne la croissance [12], comme il a fait croître Jésus par rapport à Jean [13]; le *corps du Christ doit ainsi croître [14], et tout croyant [15].

[7] Mt 6,28 (= Lc 12,27). — [8] Mt 13,30.32; Mc 4,8; Lc 13,19. — [9] Lc 1,80; 2,40. — [10] Ac 6,7; 12,24; 19,20; Col 1,6. — [11] Ac 7,17. — [12] 1 Co 3,6; 2 Co 9,10. — [13] Jn 3,30. — [14] Ep 2,21; 4,15; Col 2,19. — [15] Col 1,10; 1 P 2,2; 2 P 3,18 △.

3. gr. *pleonazô* : « excéder le nombre ». Ainsi se multiplient la grâce, le péché, la faute [16], mais aussi la foi et l'amour [17].

[16] Rm 5,20; 6,1; 2 Co 4,15; 1 Tm 1,14. — [17] 1 Th 3,12; 2 Th 1,3.

4. gr. *perisseuô* : « surabonder ». Là encore, l'idée de surpasser [18], de dépasser l'ordinaire [19], de se surpasser [20] est appliquée aux Églises [21] ou à la grâce victorieuse du péché qui abonde [22], ou encore à l'espérance [23].

[18] Mt 5,20. — [19] Mt 5,47. — [20] 1 Co 15,58. — [21] Ac 16,5. — [22] Rm 5,20. — [23] Rm 15,13.

→ fruit.

croix

1. gr. *stauros*. Instrument de supplice (appelé parfois encore gr. *xylon* : « bois, gibet ») [1] sur lequel mourut Jésus de Nazareth. Symbole de la souffrance et de la passion volontaire de Jésus [2], en même temps que de la rupture avec le monde des *convoitises [3].

[1] Ac 5,30; 10,39; 13,29; Ga 3,13; 1 P 2,24. — [2] Mt 27,40.42 (= Mc 15,30.32); He 12,2. — [3] Ga 5,24.

2. La croix de Jésus est à accepter dans son horreur *scandaleuse [4], mais à comprendre aussi dans le *dessein de Dieu [5] et à apprécier selon ses effets : délivrance de la *malédiction de la Loi [6] et du péché [7], *réconciliation avec Dieu [8] ainsi qu'entre juifs et païens [9], rétablissement de la *paix [10], source de la vie [11]. Elle est devenue une catégorie de la pensée chrétienne et de la *prédication [12].

[4] 1 Co 1,23; Ga 5,11; 6,12.14. — [5] Ac 13,29. — [6] Ga 3,13; Col 2,14s. — [7] Rm 8,3; 1 P 2,21-24. — [8] Col 1,20. — [9] Ep 2,16. — [10] Ep 2,14-18. — [11] Jn 3,14s. — [12] 1 Co 1,17s.25; Ga 3,1.

3. Signe du chrétien qui, à la suite de Jésus, doit prendre et porter sa croix [13] pour proclamer qu'il est mort au *monde mauvais [14] et surtout que tel est son plus grand titre de gloire [15].

[13] Mt 10,38; 16,24 (= Mc 8,34 = Lc 9,23); Lc 14,27. — [14] Rm 6,6; Ga 2,19. — [15] Jn 12,26; Ga 6,14.17.

→ arbre — crucifiement — Jésus Christ — procès de Jésus — souffrir.

cruche

Instrument, en argile ou en pierre, servant à puiser l'eau, à la conserver et à la servir à table. De nombreux mots grecs le désignent : *antlèma* [1], *hydria* [2], *keramion* [3], *xestès* (→ *mesures) [4].

[1] Jn 4,11 △. — [2] Jn 2,6s; 4,28 △. — [3] Mc 14,13 (= Lc 22,10) △. — [4] Mc 7,4 △.

crucifiement

1. Bien que probablement d'origine orientale, l'exécution d'un criminel par la mort en croix est un supplice romain, « le plus cruel et le plus honteux », selon Cicéron. Il est appliqué aux esclaves et aux non-citoyens (en cas de révolte, de vol ou de meurtre), parfois aux *citoyens (en cas de haute trahison). Les juifs l'ont connu dès 88-83 av. J.C., lorsque Alexandre Jannée crucifia 800 juifs, mais surtout à partir de l'occupation romaine, spécialement à l'occasion des révoltes en Galilée. Les chrétiens l'ont assimilé volontiers à un supplice pratiqué chez les juifs : selon la Loi, le corps d'un criminel déjà exécuté était suspendu (gr. *kremazô*) à un poteau en bois planté hors des murs de la ville; donné ainsi en exemple honteux, le cadavre, frappé de malédiction, devait être enlevé et enterré avant la nuit, car il constituait une souillure pour la nation entière [1]. La ressemblance concerne donc moins le supplice que la honte et la malédiction [2].

[1] Dt 21,22s; cf He 13,13. — [2] Lc 23,39; Ac 5,30; 10,39; Ga 3,13.

2. Au pieu les Romains ajoutaient, pour le crucifiement une poutre transversale (lat. *patibulum*) qui pouvait être appliquée au sommet du poteau (lat. *crux commissa* T) ou, plus bas, dans une encoche (lat. *crux immissa* †). Le condamné devait la porter lui-même au lieu du supplice, après avoir subi la *flagellation obligatoire. D'ordinaire, il portait au cou une inscription qui indiquait le motif de la peine et qui était ensuite fixée en haut de la croix. Le condamné était attaché avec des cordes à la croix, par les mains et les pieds, ou plus souvent cloué sur elle. Les vêtements du condamné revenaient de droit aux bourreaux. La coutume juive voulait qu'un breuvage stupéfiant lui soit donné. La mort, lente, survenait par épuisement ou bien par des troubles respiratoires ou circulatoires. La mort par asphyxie était accélérée par le fait que, les jambes étant rompues, le condamné ne pouvait se redresser pour reprendre son souffle; ainsi le corps pouvait être enlevé avant la nuit, conformément à la règle juive, et notamment à la veille de la Pâque.

3. A travers les données évangéliques et archéologiques, s'imposent un certain nombre d'affirmations historiques concernant le crucifiement de Jésus. Sur la décision judiciaire de Pilate, les soldats romains exécutèrent le crucifiement après la flagellation prévue, selon les pratiques romaines (garde des soldats, partage des vêtements) et juives (boisson enivrante). Le motif de la condamnation est politique : Jésus passe pour un séditieux. Il est difficile de savoir si la croix de Jésus était *immissa* ou *commissa*, plus probablement en forme de T. Il est hautement probable que, comme le dit Jean, Jésus fut crucifié en la veille de la Pâque, un vendredi 14 nisan, vers midi.

4. L'événement n'a jamais été rapporté indépendamment d'une interprétation qui en manifeste le sens. Le fait passé est sans doute attribué aux juifs du temps [3], mais il est aussitôt situé dans le *dessein de Dieu [4] et il acquiert une valeur supratemporelle qui permet d'actualiser l'événement : en étant infidèle au Christ, on « crucifie à nouveau » le Fils de Dieu [5]. Pour être fidèle disciple du Christ, il faut prendre sa croix « chaque jour » [6]. Jean a présenté l'élévation sur la croix comme l'*exaltation en gloire; le terme gr. *hypsôthènai* qu'il emploie à cette fin correspondrait à l'ar. palestinien *izdᵉqéf*, pouvant signifier « être crucifié » et « être glorifié » [7].

[3] Ac 3,13-15; 1 Th 2,15. — [4] Ac 2,23. — [5] He 6,6. — [6] Lc 9,23. — [7] Jn 12,33.

→ croix — exaltation — Jésus Christ — procès de Jésus.

culte

1. gr. *latreia/latreuô* (de *latron* : « salaire ») : « être serviteur à gages », « travail salarié, service à gages, service cultuel », avec l'ambivalence de l'hb. *'abôdâ* : « travail, service cultuel ». Par rapport à la *Septante, le NT marque une nette évolution. Il est en accord avec elle quand il l'applique au culte des faux dieux [1] ou à Israël de diverses manières [2], plus particulièrement en en retenant l'aspect intérieur de foi ou de prière [3]. En revanche, appliqué aux chrétiens, le terme cultuel vise autre chose : rendu par l'Esprit Saint [4], il désigne le ministère apostolique ou la prière de Paul [5]; plus généralement, le fidèle doit offrir un « culte raisonnable » (gr. *logikè*) [6], c'est-à-dire soit un culte qui n'est pas formel, soit plutôt un culte qui consiste à offrir non pas des victimes animales, mais une « victime vivante » (gr. *thysia zôsa*), ou encore une vie de charité authentique [7].

[1] Ac 7,42; Rm 1,25. — [2] Mt 4,10 (= Lc 4,8 = Dt 6,13); Lc 1,74; 2,37; Ac 7,7 (= Ex 3,12); 26,6s; Rm 9,4; He 8,5; 9,9; 10,2; 13,10. — [3] Dt 10,12s; 11,13; Dn 6,11-16; Ac 24,14. — [4] Ph 3,3. — [5] Rm 1,9; 2 Tm 1,3. — [6] Rm 12,1. — [7] He 12,28; cf 13,1-6.

2. gr. *leitourgia/leitourgeô* (de *laos* : « peuple » et *ergon* : « œuvre, travail ») : « service public [8], entraide, service cultuel ». Là encore, le NT ne suit la Septante que pour parler du service ou des ministres d'Israël : celui de Moïse [9] et de Zacharie [10], ou celui du Christ qui s'est sacrifié lui-même [11]. Une seule fois le mot est employé pour désigner le culte chrétien [12]; ordinairement, appliqué aux chrétiens, il n'a plus de résonance cultuelle propre : il qualifie le service d'entraide qu'est la *collecte ou l'aumône [13], lui conférant une valeur de service divin.

[8] Rm 13,6. — [9] He 9,21; 10,11. — [10] Lc 1,23. — [11] He 8,2.6. — [12] Ac 13,2. — [13] Rm 15,27; 2 Co 9,12; Ph 2,25.30.

3. La même évolution dans l'emploi de termes variés montre que, s'ils sont encore appliqués cultuellement lorsqu'ils concernent Israël, ces termes signifient un acte personnel du Christ ou la vie chrétienne

192

en général. Ainsi il est encore parlé de « sacrifice, victime » (gr. *thysia*) à propos d'Abel, du veau d'or ou des sacrifices lévitiques prescrits [14]; en revanche, pour le sacrifice du Christ, il ne s'agit pas d'une victime rituelle, mais de sa propre mort et de sa glorification [15]. Quant aux chrétiens, leur sacrifice consiste en leur vie, leur mort, leurs aumônes [16]. Tels sont les « sacrifices spirituels » offerts par le « peuple sacerdotal » : prière et charité [17]. De même, pour l' « offrande » (gr. *prosphora*), le mot vaut rituellement à propos des coutumes juives [18]; il signifie l'offrande volontaire du Christ [19], et, pour les chrétiens, le ministère apostolique ou la charité [20]. Enfin il en va de même pour le vocabulaire *sacerdotal (gr. *hiereus/hierateuma*) : il est question de prêtres juifs et de Jésus Christ *Grand Prêtre [21], mais jamais d'individu chrétien prêtre : c'est le peuple de Dieu qui, tout entier, est prêtre, ayant reçu le sacerdoce royal [22].

[14] Mc 12,33; Lc 2,24; Ac 7,41s; He 11,4. — [15] Ep 5,2; He 9,23.26; 10,12.26. — [16] Rm 12,1; Ph 2,17; 4,18. — [17] He 13,15; 1 P 2,5. — [18] Ac 21,26; 24,17. — [19] Ep 5,2; He 10,10.14. — [20] Rm 15,16; Ph 2,17; 4,18. — [21] Mt 8,4; He 2,17. — [22] 1 P 2,5.9; Ap 1,6; 5,i0; 20,6 △.

4. Jean, à sa manière, montre que Jésus a aboli les anciens sacrifices en devenant lui-même le *Temple saint [23] et en ouvrant l'espace au culte en esprit et vérité [24].

[23] Jn 2,15.21. — [24] Jn 4,20-24.

→ *Intr.* IV.6.A; XIII. — adorer — ministère — présenter — prier — sacerdoce — sacrifice — servir.

cumin

gr. *kyminon* : lat. *nigella sativa*. Graines aromatiques noires dont, avec le poivre, on saupoudrait volontiers le pain [1]. Les *pharisiens en payaient la *dîme [2], quoiqu'elle ne fût pas prescrite par la *Loi.

[1] Is 28,25.27. — [2] Mt 23,23 □.

cupidité

gr. *pleonexia* (de *pleon* : « davantage », *ekhô* : « je tiens »). Volonté de *puissance qui s'exerce par l'oppression et la violence au détriment d'autrui [1] en l'exploitant ou en le dupant [2]. *Convoitise [3] associée à l'*impureté [4] et surtout à l'*argent [5]. Elle est le signe d'une vie sans Dieu [6] et peut donc être appelée *idolâtrie [7].

[1] Jr 22,17; Ez 22,27. — [2] 2 Co 2,11; 7,2. — [3] Mc 7,22. — [4] 1 Co 5,10s; Ep 4,19; 5,3; Col 3,5; 1 Th 4,6. — [5] Lc 12,15; 2 Co 9,5; 12,17s; 1 Th 2,5; 2 P 2,3.14. — [6] Rm 1,29; 1 Co 6,10. — [7] Ep 5,5; Col 3,5 □.

→ argent — convoitise — jalousie — vices — violence.

cuve

gr. *lènos*. Installation, creusée à deux niveaux dans le roc, pour produire le vin, d'où le sens de *pressoir. La cuve inférieure (gr. *hypolè-
nion*), où s'écoulait le moût des raisins foulés avec les pieds, figure la
*colère et le châtiment de Dieu, le *vin évoquant le sang [1].

[1] Is 5,2; 63,2s; Jr 25,30; Mt 21,33; Mc 12,1; Ap 14,19s; 19,15 □.

→ pressoir — vin.

cymbale

gr. *kymbalon*. Instrument de musique à percussion, formé de deux
disques ou de deux cônes de métal qu'on frappait l'un contre l'autre [1].

[1] 1 Co 13,1 □.

Cyrène, Cyrénéen

1. gr. *Kyrènè*. Ville située à l'ouest du delta du Nil, dans l'actuelle
Libye. La Cyrénaïque, d'abord colonie grecque devint *province
romaine prétorienne en 75-74 av. J.C., puis en 67 av. J.C. partie de
la *Crète, qui devint province sénatoriale en 27 av. J.C. [1].

[1] Ac 2,10 □.

→ *Carte* 3.

2. gr. *Kyrènaios*. Nombreuse population juive, en tension avec les
Grecs du lieu. *Simon porta la croix de Jésus [1].

[1] Mt 27,32 (= Mc 15,21 = Lc 23,26); Ac 6,9; 11,20; 13,1; cf 27,17 □.

D

Dalmanoutha

Lieu inconnu mentionné par Mc 8,10 □, correspondant à *Magadan de Mt 15,39, localité elle-même inconnue.

Dalmatie

gr. *Dalmatia*. Nom donné vers 10 ap. J.C. à la *province romaine d'Illyrie. Peut-être *Tite visite-t-il la côte adriatique, tandis que Paul aurait projeté d'aller du côté de la frontière macédonienne [1].

[1] 2 Tm 4,10 □; cf Rm 15,19.

→ Illyrie — *Carte* 3.

Damas

gr. *Damaskos*. Importante ville de Transjordanie, incorporée à la *Décapole après la conquête des Romains en 64 av. J.C., mais dominée au temps de Paul par *Arétas IV. Point d'arrivée du commerce avec l'Extrême-Orient, en relations constantes avec Petra (Arabie). Elle comptait plus de 15 000 juifs et de nombreux *prosélytes, dont certains devenus chrétiens, ceux que Saul voulait persécuter. C'est à Damas que Paul reçut le baptême et de Damas qu'il s'enfuit de façon rocambolesque [1].

[1] Ac 9,2-27; 22,5-12; 26,12.20; 2 Co 11,32; Ga 1,17 □.

→ *Carte* 2.

[Damas (document de)]

Ou encore Document Sadoqite. Cet ouvrage a été découvert au Caire en 1897 et publié en 1910. Des fragments en ont été découverts à *Qoumrân. Le livret décrit la « communauté de la nouvelle alliance », qui serait installée à « Damas »; on ignore quel site est ainsi visé, peut-être Qoumrân; en effet l'écrit est apparenté et fait des allusions à la Règle de la Communauté de Qoumrân.

→ esséniens — Qoumrân.

[Daniel (livre de)]

Le Livre de Daniel est rangé dans la *Bible hébraïque parmi les « Écrits », entre Esther et Esdras, dans la Bible grecque parmi les « Prophètes », après Ezéchiel. Cet ouvrage relève du genre *apocalyptique, offrant des révélations sur la fin des temps en vue d'encourager à tenir dans une période difficile. L'auteur se situe fictivement à *Babylone au VIᵉ s. av. J.C., mais il rédige à l'époque d'Antiochus Epiphane (168-165 av. J.C.). Le livre est écrit en deux langues (l'*araméen couvre de 2,4 à 7,28); il a connu de nombreuses additions, rejetées comme *apocryphes par les protestants; prière d'Azarias (3,24-50), Cantique des jeunes gens dans la fournaise (3,51-90), Suzanne (13,1-64), Bel (14,1-22), le Serpent (14,23-42). L'influence de l'ouvrage est grande sur le NT, en particulier par son passage sur le *Fils de l'homme (Dn 7,13s), par la foi en la résurrection des morts (Dn 12,2), par son angélologie (*Gabriel, *Michel).

→ Intr. XII. — Bible.

danser

La danse (gr. *khoros*) accompagnait les festins solennels [1]. Danser (gr. *orkheomai*), c'était manifester sa joie ou réjouir les convives [2].

[1] Lc 15,25 △. — [2] Mt 11,17 (= Lc 7,32); 14,6 (= Mc 6,22) △.

→ Intr. IX.7. — chant.

David

gr. *David*, hb. *dâwîd* : « bien-aimé ». Originaire de *Bethléem [1], fils de Jessé [2], roi d'Israël d'environ 1010 à 970 av. J.C. [3]. Homme selon le cœur de Dieu [4], modèle de liberté à l'égard des prescriptions rituelles [5], celui auquel Dieu a promis une descendance qui ne cesserait jamais [6], ancêtre de Jésus par Joseph [7], prophète, par ses *psaumes, de la venue du Christ [8] et de sa résurrection [9]. C'est le fils de David qui est le *messie-roi attendu [10] : il est *Seigneur de son ancêtre David lui-même [11].

[1] Lc 2,4.11; Jn 7,42. — [2] Mt 1,5s (= Lc 3,31); Ac 13,22; Rm 15,12 △. — [3] 1 S 16 à 1 R 2; Ac 7,45. — [4] Ac 13,22. — [5] 1 S 21,1-7; Mt 12,3s (= Mc 2,25 = Lc 6,3). — [6] 2 S 7,12-16; Ps 2,7-9; 89,4; 110,1s; Is 9,5s; 55,3; Lc 1,69; Ac 15,16s; 2 Tm 2,8. — [7] Mt 1,17.20; Lc 1,27.32; 2,4; Ap 5,5; 22,16. — [8] Si 47,8; Ac 1,16; 2,25.34; 4,25; Rm 4,6; 11,9; He 4,7. — [9] Ac 2,29-36; 13,34-37. — [10] Mt 9,27; 12,23; 15,22; 20,30s (= Mc 10,47s = Lc 18,38s); 21,9.15; Mc 11,10; Rm 1,3; Ap 3,7. — [11] Mt 22,42-45 (= Mc 12,35-37 = Lc 20,41-44); Ac 2,34 □.

→ Fils de David.

débauche

Sont groupés ici divers mots grecs par lesquels le NT désigne et condamne les dérèglements dans la jouissance des plaisirs sensuels. Les nuances sont difficiles à préciser.

1. Au sens large. Le terme principal est *porneia* (de *pernèmi* : « vendre »), sans doute spécialisé pour la *prostitution, mais fréquemment utilisé au sens élargi d'impudicité, d'immoralité [1]. On trouve en outre : *a-katharsia* (négation de *katharos* : « pur ») : « impureté » [2]; *aselgeia* (étymologie incertaine) : « impudicité, dérèglement, libertinage » [3]; *a-sôtia* (négation de *sôzô* : « sauver ») : « inconduite, corruption (cf en français " une fille perdue ") » [4]; *a-krasia* (sans force, sans maîtrise) : « intempérance, incontinence » [5]; *tryphè* : « volupté » [6]; *malakos* (litt. « mou ») : « dépravé » [7]; *kraipalè* : « débauche, crapulerie » [8].

[1] Ac 15,20.29; 21,25; 1 Co 5,1.9-11; 6,9; 1 Th 4,3; 1 Tm 1,10; He 13,4; Ap 21,8; 22,15. — [2] Rm 1,24; 6,19; 2 Co 12,21; Ga 5,19; Ep 4,19; 5,3.5; Col 3,5; 1 Th 2,3; 4,7; Ap 17,4. — [3] Mc 7,22; Rm 13,13; 2 Co 12,21; Ga 5,19; Ep 4,19; 1 P 4,3; 2 P 2,2.7.18; Jude 4 △. — [4] Lc 15,13; Ep 5,18; Tt 1,6; 1 P 4,4 △. — [5] Mt 23,25; 1 Co 7,5; 2 Tm 3,3 △. — [6] (Jc 5,5;) 2 P 2,13. — [7] 1 Co 6,9. — [8] Lc 21,34 △.

2. Dans le domaine sexuel, outre *porneia* (cf ci-dessus) au sens propre de « prostitution » [9], on lit *moikheia* (étymologie incertaine) : « adultère » [10]; *koitè* (de *keimai*, je suis couché) : « coucherie, luxure » [11]; son composé *arseno-koitès* : « homosexuel » [12].

[9] Mt 15,19 (= Mc 7,21); 2 Co 12,21... — [10] Mt 15,19 (= Mc 7,22); 1 Co 6,9... — [11] Rm 13,13. — [12] 1 Co 6,9; 1 Tm 1,10 △.

3. Dans le domaine de la nourriture : *methè* (à rapprocher de *methy* : « boisson fermentée ») : « ivrognerie, orgie » [13]; *kômos* (« bande joyeuse, fête, partie de plaisir ») : « ripailles » [14]; *oïno-phlygia* (*oïnos* : « vin ») : « soûlerie » [15]; *potos* (de *pinô* : « boire ») : « beuverie » [16].

[13] Mt 24,49 (= Lc 12,45); Lc 21,34; Rm 13,13; 1 Co 5,11; 6,10; Ga 5,21; Ep 5,18. — [14] Rm 13,13; Ga 5,21; 1 P 4,3 △. — [15] 1 P 4,3 △. — [16] 1 P 4,3 △.

→ vices.

[décalogue]

Du gr. *deka* : « dix » et *logos* : « parole »; le mot désigne « les dix paroles, ou paroles de l'*Alliance* »[1] que, à la différence des autres paroles, Yahweh a écrites lui-même de son *doigt sur deux tables de pierre[2]; deux traditions en sont données[3]. Le NT se réfère à l'un ou l'autre de ces *commandements[4].

[1] Ex 34,28. — [2] Dt 4,13; 9,10; 10,4. — [3] Ex 20,1-17; Dt 5,6-21. — [4] Mt 19,18s (= Mc 10,19 = Lc 18,20); Rm 13,9; Jc 2,11; cf Mt 22,34-40 (= Mc 12,29-33 = Lc 10,27s).

Décapole

gr. *Dekapolis* (de *deka* : « dix » et *polis* : « ville »). Fédération de dix villes, situées en Transjordanie, sauf Scythopolis (auj. *Beth Shean*); citons, en remontant du sud au nord, à l'est du Jourdain : *Philadelphie (auj. *Amman*) à la hauteur de Jéricho, *Guérasa à la hauteur de Samarie, Pella à la hauteur de Césarée, *Gadara à la hauteur de Nazareth, Hippos face à Tibériade, enfin tout au nord *Damas. La fédération fut constituée en 63 av. J.C. pour affaiblir les pouvoirs locaux et pour renforcer dans la région l'influence hellénique déjà prépondérante en ces villes. Elle relevait de la *province romaine de *Syrie jusqu'en 106 ap. J.C., date à laquelle elle fut dissoute dans la province d'*Arabie. Jésus eut quelques contacts avec leurs habitants[1].

[1] Mt 4,25; Mc 5,20; 7,31 □.

→ *Intr*. III.2.G; IV.2.C. — *Cartes* 2 et 4.

Dédicace

gr. *egkaïnia* : « renouvellement », ou *phôta* : « lumières »; hb. *hanukkâ* : « consécration ». Fête célébrée en hiver pour commémorer la nouvelle consécration en décembre 164 av. J.C. de l'autel qui avait été profané trois ans plus tôt par Antiochus Épiphane[1]. Liturgiquement, elle rappelle la fête des *Tentes[2], durant laquelle avait eu lieu la dédicace du Temple par *Salomon[3] : huttes, *hallel, lumières surtout. En l'évoquant, Jean a pu y voir un redoublement de la fête des Tentes, tout en soulignant le thème de la *consécration sur l'autel du *sacrifice[4].

[1] 1 M 1,54.59; 4,36-59; cf Nb 7. — [2] 2 M 1,9.18; 10,6. — [3] 1 R 8,2.62-66. — [4] Jn 10,22.36 □.

→ *Intr*. XIII.3.C. — Abomination de la désolation — fête.

délier

gr. *lyô* (et ses composés) : « détacher, détruire ». On détache un ânon [1], on défait des courroies de sandale [2], des bandelettes [3], des chaînes de prisonnier [4], un sceau [5], les liens du mariage [6], on délie ceux de la maladie (comme un bœuf de sa *crèche) [7], ceux de la Loi et de l'Écriture [8] ou du sabbat [9], enfin ceux du péché [10] et de la mort [11]. Le sens « détruire » n'est clair que pour le Temple [12], l'œuvre de Dieu ou du diable [13], une barrière [14], le corps humain [15] et les éléments de l'univers [16]. Y a-t-il un rapport entre ces deux acceptions ? Il n'est pas interdit de sous-entendre pour la loi du *sabbat ou le *péché l'image de liens qui peuvent rendre l'homme *esclave, et dont l'Église peut délier [17]. Le terme équivaut concrètement à « (se) libérer de quelque chose ». Enfin il désigne parfois l'œuvre de la *rédemption [18].

[1] Mc 11,2-5. — [2] Mc 1,7 (= Lc 3,16); Ac 7,33; 13,25. — [3] Jn 11,44. — [4] Ac 22,30; cf Ap 9,14s; 20,3.7. — [5] Ap 5,2. — [6] 1 Co 7,27. — [7] Mc 7,35; Lc 13,12.15s. — [8] Mt 5,17.19; Jn 7,23; 10,35. — [9] Jn 5,18. — [10] 1 Jn 3,8. — [11] Ac 2,24. — [12] Mt 24,2 (= Mc 13,2 = Lc 21,6); 26,61 (= Mc 14,58); 27,40 (= Mc 15,29); Jn 2,19; Ac 6,14. — [13] Ac 5,38s; Rm 14,20; Ga 2,18; 1 Jn 3,8. — [14] Ep 2,14. — [15] 2 Co 5,1. — [16] 2 P 3,10-12. — [17] Mt 16,19; 18,18; cf Lc 6,37. — [18] Ap 1,5.

→ libérer — lier et délier — pardonner.

déluge

gr. *kataklysmos*. Inondation catastrophique de laquelle réchappèrent seulement *Noé et les siens grâce à l'*arche [1]. Type du *jugement qui surprend les insouciants [2] mais épargne le *juste [3]. Préfiguration du *salut par le *baptême d'eau [4].

[1] Gn 6,5—9,19. — [2] Mt 24,38s (= Lc 17,27). — [3] Sg 10,4; 14,6; Si 44,17s; Is 54,9; 1 P 3,20s. — [4] 2 P 2,5; 3,6 □.

Démas

gr. *Dèmas*, peut-être abréviation de Démétrius. Collaborateur de Paul à Rome. Selon 2 Tm 4,10, il l'abandonna par la suite [1].

[1] Col 4,14; Phm 24 □.

demeurer

1. gr. *menô*. En de nombreux passages, surtout johanniques, demeurer ne signifie pas seulement « rester, séjourner, résider, habiter », mais

199

évoque la demeure que la *Sagesse divine a cherchée parmi les hommes [1]; c'était un grand rêve : voir Dieu demeurer chez son peuple, la Ch^ekînâ signifiant, selon les rabbins, la Maison, la Demeure de Dieu. Ce rêve est devenu réalité en J.C. (noter un jeu de mots probable avec le gr. *skènoô*, mêmes consonnes que *ch^ekînâ*) : « dresser une *tente » [2]. Jean aime à présenter le rapport nouveau qui unit l'homme à Dieu non plus comme celui d'un vis-à-vis, mais par l'image de l'inhabitation mutuelle, que prépare la question : « Où demeures-tu? » [3].

[1] Si 24,7s; cf Jn 1,9-11. — [2] Jn 1,14. — [3] Jn 1,39; 14,23; 15,4-7; 1 Jn 2,14.27; 3,6.9.24; 4,12s.15s.

2. Au sens de « subsister », « ne point passer », divers termes grecs sont utilisés. Ce qui ne disparaît pas, c'est le Christ *pierre de fondation [4], sa parole [5], la foi, l'espérance et l'amour [6].

[4] Mt 7,24s (= Lc 6,47-49); 1 Co 3,14; Ep 2,20-22. — [5] Mt 24,35 (= Mc 13,31 = Lc 21,33). — [6] 1 Co 13,8-13.

démons

gr. *daimones* (du sing. *daimôn* : « être divin », en particulier « dieu protecteur », d'où « voix intérieure ») : dieux inférieurs, esprits malfaisants. Les croyances populaires personnifiaient volontiers les puissances cachées derrière les maux de l'humanité et finissaient souvent par les diviniser. L'AT leur fait écho, mais souligne la domination de Dieu sur les *puissances démoniaques; le judaïsme tardif a développé une véritable démonologie, en particulier sur l'armée qui est à la disposition de *Satan et qui compte toutes sortes de *Dominations.

Le NT hérite en partie de ces croyances, par exemple dans sa manière de désigner les maux, tantôt par le terme de *possession démoniaque, tantôt par celui de la maladie [1] : Jésus « *guérit » les possédés ou expulse les démons [2]. Maladie [3], *idolâtrie [4], enseignement mensonger [5], prodiges [6], tout cela est attribué aux *anges du diable [7], à l'armée de Satan avec son chef [8]. Mais Jésus a triomphé de ces démons en les expulsant [9], ce que les disciples font à leur tour [10].

[1] comp. Mt 17,15 et 17,18. — [2] Mc 1,34.39; Lc 6,18; 7,21. — [3] Lc 13,11.16; Ac 10,38; 2 Co 12,7. — [4] 1 Co 10,20s. — [5] 1 Tm 4,1; Jc 3,15. — [6] Ac 8,11; 2 Th 2,9; Ap 13,13; 16,14. — [7] Mt 25,41. — [8] Mc 3,22; Ep 2,2. — [9] Mt 12,28 (= Lc 11,20). — [10] Mc 6,7.13; 16,17; Lc 10,17-20; Ac 8,7; 19,11-17.

→ *Intr*. IV.6.D. — Dominations — esprit — exorciser — possédé — Satan.

denier

gr. *dènarion*, lat. *denarius*. Unité du système monétaire romain, en argent (3,85 gr), de même valeur que la drachme grecque. Il portait l'inscription et l'effigie de l'empereur *Tibère[1]. Il correspondait au salaire journalier d'un ouvrier agricole[2] ou à la dépense moyenne d'une journée[3]. On évaluait en deniers le prix du blé ou de l'orge[4], du pain[5], du parfum[6], des dettes en général[7]. Jésus a été trahi, non pas pour trente deniers, mais pour trente « pièces d'argent », c'est-à-dire trente *sicles, soit cent vingt deniers.

[1] Mt 22,19 (= Mc 12,15 = Lc 20,24). — [2] Mt 20,2.9.10.13. — [3] Lc 10,35. — [4] Ap 6,6. — [5] Mc 6,37; Jn 6,7. — [6] Mc 14,5; Jn 12,5. — [7] Mt 18,28; Lc 7,41 □.

→ monnaies.

déportation

gr. *metoïkesia* (de *metoïkos* : « étranger »). La déportation à *Babylone eut lieu en trois temps. Le nombre des déportés est difficile à préciser, car les données ne concordent guère[1]. En 597, de 3 000 à 10 000 hommes parmi les classes possédantes. En 586, de 1 000 à 15 000 hommes avec leurs familles. En 581, 745 personnes ou « le reste ». Le retour s'effectua en 538[2]. Certains juifs restèrent à l'étranger, constituant le premier noyau de la diaspora[3].

[1] 2 R 24,10-17; 25,7. 11s; Jr 52,30. — [2] 2 Ch 36,22s. — [3] Mt 1,11s.17; Ac 7,43 □.

→ captif — diaspora — étranger — exil — libérer.

dépôt

gr. *para-thèkè*, de *para-tithèmi* : « placer auprès de », mettre en dépôt[1], confier[2]. Corps de doctrine qui constitue l'enseignement de foi reçu de la tradition[3].

[1] Lc 19,21s. — [2] Ac 14,23; 20,32; 2 Tm 2,2. — [3] 1 Tm 6,20; 2 Tm 1,12.14 □.

→ enseigner — tradition.

Derbé

gr. *Derbè*, petite ville de Lycaonie au pied de la chaîne du Taurus, visitée à deux reprises par Paul. Le site exact est encore incertain[1].

[1] Ac 14,6.20; 16,1; 20,4(?) □.

→ *Carte* 2.

désert

gr. *erèmos* : « lieu vide, délaissé ». Région quasi inhabitée, non pas faite de sable, mais de massifs de calcaire, sorte de garrigue inculte [1]. Les sources y sont rares, la végétation maigre, sauf après les pluies de printemps où éclosent des fleurs. Le désert de Judée où vivait Jean Baptiste [2] correspond au versant oriental des montagnes, vers la vallée du Jourdain et la mer Morte; son relief est creusé de ravins et de grottes [3]. Paul semble avoir séjourné au désert d'Arabie [4].

[1] Lc 15,4. — [2] Mt 3,1 (= Mc 1,4 = Lc 3,2); 11,7 (= Lc 7,24). — [3] *Intr.* II.3-5. — [4] Ga 1,17.

1. Endroit aride et dangereux [5], terre non *bénie de Dieu [6], lieu sans *eau (gr. *anhydros*), où vont demeurer les *esprits mauvais [7]. Lieu de l'épreuve *satanique, il prend sens par le fait que Jésus y est passé [8].

[5] 2 Co 11,26; He 11,38. — [6] Is 14,17; Mt 12,25 (= Lc 11,17); 23,38; Ac 1,20; Ap 18,19. — [7] Mt 12,43 (= Lc 11,24). — [8] Mt 4,1 (= Mc 1,12 = Lc 4,1).

2. Époque de l'histoire sainte, au cours de laquelle Dieu a éduqué son peuple; elle est racontée dans le Livre de l'*Exode [9] et demeure le temps privilégié de la rencontre de Dieu [10]. En référence à ce temps de la naissance du peuple, Jean Baptiste y proclame son message [11].

[9] Ex 15,22—19,2; Nb 10,11—12,16; Jn 3,14; 6,31; Ac 7,30-44; 13,18; 1 Co 10,1-11; He 3,8.17. — [10] Os 2,16. — [11] Is 40,3.11; Mt 3,3 (= Mc 1,3 = Lc 3,4 = Jn 1,23).

3. Lieu de refuge et de solitude pour Jésus [12], et pour l'Église jusqu'à la venue du Christ [13], tant qu'elle n'est pas encore entrée dans le *repos de Dieu [14]. C'est là que Jésus a nourri les foules affamées [15].

[12] Mc 1,35.45 (= Lc 4,42; 5,16); 6,32.35. — [13] Ap 12,6.14. — [14] He 4,1. — [15] Mt 14,13-21 (= Mc 6,32-44 = Lc 9,10-17).

→ épreuve — tentation.

désirer

1. gr. *epi-thymeô* (de *thymos* : « souffle, cœur, ardeur, désir ») : « désirer fortement » quelque chose, par exemple se rassasier, retrouver des amis, voir Dieu [1]. Dans le NT, le verbe a d'ordinaire la nuance péjorative de *convoitise.

[1] Gn 31,30; Pr 10,24; Mt 13,17; Lc 15,16; 16,21; 17,22; 22,15; Ph 1,23; 1 Th 2,17; 1 Tm 3,1; He 6,11; 1 P 1,12; Ap 9,6; 18,14.

2. gr. *epi-potheô*, de *potheô* : « désirer une chose absente », avec nuance de regret, ou « chérir » [2].

² Ps 119,20.131.174; Rm 1,11; 15,23; 2 Co 5,2; 7,7.11; 9,14; Ph 1,8; 2,26; 4,1; 1 Th 3,6; 2 Tm 1,4; Jc 4,5; 1 P 2,2 △.

3. Autres termes : *homeiromai* (rapproché de *himeros* : « désir passionné ») : « désirer ardemment » [3]; *oregomai* : « tendre vers, aspirer à » [4]; *eukhomai* : « prier, souhaiter » [5].

³ 1 Th 2,8 △. — ⁴ Sg 16,2s; Si 18,30; Rm 1,27; 1 Tm 3,1; 6,10; He 11,16 △. — ⁵ Ac 26,29; 27,29; Rm 9,3; 3 Jn 2; cf 2 Co 13,7.9 △.

→ convoitise — zèle.

dessein de Dieu

Par ce terme, le français traduit un certain nombre de mots grecs dont les nuances sont difficiles à préciser. Le plus proche serait *boulè* (de *boulomai* : « vouloir » qui, dans le grec courant, tend à être supplanté par *thelô*) [1]; on lit aussi *thelèma* [2] (qui, d'abord, indiquait un désir plus qu'un dessein), *prothesis* (qui équivaut à *prédestination) [3], *eudokia* (soulignant la complaisance de Dieu) [4], ou *oikonomia* (se rattachant à l'idée de distribution organisée) [5]. Tous ces termes veulent dire la *volonté qu'a Dieu sur l'ensemble de la création, à savoir le *salut de tous les hommes en J.C. [6].

¹ Lc 7,30; Ac 2,23; 4,28; 13,36; 20,27; Ep 1,11; He 6,17. — ² Rm 2,18; 1 Co 1,1; 2 Co 1,1; Ga 1,4; Ep 1,1.5.9-11; 2 Tm 1,1. — ³ Rm 8,28; 9,11; Ep 1,9.11; 3,11; 2 Tm 1,9. — ⁴ Mt 11,26; Lc 12,32; 1 Co 1,21; 10,5. — ⁵ 1 Tm 1,4. — ⁶ Ep 1,9s; 1 Tm 2,4.

1. Fixé de toute éternité dans la prédestination divine, le dessein de Dieu a été esquissé au cours de l'AT dans les *confessions de foi cultuelles, les interventions des *prophètes qui révèlent le sens des événements, les synthèses d'histoire, la réflexion sapientielle ou l'*apocalyptique. La disposition des livres de l'AT dans le *canon (de Genèse à Maccabées) est elle-même une esquisse du dessein de Dieu.

2. Jésus s'est présenté comme venant à la *plénitude des *temps [7], son destin signifiant celui du peuple de Dieu [8].

⁷ Mt 12,28; 1 Co 10,11; Ga 4,4. — ⁸ Mt 21,33-44; 22,1-11.

3. L'Église primitive, Luc notamment, situe les événements dans le dessein général de *salut [9], en particulier le *scandale de la crucifixion de Jésus [10] ainsi que l'annonce du salut à tous les hommes et pas seulement à Israël [11].

⁹ Lc 7,30. — ¹⁰ Ac 2,23; 4,28; 13,36; 20,27. — ¹¹ Ac 10,35s.

4. Paul, à son tour, dans les Épîtres aux Romains et aux Éphésiens offre une synthèse du dessein de Dieu; plus particulièrement, il tente de comprendre la situation d'Israël qui refuse le Christ, car c'est là un scandale pour la foi [12].

[12] Rm 3,1-8; 9—11; Ep 2,14-22.

→ élection — prédestiner — volonté de Dieu.

dette

gr. *opheilè*, *opheilèma*. Terme de la langue juridique désignant l'obligation qu'a une personne (le débiteur) à l'égard d'une autre (son créancier) [1]. L'insolvabilité pouvait entraîner la *prison ou l'*esclavage [2].

[1] Lc 16,5.7; Rm 13,7s; Phm 18s. — [2] Mt 18,30.34.

1. La relation de l'homme avec Dieu avait fini par être conçue dans le judaïsme comme celle d'un débiteur à l'égard de son créancier; c'est par ses œuvres que l'homme devait acquitter sa dette [3]. Jésus retient l'image mais, en deux *paraboles, montre que, la dette étant insolvable, l'homme reçoit de Dieu seul le *pardon [4]. L'amour reflète la grandeur du don reçu [5]. Le pardon des offenses mesure le pardon divin [6].

[3] Lc 13,4; Rm 4,4. — [4] Mt 18,23-27. — [5] Lc 7,41-43. — [6] Mt 6,12 (=Lc 11,4).

2. Dans les exhortations, la dette est transposée en devoir (gr. *opheilô*), mais sans perdre l'arrière-fond juridique et religieux du terme. Ce devoir est la simple conséquence du fait d'être chrétien [7].

[7] Rm 13,7s; 1 Co 11,7.10; 2 Th 1,3; 2,13; He 2,17; 5,3; 1 Jn 2,6.

→ *Intr.* VI.4.B.d; VI.4.C.c. — pardon — péché.

deuil

1. gr. *penthos* : « affliction ». Démonstration de douleur, que les juifs prolongeaient durant sept jours [1], les rites du deuil sont aussi des actes destinés à assurer la paix du mort, comme chez les peuples voisins, bien qu'Israël exclue tout culte des morts. En premier lieu, le deuil consiste à *jeûner [2], puis à déchirer l'encolure de son *vêtement, se raser la tête, ceindre le *sac, s'asperger de *cendres, se frapper la *poitrine, pleurer. Aux cris de la famille, les voisins viennent se joindre pour se *lamenter longuement sur le défunt [3] et réconforter ceux qui pleurent [4]. Comme pour tout ce qui a trait aux morts, le deuil s'achève par un rite de *purification [5]. Une affliction exagérée ne sied pas au chrétien, qui n'est pas sans *espérance, car Jésus a vaincu la mort [6].

[1] Cf Jn 11,39. — [2] 1 S 31,13; Mt 9,15. — [3] Mt 2,18; Mc 5,38; Jn 16,20. — [4] Mt 11,17 (= Lc 7,32); Lc 23,27; Jn 11,19; Ac 9,39; Rm 12,15. — [5] Nb 31,19. — [6] 1 Th 4,13.

2. Des rites semblables constituaient une pratique de *pénitence collective, en des cas majeurs [7].

[7] Mt 11,21 (= Lc 10,13).

→ *Intr.* VIII.2.D.b. — ensevelir — jeûne — lamentation — mort — sac — tristesse.

[deutérocanoniques]

Du gr. *deuteros* : « second » et *kanôn* : « règle [de la foi] ». Livres inspirés qui appartiennent au *canon des Écritures, mais n'y ont été rangés que tardivement. Dans la terminologie protestante, ils sont appelés « *apocryphes » et n'appartiennent pas au canon. Ce sont, dans l'AT, Judith, Tobie, 1 et 2 *Maccabées, *Sagesse, *Siracide, Baruch (chap. 1-5), Lettre de Jérémie (Baruch 6), compléments d'Esther et de *Daniel (Dn 13 = Suzanne, Dn 14 = Bel et le Dragon). Quoique assez longtemps discutés dans l'antiquité chrétienne, sept ouvrages du NT sont reconnus comme canoniques par les protestants ainsi que par les catholiques : Épître aux Hébreux, Épître de Jacques, 2e Épître de Pierre, 2e et 3e Épîtres de Jean, Épître de Jude, Apocalypse et quelques fragments : Mc 16,9-20; Lc 22,43-44; Jn 5,3-4; 7,53—8,11; 1 Jn 5,7.

→ *Intr.* XII; XV. — apocryphes — Bible — canon.

diable

gr. *diabolos* (de *dia-ballô* : « jeter de côté et d'autre, d'où : diviser, accuser, calomnier ») : « médisant » [1]. Autre nom de *Satan [2] et de tout adversaire du *règne de Dieu [3]. Il manœuvre ici-bas [4] et produit une engeance [5]. Le chrétien doit lui résister [6]. Il a la puissance de la mort, mais sera détruit [7].

[1] 1 Tm 3,11; 2 Tm 3,3; Tt 2,3. — [2] Mt 4,1-11 (= Lc 4,2-13); 25,41; Ap 12,9; 20,2. — [3] Jn 6,70; 13,2; 1 Jn 3,8; Jude 9. — [4] Mt 13,39; Lc 8,12; He 2,14; Ap 2,10; 12,12. — [5] Jn 8,44; Ac 10,38; 13,10; 1 Jn 3,10. — [6] Ep 4,27; 6,11; 1 Tm 3,7; 2 Tm 2,26; Jc 4,7; 1 P 5,8. — [7] 1 Tm 3,6; He 2,14; Ap 20,10 □.

→ démons — médire — Satan.

diacre

gr. *diakonos* : « serviteur », celui qui est au *service d'un maître [1]. Inférieur à celui des *épiscopes, son *ministère est peu précis, peut-être d'assistance [2]. Une femme est mentionnée diaconesse [3]. Luc leur a assimilé les *Sept, sans les qualifier tels [4].

[1] Mt 20,26; 22,13. — [2] Ph 1,1; 1 Tm 3,8-13. — [3] Rm 16,1 □. — [4] Ac 6,2-6.

diaspora

gr. *diaspora* : « dispersion ». Ensemble des communautés juives en *exil. Le terme est employé métaphoriquement pour caractériser les chrétiens comme des « gens de passage », dont la patrie n'est pas la terre, mais le ciel [1]. Chose curieuse, la *Septante ne traduit jamais par *diaspora* le terme hb. spécifique *gôlâ, gâlût* : « exil », mais par des mots plus expressifs, *aikhmalôsia* : « *captivité » et *ap-oikia* : « exil »; c'est que, au cours des siècles, on n'a considéré dans ce châtiment que la situation voulue par Dieu [2], liée à la diffusion de la foi chez les païens [3].

[1] Jc 1,1; 1 P 1,1; cf 2,11. — [2] Is 60; Za 8,20-23. — [3] Jn 7,35; Ac 8,1.4; 11,19 □.

→ *Intr.* I.1.A; III.3; IV.6.E; IV.7.A; VI. — déportation — exil — patrie.

didrachme

gr. *di-drakhmon*. *Monnaie grecque d'argent (8,60 g), valant deux *drachmes, correspondant au salaire de deux journées de travail. Montant de l'*impôt dû annuellement par chaque juif au Temple [1].

[1] Mt 17,24 □.

(→ monnaies.)

Dieu

1. Le gr. *Theos* correspond d'ordinaire à l'hb. *El*, nom *sémitique commun de la divinité et nom propre (le pluriel *Elohim* proviendrait de ce que la divinité est conçue comme une pluralité de forces), nom que les patriarches ont reçu du milieu environnant [1], celui à travers lequel Yahweh a révélé son vrai nom [2]. Le Dieu du NT est le même que celui de l'AT, mais en *Jésus Christ il s'est pleinement révélé.

[1] Gn 14,18-22. — [2] Ex 3,14.

2. Dieu est unique; par cette affirmation fondamentale, Israël et les chrétiens se situent face aux religions voisines [3]. C'est le Dieu des *Pères, d'Abraham, d'Isaac et de Jacob [4]. Aucun autre ne peut être toléré à côté de lui[5]. C'est en lui seul qu'on croit[6] et qu'on espère[7], car il est le Vivant et le Vrai[8].

[3] Dt 6,4s; Mc 12,29s; Rm 3,30; 1 Co 8,4-6; Ep 4,6; Jc 2,19. — [4] Ex 3,6; Mt 22,32 (= Mc 12,26 = Lc 20,37); Ac 3,13; 5,30; 22,14. — [5] Ex 20,3; 1 R 19,18; Is 42,8; 43,10s; Jr 2,11; Mt 6,24; Ac 14,15; 17,24s; Ga 4,8s; Ph 3,19. — [6] Is 7,9; Jn 14,1; Rm 4,3; Ga 3,6; Jc 2,23; 1 P 1,21. — [7] Is 8,17; Ac 24,15; Rm 4,18. — [8] Jg 8,19; 1 R 17,1; Ps 36,10; 1 Th 1,9; 1 Tm 1,17.

3. Dieu est le Seigneur de tout. *Créateur du ciel et de la terre[9], il trône au *ciel[10], il est le Très-Haut[11], le premier et le dernier, le maître des temps et de l'histoire[12]; rien ne lui est impossible[13]. Le devoir primordial de l'homme est la re-connaissance du Créateur[14] et son attitude fondamentale doit être la confiance absolue[15].

[9] Gn 1,1; Ac 17,24; He 3,4; Ap 10,6. — [10] Ps 11,4; Is 66,1; Mt 5,34. — [11] Ps 91,1; 92,2; Is 57,15; Lc 1,32. — [12] Is 44,6; 48,12; Ap 1,8; 21,6. — [13] Gn 18,14; Jb 42,2; Mt 19,26; Lc 1,37; Ac 5,39. — [14] Rm 1,19.21s. — [15] Mt 6,8.30.

4. Dieu n'est pas une force impersonnelle diffuse à travers le monde; des anthropomorphismes visent sa personnalité : il parle, il agit, il commande, il veut établir avec les hommes une alliance éternelle... La révélation propre de Jésus, déjà esquissée dans l'AT[16], c'est que le nom propre de Dieu n'est plus seulement « notre Dieu, mon Dieu »[17], mais « *Père »[18]. C'est lui qu'il faut prier dans le secret[19], lui en qui on a confiance[20] : car nous sommes ses enfants[21], engendrés par lui[22].

[16] Ex 4,22s; Dt 32,6; Is 63,16; Jr 31,9; Os 11,9. — [17] Ex 15,2; Jos 24,18; Ps 31,15; 48,15; Ac 2,39; Rm 1,8; 2 Co 12,21; Ph 1,3; Ap 7,12; 19,5. — [18] Mt 11,25s (= Lc 10,21s); Mc 14,36; Lc 23,34.46; Jn 11,41; 17,1.5.11. — [19] Mt 6,4.18. — [20] Mt 6,26-32; 10,29-31; Lc 15. — [21] Rm 8,16; Ga 4,6. — [22] 1 Jn 3,9; 4,4.

5. Innombrables sont les désignations qui qualifient Dieu. *Saint et *jaloux, *fidèle à ses promesses, omniprésent, *juste, *sauveur, plein de *miséricorde... Deux caractéristiques cependant doivent être notées. Dieu, nul ne l'a jamais *vu et les hommes le cherchent à tâtons[23]; le Fils unique qui est dans le sein du Père, lui, l'a fait *connaître[24]; c'est surtout dans le comportement filial de Jésus que le croyant peut contempler Dieu et le connaître[25]. De Dieu il est révélé qu'il est esprit[26] et surtout qu'il est *amour, source de l'amour sur terre[27].

[23] Ac 17,23-27. — [24] Jn 1,18. — [25] Jn 5,19s.30; 14,9. — [26] Jn 4,24. — [27] Jn 3,16; 1 Jn 4,8.10.

6. Jésus Christ vient de Dieu, il est l'*Emmanuel, « Dieu avec nous »[28]. Envoyé par Dieu, il est le *Fils de Dieu[29]. Il est l'*image du Dieu invisible[30], en lui habite la *plénitude de la divinité[31]. Il est un avec Dieu[32], ses paroles et ses actes sont ceux de Dieu même[33]. Pourtant il n'est que le *médiateur du salut [34] et ne se confond jamais avec Dieu le Père [35]. Toutefois, avec des nuances qu'il convient d'apprécier, quelques textes le disent Dieu [36].

[28] Is 7,14; Mt 1,23; Ap 21,3. — [29] Rm 1,3s. — [30] Col 1,15. — [31] Col 2,9. — [32] Jn 10,30; 14,10; 17,11.21. — [33] Jn 9,4; 17,4. — [34] 2 Co 5,19; Col 1,20. — [35] Ep 1,20; Ph 2,9s; 1 P 3,22. — [36] Jn 1,1.18; 20,28; Rm 9,4s; Tt 2,13; 1 Jn 5,20.

7. Ce qui semble convenir à Jésus Christ seul est aussi déclaré de Dieu : on parle ainsi de l'Église de Dieu [37], du temple de Dieu [38]. Enfin il y a quelques formules qui orientent vers le dogme trinitaire (Père, Fils, Esprit) qui s'élaborera après le NT [39], mais plus nombreuses sont les formules binaires (Père, Fils) [40].

[37] Ac 20,28; 1 Co 1,2; 1 Th 2,14. — [38] 1 Co 3,16; 2 Co 6,16; Ep 2,21s.— [39] 1 Co 12,4-6; 2 Co 13,13. — [40] Jn 16,14; 1 Co 8,6; 2 Co 3,17; 1 Tm 2,5; 1 Jn 2,1.

→ *Intr*. X.2. — abba — dessein de Dieu — dieux — Esprit de Dieu — Fils de Dieu — idolâtrie — Seigneur — volonté de Dieu — Yahweh.

dieux

gr. *theoi*, pluriel de *theos* : « Dieu ».

1. Le NT offre un tableau de la mentalité polythéiste de cette époque. Voici *Artémis, la Grande Déesse [1], et le dieu inconnu des Athéniens [2]; voici qu'Hérode Agrippa [3], Paul et Barnabé [4], Paul seul [5], tous sont acclamés comme « dieu »; mais chaque fois, ces tentatives sont ramenées à la foi au *Dieu unique [6]. Paul critique vigoureusement le polythéisme [7], ces dieux qui ne sont que néant [8] et dont le culte est un blasphème [9].

[1] Ac 19,24-37. — [2] Ac 17,23. — [3] Ac 12,22; cf Dn 11,36s; 2 Th 2,4. — [4] Ac 14,11. — [5] Ac 28,6. — [6] Ac 14,15; 17,24-27; 19,26. — [7] Ga 4,8s; 1 Th 1,9; 4,5. — [8] 1 Co 8,4-6. — [9] Ac 7,40.42; 1 Co 10,20.

2. Toutefois, le NT connaît l'usage métaphorique du terme qui se trouve dans l'AT : ainsi le roi [10], les juges [11] sont tels des dieux, sont dieux, en ce sens qu'ils sont les *seigneurs de leurs sujets et qu'ils pénètrent les cœurs. En outre, les puissances de cette terre, les *démons, peuvent être dits « dieux » : « il y a quantité de dieux » [12]; il existe, « le dieu de ce monde » [13]; la puissance à laquelle on s'asservit, tel le ventre ou les prescriptions alimentaires, peut être déclarée « dieu » [14].

[10] 2 S 14,17; Ps 45,7. — [11] Ps 58,2; 82,6; Jn 10,34s. — [12] 1 Co 8,5. — [13] 2 Co 4,4. — [14] Ph 3,19.

→ Dieu — Dominations — idolâtrie.

dimanche

Du lat. *dies dominica* : « jour seigneurial », en gr. *kyriakè hèmera* [1].
Appellation chrétienne qui ne provient ni de la *semaine juive, ni du
*calendrier *essénien, ni du culte de *Mithra, ni du *mandéisme. Le
dimanche correspond au 1er jour de la semaine [2], qui est le lendemain
du *sabbat [3]; ce jour commémore la *résurrection de Jésus [4] et les
*apparitions aux disciples pendant un repas [5].

[1] Ap 1,10 □. — [2] Mt 28,1 (= Mc 16,2 = Lc 24,1); Mc 16,9; Jn 20,1.19. —
[3] Mt 28,1 (= Mc 16,1). — [4] Ac 20,7; 1 Co 16,2. — [5] Lc 24,36-49; Jn 20,19-
23; Ac 1,4.

→ Jour du Seigneur.

dîme

Du lat. *decima*, gr. *hè dekatè* : « la dixième part », le 10 %. *Impôt
religieux marquant le droit de propriété qu'a Dieu sur certains produits
de la terre [1] et même sur le bétail [2]; les pharisiens étendaient cette
obligation aux produits les plus minimes [3]. Distincte de l'*impôt
annuel au Temple [4], la dîme est destinée à l'entretien du personnel
religieux [5]. Avant que n'existe le Sanctuaire avec son personnel,
*Abraham a payé la dîme au roi-prêtre *Melchisédek, reconnaissant
ainsi la supériorité de ce *sacerdoce sur celui de *Lévi [6].

[1] Dt 14,22s. — [2] Lv 27,32. — [3] Mt 23,23 (= Lc 11,42); Lc 18,12. — [4] Mt
17,24. — [5] Nb 18,21; He 7,5. — [6] Gn 14,20; He 7,2-9.

→ *Intr.* VI.3.B. — cumin — lévites — menthe — prémices.

discerner

1. gr. *dokimazô* : « mettre à l'épreuve, examiner, estimer » [1]. Le mot
suggère l'idée de « soupeser », vérifier dans l'action la qualité et la
valeur de quelque chose, d'où l'aspect conjoint d' « éprouver » quelqu'un ou quelque chose.

[1] Lc 12,56 (cf Mt 16,3); Rm 2,18; 12,2; 1 Co 3,13; 11,28; **Ga** 6,4; Ph 1,10;
1 Th 5,21; 1 Jn 4,1.

2. gr. *diakrinô* (de *krinô* : « séparer, choisir, trancher ») : « distinguer,
discerner » [2]. Le mot souligne l'aspect discursif de la connaissance et
du jugement : il correspond aussi à interpréter.

[2] Mt 16,3 (cf Lc 12,56); 1 Co 6,5; 11,29.31; 12,10; 14,29; He 5,14 △.

→ épreuve — esprit — jugement.

disciple

1. gr. *mathètès* (de *manthanô* : « apprendre, s'habituer à quelque chose, se rendre familier de » [1]. Dans l'AT, un seul texte [2] d'époque judaïque connaît le mot « disciple », sans doute parce que la relation de l'individu à Dieu est toujours conçue au sein de l'ensemble d'Israël ; ceux qui accompagnent Moïse, Élie, Élisée ou Jérémie ne sont pas des disciples, mais des *serviteurs (hb. *mechârét*) [3]. C'est dans le *judaïsme, et probablement sous l'influence de l'*hellénisme, que s'est développée la conception du *talmîd* vis-à-vis de son *rabbi*, de celui qui hérite de l'autorité divine dans l'interprétation des Écritures.

[1] Ez 19,3.6 ; Mi 4,3 ; Mt 9,13 ; 11,29. — [2] 1 Ch 25,8. — [3] Ex 24,13 ; 1 R 19,21 ; 2 R 4,12 ; Jr 32,12s.

2. Dans le NT, le mot n'apparaît que dans les évangiles et les Actes. Il ne s'agit jamais de l' « élève » qui reçoit l'enseignement d'un maître, mais toujours de celui qui est en relation étroite et définitive avec une personne [4]. Plus précisément, le disciple est celui qui, sur l'appel de Jésus [5], marche à sa *suite [6] ; il doit observer la volonté de Dieu [7] et même, s'attachant sans réserve à la personne de Jésus, aller jusqu'à la mort et au don de sa vie par amour [8]. Cette attitude suppose *humilité, *pauvreté [9] et même *conversion après la chute possible [10]. On a tendu à identifier les disciples aux *Douze et aux Soixante-douze [11], mais, selon Ac, est disciple tout croyant [12].

[4] Mt 9,14 (= Mc 2,18 = Lc 5,33) ; 11,2 (= Lc 7,18) ; Jn 1,35 ; 9,28. — [5] Mc 3,13 ; Lc 6,13 ; 10,1. — [6] Lc 9,57-62(= Mt 8,19-22). — [7] Mt 10,29. — [8] Mt 10,25.37 ; 16,24 (= Mc 8,34s) ; Lc 14,25s ; Jn 13,35 ; 15,13. — [9] Mt 18,1-4 ; 19,23s ; 23,7. — [10] Lc 22,32. — [11] Mt 10,1 ; 11,1 ; Lc 12,1. — [12] Ac 6,1 ; 9,19.

3. Le « disciple bien-aimé » est un personnage propre au IVe évangile, dont on ne peut affirmer qu'il appartient au groupe des Douze ; il est désigné tantôt comme « l'autre disciple » [13], tantôt comme « le disciple que Jésus aimait » [14]. L'un et l'autre sont la même personne [15], personnage historique dont la portée symbolique est indéniable, mais difficile à préciser. Confronté explicitement par Jn avec Pierre, ce disciple joue toujours le meilleur rôle, par sa présence intelligente et le fait d' « être aimé » spécialement. Il pourrait symboliser la fonction du disciple capable de voir, de comprendre et de dire, parce qu'il se sait aimé de Jésus.

[13] Jn 18,15s ; 20,3s.8. — [14] Jn 13,23-26 ; 19,25-27 ; 20,2 ; 21,7.20-23.24. — [15] Jn 20,2.

→ maître — suivre.

Dispersion

→ diaspora.

divorce

gr. *apo-stasion* (de *aph-istèmi* : « placer à l'écart de, séparer »), terme juridique désignant toute libération d'un lien; gr. *apo-lyô* : « délier hors de, libérer, affranchir ».

1. Bien que réprouvée par les prophètes [1], la rupture du lien du *mariage, sur la seule initiative du mari, est admise par la *Loi, non sans réserve. Le motif peut en être « quelque chose de honteux » chez la femme [2]. Au temps de Jésus, les légistes juifs discutent l'interprétation de cette tare : n'importe quel défaut, ou l'inconduite seule? La procédure exige un « certificat de séparation » qui atteste la répudiation, donnant à la *femme aussi la liberté de se remarier [3].

[1] Ml 2,13-16. — [2] Dt 22,19.29; 24,1; Mt 5,31; 19,7s (= Mc 10,4). — [3] Mt 1,19;19,3 (= Mc 10,2).

2. Jésus, par contre, affirme l'indissolubilité du mariage [4]. L'exception du « cas d'impudicité » [5] est diversement interprétée par les confessions chrétiennes (union illégitime ou adultère). Après avoir rappelé l'ordre du Seigneur [6], Paul déclare que la séparation est permise en cas de conversion d'un des deux époux païens [7].

[4] Mc 10,11s; Lc 16,18. — [5] Mt 5,32; 19,9. — [6] 1 Co 7,10s. — [7] 1 Co 7,12-15 □.

→ *Intr*. VIII.2.B.d. — adultère — débauche — mariage — prostitution.

[docétisme]

Du gr. *dokeô* : « paraître ». Conception christologique selon laquelle Jésus aurait été un Dieu qui avait seulement l'apparence d'un homme; ainsi Jésus n'aurait pas réellement souffert et la croix cesserait d'être un scandale. Le docétisme a été combattu dans l'Épître aux *Colossiens ainsi que dans l'Évangile et les Épîtres de *Jean.

docteur

gr. *didaskalos* (de *didaskô* : « enseigner »).

1. *Scribe considéré davantage sous son aspect d'*enseignant [1]. Terme parfois précisé en *nomo-didaskalos* : « docteur de la Loi » [2].

[1] Lc 2,46; Jn 3,10; Rm 2,20 △. — [2] Lc 5,17; Ac 5,34; 1 Tm 1,7 △.

2. Chrétien qui a reçu le *charisme ou la fonction d'enseigner [3]. Il conviendrait de ne pas traduire le mot par « docteur », car il n'y a qu'un Docteur, un *Maître [4].

[3] Ac 13,1; 1 Co 12,28s; Ep 4,11; 1 Tm 2,7; 2 Tm 1,11; 4,3; He 5,12; Jc 3,1 △. — [4] Mt 23,8.

→ *Intr.* XII.1.C. — chaire de Moïse — enseigner — rabbi — scribe.

doigt de Dieu

gr. *daktylos tou Theou.* Symbole de la *puissance de Dieu et de son *Esprit [1].

[1] Ex 8,15; 31,18; Ps 8,4; Lc 11,20 □.

→ bras — décalogue.

Dominations

Sous ce mot sont regroupés de nombreux termes grecs apparentés, fort diversement traduits dans les Bibles. *Archaï* [1] (de *archè* : « commencement, chef ») : « autorités, dominations, principautés »; *dynameis* [2] (forces) : « puissances »; *exousiaï* [3] : « autorités, dominations, pouvoirs »; *kyriotètes* [4] (de *kyrios* : « seigneur ») : « seigneuries, souverainetés »; *thronoï* [5] (litt. « sièges ») : « trônes ». D'autres expressions du NT sont équivalentes, ainsi *archontes tou aiônos, kosmokratores* [6] : « dominateurs du monde », *pneumatika tès ponèrias* [7], « esprits du mal ».

[1] Rm 8,38; 1 Co 15,24; Ep 1,21; 3,10; 6,12; Col 1,16; 2,10.15 △. — [2] Rm 8,38; 1 Co 15,24; Ep 1,21; 1 P 3,22. — [3] 1 Co 15,24; Ep 1,21; 3,10; 6,12; Col 1,16; 2,10.15; 1 P 3,22 △. — [4] Ep 1,21; Col 1,16 △. — [5] Col 1,16 △. — [6] 1 Co 2,6.8 △; Ep 6,12 △. — [7] Ep 6,12 △.

1. Ce vocabulaire varié et interchangeable personnifie en des êtres supraterrestres, quoique non divins, les manifestations multiformes de la puissance attribuée à *Satan, prince de ce monde. Ce ne sont pas des « mauvais *anges», mais des puissances cosmiques qui, ayant été dévoyées, ont besoin d'être réconciliées, assujetties. Placées parfois après le terme général d'anges [8], ces appellations viennent le plus souvent au moins par paires, comme pour suggérer l'ensemble et l'intensité des forces qui s'opposent au salut des hommes, exerçant leur emprise sur les personnes [9], les institutions politiques [10], le cours des événements [11], la nature [12], et surtout contre les croyants [13]. On ne peut discerner leur hiérarchie (même si la tradition les a parfois regroupées en classes d'anges), ni la spécificité de chaque entité. Pour certains, la représentation de ces « dominations » dériverait de la croyance juive selon laquelle des êtres supraterrestres régissaient chacune des autorités terrestres, hommes ou institutions, ou avaient joué un rôle dans la promulgation de l'ancienne Loi.

[8] Rm 8,38; 1 P 3,22. — [9] Mc 1,23; Ac 5,16; 10,38; Jn 8,44; Jc 3,14s; Ap 2,10s. — [10] cf Ap 13, surtout 13,4. — [11] 1 Th 2,18; cf Rm 8,35. — [12] Ga 4,8-10; Col 2,16.18. — [13] 1 Tm 4,1; Ep 6,10-12.

2. Étranger à tout *dualisme, le NT déclare que la condition initiale de ces « dominations » est celle de créatures [14], leur souveraineté est usurpée. Elles ont ignoré le plan divin [15]. Par son triomphe, le Christ les a destituées [16] et elles lui sont désormais soumises [17]. Le croyant est cependant encore affronté à leur hostilité [18], sans qu'elles parviennent à le séparer du Christ [19].

[14] Col 1,16. — [15] Ep 3,10. — [16] 1 Co 15,24; Col 2,15. — [17] Ep 1,21; Col 2,10; 1 P 3,22. — [18] Ep 6,12. — [19] Rm 8,38.

→ ange — démons — éléments du monde — esprit — puissance — Satan.

don

gr. *dôron*, *dôrea* (de *didômi* : « donner »). Le terme désigne sans doute ce qui est donné, mais aussi l'intention du donateur : gratuite, motivée, intéressée.

1. Dieu a donné son Fils [1], sa *grâce justifiante [2], toutes sortes de dons [3], essentiellement l'*Esprit Saint [4] et avec lui les *charismes [5]. Dieu a donné à Jésus l'Esprit, le *jugement, des œuvres à accomplir, des disciples [6].

[1] Jn 3,16; 4,10. — [2] Rm 3,24; 5,15-17; 2 Co 9,15. — [3] Mt 7,11; Jn 6,32; Jc 1,17. — [4] Lc 11,13; Jn 14,16; Ac 2,38; 5,32; 8,20; 10,45; 15,8; 2 Co 1,22; 5,5; 1 Th 4,8; 1 Jn 3,24. — [5] 1 Co 12,7. — [6] Jn 3,34; 5,22.36; 10,29; 17,6.9; 18,9.

2. Jésus Christ donne le pain et la *coupe [7], sa vie [8], il se livre (gr. *para-didômi*) [9] pour nous; il donne autorité et puissance [10], la filiation divine, l'eau de la vie, la vie, la paix, la gloire [11], divers dons enfin [12].

[7] Mt 26,26s (= Mc 14,22s = Lc 22,19); Jn 6,51. — [8] Mt 20,28 (= Mc 10,45); Lc 22,19; Ga 1,4; 1 Tm 2,6; Tt 2,14; cf Jn 10,11.15.17s; 1 Jn 3,16. — [9] Ga 2,20; Ep 5,2.25. — [10] Mt 10,1 (= Mc 6,7 = Lc 9,1); 16,19; Lc 10,19. — [11] Jn 1,12; 4,14 s; 6,33; 10,28; 14,27; 17,22. — [12] Ep 4,8.

3. Le disciple, qui a reçu gratuitement (gr. *dôrean*), doit donner gratuitement [13], et faire à Dieu des offrandes *cultuelles [14].

[13] Mt 10,8; Rm 3,24; 2 Co 11,7; 2 Th 3,8; Ap 21,6; 22,17. — [14] Mt 5,23s; 8,4; Rm 11,35; cf Jn 13,37; Rm 12,1s.

→ charisme — grâce — tradition.

douane

gr. *telônion*. Local où sont perçues les taxes (octroi, péage) imposées sur les marchandises à leur entrée ou à leur sortie d'un pays. *Capharnaüm était située à la frontière de la *Galilée et de la *Trachonitide [1].

[1] Mt 9,9 (= Mc 2,14 = Lc 5,27) □.

→ *Intr*. VII.3. — impôt — publicain.

[doublet]

Terme de *critique littéraire désignant les sentences qui se lisent à deux reprises dans un même évangile. Ainsi la parole sur le divorce [1], sur la lampe [2], sur l'envoi des disciples [3].

[1] Mt 5,29s = 18,8s. — [2] Lc 8,16 = 11,33. — [3] Lc 9,1-6 = 10,1-11.

douceur

1. gr. *praÿtès, praÿs*. Non pas résignation des « humiliés » [1], mais attitude positive d'accueil à l'égard de Dieu et de tout homme [2].

[1] Ps 37,11. — [2] 1 Co 4,21; 2 Tm 2,25; Tt 3,2; Jc 1,21; 1 P 3,4.16.

2. Jésus, « doux et humble de cœur » [3], ne crie et ne discute pas sur les places, il n'éteint pas la mèche qui fume encore et, surtout, il prône et exerce la *miséricorde de Dieu [4]. Enfin, conformément à la prophétie, il entre à Jérusalem dans un modeste « appareil » [5].

[3] Mt 11,29. — [4] 2 Co 10,1; cf Mt 9,13; 12,7.19s. — [5] Mt 21,5.

3. Fruit de l'Esprit Saint [6], la douceur est un aspect de la bonté et de l'humilité, auxquelles on la trouve souvent associée [7]. C'est la liberté du chrétien qui, se sachant lui-même aimé de Dieu, en rayonne l'amour prévenant ; telle est la douceur que Jésus béatifie et que les Épîtres recommandent [8].

[6] Ga 5,23. — [7] Ga 6,1; Ep 4,2; Col 3,12 (= 1 Tm 3,12). — [8] Mt 5,5; 1 Tm 6,11; Jc 3,13 □.

→ humilité — pauvre — vertu.

douze

gr. *dôdeka*.

1. Nombre rond [1].

[1] Mt 9,20 (= Mc 5,25 = Lc 8,43); 14,20 (= Mc 6,43 = Lc 9,17 = Jn 6,13); 26,53; Mc 5,42 (= Lc 8,42); 8,19; Lc 2,42; Jn 11,9; Ac 19,7; 24,11.

2. Nombre parfait, provenant à l'origine du zodiaque et des mois de l'année. Dans la Bible, il symbolise l'ensemble du peuple de Dieu, que constituent les *tribus (Israël) [2] ou les *Apôtres (l'Église) [3]. Son carré multiplié par 1000 symbolise une infinité [4].

[2] Mt 19,28 (= Lc 22,30); Ac 7,8; 26,7; Jc 1,1; Ap 21,12. — [3] Mt 19,28; Ap 12,1; 21,12.14.20s; 22,2. — [4] Ap 7,4; 14,1.3.

3. Nombre désignant, probablement en souvenir des tribus d'Israël, le corps des disciples élus par Jésus et envoyés avec son autorité [5]. Appelés aussi apôtres, ils sont les assises sur lesquelles est bâtie la cité de Dieu [6]. Leur nombre doit rester complet, d'où le remplacement officiel de *Judas par *Matthias [7].

[5] Mt 10,1.5; 11,1; 20,17 (= Mc 10,32 = Lc 18,31); 26,14 (= Mc 14,10 = Lc 22,3); 26,20 (= Mc 14,17); 26,47 (= Mc 14,43 = Lc 22,47); Mc 3,14.16; 4,10; 6,7; 9,35; 11,11; 14,20; Lc 8,1; 9,1.12; Jn 6,67.70s; 20,24; Ac 6,2; 1 Co 15,5. — [6] Mt 10,2; Lc 6,13; 22,30 (= Mt 19,28); Ap 21,14. — [7] Ac 1,26 □.

→ nombres.

[doxologie]

Du gr. *doxa* : « opinion, réputation, honneur, gloire ». Formule de prière liturgique célébrant la gloire de Dieu ou du Christ. Acclamation du type : « A Dieu la gloire, l'honneur, la puissance, la louange, le salut, la domination » [1]. Ou encore : « Merci à Dieu, Dieu soit loué » [2]. Ou encore « Il est digne de... » [3]. Ces doxologies concernent Dieu, dont on célèbre sous divers aspects la divinité inépuisable [4], ou Jésus Christ, par lequel ou en qui est donné le salut [5].

[1] Lc 2,14; Rm 16,27; 1 Tm 1,17; 6,16; 1 P 4,11; Ap 5,13; 7,12; 12,10; 14,7; 19,7. — [2] Rm 6,17; 7,25; 9,5; 1 Co 15,57; 2 Co 1,3; 2,14; 11,31; Ep 1,3-14; 1 P 1,3. — [3] Ap 4,11; 5,12; 19,5. — [4] Rm 16,27; 1 Tm 1,17; 6,16; Jude 25. — [5] Rm 7,25; 16,27; Ep 3,21; Jude 25; Ap 7,10; 11,15; 12,10.

→ chant — hymne — psaume.

drachme

gr. *drakhmè*. Unité du système monétaire grec, en argent (3,50 g),

215

équivalant au *denier romain et correspondant au salaire d'une journée de travail [1].

[1] Lc 15,8s □.

→ monnaies.

dragon

gr. *drakôn*, tantôt serpent, tantôt poisson. Animal fabuleux, symbolisant le chaos originel de la mythologie *babylonienne[1] et, selon le mythe grec, le persécuteur Python tué par Apollon[2]. Un des noms de Satan[3].

[1] Ps 74,13; Is 51,9. — [2] Ap 12; 13,2.4; 16,13. — [3] Ap 12,9; 20,2; cf 13,11 □.

→ Antichrist — bêtes, Bête — Satan — serpent.

drap

gr. *sindôn*. Tissu de lin ou de laine, pouvant servir de vêtement ou de voile [1].

[1] Mc 14,51s □.

→ linceul.

droite

gr. *dexios*, hb. *yâmîn* : « qui est à droite ».

1. Qualification dénotant le côté plus noble de l'homme (main, joue) [1]. Elle désigne aussi la puissance divine [2].

[1] Mt 5,29s.39. — [2] Ps 73,23; Is 62,8; Ac 2,33; 5,31.

2. La place de droite est la place favorable, par opposition à la gauche [3]. Le *Fils de l'homme doit siéger à la droite de la *Puissance [4].

[3] Gn 48,13s; Qo 10,2; Mt 25,33. — [4] Ps 110,1; Mt 22,44 (= Mc 12,36 = Lc 20,42); 26,64 (= Mc 14,62 = Lc 22,69); Mc 16,19; Ac 2,34; Ep 1,20; Col 3,1; He 1,3.13; 8,1; 10,12; 12,2; cf Ac 7,55s.

Drusille

gr. *Drousilla*. Fille cadette d'*Hérode Agrippa I, sœur de *Bérénice et d'*Agrippa II, femme du roi d'Emèse (Syrie), puis de *Félix, gouverneur de Judée [1].

[1] Ac 24,24 □.

[dualisme]

1. Du gr. *dyo* : « deux ». Doctrine selon laquelle la réalité provient de deux principes irréductibles et antagonistes. Elle se vérifie à divers niveaux. Le dualisme *cosmologique* explique le monde à l'aide du Bien et du Mal absolus, principes juxtaposés de toute éternité : ainsi la *gnose ou le *manichéisme. Le dualisme *théologique* attribue ces deux principes à deux divinités. Le dualisme *anthropologique* explique l'homme à partir de deux réalités opposées, l'âme et le corps, l'esprit et la chair. Le dualisme *éthique* explique la présence dans l'humanité de bons et de mauvais par une *prédestination divine au bien et au mal.

2. Pour la Bible, Dieu est l'unique créateur de tout : lumière et ténèbres, vie et mort, salut et perte [1]; en outre, il a triomphé des puissances adverses [2]. Toutefois, sous l'influence iranienne, le judaïsme hellénistique a intégré certains éléments du dualisme cosmologique, mais en les appliquant à la *fin des temps : aussi peut-on parler d'un dualisme *eschatologique*, par exemple à propos de la doctrine des deux *éons, terrestre et céleste. A *Qoumrân, on peut relever un certain dualisme éthique admettant la prédestination [3]. Le NT ne retient pas de dualisme réel, car J.C. est venu dans le temps sauver tous les hommes; mais on peut relever certains modes de pensée dualiste, par exemple dans la doctrine des « deux *voies » [4] ou surtout dans le IVe évangile : les couples opposés lumière/ténèbres, vérité/mensonge, esprit/chair, sont attestés [5], mais ils sont transformés par la plénitude de la gloire du Christ [6] et par l'appel à la décision de l'homme [7].

[1] Is 45,7. — [2] Rm 8,37-39; 1 Co 15,24. — [3] *Règle de la Communauté* 3,13—4,6; *Document de Damas* 2,7s. — [4] Mt 7,13s (= Lc 13,24). — [5] Jn 1,5; 8,41-45. — [6] Jn 1,3.16. — [7] Jn 3,19-21.

→ âme — Dominations — mal — prédestiner.

E

eau

gr. *hydôr*. Selon la cosmologie des anciens, l'eau provient des mysté-
rieuses profondeurs de la terre ou encore descend gratuitement du
ciel.

1. *Les grandes eaux,* provenant de l'océan primordial [1], peuvent être
terribles et menaçantes [2], ainsi celles du *déluge [3] ou les eaux de la
*mer [4]. Tel Dieu, Jésus calme les flots de la mer [5], marche et fait
marcher sur les eaux [6]. Dans les eaux du Jourdain où jadis *Naaman
avait été purifié, Jésus se laisse baptiser [7]. Le *baptême est *bain de
*salut [8].

[1] Gn 1,7; 7,11; Ap 1,15; 14,2.7; 19,6. — [2] Ez 26,19s; Ap 12,15. — [3] Gn 6—8;
Ex 14—15; 1 Co 10,1; 1 P 3,20; 2 P 3,5s. — [4] Jb 7,12; Dn 7; Mt 8,32; Ap 13,1.
— [5] Jb 26,12; 38,8-11; Ps 104,6-9; Jr 5,22; Mt 8,26s (= Mc 4,39-41 = Lc
8,24s). — [6] Mt 14,25s (= Mc 6,48s = Jn 6,19s); 14,28s. — [7] 2 R 5,10-14;
Mt 3,16 (= Mc 1,10). — [8] 1 P 3,20s.

2. *L'eau purifiante,* connue des juifs pour l'usage cultuel [9], opère,
par le baptême, la rémission des péchés [10]; c'est par le *sang de Jésus
qu'elle acquiert cette valeur *purificatrice [11]. Le baptême est un bain
qui *lave entièrement [12].

[9] Mt 15,2 (= Mc 7,2); Jn 2,6. — [10] Mt 3,11 (= Mc 1,8 = Lc 3,16). — [11] 1 Jn
5,6.8. — [12] Jn 3,5; Ep 5,26; He 10,22.

3. *L'eau vivifiante.* Avec le *pain, elle entretient la *vie; elle étanche la
soif [13]. Eau vive, elle est source (gr. *pègè*) et fleuve (gr. *potamos*) de
vie, elle guérit [14]. Avec le sang, elle jaillit du côté du Crucifié [15]. Le
baptême est un bain de régénération [16]. L'eau vivante symbolise la
Parole, l'Esprit Saint, le Christ lui-même [17].

[13] Ex 23,25; 1 S 30,11s; Mt 10,42; Mc 9,41; Lc 16,24; Ap 22,17. — [14] Nb
21,17; Is 44,3; Jr 2,13; Ez 36,25-27; Za 13,1; Jn 4,10s; 7,38; Ap 7,17; 21,6;
22,1s. — [15] Jn 19,34; 1 Jn 5,6-8. — [16] Tt 3,5. — [17] Jn 4,10.14s; 7,38.

→ *Intr.* V.1. — bain — baptême — laver — mer — pluie.

écarlate

gr. *kokkinos* (de *kokkos* : « cochenille »). Matière colorante d'un rouge vif ou carmin (non pas cramoisi). Étoffe précieuse, utilisée pour le culte et pour l'apparat [1].

[1] Lv 14,4; Is 1,18; Mt 27,28; He 9,19; Ap 17,3s; 18,12.16 □.

écouter

gr. *akouô* : « entendre, écouter », avec ses composés *eis-akouô* : « exaucer » et *hyp-akouô* : « obéir », *par-akouô* : « désobéir ». L'existence biblique est un « écouter Dieu », tandis que le *voir est remis à la fin des temps. « Voir et écouter », c'est accomplir et authentifier le voir terrestre par un écouter qui débouche sur un *obéir [1]. « Écouter et agir », garder les paroles, c'est mettre en pratique; le mot entendre ne le dit pas nécessairement [2]. « Écouter et comprendre », c'est identiquement, à l'opposé de l'*endurcissement, accueillir la Parole, *croire [3].

[1] Mt 11,4; 13,16s (= Lc 10,24); 17,5 (= Mc 9,7 = Lc 9,35); Lc 2,20; Ac 2,33; 4,20; 1 Jn 1,3.5; Ap 1,10; 5,11; 22,8. — [2] Mt 7,24.26 (= Lc 6,47.49); Lc 11,28; Jn 10,16.27; 12,47; Rm 2,13; He 4,7; Jc 1,22s.25. — [3] Ps 40,7s; Is 50,5; Mt 11,15; 13,15.19.23; 15,10; Mc 4,16; Jn 5,37; 6,45; 8,43.47; Ac 16,14; Ap 2,7.

→ obéir — oreille — parole — voir — voix.

écriture, Écriture

gr. *graphè*. Expression fixée de la pensée et de la parole. Sur la manière d'écrire → *Intr*. IX.3.

1. *L'écriture fixe la parole.* En écrivant, l'homme (ou Dieu en personne) [1] confère à sa parole une valeur et un caractère intangible [2]. Elle a pour fonction de rappeler à la *mémoire [3], de garantir et de sceller [4]. Aussi les premiers chrétiens, héritiers de la tradition biblique, en vinrent à appeler l'AT les « Écritures saintes » [5] et à se référer à elles comme à la *Parole de Dieu : soit à un passage déterminé [6], soit à leur ensemble [7]. Par la formule « Il est écrit » [8], on souligne que le *dessein de Dieu est accompli en J.C. [9], que la *promesse est réalisée [10]. Les Épîtres des Apôtres ont constitué à la fin du Ier s. des « Écritures saintes » [11].

[1] Ex 32,16; 32,32. — [2] Jr 36,23s; Jn 10,35; 19,22; Ap 22,18s. — [3] Ex 17,14; Dt 6,8s; 11,20. — [4] Ex 39,30; Is 8,16. — [5] Rm 1,2; 2 Tm 3,15. — [6] Mt 21,42; 22,29; Mc 12,10; Lc 4,21; Jn 2,22; Ac 1,16. — [7] Mt 26,54; Lc

24,32.45; Jn 5,39; Ac 17,2; 1 Co 15,3s. — [8] Mt 2,5; 4,4... — [9] Lc 16,16; 24,25s; Ac 20,27. — [10] He 3,7-19; 1 P 1,10 s. — [11] 1 Tm 5,18; 2 P 3,16.

2. *L'Écriture demeure liée à la Parole.* Même si rien ne doit disparaître de l'Écriture, pas même un iota [12], c'est la Parole de Dieu qui demeure éternellement [13] et lui donne sens : ainsi on assiste au passage de la *Loi écrite sur la pierre à la Loi inscrite dans les cœurs [14]. De là provient la critique paulinienne de la lettre écrite, par opposition à l'esprit [15]. En dehors des *controverses (et alors sans les formules habituelles [16]), Jésus ne cite pas l'Écriture comme font les *scribes pour justifier leurs dires, même si la tradition évangélique lui a prêté ce mode d'expression [17]. Jean va jusqu'à juxtaposer Écriture et Parole de Jésus [18].

[12] Mt 5,18; Jn 10,35. — [13] Ps 119,89. — [14] Jr 31,33; Ez 36,27; Jn 6,45. — [15] 2 Co 3. — [16] Mt 22,43. — [17] comp. Mt 21,13 et Jn 2,16; Mt 26,31 et Jn 16,32. — [18] Jn 2,22; 18,9.

→ *Intr*. IX.5.B; XII. — accomplir — Bible — livre — parole — scribe.

édifier

gr. *oikodomeô* (de *oikos* : « maison » et *demô* : « construire »), souvent lié à son opposé *katalyô* : « détruire, démolir » [1]. À la base de l'usage métaphorique, le fait que le même verbe hb. *bânâ* signifie « construire » une maison ou une famille [2]. Dieu est le bâtisseur par excellence [3], le Christ est l'architecte de son Église [4], de son corps [5], de la Cité sainte [6]. L'apôtre, et même tout chrétien, collabore avec le constructeur unique de l'édifice de Dieu [7], auquel il est lui-même intégré [8]. On ne s'édifie pas soi-même [9], on édifie seulement la communauté [10], non par la connaissance mais par l'amour [11].

[1] Jr 1,10; 24,6; 31,28; Mt 26,61 (= Mc 14,58); 27,40 (= Mc 15,29); Jn 2,20. — [2] 2 S 7,5.11. — [3] Ac 20,32; He 11,10. — [4] Mt 16,18. — [5] Ep 2,20-22; 4,11-16. — [6] Ap 21. — [7] 1 Co 3,5-17; 2 Co 10,8; 12,19; 13,10. — [8] Col 2,7. — [9] 1 Co 14,4s. — [10] Rm 14,19; 15,2; 1 Co 14,12.17.26; Ep 4,29; 1 Th 5,11. — [11] 1 Co 8,1; 10,23.

édit

gr. *dogma*. Document public déterminant l'application du droit. L'édit ne peut être promulgué que par un ayant-droit : l'empereur et son haut-magistrat délégué [1], la Loi de Moïse [2], ou le concile de Jérusalem [3]. Sur l'édit de Lc 2,1 → *recensement.

[1] Ac 17,7; cf Jn 19,12. — [2] Ep 2,15; Col 2,14. — [3] Ac 16,4 □.

éducation

→ *Intr.* VIII.2.C; IX.2.

égarer

→ erreur — séduire.

Église

1. gr. *ekklèsia*. En gr. profane : « assemblée politique du peuple » [1];
en gr. biblique, le mot traduit divers termes hb. : *qâhâl* (de *qôl* :
« voix ») : « rassemblement (liturgique) d'Israël » [2], ou *'édâ* (de *yâ'ad* :
« déterminer », d'où *mô'éd* : « temps fixé, fête ») : « assemblée ».
Qâhâl et *'édâ* sont aussi traduits par *synagôgè* (de *syn* : « ensemble »
et *agô* : « pousser ») : « rassemblement » [3], spécialement utilisé à
*Qoumrân pour désigner la communauté eschatologique des élus.
En araméen, on pouvait dire *'edtâ* ou *k^{e}nichtâ*, ou encore *qehâlâ*.

[1] Ac 19,32.39s. — [2] Dt 4,10; Jos 8,35; Ne 8,2. — [3] Nb 16,3; Dt 5,22.

2. Pourquoi le NT a-t-il préféré *ekklèsia* à *synagôgè*? La réponse est
multiple. *Ekklèsia* avait été choisi par la *Septante en de nombreux
cas pour rendre l'hb. *qâhâl*, probablement en raison de son assonance
peut-être aussi à cause de l'étymologie (de *ek-kaleô* : « convoquer »),
pour désigner la « convocation sainte » du peuple de Dieu [4]. D'autre
part, les juifs préféraient *synagôgè*, laissant *ekklèsia* tomber en désuétude, surtout pour désigner les assemblées locales de la *diaspora.
Dès lors, les chrétiens se distinguaient davantage des juifs et pouvaient mieux viser l'universalisme impliqué par leur « assemblée ».

[4] Ex 12,16; Lv 23,3; cf 1 Co 11,18.

3. Il n'est pas possible de relater dans les limites d'une notice l'histoire du mot *ekklèsia*. Quelques indications seulement. Dès les origines, les chrétiens ont pris conscience d'appartenir à une assemblée
convoquée par Dieu dans le Christ Jésus. Ils l'ont d'abord dit en
parlant de « l'Église qui est à Jérusalem, à Antioche, à Éphèse, etc. » [5],
signifiant par là que l'unique assemblée « de Dieu » est localisée en
tel ou tel endroit. Le pluriel « les Églises » met l'accent sur la multiplicité de localisations, sans porter atteinte à la conviction de l'unique Église de Dieu [6]. C'est ainsi que Paul s'exprime dans ses premières lettres [7]. Avec les Épîtres aux Colossiens et aux Éphésiens,

l'Église prend une figure propre comme une réalité de ce monde, mais dont l'existence dépend uniquement de Dieu qui sans cesse lui donne vie [8], et dont la fonction est d'annoncer le règne et le royaume de Dieu auxquels elle ne s'identifie pas proprement [9].

[5] Ac 8,1; 13,1; 18,22; 20,17.28. — [6] Ac 15,41; 16,5. — [7] Rm 16,1; 1 Co 16,1.19. — [8] Ep 1,22; 3,10; 5,23-25.27.29.32; Col 1,18.24. — [9] Mt 16,19; 18,18; 1 Co 11,26; Ep 5,27; Ap 21,3.5.

4. Le mot *ekklèsia* est absent des évangiles, sauf en deux passages de Mt [10]. Aussi a-t-on pu se demander si le terme a été prononcé par Jésus de Nazareth. Le petit troupeau rassemblé par Jésus [11] est à l'origine de l'Église apostolique, et, même si les deux textes matthéens peuvent être de rédaction postérieure, rien ne s'oppose à ce que Jésus ait annoncé l'existence d'une « Église », qu'on ne doit pas rapprocher du « saint reste » de *Qoumrân mais orienter dans le sens du véritable Israël de Dieu; même si les tentatives des spécialistes pour trouver un équivalent araméen (ar. *k^enichtâ*) sur les lèvres de Jésus n'emportent pas l'assentiment de tous les critiques, Jésus a annoncé et fondé « son Église ». En français, le terme pourrait être rendu par « assemblée » ou « communauté », mais cela ne peut se faire qu'à condition d'entendre sous ce mot une relation avec Dieu [12] ou avec Jésus Christ [13] qui l'empêche d'être ramené à désigner un simple organisme social.

[10] Mt 16,18; 18,17. — [11] Lc 12,32. — [12] 1 Co 1,2; 11,16.22; 2 Co 1,1; Ga 1,13; 1 Th 2,14. — [13] Rm 16,16; Ga 1,22.

→ *Intr.* I.3-5; IV.7; X.3; XII.2.A. — apôtre — assemblée — Corps du Christ — Israël — ministère — peuple — règne — synagogue.

Égypte
gr. *Aigyptos*, hb. *miçrayim*. Pour un juif du temps du NT, l'Égypte n'est pas seulement une grande puissance voisine à la sagesse renommée [1], où l'on peut aller se réfugier [2], elle garde les traits du pays qui avait opprimé les Hébreux et dont le Seigneur avait libéré son peuple [3]; elle symbolise la puissance ennemie [4]. Ville principale : Alexandrie.

[1] Ac 2,10; 7,22; He 11,26. — [2] Mt 2,13-19; cf 1 R 11,40. — [3] Ez 29—32; Ac 7,6-40; 13,17; He 3,16; 8,9; 11,26-29; Jude 5. — [4] Ap 11,8 □.

→ Apollos — Philon — *Carte* 3.

Élamite
gr. *Elamitès*. Les habitants de l'Élam, pays situé entre la Babylonie,

la Médie, la Perse et le golfe Persique, avec Suse pour capitale, étaient des non-sémites; ils comptaient cependant des juifs parmi eux [1].

[1] Jr 49,34-39; Ac 2,9 □.

élection

gr. *eklogè* (de *ek-legomai* : « ramasser de »). Mise à part dans un but déterminé. A ne pas confondre avec l'appel qui s'adresse à tous les hommes. Par une initiative gratuite de son amour [1], Dieu se choisit un peuple [2], des individus (Abraham [3], Moïse [4], David [5], les prophètes [6], les rois [7], les prêtres [8]), Sion [9], le Temple [10]. D'où, corrélativement, le thème de la *fidélité exigée du peuple choisi [11] et celui de son rejet éventuel qui le range parmi « les autres » [12]. Du milieu du peuple infidèle, Dieu doit se susciter un Israël nouveau [13], le Serviteur de Dieu [14]. Jésus est cet élu [15], celui en qui Dieu a mis tout son amour [16], la *pierre élue qui fait tenir l'édifice de Dieu [17]. A son tour Jésus choisit gratuitement les *Douze [18]. En lui, ceux qui sont choisis dès avant la création du monde [19] constituent une nouvelle race [20], les élus [21], prémices du salut universel [22]; mais la foi seule sanctionne l'élection [23].

[1] Ex 19,5; Dt 7,6-8; 1 Jn 4,19. — [2] Nb 23,8s; Jos 24,3; Ps 106,5. — [3] Gn 12,3. — [4] Ex 3; Ps 106,23. — [5] 2 S 7,8-16; Ps 89,4. — [6] Is 8,11; Jr 20,7; Am 7,15. — [7] 1 S 16,1. — [8] Ex 19,6; Dt 10,8; 18,5. — [9] 1 R 8,16. — [10] Ps 78,68; Dt 12,5. — [11] Dt 28; Am 3,2. — [12] Jr 14,19; 31,37; Rm 9,13. — [13] Is 41,8. — [14] Is 42,1; 49,3; 52,13. — [15] Lc 9,35; Jn 1,34. — [16] Mt 3,17. — [17] 1 P 2,4-6. — [18] Mc 3,13-15; Jn 13,18; 15,16.19. — [19] Ep 1,4. — [20] 1 P 2,9. — [21] Mt 24,22; Rm 8,33; 16,13; Col 3,12; 2 Tm 2,10; Tt 1,1; 1 P 1,1. — [22] Ep 3,11. — [23] Jn 6,64-70; 15,16-19; Rm 9—11.

→ alliance — amour — bien-aimé — prédestiner.

éléments du monde

1. gr. *stoikheia* (apparenté à *stikhos* : « ligne, rangée ») : « éléments, base, partie fondamentale » [1]. Selon les anciens, les quatre principes constitutifs de l'univers [2], dont dépendent tous les êtres, y compris l'homme : l'eau, la terre, l'air et le feu. Les *stoïciens enseignaient que ces éléments deviendraient feu [3].

[1] He 5,12. — [2] Sg 7,17-19; 19,8. — [3] 2 P 3,10.12.

2. L'expression peut désigner aussi les *astres qui exercent une certaine influence sur la marche du monde, et par extension, les *esprits célestes qui, dans les cosmologies antiques, régissent le cours des astres. Le chrétien, par le Christ, est libéré de ces puissances qu'il estime faibles et fragiles, autant que la Loi qu'elles servent [4].

[4] Ga 4,3.9; Col 2,8.20 □.

→ Dominations — feu — monde.

Élie

gr. *Èlias*, hb. *éliyyâhû* : « Yahweh est Dieu ». *Prophète du IXe s. av. J.C. [1]. Personnage populaire dans le judaïsme, à cause de son intransigeance dans la foi et de l'efficacité de sa prière [2]. Comme il avait été emporté au ciel au lieu de mourir, on attendait son retour comme précurseur du Messie [3]; aussi crut-on le reconnaître en Jésus [4] ou en Jean Baptiste [5], même si, selon Jn, celui-ci dénia cette identification [6]. Élie était aux côtés de Jésus transfiguré [7].

[1] 1 R 17,1—2 R 2,18. — [2] Si 48,1-11; Mt 27,47.49 (= Mc 15,35s); Lc 4,25s; 9,54; Rm 11,2; Jc 5,16-18. — [3] Ml 3,23; Lc 1,17. — [4] Mt 16,14; Mc 6,15; 8,28; Lc 9,8.19. — [5] Mt 11,14; 17,10-12 (= Mc 9,11-13). — [6] Jn 1,21.25. — [7] Mt 17,3s (= Mc 9,4s = Lc 9,30.33) □.

→ *Intr.* XII.2.A.a.

Élisabeth

hb. *èlichèba'* : « mon Dieu est plénitude ». Femme issue « des filles d'Aaron », épouse de *Zacharie et mère de *Jean Baptiste, de la parenté de *Marie [1].

[1] Ex 6,23; Lc 1,5.7.13.24.36.40.41.57 □.

Élisée

hb. *èlichâ'* : « Dieu aide ». *Prophète de la fin du IXe s. av. J.C. Successeur d'Élie. De nombreuses traditions l'ont rendu populaire, surtout par ses miracles [1].

[1] 1 R 19,16-21; 2 R 2—13; Lc 4,27 □.

Emmanuel

hb. *'immânû'él* : « Dieu avec nous ». Nom symbolique donné au fils à venir du roi Achaz [1] et à *Jésus [2].

[1] Is 7,14; 8,8.10. — [2] Mt 1,23; cf 28,20 ⌐

Emmaüs

gr. *Emmaous*. Village situé à quelque 12 km de Jérusalem ; le Ressuscité y apparut à deux disciples [1]. Sa localisation est difficile ; *Amwas*, de même consonance, est à 30 km ; selon une vieille tradition, ce serait *el-Qubeibé* ou *Latroun*.

[1] Lc 24,13 □.

→ *Carte* 4.

[empereur]

1. Du lat. *imperator* : « celui qui commande » ; originairement, titre décerné lors d'un « triomphe » au général victorieux à son retour d'une campagne militaire, puis, à partir de l'initiative d'Octave en 27 av. J.C., titre du premier (lat. *princeps*) citoyen romain. Octave autorisa dans les *provinces le culte de l'empereur, contre lequel semble s'insurger le Livre de l'*Apocalypse.

2. L'époque du NT vit successivement les empereurs suivants : Octave (*Auguste) 31 av. J.C.-14 ap. J.C.

*Tibère (14-37)	Vitellius (17/4-21/12/69)
Caligula (37-41)	Vespasien (1/7/69-24/6/79)
*Claude (41-54)	*Titus (79-81)
Néron (54-68)	Domitien (81-96)
Galba (68-69)	Nerva (96-98)
Othon (15/1/-16/4/69)	Trajan (98-117)

→ *Intr.* IV.2.A. — Auguste — César — *Tableau* p. 29.

encens

gr. *libanos*. Substance résineuse obtenue en incisant l'écorce d'un bois blanc (hb. *l³bonâ*) en provenance de l'Inde, de Somalie ou de l'Arabie du Sud (« pays de Saba ») [1], l'Orient du NT [2]. L'encens entrait dans la confection des *parfums et des *aromates, et était assimilé au parfum de l'offrande (gr. *thymiama*) [3]. Il était brûlé au Temple lors de certains sacrifices en signe d'adoration de la divinité [4]. En raison de sa fumée qui s'élève vers le ciel et se répand partout, il pourrait symboliser la prière des temps messianiques [5].

[1] 1 R 10,1-10 ; Jr 6,20. — [2] Mt 2,11 ; Ap 18,13 △. — [3] Lc 1,9-11 ; He 9,4 ; Ap 18,13. — [4] Lv 2,1.15 ; 24,7 ; Lc 1,9-11. — [5] Ps 141,2 ; Is 60,6 ; Ap 5,8 ; 8,3-5 ; 18,13 △.

→ autel — parfum.

endurcir

gr. *sklèrynô* : « rendre dur, raide », *pôroô* : « rendre calleux », *pakhynô* : « épaissir », *typhloô* : « aveugler ». En un texte célèbre qui a fait fortune dans le NT, Isaïe a décrit comment le peuple qui se sépare de Dieu se sclérose progressivement [1] : *aveuglement [2], *oreilles bouchées [3], *nuque raide [4], *cœur de pierre [5], tels sont les effets de cette « sclérose ». S'il est dit que Dieu endurcit [6], c'est que la pensée sémitique ignore volontiers les causes secondes. Toutefois endurcir, ce n'est pas réprouver, c'est laisser le péché porter ses fruits de mort, c'est sanctionner le péché dont l'homme ne se repent pas. De cet état l'homme porte la pleine responsabilité : il est amené à ne plus pouvoir croire [7]. Seule une action de Dieu peut en triompher [8].

[1] Is 6,10; Mt 13,14s; Mc 4,12; Jn 12,40; Ac 28,26s. — [2] Is 29,9; Mt 23,16s; Lc 6,39; 2 Co 3,14; 4,4; 1 Jn 2,11; Ap 3,17. — [3] Za 7,11. — [4] Ex 32,9; Dt 9,6; Is 7,26; Ac 7,51. — [5] Ex 4,21; 7,3.13; Mt 19,8; Mc 3,5; 6,52; Rm 2,5; Ep 4,18; He 3,8; 4,7. — [6] Rm 9,18. — [7] Jr 13,23; Jn 3,19-21; 9,38-41; He 3,13.15. — [8] Jr 31,33; Ez 11,19; 36,26s; Os 13,2; Mi 7,18; Rm 11,32.

→ aveugle — colère — péché — sourd.

enfant

1. *Le tout-petit* (gr. *nèpios*), enfant en bas âge, considéré comme un être faible et sans défense, n'usant pas encore de sa raison, simple et sans expérience. Terme associé à celui de nourrisson qui boit encore du lait [1], il est opposé à la notion d'adulte [2] au jugement stable [3], et à celle des gens instruits [4], des maîtres [5], des *parfaits [6]. Le mot gr. *brephos* désigne plus précisément l'enfant dans le sein de sa mère [7], celui qui vient de naître [8] et qui se nourrit de lait [9] : telle est la tendre enfance [10] que Lc voit dans les enfants présentés à Jésus [11].

[1] Mt 21,16s; 1 Co 3,1s; He 5,12s. — [2] 1 Co 13,11; Ga 4,1.3. — [3] Ep 4,14. — [4] Mt 11,25s (= Lc 10,21). — [5] Rm 2,20. — [6] 1 Co 3,1s; He 5,12s. — [7] Lc 1,41.44. — [8] Lc 2,12.16; Ac 7,19. — [9] 1 P 2,2. — [10] 2 Tm 3,15. — [11] Lc 18,15.

2. *Le petit* (gr. *païs* et son diminutif *païdion*) serait le garçon de 7 à 14 ans [12], celui en qui Jésus voit le type du vrai disciple [13], probablement en ce qu'il est, tel le *pauvre, pleinement dépendant et qu'il reçoit tout comme un don et non pas comme un dû [14]. Le disciple de Jésus doit donc retourner à l'état des enfants [15]. Terme signifiant aussi *serviteur.

[12] Lc 1,59; 2,43; 8,51.54; 11,7. — [13] Mt 19,14; cf 10,42; Mc 9,41. — [14] Mc 10,15. — [15] Mt 18,3; cf Jn 3,5.

3. *L'enfant*, au sens de fils ou fille (gr. *teknon*, dérivé de *tiktô* : « engendrer »). Il demeure en relation affective avec ses parents [16], qui doivent lui montrer de la tendresse [17] et peuvent en attendre l'obéissance [18]. Le mot signifie aussi « descendance » [19] et prend souvent un sens métaphorique avec la nuance d'affection qui unit deux êtres [20]. Il est même utilisé pour désigner les enfants de Dieu, ses « engendrés » [21]. Enfin il peut prendre le sens d'appartenance à un groupe [22] ou indiquer la présence d'une qualité [23].

[16] Mt 7,11 (= Lc 11,13); 10,21 (= Mc 13,12); 18,25; 19,29; 21,28; 27,25; Lc 15,31; 23,28. — [17] Ep 6,4; Col 3,21. — [18] Ep 6,1; Col 3,20. — [19] Mt 3,9 (= Lc 3,8); 23,37 (= Lc 13,34); Jn 8,39; Rm 9,7s; Ga 4,31. — [20] Mc 2,5; 10,24; Jn 13,33; Ga 4,19; 1 Jn 2,1.12.28; 3,7.18; 4,4; 5,21. — [21] Jn 1,12; Rm 8, 16s.21; 1 Jn 3,1s. — [22] 2 Jn 1.4.13. — [23] Ep 2,3; 5,8; 1 P 1,14; 2 P 2,14.

4. *Le fils* (gr. *hyios*) : cette appellation rejoint la précédente sur plusieurs points. Elle aussi manifeste la relation qui unit aux parents [24], aux ancêtres [25], à un maître [26]. Par la tournure sémitique « fils de » suivie d'un nom, elle peut encore exprimer l'appartenance à un groupe (un compagnon, un adepte...) [27] ou désigner un état ou une qualité (violent, pacifique, appartenant à tel monde...) [28]. Parfois avec ce terme (et non avec *teknon*) se montre la distance vis-à-vis des parents que le disciple peut et doit prendre quand il est appelé par Jésus [29]. Enfin elle caractérise la liberté de ceux qui, par *adoption, sont devenus fils de Dieu [30] et qui, dès lors, peuvent être corrigés par Dieu [31].

[24] Mt 20,20; Mc 10,45; Lc 1,13. — [25] Mt 1,20; Lc 19,9. — [26] 1 Tm 1,2; 1 P 5,13. — [27] Mt 8,12; 9,15; 12,27; 13,38; 17,25; 23,15; Ac 3,25; 23,6. — [28] Mc 3,17 (cf Lc 9,54); Lc 10,6; 16,8; 20,34.36; Jn 12,36; 17,12; Ac 4,36; 13,10; Ep 2,2; 5,6.8; 1 Th 5,5; 2 Th 2,3. — [29] Mt 10,37; Lc 12,53. — [30] Rm 8,14s.19; Ga 3,25s; 4,7. — [31] He 12,6s.

→ *Intr*. VIII.2.C.a-c. — adoption — fils de Dieu — père.

[enfer]

Du lat. *infer* : « le dessous », « le souterrain ». A distinguer des *enfers, séjour des morts. Ce mot n'existe pas comme tel dans la Bible, mais il récapitule à nos yeux le sort qui est réservé aux pécheurs. Le NT le décrit, menaçant, à l'aide de nombreuses images, provenant de diverses *mythologies : l'*Abîme, les *ténèbres extérieures, l'*étang de feu, la *fournaise ardente, le *feu qui ne s'éteint pas, le supplice du feu, la *Géhenne, le *ver, la corruption, le châtiment définitif, la peine, la perdition, la ruine, le lieu des pleurs et grincements de dents, le fait de n'être plus connu et de ne pas *connaître, la puissance de la *Mort enfin.

Cette seule énumération manifeste à la fois la richesse de l'expérience et le balbutiement du langage. Toutes les expressions veulent dire de façon imagée que le pécheur se trouvera définitivement « *loin de* » Dieu et de son Christ, c'est-à-dire « séparé », coupé, écarté de la source de vie [1].

[1] Ps 6,6; 88,11; Mt 7,23; 25,41.

→ châtier — colère.

enfers

1. lat. *inferi*, *inferni* (pluriel de *infer*, *infernus* : « en dessous, inférieur »). Séjour des *morts, différent de ce que nous appelons *enfer. Le mot français peut rendre diverses appellations grecques : le *chéol, l'*Hadès l'*Abîme, le *Tartare, les profondeurs de la terre [1]. Deux images sous-tendent cette représentation : *a*) l' « en dessous » (de la terre), l'en bas, là où l'on descend, où l'on est précipité [2]; *b*) le lieu « enfermé », comme une ville avec des *portes et des *clefs. C'est Dieu, et non *Satan, qui en est le maître [3]. Les morts y mènent transitoirement une existence diminuée, sans relation réelle avec Dieu [4].

[1] Ps 18,5s; 42,8; 63,10; 69,2s; 95,4; Mt 12,40; Ac 2,24; Rm 8,39; Ep 4,9; Ap 5,3.13. — [2] Mt 11,23 (= Lc 10,15). — [3] Jb 26,6; Ps 9,14; Sg 16,13; Is 26,19; 38,10; Mt 16,18; Ac 2,27.31. — [4] Jb 10,21s; 26,5; Ps 6,6; 30,10; 88,6.12; 115,17; Pr 1,12; 27,20; Is 5,14; 14,9.

2. Le judaïsme tardif répartit les morts en des lieux qui anticipent le châtiment éternel pour les impies ou la béatitude (le *paradis) pour les justes : ainsi le Riche et Lazare [5].

[5] Lc 16,22-26.

3. En descendant aux enfers, le Christ est allé, à sa mort même, proclamer son triomphe auprès des puissances angéliques et des justes qui l'y attendaient [6]. Avec la foi en la résurrection, les enfers cèdent la place à l'enfer des méchants et au *ciel des justes, c'est-à-dire le Christ [7].

[6] 1 P 3,19-21; 4,6. — [7] 2 Co 5,18; Ph 1,23; 1 P 3,19.

→ *Intr.* V.1. — Abaddôn — abîme — chéol — enfer — Hadès — paradis — Tartare.

engendrer

1. gr. *tiktô*, employé au sens biologique du terme, et en parlant de la femme : « enfanter » [1], jamais au sens spirituel.

[1] Mt 1,21...; Lc 1,31...; Ga 4,27; Ap 12,2-5.

2. gr. *gennaô* (causatif de *gignomai*) : « faire être, engendrer ». Terme utilisé aussi bien pour l'engendrement physique que pour l'*adoption. Mais, à la différence des religions avoisinantes qui retiennent volontiers des représentations sexuelles pour parler des relations de la divinité avec les hommes, l'AT ne parle que d'adoption pour désigner Dieu qui engendre : ainsi en est-il dans les Psaumes visant l'*onction et l'intronisation du *roi-messie [2]. De même dans le NT, l'engendrement de Jésus, toujours dit en référence au Ps 2,7, ne se rapporte pas à sa nativité, mais à son *baptême ou à sa *résurrection [3]. De même encore, pour les croyants, il s'agit de leur « naissance » ou « renaissance » dans la foi [4].

[2] Ps 2,7; 110,3. — [3] (Lc 3,22;) Ac 13,33; He 1,5; 5,5. — [4] Jn 1,13; 3,3-8; 1 P 1,23; 1 Jn 2,29; 3,9; 4,7; 5,1.4.18.

3. Paul, héritier de la tradition juive, se considère comme ayant engendré à la foi [5] ou comme ayant des fils spirituels [6].

[5] 1 Co 4,15; Phm 10; cf Ga 4,19. — [6] 1 Co 4,17; 1 Tm 1,2; 2 Tm 2,1; 1 P 5,13.

→ enfant — généalogie — naître, renaître — race.

ennemi

gr. *ekhthros* (au féminin, *ekhthra* : « haine »). Le terme désigne plus que l'accusateur (gr. *anti-dikos*) [1] et que l'*adversaire (gr. *anti-keimenos* : « celui qui se tient contre ») [2], car il semble viser non pas un acte mais un état. La présence des ennemis est une donnée constante de la Bible [3]; le *diable est l'Ennemi par excellence [4]. Jésus fait face à ses ennemis [5], dont la *Mort est le dernier [6]. Quand il exige de ses disciples l'amour des ennemis [7], il s'oppose non pas à l'AT mais très probablement à des prescriptions de *haine, comme celles que révèlent les documents de *Qoumrân [8].

[1] Mt 5,25; Lc 12,58; 18,3; 1 P 5,8 △. — [2] Lc 13,17; 21,15; 1 Co 16,9; Ph 1,28; 2 Th 2,4; 1 Tm 5,14; cf Tt 2,8; He 10,27 △. — [3] Lc 23,12; Rm 12,20; Ga 4,16. — [4] Mt 13,25.28.39; Lc 10,19. — [5] Ps 110,1; Mt 22,44 (= Mc 12,36 = Lc 20,43); Ac 2,35; 1 Co 15,25; He 1,13; 10,13. — [6] 1 Co 15,26. — [7] Mt 5,43s (= Lc 6,27.35). — [8] *Règle de la Communauté* 1,3s; 1,9s; cf Ps 139,21s.

→ adversaire — haine — réconcilier.

enseigner

1. gr. *didaskô*, hb. *limmad* (d'où : *Talmud). Dans le judaïsme, enseigner, c'est, grâce à une meilleure connaissance de l'Écriture, transmettre la *volonté de Dieu, non pas de façon abstraite ni pour développer les facultés intellectuelles, mais pour inviter à se décider à lui obéir. Comme les juifs, à partir de situations concrètes, Jésus enseigne dans les *synagogues [1] ou dans le *Temple [2]; en outre, il enseigne en plein air [3]. Comme dans le judaïsme, il parle de Dieu, de son royaume et de sa volonté; ce qui le distingue, c'est le caractère radical de son enseignement, son « *autorité » unique qui, sauf dans les *controverses, ne cite pas l'Écriture [4] et qui, selon Jn, provient de son Père [5]; en outre, il centre cet enseignement sur le prochain et sur le rapport à sa propre personne. Dans l'Église, l'enseignement est un *charisme, consistant dans l'interprétation des Écritures et dans l'exhortation savoureuse [6]. Le principal enseignant est l'*Esprit Saint, dont l'*onction nous a été donnée [7].

[1] Mt 9,35; 13,54 (= Mc 6,2 = Lc 4,15); Mc 1,21s (= Lc 4,31s). — [2] Mt 21,23 (= Mc 12,35 = Lc 20,1); 26,55 (= Mc 14,49); Lc 19,47. — [3] Mt 5,2; Mc 6,34; Lc 5,3; 13,26. — [4] Mt 7,29; Mc 1,27; 11,28. — [5] Jn 7,16s; 8,28; cf 6,44s. — [6] Rm 12,7; 1 Co 14,26. — [7] 1 Jn 2,20.27.

2. Comme dans le judaïsme, il existe un certain type d'enseignement (gr. *didakhè*) [8], qui peut devenir une fonction [9]. Cette fonction d'enseignement (gr. *didaskalia*), exercée chez les juifs [10], existe chez les chrétiens [11] et tend à caractériser l'enseignement apostolique, sain, bon et salutaire [12], par opposition aux fausses doctrines [13].

[8] Ac 2,42; 5,28; 13,12; 17,19; Rm 6,17; 16,17. — [9] 2 Tm 4,2s; He 6,2; 2 Jn 9s. — [10] Mt 15,9 (= Mc 7,7). — [11] 1 Co 12,28s; Ep 4,11. — [12] 1 Tm 1,10; 4,6; 6,3; 2 Tm 4,3; Tt 1,9; 2,1. — [13] Mt 16,12; Ep 4,14; Col 2,22; 1 Tm 4,1; Ap 2,14s.24.

3. Dans le monde juif, le maître (gr. *didaskalos*, hb. *rabbi* [14], gr. *epistatès* [15]) a grande réputation; son autorité est typée dans la figure du « Maître de justice » de *Qoumrân, prêtre, exégète, herméneute de la Loi, révélateur des mystères de Dieu, père de la communauté, porteur de l'Esprit Saint, prophète *eschatologique chargé de mener au salut. Jésus s'est laissé interpeller comme *Maître, on lui a demandé d'intervenir dans des questions d'ordre juridique et de résoudre des controverses [16]; il a chargé ses *disciples de le devenir à leur tour, mais sans en prendre le titre à lui réservé [17], et en le faisant en son nom [18]. Ces maîtres deviennent alors, par l'Esprit, des catéchistes *charismatiques [19].

[14] Jn 1,38; 20,16. — [15] Lc 8,24.45; 9,33.49; 17,13. — [16] Mt 22,24; Lc 12,13s. — [17] Mt 23,8; 28,20; Mc 14,14. — [18] Ac 4,18; 5,28. — [19] Jn 14,26; Ac 13,1; 1 Co 12,28; Ep 4,11.

→ *Intr.* IX.1.2; XII.1; XII.3.B. — catéchiser — prêcher — rabbi.

ensevelir

1. Au sens propre, emporter d'un lieu en un autre, recueillir (gr. *ek-komizô*, *syn-komizô*) [1], ou mettre au tombeau (gr. *thaptô*, *entaphiazô*). Devoir filial essentiel, qui pourtant cède à l'appel de Jésus [2]. L'expression « être mort et enseveli » dit le sceau que la sépulture appose à la mort en assurant par un tombeau (gr. *mnèma*) la mémoire du défunt [3].

[1] Lc 7,12; Ac 8,2 △. — [2] Mt 8,21s (= Lc 9,59s). — [3] Gn 25,8s; 35,8; 1 R 2,10; Lc 16,22; Ac 2,29; 1 Co 15,4.

2. Selon certains, Paul a vu dans le *baptême par immersion une analogie avec l'ensevelissement au péché [4]; il est difficile de le prouver.

[4] Rm 6,4; Col 2,12.

→ *Intr*. VIII.2.D.b. — cercueil — deuil — tombeau.

envie

gr. *phthonos* : « sentiment éprouvé en voyant d'autres personnes jouir d'un bien qu'on voudrait avoir », sans pour autant souhaiter le posséder exclusivement (ce qui serait de la *jalousie). L'un des vices stigmatisés dans le NT [1], qui pourrait confiner à la jalousie en quelques cas [2].

[1] Rm 1,29; Ga 5,21.23; 1 Tm 6,4; Tt 3,3; 1 P 2,1. — [2] Mt 27,18 (= Mc 15,10); Ph 1,15; Jc 4,5 □.

→ jalousie — vices.

envoyer

1. Pour indiquer que l'on fait aller quelque part quelqu'un ou quelque chose, deux verbes grecs existent, sans nuance appréciable : *apostellô* et *pempô*, ce dernier plus courant dans la langue profane. Pour indiquer une relation spéciale entre envoyeur et envoyé, conférant au verbe l'idée de mission, de députation, d'ambassade, le NT utilise *apostellô* [1]. Jn cependant (et Paul une fois [2]) emploie d'ordinaire en outre *pempô*, sans nuance précise [3].

[1] Mt 11,10; 15,24; Lc 4,18.43; 10,16; Ac 3,26. — [2] Rm 8,3; cf Ga 4,4. — [3] Jn 7,28.29; 8,29.42.

2. Terme en relation avec l'*élection divine, concernant le *salut des hommes. Après avoir envoyé les prophètes [4], Dieu a envoyé son fils [5], qui se définit par là [6]. Jésus envoie l'Esprit Saint [7] et les disciples.

Ceux-ci deviennent ses « apôtres » [8] et auront le même sort que lui [9]. Paul accomplit la mission du Serviteur vers les nations [10].

[4] Is 61,1; Mt 21,34-37; 23,37 (= Lc 13,34); Lc 4,18; 11,49. — [5] Lc 4,17-21; Jn 7,28s; 8,29.42; Ac 3,20; Rm 8,3; Ga 4,4; 1 Jn 4,9.10.14. — [6] Mt 10,40; Jn 4,34. — [7] Lc 24,49; Jn 14,26; 15,26; Ga 4,6; 1 P 1,12. — [8] Mt 10,2.5; Mc 3,14; Lc 6,13. — [9] Jn 13,16.20; 20,21. — [10] Ac 22,17.21; Rm 1,5.

→ apôtre — médiateur.

éon

Le gr. *aiôn* (hb. *'ôlâm*) a deux sens : *a)* « durée, temps long, *siècle ». Par ce mot, l'AT cherche à dominer la durée de la vie ou, quand il s'agit de Dieu, à parler de ce qui est éternel (gr. *aiônios*); *b)* « *monde ». L'*apocalyptique du judaïsme tardif distingue deux éons : « celui-ci » qui doit passer et qui est soumis à la tribulation, et « celui-là » qui doit venir et qui sera le royaume de justice et de paix [1].

[1] Mt 12,32; Mc 10,30 (= Lc 18,30); Ep 1,21; He 6,5.

→ éternel — monde — siècle — temps.

Épaphras

gr. *Epaphras*, contraction de *Epaphroditos*. Fondateur de l'Église de *Colosses, compagnon de captivité de Paul à Rome[1]. Il est difficile de l'identifier avec *Épaphrodite.

[1] Col 1,7; 4,12; Phm 23 □.

Épaphrodite

Envoyé de l'Église de *Philippes, devenu collaborateur fort estimé de Paul [1].

[1] Ph 2,25-30; 4,18 □.

Éphèse

gr. *Ephesos*. Ville portuaire préhellénistique, la plus importante d'Asie Mineure (actuelle Turquie), nœud de communications entre Orient et Occident, capitale (avec *Pergame) de la *province romaine d'*Asie depuis 133 av. J.C. Foyer de culture (Héraclite), d'art (temple d'*Artémis, une des sept merveilles du monde) et de cultes divers. Ses *magiciens sont célèbres. Dans sa population, d'un demi-million d'habitants, les juifs sont nombreux et puissants. Évangélisée par Paul, Éphèse devint la métropole chrétienne de l'Asie [1]. Le IVe évangile y fut probablement composé.

[1] Ac 18,19.21.24; 19; 20,16s; 21,29; 1 Co 15,32; 16,8; Ep 1,1; 1 Tm 1,3; 2 Tm 1,18; 4,12; Ap 1,11; 2,1 □.

→ *Intr*. IV.2.C; IV.3.C. — Éphésiens (Ép. aux) — *Carte* 2.

[Éphésiens (épître aux)]

Sorte de lettre circulaire destinée aux Églises d'*Asie. Selon les uns, elle est une reprise de l'Épître aux Colossiens par Paul lui-même, ou par un secrétaire, lors de sa captivité à Rome (62-63). Selon d'autres, cette lettre, provenant d'un milieu paulinien, date des temps postapostoliques.

→ *Intr*. XV. — Épîtres.

Éphraïm

hb. *èphrayim*, signifiant peut-être « double fécondité ».

1. Ancêtre *éponyme d'une des douze *tribus d'Israël; celle-ci est appelée du nom de son père, *Joseph [1].

[1] Ap 7,8; cf Gn 49,22-26 □.

2. Localité où Jésus se retira et qui est peut-être l'actuel village de *et-Taiyebeh*, au nord-est de Jérusalem, près du désert [1].

[1] Jn 11,54; cf Jos 16,5-9 □.

→ *Carte* 4.

[Épictète]

Philosophe *stoïcien (60-140 ap. J.C.), né à *Hiérapolis, dans une contrée évangélisée par Paul. Sa morale est apparentée à celle du NT, mais élaborée dans un autre esprit.

épicuriens

Disciples d'Épicure, philosophe grec (341-270 av. J.C.), qui identifiait le monde et les êtres, selon une explication qu'il tenait de Démocrite, au jeu d'une multitude d'atomes en mouvement, jeu auquel les dieux étaient étrangers. Selon lui, c'est le hasard qui mène le monde; aussi la voie du bonheur consiste-t-elle à poursuivre le plaisir d'une façon bien réglée qui évite le trouble ; en période agitée, mieux vaut s'abstenir des affaires publiques par une « vie cachée ». Sa morale ne doit pas être confondue avec l'épicurisme vulgaire, simple recherche du plaisir. L'épicurisme était en vogue à *Athènes lorsque Paul vint y annoncer Jésus [1].

[1] Ac 17,18 □.

épileptique

→ lunatique.

épines

→ couronne — ronce.

épiscope

1. Dans les communautés, la fonction de présidence (gr. *pro-istèmi* « placer en avant ») [1] ou de « sur-veillance » (gr. *epi-skopeô*) [2], appartient aux *diacres, aux *presbytres (anciens) ou aux épiscopes, sans nuance appréciable [3]. Selon les *Épîtres pastorales, tandis qu'on mentionne au pluriel les diacres, il n'y a qu'un seul épiscope [4], de même qu'à *Qoumrân existait un inspecteur (hb. *m^ebaqqér*); sans jouir de la plénitude du pouvoir mais ayant reçu le don de gouvernement [5], ce « gardien » doit paître le troupeau de Dieu en veillant à son unité et à l'annonce de l'Évangile [6]. Le terme n'a pas le sens moderne d'évêque.

[1] Rm 12,8; 1 Th 5,12; 1 Tm 3,4s.12; 5,17 △. — [2] Ac 20,28; Ph 1,1; 1 Tm 3,1s; Tt 1,7; 1 P 5,2 △. — [3] comp. Ac 20,17 et 20,28; Tt 1,5 et 1,7. — [4] 1 Tm 3,1s et 3,8. — [5] 1 Co 12,28. — [6] 1 Tm 3,1-5.12; 5,17; Tt 1,7; 1 P 5,2.

2. Le terme est aussi appliqué au Christ Pasteur [7].

[7] 1 P 2,25; 5,4.

→ ancien — diacre — presbytre.

épître

1. gr. *epistolè*. Terme désignant une lettre de genre solennel [1].

[1] Ac 9,2; 15,30; 22,5...

→ *Intr.* IX.3.

2. *Épîtres de la captivité.* Expression désignant les lettres pauliniennes où il est fait allusion à une captivité de Paul. D'après les *Actes, Paul a été en prison à *Philippes, vers 50, mais n'y est resté qu'une nuit. Il a été en captivité à Césarée (58-60) puis à Rome (61-63).

D'après Paul lui-même, il a été, dès avant 57, plusieurs fois en prison (2 Co 11,23). De là l'hypothèse d'une captivité vers 56 à Éphèse où il a subi de graves dangers (1 Co 15,32; 2 Co 1,8). De cette dernière captivité proviendrait l'Épître aux * Philippiens, tandis que les épîtres aux *Colossiens et à *Philémon dateraient de la captivité romaine, ainsi que l'Épître aux *Éphésiens. Quant à la 2e à Timothée, elle n'est pas rangée dans ce groupe.

3. *Les Épîtres catholiques.* Appliqué à sept épîtres rangées par ordre de longueur et d'attribution (*Jacques, 1e et 2e *Pierre, 1e, 2e et 3e *Jean, *Jude), le terme grec *katholikos* (= universel) veut (dès 197) qualifier ces écrits en les distinguant de ceux de Paul ou de l'épître aux Hébreux, et en les groupant autour de leurs auteurs respectifs; leurs destinataires sont non pas telle église particulière (sauf 2e et 3e Jn) mais les Églises dans leur ensemble.

4. *Les Épîtres pastorales.* Les deux lettres à *Timothée et la lettre à *Tite constituent un groupe homogène; sortes de directoires à l'usage des ministres de l'Église. La critique moderne conteste l'affirmation traditionnelle de l'*authenticité paulinienne, sans parvenir à ôter toute valeur aux arguments avancés par ceux qui, aujourd'hui encore, maintiennent leur attribution à Paul.

→ *Intr.* XV. — *Tableau* p. 572.

[éponyme]

Héros ou dieu qui donne son nom à une tribu, à une famille, à une ville : ainsi *Éphraïm, *Ésaü, *Israël...

épouse, époux

gr. *nymphios* : « fiancé, jeune marié »; *nymphè* : « fiancée, épouse » (d'une racine grecque signifiant : « lié, promis ») : c'est la promesse.

1. L'un des noms de Yahweh [1] qui a traité Israël son peuple comme une épouse, avec une fidélité et une tendresse inépuisables [2]. Dans une autre perspective, la *Sagesse divine est dite l'épouse du sage [3].

[1] Is 54,4-8. — [2] Ct; Os 1—3; Is 62,5; Jr 2; Ez 16. — [3] Sg 8.

2. Le NT voit dans le Christ l'Époux auquel est présentée (gr. *harmozô* :

235

« assortir ») la vierge fiancée [4], celui qui sanctifie l'Épouse, c'est-à-dire l'Église [5].

[4] 2 Co 11,2. — [5] Mt 9,15 (= Mc 2,19 = Lc 5,34); 25,6; Jn 3,29; Ep 5,23-27.

3. L'Église est la femme, libre et non esclave [6], l'épouse de *l'Agneau [7], la mère des enfants de Dieu [8].

[6] Ga 4,22-27. — [7] Ap 21,9. — [8] Ap 12.

→ *Intr.* VIII.2.B.a. — mariage — noces.

épreuve, éprouver

1. *Mettre à l'épreuve* (gr. *peirazô*). L'épreuve caractérise la condition humaine, car la rencontre de deux êtres est épreuve de leur liberté. De soi, l'épreuve n'est pas *tentation, mais invitation à une vie plus intense et à une relation plus profonde. Dieu met parfois à l'épreuve ses amis : Abraham [1], les croyants [2]; ordinairement il en préserve ou en délivre [3], mesurant l'épreuve à la force de l'homme [4]. Jésus a été éprouvé durant sa vie, aussi peut-il venir en aide à ceux qui sont éprouvés [5] et leur donner la *couronne de vie [6]. La venue du Messie amène, avec un étranglement de l'histoire, l'épreuve par excellence qu'est la *tribulation.

[1] Gn 22,1; He 11,17. — [2] Ac 20,19; 2 Co 13,5; Jc 1,2.12; 1 P 1,6; 4,12; Ap 2,10. — [3] 2 P 2,9; Ap 3,10. — [4] 1 Co 10,13. — [5] He 2,18. — [6] Jc 1,12.

2. *Vérifier une attitude, apprécier, approuver* (gr. *dokimazô*). Le croyant doit examiner (ce qui est aussi une sorte de mise à l'épreuve de l'autre) les choses, les sentiments, les personnes, soi-même [7]. Alors cet autre est « jugé apte », « capable de »; il a fait ses preuves, il est « éprouvé » en vertu de son jugement spirituel, approuvé [8] ou, au contraire, réprouvé [9]. Parfois le terme n'a plus que le sens banal : « tenter de, essayer » [10], de même que *peirazô* en quelques cas [11].

[7] Lc 12,56; Rm 2,18; 12,2; 1 Co 11,28; 2 Co 8,8; Ga 6,4; Ep 5,10; 1 Tm 3,10; 1 Jn 4,1. — [8] Rm 14,18; 1 Co 11,19; 16,4; Jc 1,12. — [9] Rm 1,28; 1 Co 9,27; 2 Co 13,5-7. — [10] Lc 14,19. — [11] Ac 9,26; 16,7; 24,6; 26,21; He 11,29.

→ discerner — souffrir — tenter — tribulation.

erreur

gr. *planè* (d'où *planaô* : « faire errer, égarer ») : « course errante, égarement ». Conformément à la notion biblique de *vérité, l'erreur n'est pas proprement ignorance ni méprise due aux apparences, mais refus de la vérité, infidélité, imposture. L'image biblique des *brebis égarées parce que sans berger est reprise dans le NT [1]. *Satan et les faux *prophètes feront aller au hasard (errance) [2] et fourvoieront hors du droit chemin (gr. *meth-odeia*) [3] en séduisant (gr. *apataô* : « duper, tromper ») les hommes [4] par leur astuce et leur fourberie (gr. *dolos*) [5].

[1] 1 R 22,17; Ps 119,176; Is 53,6; Ez 34; Mt 18,12s; 1 P 2,25. — [2] Mt 24,5.11.24 (= Mc 13,5s.22 = Lc 21,8); Ep 4,14; 2 Th 1,11; 1 Tm 4,1; 2 P 2,15; 2 Jn 7; Ap 2,20; 12,9; 19,20; 20,3.8. — [3] Ep 4,14; 6,11. — [4] Rm 7,11; 16,18; 2 Co 11,3; Ep 4,22; 1 Tm 2,14; Tt 1,10; Jc 1,26. — [5] 2 Co 4,2; 11,3; Ep 4,14.

→ mentir — séduire — vérité.

Ésaïe

→ Isaïe.

Ésaü

1. Fils aîné d'*Isaac et de *Rébecca, frère jumeau de Jacob, qui vendit son droit d'aînesse et ne reçut pas la *bénédiction principale de son père [1].

[1] Gn 25; 27; He 11,20; 12,16s □.

2. Ancêtre *éponyme des Édomites ou Iduméens, d'où son second nom : *Édom. En ce sens, il est dit que Dieu a *haï Ésaü, c'est-à-dire moins aimé que Jacob [2].

[2] Ml 1,2s; Rm 9,13 □.

[eschatologie]

1. Discours sur les choses dernières (du gr. *eskhata* : « choses dernières », *logos* : « discours »). Il s'insère dans un langage qui parle de *fin du monde, et donc des derniers *temps [1], des derniers jours [2], du dernier *Jour [3], de la dernière *heure [4], du dernier moment [5].

[1] Jude 18. — [2] 2 Tm 3,1; Jc 5,3. — [3] Jn 6,39s.44.54; 11,24; 12,48. — [4] 1 Jn 2,18. — [5] 1 P 1,5.

2. Pour le chrétien que la fin des siècles a rejoint [6], les derniers temps désignent la période qui s'écoule entre la venue de Jésus et son retour à la *parousie [7]. La situation temporelle du croyant peut et doit donc être qualifiée d'eschatologique.

[6] 1 Co 10,11. — [7] Ac 2,17; He 1,2; 2 P 3,3.

→ *Intr*. XII.2.A. — temps.

esclave

gr. *doulos* : « esclave, serviteur ». Ces deux sens indiquent l'ambiguïté que le Français peut aujourd'hui déceler dans le terme grec. Il est probable que la résonance d'esclave demeurait dans l'appellation de serviteur.

1. L'esclave est celui qui appartient à un autre. L'état d'esclave, que seule la conscience *stoïcienne pouvait dominer, était avilissant et ordinairement méprisé par les *païens [1]. Chez les juifs [2], qui avaient été esclaves en Égypte [3], on devait respecter sinon le travail du moins la personne des esclaves hébreux [4], tandis que les esclaves non juifs demeuraient méprisables comme ailleurs, des « choses » [5], jusqu'à leur *affranchissement. La relation étroite qui unit l'esclave à son maître tend à devenir honorifique lorsque ce maître est le roi ou Yahweh [6] : l'usage est alors plus métaphorique que réel, ne retenant de la situation d'esclave que la stricte dépendance de la personne à l'égard du maître.

[1] *Intr.* IV.4.D. — [2] *Intr.* VI.1.C; VI.4.B.a. — [3] Ex 13,3. — [4] Ex 21,2-11; Lv 25,39; Dt 15,12. — [5] Ap 18,13. — [6] 2 S 9,8; Ps 101,6; 134,1; Mt 18,23; 22,3; 25,14; Lc 1,38; 2,29; Ac 2,18; Ap 7,3; 10,7.

2. Les évangiles permettent de reconstituer la situation de l'esclave juif : sa dépendance radicale envers un maître, dont le pouvoir est absolu, sa responsabilité et son absence de mérite [7]. Les conseils aux esclaves, qui deviennent volontiers chrétiens, sont l'obéissance et la soumission [8], pour un motif qui n'est pas l'approbation de cet état mais une vision supérieure de la condition chrétienne [9], ce qui conduira, plus tard, à l'abolition de l'esclavage.

[7] Mt 8,9; 18,27.34; 24,45; 25,30; Lc 17,7-10; Jn 15,15. — [8] *Intr.* IV.7.A; Ep 6,5; Col 3,22; 1 Tm 6,1s; Tt 2,9; Phm 16. — [9] 1 Co 7,21s.

3. Jésus a pris les traits de l'esclave [10], s'assujettissant à la *Loi et à la *malédiction qu'elle entraîne [11], mais conférant par là aux croyants la dignité seigneuriale qui est la sienne de par son *exaltation : il abolit ainsi la valeur de la distinction libre/esclave [12] et obtient aux hommes l'*adoption filiale [13].

[10] Ph 2,7. — [11] Rm 8,3; Ga 3,13; 4,4; He 2,15. — [12] 1 Co 12,13; Ga 3,28; Col 3,11. — [13] Jn 8,35; Rm 8,15; Ga 4,7.

4. Nombreuses sont les applications métaphoriques de la relation *maître/esclave. Puisqu'on ne peut appartenir qu'à un seul maître [14], qui est Dieu et Jésus Christ, on ne peut demeurer esclave du péché [15], de la lettre de la Loi [16], des puissances cosmiques [17], de la crainte de la mort [18], de la convoitise [19], du ventre [20]. En nous libérant de cet esclavage, le Christ nous fait changer de maître, si bien qu'on devient esclave du Seigneur [21], de la justice [22]. En ce sens, on peut préférer parler de « service » et de « serviteur », et même du chrétien « esclave de ses frères » [23], sur le modèle de Jésus Christ [24].

[14] Mt 6,24 (= Lc 16,13). — [15] Jn 8,33-35; Rm 6,17. — [16] Rm 7,6.25. — [17] Ga 4,3.8; Col 2,20. — [18] He 2,15. — [19] Tt 3,3. — [20] Rm 16,18. — [21] Rm 1,1; 6,22; 12,11; 14,18; 1 Co 7,22; Ga 1,10; Ep 6,6s; Col 3,24; 1 Th 1,9; 1 P 2,16. — [22] Rm 6,18s. — [23] Mt 20,27 (= Mc 10,44); Ga 5,13. — [24] Ph 2,5-7.

→ affranchi — liberté — maître — servir — serviteur.

[Esdras]

1. Réformateur juif d'après l'*exil, il vécut sous Artaxerxès II vers 400 av. J.C. (plutôt que sous Artaxerxès I, vers 458). Ce *scribe important, chargé des questions juives à la cour du roi de Perse, est, avec Néhémie, le fondateur de la communauté juive, qu'il fit protéger par la Loi comme par une « haie » autour d'elle [1].

[1] Ne 8.

2. Les Livres *canoniques d'*Esdras/Néhémie* étaient originairement réunis dans la Bible hébraïque et précédaient les Chroniques; ils ont été divisés tardivement. Esdras comporte des morceaux écrits en *araméen [1].

[1] 4,8—6,18; 7,12-26.

3. Le *3ᵉ Livre d'Esdras* est une variante *apocryphe des Chroniques. Il porte le numéro 3 du fait que, dans la *Vulgate, il fait suite à Néhémie, lui-même considéré comme le 2ᵉ d'Esdras.

4. Le *4ᵉ Livre d'Esdras* (ou encore appelé *Apocalypse d'Esdras*, ou *2 Esd*) est un *apocryphe de l'AT, rédigé en araméen vers la fin du Iᵉʳ s. ap. J.C. et connu en traduction lat. d'une version gr. Ouvrage de genre apocalyptique, apparenté à l'Apocalypse de *Baruch. De cet ouvrage provient le *Requiem*. Les chapitres 1—2 et 15—16 sont des interpolations chrétiennes.

Espagne

gr. *Spania*. Pays situé le plus à l'ouest du monde biblique. Judas Maccabée avait entendu parler de son invasion par les Romains dès 202 av. J.C. [1]. Trois *provinces romaines existaient : Tarraconensis (Catalogne), Baetica (Cordoba), Lusitania (Portugal). Paul projeta de s'y rendre [2]; on ignore s'il réalisa son vœu.

[1] 1 M 8,3. — [2] Rm 15,24.28 □.

espérance, espérer

gr. *elpis, elpizô.*

1. Le substantif est ignoré des évangiles, tandis que le verbe ne se présente qu'une fois dans Mt en une citation de l'AT, une fois au sens théologique dans Lc et une fois chez Jn [1]. Par contre, les termes sont fréquents en dehors des évangiles, surtout chez Paul. Espérer, c'est attendre que se réalise ce que l'on désire (de la racine *vel-* : « vouloir »). Ce sentiment concerne un objet qu'on n'a pas encore, ce qui implique de la *constance. L'AT innove en ce que Yahweh lui-même est l'espérance d'Israël [2] et en ce que, par la *foi, l'espérance devient certitude fondée sur la *fidélité même de Dieu [3]. Avec le NT, la situation du croyant est radicalement changée, car il est tendu entre le présent *déjà là* (que constituent la justification, la filiation, l'Esprit Saint donné) et l'avenir *pas encore* (que sont le ciel, la vie éternelle, la vision face à face).

[1] Mt 12,21; Lc 6,34; 23,8; 24,21; Jn 5,45. — [2] Ps 71,5; Jr 14,18; 17,13. — [3] Is 8,17; Mi 7,7.

2. Comme attitude subjective, l'espérance n'est jamais attente anxieuse, du genre de celle qu'ont les païens [4]; elle est assurée grâce à la foi qui en est la substance [5] et lui donne fermeté face à la mort [6]. Elle est don de Dieu [7], à l'occasion du message évangélique [8], par la force de l'Esprit Saint qui constitue les *prémices de la gloire [9]. L'espérance supporte (gr. *hypomenô*) avec ténacité l'*épreuve que constitue la tension entre le déjà et le pas encore [10], au milieu des tribulations [11], au point que parfois l'espérance est dite constance (gr. *hypomonè*) [12].

[4] Ep 2,12; 1 Th 4,13. — [5] He 11,1. — [6] Rm 4,18; 8,20s.38. — [7] 2 Th 2,16. — [8] Col 1,23. — [9] Rm 8,23; 15,13. — [10] Rm 5,4; 8,25. — [11] Rm 12,12; 2 Co 1,6; 6,4; He 10,36; Ap 2,3. — [12] 1 Th 1,3; 2 Th 1,4; Tt 2,2.

3. Objectivement, l'espérance vivante [13] vise le salut [14], la résurrection [15], la vie éternelle [16], la vision de Dieu [17] et sa gloire [18]. Ce n'est donc pas un bien-être terrestre, mais l'avènement du règne de Dieu qui transformera nos corps et le monde entier [19]; c'est Dieu seul et son Fils Jésus [20].

[13] 1 P 1,3. — [14] 1 Th 5,8. — [15] Ac 23,6; 24,15; 1 Co 15,19. — [16] Tt 1,2; 3,7. — [17] 1 Jn 3,2s. — [18] Rm 5,2; 2 Co 3,12; Col 1,27. — [19] Rm 8,20s; Ph 1,20. — [20] Mt 12,21; 1 Tm 1,1.

4. L'attente (gr. *ekdekhomai, prosdekhomai*) ne dit de soi qu'un aspect de l'espérance et peut ne signifier qu'une attitude d'accueil, complétée par le mot « espérance » [21]. Parfois cependant elle peut équivaloir à l'espérance, en raison du contexte : ainsi l'attente du Messie, du royaume de Dieu, de la Consolation d'Israël, de la résurrection, de la rédemption du corps, des nouveaux cieux et de la nouvelle terre [22]. Elle peut en marquer la vive tension, semblable à celle d'un animal qui redresse la tête pour veiller devant quelque chose qui survient (gr. *apokaradokia*, de *to kara* : « la tête ») [23].

[21] Ga 5,5; Ph 1,20; Tt 2,13. — [22] Mt 11,3 (= Lc 7,19s); Mc 15,43 (= Lc 23,51); Lc 2,25.38; Ac 24,15; Rm 8,23; 2 P 3,13. — [23] Rm 8,19; Ph 1,20.

→ *Intr.* XII.2.A. — confiance — constance — foi — patience.

esprit

1. Au sens originel, le gr. *pneuma* (hb. *rûah*) désigne le souffle ou le vent [1]. Le souffle respiratoire de l'homme, témoin de sa vie, provient de Dieu et revient à Dieu lorsque l'homme expire [2]; mais Dieu peut le lui rendre, car c'est à Dieu qu'on le remet pour qu'il le recueille auprès de lui [3].

[1] Gn 3,8; Jn 3,8; 20,22; 2 Th 2,8; He 1,7. — [2] Gn 2,7; Mt 27,50; Jn 19,30; Ac 7,59; Jc 2,26. — [3] Lc 23,46; He 12,23; Ap 11,11; cf Lc 8,55.

2. Comme l'*âme, l'esprit de l'homme désigne la personne même dans son intimité la plus secrète [4] ou dans sa totalité [5]. Il se distingue de ce qui est visible, le *corps [6], et de ce qui est faible [7].

[4] Mc 2,8; 1 Co 2,11. — [5] Gn 6,17; Ph 4,23; 2 Tm 4,22; Phm 25. — [6] 1 Co 5,3; 7,34; 2 Co 7,1; Col 2,5. — [7] Mt 26,41 (= Mc 14,38).

3. L'esprit du croyant est habité par l'*Esprit de Dieu qui se joint à lui pour susciter en lui le cri de la prière filiale [8], pour l'unir au Seigneur et ne faire avec lui qu'un seul esprit [9]; ainsi est-il pleinement renouvelé [10]. D'où, fréquemment, la difficulté pour décider si le terme vise l'homme ou Dieu [11] : cela signifie que Dieu, qui est esprit [12], peut s'assimiler ceux auxquels il s'unit. Alors, réné par l'Esprit, le croyant peut offrir le *culte en esprit et *vérité [13].

[8] Rm 8,16.26. — [9] 1 Co 6,17. — [10] Ep 4,23. — [11] Rm 12,11; 2 Co 6,6. — [12] Jn 4,24. — [13] Jn 3,6; 4,24.

4. L'esprit est opposé par Paul à la *chair, comme deux puissances qui sont à l'œuvre chez l'homme [14]. L'homme spirituel (gr. *pneumatikos*) peut devenir psychique (gr. *psykhikos*) [15] et même régresser à l'état charnel [16]. Il existe des psychiques qui n'ont pas l'esprit [17]. D'autre part, le corps terrestre, ou psychique, peut lui aussi devenir spirituel [18].

[14] Rm 8,4; Ga 5,16-25. — [15] 1 Co 2,14s. — [16] 1 Co 3,1. — [17] Jc 3,15; Jude 19. — [18] 1 Co 15,44.

5. L'esprit s'oppose à la lettre, comme la puissance de vie à la force de mort [19]; le Christ fait passer de la lettre à l'esprit dans la liberté [20].

[19] 2 Co 3,6. — [20] 2 Co 3,17; Ga 5,13-18.

6. gr. *pneumata* (pluriel de *pneuma* : « vent, esprit »). Autre nom des *anges [21], bons [22], ou surtout mauvais [23] et ordinairement qualifiés d'impurs [24] : ceux qui ont été chassés des *possédés par Jésus [25] et par ses disciples [26]. Il faut lutter contre eux [27] et procéder à leur discernement, car ils sont trompeurs [28].

[21] Ac 23,8s; He 12,9. — [22] He 1,14; Ap 4,5; 5,6. — [23] Mt 12,45 (= Lc 11,26); Lc 7,21; 8,2; Ac 19,16. — [24] Mt 12,43 (= Lc 11,24); Mc 1,23; 5,2. — [25] Mt 8,16; Mc 1,26s; 3,11; 5,13; 9,25; Lc 7,21... — [26] Mt 10,1 (= Mc 6,7 = Lc 9,1); Ac 8,7; 19,12. — [27] Ep 2,2; 6,12. — [28] 1 Co 12,10; 1 Tm 4,1; 1 Jn 4,1; Ap 16,14.

→ âme — anges — chair — corps 3 — démons — Dominations — Esprit de Dieu — homme — possédé — vent.

Esprit de Dieu, Esprit Saint

1. Le NT connaît l'action de l'Esprit de Dieu dans son aspect transitoire, *charismatique, celui qui caractérise l'AT [1]. L'Esprit survient dans l'homme, le surélève et le rend capable d'actions exceptionnelles : ainsi pour le parler *prophétique [2], pour des actes remarquables [3], au point que certains sont dits remplis de l'Esprit Saint [4]. De là, la *sagesse des spirituels [5] et les charismes produits par l'Esprit [6].

[1] Cf Jg 3,10; 11,29; 14,6; 1 S 11,6. — [2] Lc 1,41.67; Ac 2,4.17; 6,10; 7,55; 11,28. — [3] Lc 2,27; 4,1.14; Ac 8,39; 21,11. — [4] Lc 2,25; Ac 6,5; 11,24. — [5] 1 Co 2,10. — [6] 1 Co 12,3-13.

2. D'autre part, le NT accomplit la prophétie de l'AT, promettant que l'Esprit reposerait de façon permanente sur le Messie [7] et serait répandu dans tous les cœurs [8], telle une création nouvelle [9]. Sur Jésus descend et repose l'Esprit [10], manifestant que Jésus était *saint de par sa conception même [11]; il a l'Esprit au-delà de toute mesure [12], et c'est son Esprit qu'il donne [13].

[7] Is 11,2; 42,1; 61,1. — [8] Ez 36,26. — [9] Ez 39,29. — [10] Mt 3,16; Mc 1,10; Lc 3,22; Jn 1,33; Ac 2,33; 10,38. — [11] Mt 1,20; Lc 1,35. — [12] Jn 3,34. — [13] Jn 16,14s; 19,30.

3. Le *baptême dans l'Esprit Saint fait participer à ce don permanent [14]. L'Esprit répand l'*amour dans les cœurs [15] et prie en nous [16], gage de notre *espérance [17]. Ainsi peut-on dire que le régime de la *Loi a cédé la place au régime de l'Esprit. Celui-ci consacre le *Temple que sont désormais les croyants [18]; par son *enseignement, le *Paraclet rappelle les paroles de Jésus [19] et assiste les disciples dans leur *témoignage [20].

[14] Ac 1,5; 2,38; 8,17-19; 10,44-47; 19,6; Rm 8,9. — [15] Rm 5,5. — [16] Rm 8,26s; Ga 4,6. — [17] 2 Co 5,5. — [18] 1 Co 3,16; 2 Co 1,22. — [19] Jn 14,26. — [20] Mt 10,20; Jn 16,4-15.

→ *Intr.* XIV.1.C. — amour → charisme — Dieu — don — Paraclet.

[esséniens]

gr. *essènoi, essaîoi*, terme dérivant probablement de l'ar. *hasîn* et signifiant « les pieux » (hb. *hasîdim*). *Secte juive mentionnée non par la Bible, mais par *Josèphe et *Philon; c'est probablement elle qui s'est implantée à Qoumrân.

→ *Intr.* XI.3. — Damas (Document de) — Qoumrân.

étang de feu

gr. *limnè tou pyros* : « lac de feu », « mare de feu ». L'une des expressions *apocalyptiques pour désigner l'*enfer, le lieu du châtiment définitif. Elle équivaut à la *guéhenne de feu. En elle pourrait se refléter la conception selon laquelle la mer Morte vit le châtiment de Sodome par le *feu et le *soufre [1].

[1] Ap 19,20; 20,10.14s □; cf Lc 17,29; Ap 21,8.

→ enfer — feu — mer.

été

gr. *theros*. Saison sèche, approximativement de la mi-avril à la mi-octobre [1].

[1] Mt 24,32 (= Mc 13,28 = Lc 21,30) □.

→ *Intr.* II.4.

éternel

1. Comme tout homme, le sémite accède à la notion d'éternité en niant d'abord les aspects de sa condition temporelle que, de par son expérience de la mort, il estime caducs. De plus, pour lui, Dieu est le Vivant qui ne meurt pas : il n'est point de mutation en lui [1]; il ne connaît ni commencement ni fin, ni devenir [2]. A la différence des Grecs, le sémite ne passe pas de cette expérience à une définition abstraite qui nie le *temps; en effet celui-ci à ses yeux n'est pas un cadre vide, il est déjà plein de réalités vécues. Aussi le Dieu éternel est celui qui maîtrise tous les temps, le roi des *siècles [3]. L'éternité se saisit non par exclusion du temps, mais par intégration du temps : c'est la plénitude de l'être, l'absolu.

[1] Jc 1,17. — [2] 1 Co 2,7; Col 1,26; He 1,12. — [3] Rm 16,26; 1 Tm 1,17; cf Is 40,28; Sg 4,2.

2. L'épithète *éternel* traduit ordinairement le gr. *aiônios* (cf. *éon) pour qualifier non seulement Dieu, mais tout ce qui participe à sa plénitude absolue : la vie [4], les temps [5], la Bonne Nouvelle [6], l'héritage [7], la gloire [8], le monde céleste [9]. C'est seulement en vertu du style antithétique des Sémites (aimer/haïr, récompense/châtiment) que les réalités inverses sont parfois qualifiées d'éternelles, pour marquer que l'option contre Dieu est non pas proprement « sans fin » (catégorie spatio-temporelle), mais absolue, « définitive » (catégorie qualitative) : ainsi tel péché [10], le feu consumant [11], la perdition [12], le châtiment [13].

[4] Mt 19,16.29; Jn 3,15s.36; 17,2s. — [5] Rm 16, 25; 2 Tm 1,9; Tt 1,2. — [6] Ap 14,6. — [7] He 9,15. — [8] 2 Co 4,17; 2 Tm 2,10. — [9] 2 Co 5,1. — [10] Mc 3,29 △. — [11] Mt 18,8; 25,41; Jude 7 △. — [12] 2 Th 1,9 △. — [13] Mt 25,46 △.

→ éon — temps.

Éthiopien

gr. *aithiops* : « au visage brûlé (cf gr. *aithô* : " brûler ") », habitant de l' « Éthiopie », royaume de la Nubie du Sud-Ouest, auj. dans le Soudan, dont la reine était appelée *Candace [1].

[1] Ac 8,27 □.

ethnarque

gr. *ethnarkhès*. En Orient, sorte de grand-duc, mais non de roi; titre accordé à des chefs « coutumiers », gouvernant des populations le plus souvent tribales. Ainsi *Archélaüs [1].

[1] 1 M 14,47; 15,1; 2 Co 11,32; cf Mt 2,22 □.

Étienne

gr. *Stephanos* : « couronne ». Chrétien de Jérusalem, sans doute d'origine *hellénistique, choisi par les *Douze pour assurer le service des « *tables » et probablement l'administration des biens de la communauté. Vigoureux controversiste, il se montre très radical contre les *traditions et les institutions juives. *Lapidé sous les yeux de *Saul, il prie comme Jésus pour ses persécuteurs et a une vision du *Fils de l'Homme [1].

[1] Ac 6,5.8 s; 7,59; 8,2; 11,19; 22,20 □.

étoffes

Le NT mentionne plusieurs sortes d'étoffes (au sens générique, gr. *rhakos*) qui peuvent être de *lin, de *laine, de *pourpre, d'*écarlate : *bandelettes, *drap, *linceul, *linge (mouchoir, serviette ou tablier), *nappe, *suaire, *voile [1].

[1] Mt 9,16 (= Mc 2,21) □.

→ *Intr.* VIII.1.B.

étoile

→ astres.

étranger

1. Le *non-juif* (gr. *allotrios*, étranger [1]) est considéré comme un païen avec lequel on ne peut frayer [2]; il est exclu du droit de cité en Israël [3], parfois même traité en ennemi du peuple [4]. Cette distinction a été abolie par le Christ [5].

[1] Dt 14,21; 15,3; 32,16; Mt 17,25s; Lc 17,18; Ac 7,6; He 11,9. — [2] Jn 10,5; Ac 10,28. — [3] Ep 2,12; 4,18. — [4] Col 1,21; He 11,34. — [5] Ep 2,13-17; Col 1,20-22; cf Ac 10,45.

2. *L'étranger de passage* (hb. *nokri*, gr. *xenos*) ne jouit d'aucun droit, sinon de celui de l'hospitalité [6].

[6] Rt 2,10; 2 S 15,19; Mt 25,35; 27,7; He 13,2.9; 3 Jn 5; cf Gn 18,1-8.

3. *L'étranger résidant*, ou encore l'immigré (hb. *gér*, gr. *par-oikos*, *par-epi-dèmos*), bénéficie d'un statut juridique qui tend à l'assimiler aux juifs [7]; par la suite, il peut devenir prosélyte, adhérant pleinement au judaïsme [8].

[7] *Intr.* VI.1.B; VI.4.B.a; VIII.2.A; Ex 22,20; 23,9; Nb 35,15; Ac 2,10; 7,6.29; 17,21. — [8] Ac 2,11; 6,5.

4. Analogiquement, du point de vue de la Terre sainte, les chrétiens d'origine païenne ne sont plus des étrangers de passage ni même des immigrés [9]; et du point de vue de cette terre périssable, tous les chrétiens doivent se considérer tels des immigrés, sans demeure permanente [10], en voyage [11], comme l'étaient les patriarches [12].

[9] Ep 2,19. — [10] 1 P 1,17. — [11] 1 P 2,11. — [12] He 11,13.

→ diaspora — exil — hospitalité — patrie — pèlerinage.

eucharistie

du gr. *eukharistia* (*eu* : « bien » et *kharizomai* : « faire plaisir, accorder une grâce ») : « action de grâces ». De l'action de grâces prononcée sur le pain et la coupe par Jésus, puis par les chrétiens, on en est venu au IIe s. à appeler « eucharistie » l'action de grâces par excellence qu'est le repas du Seigneur [1].

[1] Mt 26,26s (= Mc 14,22s); Lc 22,19 (= 1 Co 11,24).

→ action de grâces — Cène — coupe — repas du Seigneur.

eunuque

Le gr. *eunoukhos* : « gardien (gr. *ekhô*) de la couche (gr. *eunè*) » peut désigner un castrat ou, métaphoriquement, un chambellan ou un haut-fonctionnaire. Le contexte (ou d'autres sources) permet de préciser : Putiphar était marié [1], l'administrateur général du trésor de la reine *Candace était castrat [2]. Le fait d'être castré rendait impropre au culte [3], obstacle levé à la fin des temps [4]. Jésus se sert du terme pour désigner les hommes que le règne de Dieu invite à ne pas se marier [5].

[1] Gn 39,1.7. — [2] Ac 8,27.34.36.38s. — [3] Dt 23,2. — [4] Is 56,3-5; Sg 3,14. — [5] Mt 19,12 □.

Euphrate

Fleuve le plus long d'Asie (2 270 km) il prend sa source en Arménie et se jette dans le Tigre. Il constituait aux yeux des Romains une frontière naturelle que franchirait difficilement la terrible cavalerie des *Parthes et des *Mèdes. Avec le Tigre, l'un des quatre fleuves du *paradis [1].

[1] Ap 9,14; 16,12; cf Gn 2,14 □.

évangile

Du gr. *eu-aggelion* (*eu* : « bien » et *aggellô* : « annoncer ») : « bonne nouvelle », hb. *besôrâ*, surtout annonce de victoire [1]. Le terme a pris valeur religieuse au VIe/Ve s. av. J.C., à partir du IIe *Isaïe [2]. Dans le NT, il n'est utilisé que par Marc et Paul; Matthieu ne le cite qu'avec le complément déterminatif : « du Royaume » [3]. Le verbe *eu-aggelizomai* : « annoncer une bonne nouvelle », ignoré de Marc et de Matthieu [4], est fréquent chez Luc et Paul.

[1] 2 S 18,20-22. — [2] Is 40,9; 52,7; cf Ps 96,2. — [3] Mt 4,23; 9,35; 24,14; 26,13 △. — [4] Sauf Mt 11,5 △.

1. Avec Jésus, la prophétie est accomplie. Jésus annonce la Bonne Nouvelle du royaume de Dieu [5]; en « évangélisant les pauvres », il signifie que le Royaume est tout proche [6]. C'est par sa vie, sa mort, sa résurrection que le salut est obtenu, en sorte que l'Évangile, c'est Jésus en personne [7].

[5] Mt 4,23; 9,35; Mc 1,15; Lc 8,1. — [6] Mt 11,4s (= Lc 7,22); Lc 4,18. — [7] Mc 1,1; Ac 5,42; 17,3.18.

2. Paul a systématisé la notion : à la promesse (gr. *ep-aggelia*) correspond l'Évangile [8], action salvifique de Dieu par son Fils Jésus. Aussi Paul parle-t-il équivalemment d'Évangile [9], d'Évangile de Dieu [10] ou d'Évangile du Christ [11].

[8] Rm 1,2-4. — [9] Rm 1,15s; 10,16; 11,28; 1 Co 1,17... — [10] Rm 15,16; 2 Co 11,7... — [11] Rm 15,19; Ga 1,7...

3. L'Évangile doit être proclamé à toute la terre [12]. Les prédicateurs sont des « évangélistes » [13] chargés d'annoncer l'irruption du Règne [14] et surtout la victoire pascale du Christ [15] : voilà le seul véritable Évangile [16]. Leur annonce est parole efficace : de par Dieu, elle suscite la foi et procure le salut [17]. Ce n'est qu'au IIe siècle que le mot a fini par désigner la relation écrite de la vie de Jésus, un livre.

[12] Mc 16,15; Rm 9,17. — [13] Ac 21,8; Rm 10,15; Ep 4,11; 2 Tm 4,5 △. — [14] Mt 24,14. — [15] Rm 1,16. — [16] Ga 1,8s. — [17] Rm 1,16s; Ph 1,27.

4. Les livrets appelés *évangiles* constituent un *genre littéraire unique. Ils s'apparentent au genre historique en ce qu'ils rassemblent des traditions variées qui ont circulé dans l'Église durant trente ou quarante années avant d'être réunies en un livre. Toutefois ils ne peuvent être assimilés à des comptes rendus des événements passés. En effet, comme les traditions dont ils sont l'écho, ils veulent eux aussi répondre aux problèmes de telle ou telle communauté, et par là susciter ou nourrir la foi. D'où les nombreuses variantes qu'on peut reconnaître à l'intérieur des *Synoptiques, ou entre ceux-ci et Jean. Mais tous se concentrent sur la vie et l'enseignement de Jésus de Nazareth, de celui que les croyants savent vivant après sa mort. On connaît les quatre évangiles *canoniques de *Matthieu, de *Marc, de *Luc et de *Jean.

→ *Intr.* XV. — kérygme — prêcher — promesse.

Ève

hb. *hawwâ*, nom de la première *femme, dont l'étymologie populaire est rattachée au verbe « vivre » (hb. *hâyâ*) : « la Vivante, la mère des vivants ». Le NT ne retient d'elle que la séduction dont elle fut victime [1].

[1] Gn 3,20; 2 Co 11,3; 1 Tm 2,13 s □.

exaltation du Christ

1. Pour dire que Jésus Christ est Seigneur dans la gloire, vivant pour toujours après sa mort, il existe un langage primitif autre que celui de la *Résurrection : celui de l'Exaltation. Il s'inscrit dans la tradition juive selon laquelle Dieu élève celui qui a été abaissé [1] et préserve le *juste de la mort (descente aux *enfers) en l'enlevant jusqu'au ciel : *Hénok, *Élie, le *Serviteur [2]. Ce langage présuppose une théologie élaborée à partir d'une cosmologie à trois étages [3] : ciel (en haut, où siège le Très-Haut), terre (en bas, où vivent les hommes), enfers (en dessous, où se trouvent les morts).

Jésus a été élevé (gr. *hypsoô* [4]), enlevé (gr. *ana-lambanô* [5], *ep-airô* [6]), emporté (gr. *ana-pherô* [7]) au ciel. Dieu l'a fait siéger (gr. *kathizô* [8], *kathèmai* [9]) à sa *droite. Il est au-dessus (gr. *epi*, *hyper*, *hyper-anô* [10]) de tout. Il est le *Seigneur de l'univers.

[1] 1 S 2,7; Ez 21,31; Mt 23,13; Lc 1,52; 14,11; 18,14; Jc 1,9; 4,10; 1 P 5,6. — [2] 2 R 2,11; Si 48,9-12; 49,14; Is 52,13. — [3] *Intr.* V.1; Ap 5,3-13. — [4] Ac 2,33; 5,31; Ph 2,9; He 7,26. — [5] Mc 16,19; Lc 9,51; Ac 1,2(.9); 11,22; 1 Tm 3,16. — [6] Ac 1,9. — [7] Lc 24,51. — [8] Mt 25,31; Mc 16,19; Ac 2,30; Ep 1,20; 2,6; He 1,3; 8,1; 10,12; 12,2; Ap 3,21. — [9] Ps 110,1; Mt 22,44 (= Mc 12,36 = Lc 20,42); 26,64 (= Mc 14,62 = Lc 22,69); Ac 2,34; Col 3,1; He 1,13. — [10] Rm 9,5; Ep 1,21s; 4,6.10; Ph 2,9.

2. D'autres textes ne conservent pas l'image de la montée : Jésus est entré dans le ciel [11], il s'en est allé d'ici [12]. Jean a retenu le langage traditionnel, mais il s'est aussi inspiré du schème grec de la descente du ciel/remontée au ciel [13], si bien que l'élévation en croix inaugure l'exaltation au ciel dans la gloire [14].

[11] He 9,24. — [12] Ac 1,10s; 1 P 3,19.22. — [13] Jn 3,31. — [14] Jn 3,14; 8,28; 12,32.34.

3. La vie chrétienne peut être conçue en fonction de l'exaltation du Christ : ressuscité, assis dans les cieux, le croyant recherche les choses d'en haut [15], car sa cité se trouve dans les cieux [16].

[15] Ep 2,6; Col 2,3-5. — [16] Ph 3,20.

→ apparitions du Christ — Ascension — ciel.

excommunier

Le NT connaît deux des trois degrés d'excommunication précisés par les *rabbins : a) L'excommunication radicale (hb. *hérèm*) consiste à jeter l'*anathème [1] ou à livrer à *Satan [2] ; b) La mise à l'écart de la vie de la communauté (hb. *n°ziphâ*) et l'exclusion temporaire (hb. *nidduy*..) se reflètent dans les expressions suivantes : être exilé de la *synagogue (gr. *apo-synagôgos*) [3], écarter (gr. *aphorizô*) [4], retrancher du groupe (gr. *ekballô*) [5], traiter en païen [6], lier et délier [7].

[1] Rm 9,3; 1 Co 16,22; Ga 1,8s. — [2] 1 Co 5,5; 1 Tm 1,20. — [3] Jn 9,22; 12,42; 16,2. — [4] Lc 6,22. — [5] 3 Jn 10. — [6] Mt 18,17s. — [7] Mt 16,19.

→ anathème — Église — lier et délier.

[exégèse]

gr. *exègeomai* : « conduire, guider de bout en bout, exposer en détail, expliquer, interpréter ». Science de l'interprétation, cherchant à établir le sens d'un texte ou d'une œuvre littéraire. Elle utilise les méthodes classiques de lecture : les *critiques textuelle, littéraire, historique; elle doit aboutir à « dire » le texte de façon actuelle.

→ herméneutique.

exemple

gr. (*hypo*)*deigma* (de *deiknymi* : « montrer »), *typos* (de *typtô* : « frapper ») : « empreinte ».

1. L'existence chrétienne est pénétrée de la tradition léguée par les pères dans la foi, ainsi que de la solidarité dans la conduite. Anciens, prophètes [1], témoins de Dieu en foule [2], sont des modèles à suivre, tandis que d'autres sont à éviter [3]. Paul [4], les responsables [5], les communautés elles-mêmes [6], tous doivent encourager leurs descendants ou leurs contemporains à imiter (gr. *mimeomai*, d'où « mime ») leur conduite [7].

[1] Jc 5,10. — [2] He 12,1. — [3] He 4,11; 1 P 2,6; Jude 7. — [4] Ga 4,12; 2 Th 3,9; 1 Tm 1,16. — [5] 1 Tm 4,12; Tt 2,7; He 13,7; 1 P 5,3. — [6] 1 Th 1,7. — [7] 1 Co 4,16; Ph 3,17; 1 Th 2,14; 2 Th 3,7.9; He 6,12;13,7.

2. Servir d'exemple n'est pas inviter à copier de façon humaine. Il en va comme d'un jeu de miroirs : imiter Paul, c'est imiter le Christ qu'il imite [8], c'est enfin imiter Dieu le Père dont le Fils est la parfaite image [9]. Alors le commandement « Faites comme... je fais » trouve son vrai fondement [10]. Jean précise : Jésus n'est pas un simple canal laissant passer l'influx du Père, mais réalise à son tour les œuvres que le Père

lui donne pour qu'il les mène à leur *accomplissement [11]; de même, à leur tour, les hommes accomplissent les œuvres que Dieu a préparées d'avance [12].

[8] 1 Co 11,1; 1 Th 1,6. — [9] Rm 8,29; Ep 5,1; Col 1,15. — [10] Mt 5,48; Lc 6,36; Jn 13,15.34; 15,12; 1 P 1,15s. — [11] Jn 5,36; 17,4. — [12] Ep 2,10.

→ disciple — figure — image — suivre — typologie.

exil

Lieu et conditions d'existence d'un peuple déporté. A l'origine de cette représentation, se trouve l'image de la *déportation à *Babylone, que les juifs interprétèrent comme un châtiment du péché et comme une *épreuve féconde, expérience de mort et de résurrection.

Deux termes grecs visent cette image. *Par-oïkeô* : « habiter *(oïkeô)* à côté *(para)* » des gens du pays, « être *étranger résidant », « immigré ». Comme Abraham et sa postérité, comme Moïse [1], le chrétien se considère comme un immigré en exil sur cette terre [2]. L'autre mot *ekdèmeô* : « être hors de *(ek)* son peuple *(dèmos)* », n'est appliqué qu'à la condition mortelle de l'homme [3].

[1] Ac 7,6.29; 13,17; He 11,9s. — [2] 1 P 1,17; 2,11. — [3] 2 Co 5,6-9.

→ *Intr.* I.1.A. — déportation — diaspora — étranger — patrie.

exode

gr. *exodos*, signifiant « chemin de sortie », d'où « action de sortir » (Lc 9,31). Nom du deuxième livre du *Pentateuque, appelé en hb. *w⁰éllè ch⁰môt* (« Et voici les noms »).

1. Au sens propre, la sortie des Hébreux hors de l'Égypte ou, plus largement, la longue marche dans le désert qui les conduisit dans la Terre promise, vraisemblablement au XIIIe-XIIe s. av. J.C. [1].

[1] Ac 7; 13,17s; He 3,8.16s; 8,5.9; 11,22.29; 12,20.

2. A la suite d'Isaïe qui interpréta le retour de la *déportation comme un nouvel exode [2], le NT présente la *rédemption par Jésus Christ à l'aide des *figures reprises à la tradition de l'Exode : passage de la mer Rouge [3], don de la manne [4] et de l'eau vive [5], élévation du serpent dans le désert [6], constitution d'un nouveau peuple de Dieu [7] chargé du culte nouveau [8], renouvellement de l'Alliance [9], sur la montagne [10], enfin l'agneau pascal immolé [11].

[2] Is 35; 40—45. — [3] 1 Co 10,1-16; Ap 15,3; cf Ex 14—15; Sg 18—19. — [4] Jn 6,31-49; cf Ex 16. — [5] Jn 7,37s; 19,34; cf Ex 17. — [6] Jn 3,14. — [7] 1 P 2,9s;

Ap 5,9s; cf Ex 19,6; Is 43,20. — [8] 1 P 2,5; cf Ex 4,23. — [9] Ap 11,19; cf Ex 25,9. — [10] Ac 7,37s; Ga 4,24s; He 8,5; 12,20; cf Ex 24. — [11] Jn 1,29; 19,36; 1 Co 5,7; 1 P 1,18s; Ap 5,9; cf Ex 12,5.

→ désert — manne.

exorciser

1. Trois verbes grecs désignent l'action par laquelle un démon est expulsé d'un possédé, au nom de la divinité ou en vertu de serments et de formules plus ou moins magiques : « adjurer, conjurer (gr. *horkizô*, *ex-*, *en-*) le démon de sortir ». Leur emploi est rare dans le NT, qui place ce mot seulement dans la bouche même du démon que Jésus exorcise [1] ou dans celle d'exorcistes juifs [2], ou enfin au sens métaphorique [3]. Chasser, expulser (gr. *ek-ballô*). Sortir (gr. *ex-erkhomai*).

[1] Mc 5,7. — [2] Ac 19,13. — [3] Mt 26,63; 1 Th 5,27.

2. Les juifs connaissaient ces pratiques [4]. Tout en se montrant exorciste [5], Jésus se contente d'ordinaire de commander sans prononcer de serment [6] et ses disciples le font au nom de l'autorité à eux donnée [7]. L'expulsion des démons signifie que le *règne de Dieu triomphe de Satan [8], si du moins elle est opérée par des *justes [9].

[4] Mt 12,27; Mc 9,38s (= Lc 9,49s); Ac 19,13-19. — [5] Mc 7,33s; 8,23-25. — [6] Mc 1,25 (= Lc 4,35); 5,8 (= Lc 8,29); 9,25 (= Lc 9,42). — [7] Mt 10,1.8 (= Mc 3,15; 6,7 = Lc 9,1); 17,19; Mc 16,17; Ac 5,16; 8,7. — [8] Mt 12,24-28 (= Mc 3,22-27 = Lc 11,14-20); Lc 13,32. — [9] Mt 7,22; Lc 10,20.

→ démons — esprit — magie — possédé — Satan.

[Expiations (fête des)]

1. Bien que le NT ne signale pas cette fête juive, l'idée d'*expier qui lui est sous-jacente y est constamment présente, non sous son aspect essentiel de jeûne (on appelait encore cette fête : « Le Jeûne »), mais sous celui du rôle rédempteur du Christ Grand Prêtre.

2. Le Jour de l'Expiation *(Yom Kippour)*, célébré à l'équinoxe de septembre, était un jour de *pénitence solennelle institué par Dieu [1] pour l'expiation de toutes les fautes et souillures de l'année non encore pardonnées. Le *Grand Prêtre lui-même devait en assurer les fonctions liturgiques et pour cela il entrait dans le *Saint des Saints [2]. Le premier rite était le **sacrifice d'expiation* : le Grand Prêtre immolait un taureau pour ses péchés et ceux de sa famille, puis un bouc pour les péchés de tout Israël. Ensuite, avec le *sang des animaux sacrifiés, il aspergeait le peuple, l'*autel des holocaustes, le *Saint et le Saint des Saints. La seconde cérémonie était celle du *bouc émissaire : le Grand Prêtre étendait les *mains sur la tête d'un autre bouc, le chargeant de tous les péchés de la communauté et l'on amenait l'animal au désert pour qu'il « emporte sur lui dans une terre inhabitée toutes les iniquités de la nation » [3].

[1] Lv 16,29s. — [2] He 9,3.25; 13,11. — [3] Lv 16,22.

3. Jésus Christ, le Grand Prêtre définitif, a obtenu par son *intercession [4] le grand *pardon de Dieu : désormais l'homme est agréable à Dieu, ce qui est la fin et le sens du *Yom Kippour*.

[4] He 5,7; 7,25; 9,24.

→ *Intr*. XIII.3.B; XIV.B. — expier — fête — jeûne — pardonner — péché — propitiatoire.

expier

Du lat. *expiare* : « purifier en effaçant la faute qui sépare des dieux », « rendre agréable » aux dieux une personne, un objet, un lieu. Gr. *hilasmos* : « expiation », dérivant de *hilaskomai* : « se montrer favorable, se concilier » [1], *hileôs* : « propice [2], bienveillant ». Hb. *kippèr* : « couvrir, pardonner ». Alors que la religion grecque voyait dans le rite de purification la réparation qui rendait les dieux favorables, l'AT centrait l'attention sur Yahweh qui, à travers l'acte cultuel du *Grand Prêtre, agit seul et pardonne les péchés [3]. Expier les péchés, ce n'est pas — en dépit de l'évolution de la langue française — subir un châtiment, fût-il accepté comme proportionné à la faute; c'est, par une foi agissante, se laisser *réconcilier par Dieu. Avec Jésus Christ, qui par son *sang a fait l'expiation pour nos péchés [4], l'activité cultuelle trouve son sens : c'est Jésus Christ le seul *intercesseur (gr. *hilasmos*) par qui Dieu devient propice et l'homme agréable à Dieu [5].

[1] Lc 18,13; He 2,17 △. — [2] Mt 16,22; He 8,12. △. — [3] Ex 29,36s; Lv 1,4; 4,20.26. — [4] He 2,17. — [5] 1 Jn 2,2; 4,10 △.

→ Expiations (fête des) — pardonner — péché — propitiatoire — réconcilier.

F

face

gr. *prosôpon* (dérivé de *ôps* : « vue ») : « devant la vue ».

1. Le visage doit refléter les sentiments du *cœur [1], sinon l'homme risque d'être partial en jugeant d'après l'*apparence des personnes [2], ce que ni Dieu ni Jésus ne font jamais [3].

[1] Pr 27,19; Si 13,25; Mt 6,16s. — [2] Col 3,25; Jc 2,1-9; Jude 16. — [3] 1 S 16,7; Si 35,22; Jr 11,20; Mt 22,16 (= Mc 12,14 = Lc 20,21); Ac 10,34; Rm 2,11; Ga 2,6; Ep 6,9; 1 P 1,17.

2. La face de Dieu, contemplée par les *anges [4], mais que nul homme n'a jamais *vue [5], c'est Dieu même se tournant vers l'homme [6]. Elle a été actualisée en ce monde par Jésus, en qui le Père peut être vu [7]; anticipée dans la glorieuse *transfiguration de Jésus [8], mais bafouée, voilée, défigurée ici-bas [9].

[4] Mt 18,10. — [5] Ex 33,18-23; Is 6,5; Jn 1,18; 5,37. — [6] Ps 4,7; 80,4; 104,29; Is 54,8; Ac 2,28; 1 P 3,12; cf Nb 6,25; Ps 22,25. — [7] Jn 14,9. — [8] Mt 17,2 (= Lc 9,29). — [9] Mc 14,65.

3. Le croyant, au visage découvert, réfléchit la *gloire de Dieu qui est sur la face du Christ [10], en attendant de voir Dieu directement face à face [11].

[10] 2 Co 3,18; 4,6. — [11] 1 Co 13,12; Ap 22,3s; cf Mt 5,8; He 9,24; 12,14; 1 Jn 3,2.

→ gloire — voir.

faîte du Temple

Mt 4,5 = Lc 4,9 □.

→ pinacle.

fécondité

Le NT n'a pas de mot propre pour la fécondité, sinon « fruit du sein »
et « fruit du *rein » [1]; au sens figuré, c'est la capacité de « porter
du fruit ».

[1] Lc 1,42 △; Ac 2,30 △.

→ fruit.

Félix

Nom latin signifiant : « fécond, heureux » (apparenté à *fecundus*).
Frère de Pallas (favori de *Claude), *affranchi de l'impératrice Antonia,
époux (non circoncis) de *Drusille (fille d'Agrippa I), *procurateur
de Judée de 52 à 59-60. Contrairement à ce que dit Tertullus en Ac
24,2s, Félix réprima avec grande cruauté le mouvement *zélote qui
se développa sous son mandat. En dépit de la pratique juridique qui
l'aurait autorisé à libérer Paul, il le maintint en prison pour faire
plaisir aux juifs et pour obtenir de lui quelque argent [1].

[1] Ac 23,24—24,27; 25,14 □.

femme

gr. *gynè* : « femme, épouse ».

1. Sur la situation de la femme en Israël,

→ *Intr.* VI.1.A.b; VIII.2.A; VIII.2.B.c-e; XIII.2.B.a.

2. Jésus tranche sur son époque par la liberté de son attitude à l'égard
des femmes. Il ne craint pas leur fréquentation en public [1] et leur rend
la santé [2]. Il se laisse suivre par elles [3], il confie une mission à Marie de
Magdala [4], il propose même les femmes en exemple [5] ou admire leur
foi [6], mais il les sait aussi exposées à l'*adultère [7]. Les *Pastorales leur
rappellent certains mauvais penchants [8], tandis que Paul, au contact
des païens, stigmatisait les rapports homosexuels [9].

[1] Mt 26,7 (= Mc 14,3); Lc 7,37-50; 10,38s; Jn 4,27; 8,3-11. — [2] Mt 8,14
(= Mc 1,30s = Lc 4,38s); 9,20 (= Mc 5,25 = Lc 8,43); 15,22 (= Mc 7,25);
Lc 8,2; 13,11. — [3] Lc 8,1-3; 23,55. — [4] Jn 20,17. — [5] Mt 13,33; 25,1-13;
Lc 15,8. — [6] Mt 15,28; cf Lc 1,28. — [7] Mc 10,12. — [8] 1 Tm 4,7; 5,3-16;
Tt 2,3; 1 P 3,1-6. — [9] Rm 1,26.

3. La communauté primitive a mis en relief le rôle tenu par les femmes
dans les scènes de la crucifixion [10], de l'ensevelissement [11] et du tombeau trouvé vide [12], puis, surtout en monde grec, dans la vie de la
communauté [13] (notamment par les *veuves [14] ou les diaconesses [15]).

S'il n'y a donc aucun mépris à son égard, il reste que la femme n'est pas affranchie de la dépendance à l'égard du père [16] ou du mari [17], ni du second rang qu'elle occupe dans l'enseignement officiel de l'Église [18], ce qui peut relever du contexte social de l'époque. D'autre part, dans la situation nouvelle déterminée par Jésus, la distinction des sexes est surmontée [19] et la femme devient l'égale de l'homme [20]. De plus, sa valeur n'est plus liée à la fécondité charnelle, comme dans la première création et selon la tradition permanente de l'AT [21] : de par l'appel du Christ, elle peut être invitée à demeurer *vierge [22]. Toutefois, c'est toujours dans une communauté, conjugale ou ecclésiale, que la femme doit jouer son rôle.

[10] Mt 27,55 (= Mc 15,40 = Lc 23,49 = Jn 19,25). — [11] Mt 27,61 (= Mc 15,47 = Lc 23,55). — [12] Mt 28,1-8 (= Mc 16,1-8 = Lc 24,1-10). — [13] Ac 1,14; 5,14; 9,36.41; 12,12; 16,14s; 18,26; 1 Tm 3,11; 5,1s; Tt 2,3; 1 P 3,1. — [14] 1 Tm 5,3.9. — [15] Rm 16,1. — [16] 1 Co 7,36-38. — [17] 1 Co 11,3.7; Ep 5,22s; Col 3,18; Tt 2,5; 1 P 3,1. — [18] 1 Co 14,35s; 1 Tm 2,11s. — [19] Ga 3,28. — [20] 1 Co 7,2-5. — [21] cf Gn 3,20. — [22] 1 Co 7,8.25-40.

4. L'Apocalypse, en continuité avec l'AT, redoute la femme telle *Jézabel, la Grande Prostituée, image de l'*idolâtrie [23]. Mais surtout elle exalte comme *figure de l'Église la Femme par excellence [24], qu'une interprétation fréquente identifie avec *Marie, la croyante [25].

[23] 1 R 11,1-8; Si 47,19; Ap 2,20; 17. — [24] Ap 12; 19,7s; 21,2.9. — [25] cf Lc 1,45.

→ *Intr.* VIII.2.B. — homme — mère — stérilité — veuve — vierge.

fenouil

gr. *anèthon* (d'où « anis »), lat. *feniculum* : « petit foin ». Une des épices, avec la menthe et le cumin, dont les *pharisiens s'astreignaient à payer la *dîme, bien que la Loi ne la mentionne pas [1].

[1] Mt 23,23; Lc 11,42 □.

Festus

Nom latin signifiant : « festif, gai, joyeux, divertissant ». Porcius F. Festus, nommé en 60 par Néron *procurateur de Judée, déféra à César (c'est-à-dire à Rome) Paul que *Félix avait maintenu prisonnier [1]. Il mourut subitement en 62.

[1] Ac 24,27—26,32 □.

fête

1. Du lat. *festus* : « gai, réjouissant »; gr. *heortè*. Le terme est ordinairement précisé par un nom propre : Azymes, Pâque [1], Tentes [2],
ou par le contexte [3]. Employé absolument, il signifie la Pâque juive [4].
Au pluriel, il a un sens général [5]. On trouve aussi une fois le mot
panègyris (de *pas* : « tout » et *ageirô* : « rassembler », *agora* : « assemblée ») : « rassemblement, réunion de fête » [6].

[1] Lc 2,41; 22,1; Jn 2,23; 6,4; 13,1. — [2] Jn 7,2; cf 5,1. — [3] Mt 26,5 (= Mc 14,2);
27,15 (= Mc 15,6 = Lc 23,17); Lc 2,42; Jn 7,8.10s.14.37; 13,29. — [4] Jn 4,45;
11,56; 12,12.20; 1 Co 5,8.*— [5] Col 2,16 △. — [6] He 12,22 △.

2. Réjouissance de caractère cultuel et communautaire, vécue par le
peuple entier et liée à des événements de la nature (cycle lunaire et
solaire), du travail (semailles, moisson, saisons, récolte) et de l'histoire
(exode d'Égypte, consécration du Temple). Action de grâces et jubilation devant le Dieu créateur et sauveur caractérisent les fêtes juives,
l'une d'entre elles étant réservée à la demande de pardon et à la réconciliation avec Dieu [7].

[7] *Intr.* XIII.3.

3. Le sens de la fête ne se limite pas au souvenir du passé; il est aussi
exigence de fidélité à Dieu dans le présent, et surtout actualisation de
l'espérance en l'achèvement du salut.

4. Jésus a accompli son sacrifice dans le cadre de la Pâque (libération
de l'esclavage en Égypte) [8], a annoncé le don de l'Esprit lors de la
fête des Tentes [9], don qui est accordé à la Pentecôte [10]. Dans la lignée
des prophètes, Jésus a fortement rappelé que le culte ne vaut rien sans
la pratique de la justice [11].

[8] Jn 19,36. — [9] Jn 7,37s; Ap 7,9. — [10] Ac 2,33. — [11] Is 1,13; Os 2,11-13;
Am 5,21-24; Mt 12,1-8 (= Mc 2,23-28 = Lc 6,1-5).

5. Avec Jésus les formes anciennes du *culte sont périmées, car les
croyants ne sont plus asservis au cycle naturel [12] et les événements
jadis célébrés n'étaient que *figure de la réalité qu'est l'Alliance dans
la Pâque du Christ [13]. Aussi la célébration du mystère pascal est-elle
la fête chrétienne par excellence, dont chaque dimanche rayonne la
présence.

[12] Ga 4,10; Col 2,16. — [13] 1 Co 5,7s; 10,11.

→ *Intr.* XIII.3. — azymes — culte — Dédicace — dimanche — Expiations — joie — Pâque — pèlerinage — Pentecôte — sabbat —
Tentes.

feu

gr. *pyr* (cf *pyroô, kaiô* : « brûler » ; *phlogizô* : « enflammer » ; *haptô* : « allumer ») : « feu, four, fournaise, feu de braise, fumée, vapeur ».

1. L'un des quatre *éléments qui, selon les anciens, sont constitutifs de tous les corps, avec la terre, l'eau et l'air. L'un des symboles disant un aspect de la divinité [1] et des êtres célestes [2] ou glorifiés [3], souvent associé à des symboles contraires comme l'*eau ou le *vent [4].

[1] Gn 15,17 ; Ex 3,2-6 ; 13,21 ; 19,18 ; 24,17 ; Dt 4,24 ; Jg 13,20 ; He 12,29. — [2] Ap 10,1. — [3] Dn 10,6 ; Ap 1,14 ; 2,18. — [4] 1 R 18,38 ; 19,12.

2. Le feu *eschatologique est avant tout purificateur [5] ; celui de la *guéhenne et de l'*étang de feu [6] doit tout dévorer [7]. Toutefois, anticipé dans le temps actuel, ce feu est *théophanie [8].

[5] Gn 19,24 ; Ex 9,24 ; Is 66,15 ; Am 1,4.7 ; Ml 3,19 ; Mt 3,10-12 ; 7,19 ; 13,42.50 ; 1 Co 3,15 ; 1 P 1,7 ; 4,12-17. — [6] Mt 5,22 ; Ap 20,10.14s. — [7] Dt 9,3 ; Is 33,14 ; He 10,27 ; 12,29 ; Jc 5,3. — [8] Dn 7,10 ; Ac 7,30 ; Ap 1,14 ; 15,2 ; 19,12.

3. Avec Jésus, le feu est présent, non sous la forme de la *vengeance [9], mais sous celle du *baptême dans l'Esprit et le feu [10]. A la *Pentecôte, le feu est celui de l'*Esprit qui se fait entendre de toutes les nations [11]. Dieu enfin consume l'*holocauste de nos vies en un *culte qui lui est agréable et en un rayonnement inaltérable [12].

[9] Lc 9,54s. — [10] Lc 3,16 ; 12,49s. — [11] Ac 2,3. — [12] He 12,28.

→ enfer — étang de feu — guéhenne — sel — soufre.

fiancés

Tenus par une promesse, les fiancés étaient considérés comme des *époux.

→ *Intr.* VIII.2.B.a.

fidèle, fidélité

Le grec du NT ne distingue pas entre foi et fidélité *(pistis)*, entre croyant et fidèle *(pistos)*. En effet ce terme traduit l'unique mot hb. *emûnâ* qui dérive du mot *vérité *(emèt)*. La charge du mot en est précisée : la *foi ne signifie pas seulement la connaissance et l'affirmation de quelque vérité, mais aussi et surtout l'engagement confiant envers une personne, Dieu ou l'homme, qui est la « vérité » cherchée et qui est reconnue dans un dialogue. De là un aspect de durée qui caractérise la vérité au sens hébraïque du terme. La langue française permet donc de nuancer les données littéraires. Est fidèle celui qui, à l'épreuve du temps, tient ferme dans la foi [1] et qui, par là, exprime la fidélité de Dieu à ses promesses [2] et, selon certains, la fidélité de Jésus Christ à Dieu même [3].

[1] Mt 24,45; 25,21 (= Lc 19,17); Lc 12,42.46; 16,10-12; Rm 3,3; 1 Co 4,2.17; Col 1,7; 4,7.9; 1 Tm 1,12; 3,11; 2 Tm 2,2.13; Tt 2,10; He 3,5; 1 P 5,12; 3 Jn 5; Ap 2,10.13; 17,14; 21,8. — [2] Rm 3,3; 1 Co 1,9; 10,13; 2 Co 1,18; 1 Th 5,24; 2 Th 3,3; 2 Tm 2,13; He 10,23; 11,11; 1 P 4,19; 1 Jn 1,9. — [3] He 2,17; 3,2; Ap 1,5; 3,14; 19,11.

→ confiance — foi — vérité.

fierté

Ce mot traduit deux termes grecs de sens divers, parfois assemblés [1]. La *parrèsia* (de *pan* : « tout » et *rhèma* : « parole ») : « *liberté de tout dire* », d'où « ouverture, franchise, courage, assurance », décrit une attitude de noblesse qui s'origine dans la conscience de l'*élection [2] et qui caractérise la conduite du chrétien, comme déjà celle de Jésus [3]; elle s'exprime par le port droit, la tête haute, surtout par le verbe clair et un comportement assuré [4]. La *kaukhèsis*, qui peut aussi désigner la vantardise [5], ne doit pas être uniformément traduite par « orgueil » : c'est essentiellement l'assurance, la confiance, le fait de se glorifier en quelqu'un ou quelque chose, pour exister face à soi-même, à autrui, à Dieu [6]. Il en va de même pour *kaukhèma* : « sujet de fierté ».

[1] He 3,6. — [2] Lv 26,13. — [3] Mc 8,32; Jn 7,26; 10,24; 11,14; 16,25.29; 18,20; Ac 2,29; 4,13.29.31; 9,27s; 13,46; 18,26; 19,8; 28,31; Ep 6,19s; 1 Th 2,2; cf 2 Co 4,13. — [4] Ac 14,3; 2 Co 3,12; 7,14; Ep 3,12; Ph 1,20; 1 Tm 3,13; Phm 8; He 4,16; 10,19-35; 1 Jn 2,28; 3,21; 4,17; 5,14. — [5] Rm 3,27; 4,2; 11,18; 1 Co 1,29; 5,6; 2 Co 12,1; Ga 6,13; Jc 4,16. — [6] Rm 2,17.23; 5,2.3.11; 15,17; 1 Co 3,21; 9,15.16; 15,31; 2 Co 1,12-14; 5,12; 7,4.14; 8,24; 9,2.3; 12,1-9; Ga 6,4.14; Ph 1,26; 2,16; 3,3; 1 Th 2,19; 2 Th 1,4; Jc 1,9.

→ confiance — gloire — liberté — orgueil.

fièvre

gr. *pyretos*. Pour les anciens, la fièvre n'est pas un symptôme mais une maladie. Le mot, dérivé de *pyr* : « feu », signifie « l'ardeur du feu »; c'est, pour les rabbins, le « feu des os ». La fièvre, qui désigne un mal parfois mortel, est l'un des châtiments que Yahweh réserve à son peuple infidèle [1]. Comme aux autres maladies, on attribue volontiers à la fièvre une origine *démoniaque [2], que seuls peuvent vaincre la prière et un miracle [3].

[1] Lv 26,16. — [2] comp. Lc 4,39 et Mt 8,15 (= Mc 1,31). — [3] Jn 4,52; Ac 28,8 □.

→ guérir — maladie.

figuier

gr. *sykè* : *ficus carica*. Très répandu en Palestine, où son ombre est appréciée, le figuier prospère même en terrain pierreux si l'humidité est suffisante. Après la récolte de plein été, il reste chargé de petites figues vertes qui n'ont pu achever de mûrir, mais qui fournissent la primeur des fruits dès le mois de juin suivant. Souvent évoqué avec ses fruits [1].

[1] Is 28,4; Jr 8,13; Os 9,10; Mt 7,16 (= Lc 6,44); 21,19-21 (= Mc 11,13.20s); 24,32 (= Mc 13,28 = Lc 21,29); Lc 13,6s; Jn 1,48.50; Jc 3,12; Ap 6,13 □.

→ *Intr.* II.5; VII.1.A.

figure

du lat. *figura*, traduisant le gr. *typos*. Ce mot peut aussi signifier « empreinte » [1], « image d'idoles » [2], « règle de doctrine » [3]. Il ne doit pas être confondu avec le gr. *skhèma* qui se traduit « *structure » (1 Co 7,31) ou « aspect » (Ph 2,7). Ici il est pris dans un sens particulier qui connaît deux orientations.

[1] Jn 20,25; 2 Co 3,7. — [2] Ac 7,43. — [3] Rm 6,17.

1. Il permet d'abord de dire la correspondance qui unit le NT à l'AT, en raison d'une certaine conception du *dessein de Dieu qui fait de l'AT l'annonce « figurative » du NT, son *accomplissement. Le croyant, situé à la *fin des temps, saisit ce qui, dans l'histoire passée, était « figure ». Ainsi *Adam est une figure de l'Adam qui devait venir [4]; les événements de l'*Exode sont advenus en figure pour nous que la fin des temps a rejoints [5]; le *baptême est un « antitype » du déluge [6]; la foi d'*Abraham nous vise également [7].

[4] Rm 5,14. — [5] 1 Co 10,6.11. — [6] 1 P 3,21. — [7] Rm 4,24.

2. Selon une autre orientation, apparentée à l'exemplarisme platonicien, les événements que nous vivons aujourd'hui ont un « modèle » dans les cieux, de toute éternité [8]. Ainsi, dans l'Épître aux Hébreux, le sanctuaire de jadis n'est qu'une image de la réalité [9], Isaac au bûcher est un *symbole (gr. *parabolè*) du Christ mort et ressuscité [10], le repos de la Terre promise préfigure le repos du ciel [11]. A partir de ces quelques cas explicites, le lecteur peut se risquer à découvrir des correspondances implicites : ainsi les Douze Apôtres et les Douze tribus d'Israël, la Cène de Jésus et le sacrifice pascal, l'eucharistie et la manne du désert.

[8] Ex 25,40; 1 Ch 28,11; Sg 9,8. — [9] He 9,24. — [10] He 11,19. — [11] He 4,9-11.

→ exemple — forme — parabole — temps — typologie.

fils

→ adoption — enfant.

fils de David

Titre messianique rappelant la fidélité de Dieu aux promesses qu'il fit au roi *David [1]. Par ce titre, les contemporains acclament Jésus de Nazareth, qui ne proteste pas comme il le fait contre le titre de « Messie » [2], et l'Église *confesse sa foi en Jésus Christ [3]; elle dit ainsi l'enracinement de Jésus en Israël [4] tout en proclamant qu'il est le Seigneur de David [5].

[1] 2 S 7,12-16; Ps 2,7; 110,1s; Is 9,5s; 11,1.10; 55,3; Lc 1,32; cf Ap 21,7. — [2] Mt 9,27; 12,23; 15,22; 20,30s (= Mc 10,47s = Lc 18,38s); 21,9 (= *Mc 11,10); 21,15. — [3] Rm 1,3; 2 Tm 2,8. — [4] Mt 1,1; Lc 3,31; Jn 7,42. — [5] Mt 22,42-45 (= Mc 12,35-37 = Lc 20,41-44); Ac 2,25; 13,36; Ap 3,7; 5,5; 22,16 □.

fils de Dieu

1. Appellation commune en Orient pour désigner l'*adoption d'un homme par le dieu. Dans l'AT, l'expression est appliquée aux anges [1], au peuple élu [2], au *roi, et à travers lui au *messie [3], aux Israélites fidèles [4]; dans le NT, à tous les hommes [5]. Elle signifie qu'une relation spéciale unit ces êtres à Dieu. Il n'est pas impossible qu'à *Qoumrân les *esséniens aient utilisé l'appellation comme titre pour désigner le *Grand Prêtre messianique attendu; mais on ne peut généraliser et prouver que, au temps de Jésus, ce fût là un titre *messianique.

[1] Jb 1,6. — [2] Ex 4,22s; Jr 31,9. — [3] 2 S 7,14; Ps 2,7; 89,27s; 110,3. — [4] Dt 14,1; Os 2,1. — [5] Mt 5,9.45 (= Lc 6,35); 7,11 (= Lc 11,13).

2. Dans le NT, l'expression offre une gamme de sens fort variés : être au pouvoir surhumain, ayant faveur spéciale de Dieu [6], Messie [7], et même une filiation divine proprement dite [8]. Ces sens différents peuvent parfois être entendus à divers niveaux de lecture [9].

[6] Mt 4,3 (= Lc 4,3); 8,29 (= Mc 5,7 = Lc 8,28); 14,33; 27,54 (= Mc 15,39). — [7] Mt 26,63 (= Mc 14,61); Lc 4,41; Ac 9,20.22. — [8] comp. Lc 1,32 et 1,35; 22,67 et 22,70; Jn 10,24 et 10,36. — [9] Mt 16,16; Lc 1,35.

3. Jésus n'a pas lui-même utilisé l'expression, mais il se présente volontiers comme « le Fils » par excellence [10], car Dieu est son *abba (Père) à titre particulier [11], et lui communique tout [12]. D'où les proclamations célestes dans les évangiles : « Tu es mon Fils » [13]. Avec la communauté primitive, Paul proclame volontiers que Jésus est le

Fils de Dieu [14]. Jean explicite les relations intimes de Jésus avec son Père [15].

[10] Mt 11,27 (= Lc 10,22); 21,37 (= Mc 12,6 = Lc 20,13); 24,36 (= Mc 13,32). — [11] Mc 14,36. — [12] Mt 11,25-27 (= Lc 10,21s). — [13] Mt 3,17 (= Mc 1,11 = Lc 3,22); 17,5 (= Mc 9,7 = Lc 9,35). — [14] Rm 1,3s; 5,10; 8,29... — [15] Jn 5,19-30; 10,29.36-38.

4. Par l'Esprit Saint, les croyants sont dès à présent, dans le Fils unique, fils (gr. *hyioi*) adoptifs de Dieu [16], *enfants (gr. *tekna*, au sens d'engendrement) de Dieu [17], participants de la nature divine [18].

[16] Rm 8,14s.19.23; Ga 3,26; 4,5-7; Ep 1,5; He 2,10; 12,5-8; Ap 21,7. — [17] Jn 1,12; Rm 8,16s.21; 9,8; Ph 2,15; 1 Jn 3,1s.10; 5,2. — [18] 2 P 1,4.

→ adoption — enfant — Messie.

Fils de l'homme

L'étude de cette expression est l'une des plus difficiles du NT et les opinions exégétiques divergent fort. Les lignes qui suivent proposent un point de vue.

1. *A l'origine de l'expression* se trouvent deux traditions. L'une se rattache à Ézéchiel, qui établit une équivalence entre l'hb. *bèn-âdâm* (ar. *bar-nâchâ*) : « fils d'homme » et le pronom personnel [1]. L'autre tradition est de type apocalyptique et est représentée au mieux par *Daniel [2]. Selon lui, « une sorte de fils d'homme », représentant le « peuple des saints du Très-Haut », monte de la terre *avec* les nuées du ciel et s'avance vers le trône de l'Ancien des Jours pour y recevoir l'investiture. Reprenant probablement la tournure d'Ézéchiel, Daniel célèbre la future exaltation du peuple juif idéal. Cette conception semble avoir influencé le langage des apocalypses juives tardives, comme le IVe *Esdras ou les Paraboles d'*Hénok ; mais ici interfèrent d'autres facteurs, tels que l'attente d'un sauveur qui viendrait du ciel. De toute manière, les conceptions analogues que l'on peut trouver dans des textes gnostiques (mandéens, manichéens, iraniens) ne peuvent être placées à la source de la tradition juive, car elles sont toutes postchrétiennes.

[1] Ps 8,5; 80,18; Ez 2,1; He 2,6. — [2] Dn 7,13; Ap 1,13; 14,14.

2. *Dans le contexte daniélique*, l'expression « le Fils de l'homme » (gr. *ho hyios tou anthrôpou*) se retrouve dans l'*apocalypse synoptique et dans la scène de la comparution devant le *sanhédrin [3]. De fortes nuances invitent à considérer l'évolution qui s'est faite à partir de Daniel. D'abord il convient de ne pas négliger le fait que le NT ajoute, à l'expression « comme un fils d'homme », deux articles :

c'est « *le* fils de *l*'homme ». Ce n'est plus une collectivité qui ressemble à un homme, mais un individu qui personnifie le peuple.

Une autre différence s'aperçoit dans la diversité des *recensions des passages considérés. Les uns [4] suivent de près le texte de Daniel : le Fils de l'homme vient *avec* les nuées du ciel, il va être exalté, ou il siège à la droite de la puissance de Dieu. La même image d'exaltation est perceptible dans certains textes de Jean [5]. Selon d'autres [6], sans doute sous l'influence de la foi en la résurrection de Jésus et de l'attente de la venue du sauveur céleste, le Fils de l'homme vient *sur* (ou *dans*) les nuées et descend pour exercer le jugement. Alors le Fils de l'homme a des attributions qui dépassent celles du Messie, fils de David : il provient du monde divin, transcendant. A cette conception se rattachent d'autres textes johanniques selon lesquels le Fils de l'homme « est au ciel » et en descend [7].

[3] Mt 24,30 (= Mc 13,26 = Lc 21,27); 26,64 (= Mc 14,62 = Lc 22,69). — [4] Mc 14,62; Lc 22,69. — [5] Jn 1,51; 8,28; Ac 7,56. — [6] Mt 24,30 (= Mc 13,26 = Lc 21,27); 26,64. — [7] Jn 3,13s; 6,62.

3. *Isolée du contexte daniélique*, l'expression « le Fils de l'homme » peut correspondre au pronom personnel, comme dans la ligne d'Ézéchiel [8]. Elle a encore ceci de particulier qu'elle ne vaut strictement que durant la vie terrestre de Jésus et pour son retour à la fin des temps. Aussi désigne-t-elle moins ce qu'est Jésus que ce qu'il fait dans l'humilité de la condition humaine [9] ou ce qu'il doit faire, à savoir le jugement des hommes [10]. A la différence de l'usage apocalyptique, Jésus exerce cette fonction dès cette terre [11] et elle est placée dans la perspective de la souffrance surmontée [12].

[8] comp. Mt 5,11 et Lc 6,22; Mt 16,13.21 et Mc 8,27.31; Mt 10,32s et Lc 12,8s. — [9] Mt 8,20 (= Lc 9,58); 11,19 (= Lc 7,34). — [10] Mt 16,27; 25,31; Lc 12,8s. — [11] Mt 9,6 (= Mc 2,10 = Lc 5,24); 12,8 (= Mc 2,28 = Lc 6,5). — [12] Mt 17,22s; 20,18; Mc 8,31; 10,33.45; Lc 9,22.44.

4. *Jésus et le Fils de l'homme*. Deux faits littéraires s'imposent. Le titre ne vient que dans les évangiles et en Ac 7,56. Jésus en parle à la troisième personne, comme s'il s'agissait d'un autre que lui. D'où la question : peut-on attribuer l'expression à Jésus en personne? La réponse doit être nuancée. En certains cas, il semble bien que ce soit la communauté primitive qui a modifié un « je » original en une tournure qui désignait bien la fonction de juge [12]. En d'autres cas, enlever à Jésus la paternité de l'expression, ce serait compliquer notablement la situation littéraire, puisque « le Fils de l'homme » ne se trouve que dans les évangiles (sauf Ac 7,56). D'autre part, Jésus en a parlé à la troisième personne, comme il le fait d'ordinaire, ne se souciant pas de se définir comme Messie (sinon au moment de sa mort) [14].

Il resterait à expliquer comment Jésus a pu utiliser l'expression; on dit volontiers que, si ce n'était pas un « titre » courant à l'époque, c'était cependant un personnage apocalyptique assez mystérieux pour que Jésus suggère ainsi, sans le dévoiler nettement, l'aspect glorieux de son existence.

[13] cf note 8. — [14] Mc 14,62 (mais cf Mt 26,64).

→ *Intr*. XII.2.C.

fin du monde

gr. *synteleia tou aiônos*, de *telos* : « fin », auquel s'ajoute l'idée d'accomplissement, de récapitulation (gr. *syn*).

1. Le *monde présent, celui que nous connaissons, doit prendre fin [1], c'est-à-dire qu'il sera soumis au *jugement [2], qu'il sera renouvelé [3], qu'il cédera la place au « monde à venir » [4]. Aucune date n'est assignée à cette fin [5], sinon la venue de Jésus, sa *parousie : ce sera le *Jour du Seigneur, « la fin » (gr. *to telos*) [6]. La fin du monde signifie une rupture, mais non pas que les valeurs de ce monde disparaîtront toutes : seule « elle passe, la structure de ce monde » pécheur [7].

[1] Mt 13,39s.49; 24,3; 28,20. — [2] Jn 3,17; 12,31; Rm 3,6; 1 Co 6,2. — [3] Ac 3,21. — [4] Ep 1,21. — [5] Mc 13,33. — [6] Mt 10,22 (= Mt 24,13 = Mc 13,13); 24,6 (= Mc 13,7 = Lc 21,9); 1 Co 1,8; 15,24; He 3,14; 1 P 4,7; Ap 2,26. — [7] 1 Co 7,31.

2. Ce langage surprend aujourd'hui; il est cependant plein de sens. Si la Bible parle d'un commencement et d'une fin du monde, c'est pour pouvoir embrasser l'histoire et la vie de l'humanité entière; elle prend le point de vue de Dieu qui, seul, domine la succession des *temps, des jours et des *siècles. Ce langage dit ainsi la dimension communautaire de l'homme, car nul ne peut se désintéresser des êtres qui l'ont précédé ni de ceux qui viendront après lui.

→ *Intr*. XII.2.A. — accomplir — éon — eschatologie — Jour du Seigneur — monde — siècle — temps.

flagellation

1. Le fouet était fait avec des cordes, garnies d'osselets ou de boules de métal (lat. *flagrum*), ou avec de fines lanières (de cuir?) (lat. *flagellum*). Le coupable était tantôt attaché par les mains à une colonne, tantôt ployé en deux, tantôt étendu au sol ou sur un banc. Selon la législation juive, il recevait au plus 39 coups, car la Loi interdisait de dépasser 40 [1] (le Code d'Hammurabi fixait le nombre à 60 et le

Coran le fixera à 80 ou 100); treize coups étaient administrés sur la poitrine, 26 sur le dos.

¹ Dt 25,3; 2 Co 11,24.

2. Le châtiment par le fouet était diversement pratiqué. La *loi juive* connaissait la flagellation, pour certaines fautes, appliquée dans la synagogue ² (gr. *mastigoô*). Jésus annonce à ses disciples qu'ils seront ainsi traités ³. Le supplice romain s'appelait la *verberatio* (gr. *phragelloô* [du lat. *flagello* : « fouetter »], ou, par assimilation au précédent, *mastigoô*). Il était appliqué aux esclaves et aux non-citoyens après la sentence capitale. C'est celui qu'a subi Jésus ⁴. La torture avait lieu lors des interrogatoires qui voulaient obtenir des aveux ⁵. Les policiers administraient des corrections avec leurs verges ou leurs bâtons (gr. *rabdizô*). Paul dit qu'il a subi cette peine à trois reprises ⁶.

² Dt 25,2s. — ³ Mt 10,17; 23,34. — ⁴ Mt 20,19 (= Mc 10,34 = Lc 18,33); 27,26 (= Mc 15,15); cf Lc 23,16. — ⁵ Ac 22,24s. — ⁶ 2 Co 11,25; cf Ac 16,22.37.

→ crucifiement.

fléau

Du lat. *flagellum* : « fouet »; en gr. *mastix*. Autre mot gr. *plègè* (apparenté à *plèssô* : « frapper ») : « coup reçu ¹ », blessure, et de là « calamité ». Maux compris comme un coup du sort ² ou châtiments divins sur le monde pécheur, annoncés dans l'Apocalypse, à l'image des plaies d'Égypte ³.

¹ Lc 12,48. — ² Mc 3,10; 5,29.34; Lc 7,21. — ³ Ex 7,14—12,34; 2 M 7,37; 9,5.11; Si 27,25-27; Ap 8,12—21,9; 22,18.

→ colère — endurcir — vengeance.

flûte

gr. *aulos*. Instrument de musique, d'abord en roseau (puis en bois, os ou métal) à un ou deux tuyaux, avec une échelle de sons probablement restreinte. Des airs de flûte accompagnaient la danse ¹ ou le deuil ². L'accompagnement d'au moins deux flûtes était de règle pour les convois funèbres.

¹ Is 5,12; 30,29; Mt 11,17 (= Lc 7,32); 1 Co 14,7; Ap 18,22. — ² Jr 48,36; Mt 9,23 □.

→ *Intr*. IX.6.

foi

gr. *pistis* (de *pith-ti-s* : « action de donner sa confiance », auquel correspond aussi *peithomai* : « croire à, se fier à, se confier à ») : « confiance ». Le verbe *pisteuô* a la même signification. Ces mots grecs ont permis à la *Septante de rendre l'hb. *emûnâ*, *hè'èmîn* (dérivant de la racine *'mn* : « être stable »), ajoutant au grec la nuance de solidité et l'aspect de la *vérité (hb. *emèt*) qui n'est pas une chose découverte, mais la relation vivante établie entre deux êtres. Autre substrat sémitique, la racine *bâtâh* : « s'appuyer sur, se confier à » qui correspond davantage au sens grec de *confiance. Enfin le NT ajoute aux emplois de l'AT les expressions *pisteuein eis* : « croire en » et *pisteuein hoti* : « croire que ». Une intelligence correcte de la foi au sens biblique doit tenir compte de l'aspect confiance et de l'aspect vérité-relation. Jn n'utilise que le verbe.

1. *Abraham est le type et le père des croyants. A Dieu qui a pris l'initiative et lui promet une *terre et une postérité, il répond en *obéissant à sa parole et en lui ajoutant foi malgré les apparences [1]. Quand il reçoit un fils, il est invité à l'offrir en sacrifice, mais c'est pour le recouvrer vivant. Il comprend à travers cette *épreuve que la *promesse de Dieu n'est pas le Dieu des promesses [2]. Il devient ainsi le père d'une multitude de peuples [3].

[1] Gn 12,1-3; 15,1-6; Rm 4,18-22; He 11,8-10. — [2] Gn 22; He 11,17-19. — [3] Lc 1,54s; Rm 4,17.

2. C'est par la foi que l'homme vit; sans elle, il ne peut subsister [4]. La foi est la réponse personnelle de l'homme à l'initiative de Dieu, reconnue dans sa parole et dans ses interventions de salut [5]. Elle n'est pas le résultat de la réflexion humaine, mais est produite gratuitement en nous par la puissance de Dieu, par l'Esprit Saint [6]. Accueillir la Parole, c'est mettre tout l'être en relation avec Dieu; en effet l'objet de la foi n'est pas d'abord un certain nombre de vérités, mais la *Vérité subsistante et personnelle, de laquelle ces vérités tiennent leur valeur. La foi est *connaissance, au sens biblique du terme; elle prend tout l'être, adhésion de l'intelligence et non pas saut dans le vide, confiance absolue dans le Dieu vivant et vrai, appui exclusif sur lui et *obéissance amoureuse [7].

[4] Is 7,9; Ha 2,3s; Rm 1,17. — [5] Rm 10,14s; Ga 1,11s. — [6] Ac 5,11; Rm 3,27; 4,2-5; 1 Co 12,3; Ep 2,8s; 2 Th 2,13. — [7] Rm 1,5; 6,17; 2 Co 10,4; 1 Th 1,6; 2 Th 1,8.

3. La foi que Jésus demande durant sa vie terrestre, en vue des miracles à obtenir, est une foi en la toute-puissance de Dieu [8]. Mais il demande l'équivalent lorsqu'il requiert des hommes l'accueil de sa propre parole [9] ou lorsqu'il béatifie celle qui a écouté la Parole de Dieu et qui l'a gardée [10].

[8] Mc 11,22. — [9] Mt 18,6; Jn 14,1. — [10] Lc 11,28; cf 1,45.

4. La foi chrétienne a pour objet propre le mystère de J.C. que Dieu a ressuscité des morts [11] et fait Sauveur de tous les hommes [12]. Le terme prend parfois un sens « objectif », désignant le message apostolique [13]; le *prophète doit demeurer en harmonie avec la foi de l'Église (*kata tèn analogian tès pisteôs* : « en accord avec la foi ») [14].

[11] Rm 4,24; 10,9; 1 Co 12,3; 15,3-5; Ph 2,8-11. — [12] Ac 4,12; Rm 3,23-26; 1 Co 1,30s; Ga 2,16; Ep 1,3-11. — [13] Rm 10,8; Ga 1,23; 3,2.5; 6,10; Ep 4,5; 1 Tm 3,9; 4,1.6; Tt 1,4. — [14] Rm 12,6.

5. La foi seule justifie, non pas la pratique des *œuvres de la Loi [15]. Mais, par l'amour, la foi est active et produit des *fruits savoureux de charité [16]. D'où le sens de « régime » de la foi, succédant au régime de la *loi [17].

[15] Rm 3,21-26; 10,6; Ga 3,16. — [16] Rm 8,14; 1 Co 6,9-11; Ga 5,25; 6,8; 1 Th 1,3; Jc 2,17-26. — [17] Rm 1,17; Ga 3,6-29.

6. Adhésion de l'être entier, la foi est *fidélité dans l'*épreuve [18] et progrès continuel dans la connaissance de Dieu, qui devient *sagesse [19]. Liée à l'espérance et à l'*amour, la foi présente deux aspects : la non-vision (qui cessera au ciel) [20] et l'accueil de la Parole (qui continuera au ciel) [21].

[18] 1 Co 16,13; Ph 1,29; Ep 6,16; Col 1,23; 2,5-7; 1 Th 3,2s; 2 Th 1,4. — [19] 1 Co 1,19s; 2 Co 10,15; Ep 3,16-19; Ph 3,8-10; 1 Th 3,10; 2 Th 1,3. — [20] 1 Co 13,12; He 2,8; Ap 22,4. — [21] Jn 17,14.17; 1 Co 13,13; 1 Th 1,6; 1 Jn 2,5.

→ *Intr.* X. — amen — confiance — fidèle — incrédulité — vérité — voir.

folie

1. Comportement étrange attribué à diverses causes et diversement qualifié. gr. *mania* [1] : « délire, divagation », comportant l'idée d'être furieux, agité de violents transports, souvent attribués à un esprit; insensé, gr. *môros* [2] : « hébété, émoussé »; *a-phrôn* [3] (de *phrèn*) : « sans esprit, sans réflexion »; hors de sens, (gr. *ex-istamaï* [4] : « se tenir hors de »); inintelligent, gr. *a-noètos* [5] (de *nous*) : « sans intelligence »; *a-synetos* [6] (de *synièmi*) : « incapable de comprendre »; sans prudence ni sagesse, gr. *a-sophos* [7] (de *sophia*) : « sans sagesse »; stupide, sans réaction, inconscient, inerte (gr. *ap-algeô* [8] : « hors de sensibilité »). Ces comportements sont souvent mis en opposition avec la prudence avisée (gr. *phronimos*) [9], avec la sagesse (gr. *sophia*) [10].

[1] Jn 10,20; Ac 12,15; 26,11.24s; 1 Co 14,23 △. — [2] Mt 5,22; 1 Co 1,18 — 2,14... — [3] Mc 7,22; 2 Co 11,1 — 12,11; Ep 5,17... — [4] Mc 3,21; 2 Co 5,13 △. — [5] Lc 24,25; Rm 1,14; Ga 3,1.3... — [6] Mt 15,16; Mc 7,18; Rm 1,21.31; 10,19 △. — [7] Ep 5,15 △. — [8] Ep 4,19 △. — [9] Mt 7,24.26; 25,2-8; Ac 26,25; 1 Co 4,10; 2 Co 5,13; 11,19. — [10] Rm 1,22; 1 Co 1,20s.25.27; 2,13s; 3,19; Ep 5,15.

2. Selon la Bible, la conduite insensée provient souvent d'une méconnaissance de Dieu [11]. De là, par renversement de perspective, le terme désigne les voies de Dieu qui sont paradoxalement contraires à la sagesse ordinaire des hommes, ou, aux yeux de Dieu, les voies humaines [12].

[11] Ps 14,1s; Jr 4,22; Mt 7,26; 25,2s. — [12] Is 29,16; 1 Co 1,18-25.

→ raca — sagesse.

forme

Deux mots grecs correspondent à ce que, sans lui donner pourtant son vrai sens, nous désignons par le mot « forme ». *Morphè* (= *M*), d'étym. obscure : « manière d'être, configuration », et *schèma* (= *S*), de *echô* : « tenir, se tenir » : « tenue, attitude, figure, vêtement »; chacun a ses composés : conformer (*syn*-), transformer, transfigurer (*meta*-).

1. Contrairement à l'usage qui oppose volontiers forme et fond comme s'ils équivalaient à apparence et réalité, il convient de reconnaître dans la « forme » non pas quelque chose de surajouté à une essence, tel un vêtement sur un corps, mais l'être même qui s'exprime, se laisse voir, se présente.

2. Ainsi la Loi donne une forme, exprime la connaissance et la vérité [1]. Ce qui, avec la « figure de ce monde », est en train de disparaître, ce n'est pas son apparence, mais le monde même, structuré par le péché [2]. Entre deux manières de se présenter, Jésus a choisi les traits non d'un Seigneur, mais d'un *esclave, il s'est fait et montré tel [3]. Lors des apparitions pascales, il s'est manifesté sous des traits autres que ceux auxquels on aurait pu reconnaître Jésus de Nazareth [4].

[1] Rm 2,20 (*M*). — [2] 1 Co 7,31 (*S*). — [3] Is 52,14 (*M*); Ph 2,6s (*MS*). — [4] Mc 16,12 (*M*).

3. Dès lors, « se conformer », dans le NT, ce n'est pas imiter un modèle, mais être livré du dedans à quelque puissance, le *monde [5], les *convoitises [6], ou être envahi par la puissance efficace de la *mort du Christ [7] et laisser reproduire en soi l'*image du Fils [8]. Être transformé, *transfiguré, ce n'est pas changer simplement d'aspect, mais laisser agir au fond de soi la *gloire qui resplendit sur la *face du Christ [9] ou un

267

nouveau principe d'être, Jésus Christ lui-même, qui rendra notre *corps mortel tel son corps glorieux [10].

[5] Rm 12,2 (S). — [6] 1 P 1,14 (S). — [7] Ph 3,10 (M). — [8] Rm 8,29 (M); Ga 4,19 (M); cf 2 Co 3,18. — [9] Mt 17,2 (M). — [10] Ph 3,21 (SM).

4. Les pseudo-apôtres ne se déguisent pas en apôtres, ni Satan en ange de lumière; ils apparaissent tels [11]. Dans les derniers temps, certains paraîtront pieux, alors que cette *piété ne vient pas du Christ [12]. S'adressant aux Corinthiens, Paul ne se propose pas « en *exemple », mais donne forme à son enseignement en l'appliquant à Apollos et à lui-même [13].

[11] 2 Co 11,13-15 (S). — [12] 2 Tm 3,5 (M). — [13] 1 Co 4,6 (S) □.

5. Au sens littéraire, la forme est ce qui donne fermeté et stabilité aux matériaux assemblés. Le terme s'applique de préférence aux petites unités littéraires; il a donc une portée moins ample que celui de « *genre littéraire ».

→ apparence — figure — image — structure.

[Formgeschichte]

Mot allemand signifiant l'histoire *(Geschichte)* de la forme *(Form)* qu'a prise un texte. Méthode de *critique littéraire qui cherche à décrire l'histoire de la formation d'un texte. Pour les évangiles, les strates successives de cette histoire sont déterminées à partir du *milieu de vie dans lequel diverses *formes ont exprimé la tradition évangélique. « Former » ici ne signifie donc pas inventer, mais « donner une forme stable » à un matériau préexistant. Certains critiques veulent aujourd'hui remplacer le mot *Formgeschichte* par l'anglais *Formcritic*, moins lié à la diachronie que le précédent; mais ils méconnaissent ainsi le rapport complémentaire qui doit unir diachronie et synchronie.

→ *Intr.* XV.3. — genre littéraire — milieu de vie — *Redaktionsgeschichte*.

foulon

gr. *gnapheus*. Artisan qui apprêtait les *étoffes et nettoyait les vêtements; il se servait de grandes cuves où il foulait les étoffes avec ses pieds, ou bien il plongeait les tissus dans une sorte de potasse [1].

[1] Ml 3,2; Mt 9,16 (= Mc 2,21); Mc 9,3 □.

four

gr. *kaminos*. Four de potier [1], de forgeron [2], fournaise du supplice [3].

[1] Si 27,5; 38,30. — [2] Is 48,10; Ez 22,18-22; Ap 1,15. — [3] Dn 3,6.20-23; Mt 13,42.50; Ap 9,2 □.

→ enfer.

fraction du pain

gr. *klasis tou artou*. En rompant (non en coupant) et en distribuant le pain sur lequel a été dite la *bénédiction, le père de famille inaugure la communauté de table que devient le fait de manger ensemble [1]. Repris par Jésus lors de son dernier repas [2], le geste de la fraction du pain a parfois servi aux chrétiens pour désigner aussi le *repas eucharistique, ainsi peut-être dans le récit d'Emmaüs [3].

[1] Mt 14,19 (= Mc 6,41 = Lc 9,16); 15,36 (= Mc 8,6). — [2] Mt 26,26 (= Mc 14,22 = Lc 22,19 = 1 Co 11,24). — [3] Lc 24,30.35; Ac 2,42.46; 20,7.11; 27,35 ; 1 Co 10,16 □.

→ pain — repas — repas du Seigneur.

frange

gr. *kraspedon*, traduction de l'hb. *çîçit* : « houppe ». Tout israélite pieux portait aux quatre coins de son vêtement une bande de tissu, comportant un fil bleu céleste (ou violet) afin de se souvenir des commandements de Dieu [1]. Elle servait à exprimer sa piété [2], et même à se faire remarquer [3].

[1] Nb 15,38s; cf Ez 8,3. — [2] Mt 9,20 (= Lc 8,44); 14,36 (= Mc 6,56). — [3] Mt 23,5 □.

→ phylactère — vêtement.

frère, sœur

gr. *adelphos, adelphè*.

1. Au sens propre, les hommes issus du même sein maternel. Par extension, les membres d'une même famille [1], d'une même *tribu [2], d'un même peuple [3], par opposition aux *étrangers [4]. Au sens métaphorique, des êtres liés spirituellement par la sympathie [5], l'*alliance [6], la foi au Dieu d'Israël [7] ou en Jésus Christ [8].

269

¹ Gn 13,8; 14,14; 29,15; 1 Ch 23,22. — ² 2 S 19,13. — ³ Ex 2,11; Dt 25,3. — ⁴ Dt 1,16; 15,2s. — ⁵ 2 S 1,26. — ⁶ Am 1,9. — ⁷ Ac 2,29. — ⁸ Jn 21,23; Ac 1,15; Ga 1,2; Ph 4,21.

2. Jésus reconnaît pour ses frères tous ceux qui font la *volonté du Père [9]. Dans la famille de Dieu [10], il est le premier-né d'une multitude de frères [11], devenus fils par *adoption. Cette fraternité (gr. *adelphotès*)[12] est constituée par l'*amour fraternel (gr. *phil-adelphia*) [13], en dépit des indignes [14] ou des faux frères qui peuvent s'y glisser [15]. Elle est ouverte à tous les hommes [16] qui peuvent renaître par la parole de Dieu et par l'Esprit [17]. Enfin, dans le nouvel *Adam, l'*Homme nouveau symbolise la fraternité universelle qui sera réalisée à la fin des temps [18].

⁹ Mt 12,46-50. — ¹⁰ Ep 2,19. — ¹¹ Rm 8,29. — ¹² 1 P 2,17; 5,9 □ .— ¹³ Rm 12,10; 1 Th 4,9; He 13,1; 1 P 1,22; 3,8; 2 P 1,7 △. — ¹⁴ 1 Co 5,11. — ¹⁵ 2 Co 11,26; Ga 2,4 △. — ¹⁶ Mt 5,47. — ¹⁷ Jn 3,3; 1 P 1,23. — ¹⁸ Rm 5,12-21; cf Ep 2,15s; Col 3,10s.

→ enfant — prochain.

frères et sœurs de Jésus

1. Le NT signale l'existence de frères et de sœurs de Jésus, dont Jacques et Joseph (Josèt), Jude et Simon [1]. Ils n'ont pas été *disciples de Jésus durant sa vie terrestre [2]. Après Pâques, ils font partie de la communauté de Jérusalem et sont alors appelés « frères du Seigneur » : Jacques, qui a bénéficié d'une *apparition du Ressuscité, en est le chef [3].

¹ Mt 13,55s (= Mc 6,3). — ² Mc 3,31-35; Jn 7,3-10; cf Jn 2,12. — ³ Ac 1,14; 1 Co 9,5; 15,7; Ga 1,19.

2. L'expression ne désigne pas nécessairement des *frères selon la chair, du moins si l'on tient compte de l'usage oriental qui étend cette appellation à des parents plus éloignés [4]. L'usage grec ne suffit pas à contredire cette tradition d'origine palestinienne. Enfin Jacques et Joseph (Josèt) semblent fils d'une *Marie distincte de la mère de Jésus [5].

⁴ Gn 29,12... — ⁵ Mt 27,56 (= Mc 15,40); Jn 19,25.

front

gr. *met-ôpon* (de *ôps* : « vue, visage »). Partie du visage exposée aux regards des hommes, sur laquelle peut être imprimée une marque (gr. *kharagma*), un sceau (gr. *sphragis*). La coutume, attestée dans l'AT [1], est rattachée aux tatouages pratiqués en Orient pour honorer un dieu ou pour manifester l'appartenance à un maître. Dans l'Apocalypse, sont gravés sur le front les noms de Dieu, du Christ ou de la Bête [2].

[1] Ex 12,13; Ez 9,4. — [2] Ap 7,3; 9,4; 13,16; 14,1.9; 17,5; 20,4; 22,4 □.

fruit

gr. *karpos*. Le devoir de fructifier, constamment souligné dans l'AT [1], est repris dans le NT avec insistance : le grain semé en terre [2], la vigne [3], le figuier [4], les talents confiés [5]. Tout simplement il faut produire du fruit qui témoigne de la conversion [6], ce qui n'est possible que si le croyant demeure enté sur le Christ [7]; alors, par l'Esprit, le fruit unique de l'amour sera savoureux [8] et l'arbre de vie produira sans cesse ses fruits [9].

[1] Gn 1,22.28; Is 5,4; 37,30. — [2] Mt 13,8.23 (= Mc 4,8.20 = Lc 8,8.15); Mc 4,29. — [3] Mt 21,34.41.43; Mc 12,2; Lc 20,10. — [4] Mt 21,19 (= Mc 11,14); Lc 13,6-9. — [5] cf Mt 25,26; Lc 19,13. — [6] Mt 3,10 (= Lc 3,8). — [7] Jn 12,24; 15,2-8.16. — [8] Rm 7,4; Ga 5,22; Col 1,10. — [9] Ap 22,2.

→ croissance — fécondité — stérilité.

G

Gabriel
hb. *gabrî'él* : « homme de Dieu » ou « Dieu s'est montré fort ».
*Ange chargé de révéler le sens des visions et du déroulement de l'histoire, en particulier d'annoncer les interventions de Dieu pour le salut des hommes, et plus spécialement la venue du *Messie [1].

　　[1] Dn 8,16; 9,21-27; Lc 1,11-38 □.

Gadaréniens (pays des)
Du gr. *gadarènos*, territoire de Gadara. Ville hellénistique de la *Décapole, à quelque 10 km au sud-est du lac de Galilée. Mt l'identifie, à tort semble-t-il, avec le pays des *Guéraséniens [1].

　　[1] Mt 8,28; cf Lc 8,26.37 □.

→ *Carte* 4.

[Galates (Épître aux)]
Lettre écrite d'*Éphèse, vers 54 ou 56, par Paul aux Galates du Nord, qu'il avait lui-même évangélisés, pour les mettre en garde contre la doctrine et la contestation de ses adversaires, des *judaïsants et non pas simplement des *judéo-chrétiens.

→ *Intr.* XV.

Galatie
gr. *Galatès*, *Galatia*. Région septentrionale de la Turquie centrale, comprenant l'actuelle Ankara, ainsi appelée du nom de ses habitants, envahisseurs celtiques (Gaulois) au IIIe s. av. J.C. Territoire peu hellénisé. *Province romaine depuis 25 av. J.C., englobant aussi, au temps du NT, certaines régions méridionales : une partie de la *Phrygie, la Pisidie, la *Lycaonie, l'Isaurie [1]. Quelques rares critiques estiment que Paul a évangélisé la Galatie du sud.

¹ Ac 16,6; 18,23; 1 Co 16,1; Ga 1,2; 3,1; 2 Tm 4,10; 1 P 1,1 □.

→ Galates (Épître aux) — *Carte* 3.

Galilée

gr. *Galilaia*, de l'hb. *ha(g)-gâlîl* : « le cercle ». Région nord de la
Palestine. De 4 av. à 37 ap. J.C., partie de la *tétrarchie d'*Hérode
Antipas; de 39 à 44, partie du royaume d'*Hérode Agrippa I;
après 44, gouvernée par un *procurateur romain. Appelée « Galilée
des nations » ¹, en souvenir des invasions *assyrienne et *chaldéenne
qui avaient entraîné un mélange des populations, et ainsi la présence de
nombreux païens. Dès lors les Galiléens, reconnaissables à leur
accent ², étaient déconsidérés par les autres juifs ³. Mt a systématisé
en Galilée l'activité de Jésus ⁴.

¹ Is 8,23; Mt 4,15s. — ² Mt 26,73. — ³ Jn 7,52. — ⁴ Mt 10,5.

→ *Intr.* II; III.2.D. — *Carte* 4.

Galilée (mer de)

Lac de Galilée que l'AT appelait lac de Kinnèrèt ¹ ou de Guennésar ².
Long de 21 km, large de 12, profond de 42 à 48 m, il se situe à 208-
210 m au-dessous du niveau de la mer. Eaux poissonneuses et tempêtes
brusques le caractérisent. A ses bords ou dans ses environs se situe
la plus grande partie du ministère de Jésus en Galilée. Il est appelé
« mer de Galilée » ³, « lac de Guennésareth » ⁴ ou « mer de Tibériade » ⁵
et plus ordinairement « la mer », rarement « le lac » ⁶.

¹ Nb 34,11; Jos 13,27. — ² 1 M 11,67. — ³ Mt 4,18; 15,29; Mc 1.16; 7,31;
Jn 6,1 △. — ⁴ Lc 5,1 △. — ⁵ Jn 6,1; 21,1 △. — ⁶ Lc 5,2; 8,22s.33 △.

→ *Carte* 4.

Gallion

Frère de Sénèque le philosophe, proconsul d'*Achaïe en 51-52 ou
52-53, selon la *chronologie établie grâce à l'inscription de Delphes.
Son comportement montre qu'il tenait la foi chrétienne pour « religion licite » ¹.

¹ Ac 18,12-14.17 □.

273

Gamaliel

hb. *Gamlî'él* : « Dieu m'a fait du bien ». Rabban Gamaliel I, ou l'Ancien, probablement petit-fils de *Hillel, *pharisien, illustre *docteur de la Loi. Il fut le maître de *Saul et se montra compréhensif à l'égard de la foi nouvelle [1].

[1] Ac 5,34-39; 22,3 □.

géhenne

→ Guéhenne.

[généalogie]

1. Les sémites rapportent volontiers la liste des ancêtres d'un personnage historique. Le verbe *engendrer ne se rapporte pas exclusivement à la descendance immédiate ni même physique : Joram peut « engendrer » Ozias, son arrière-petit-fils [1] ou un peuple [2]. Selon les diverses traditions, un même personnage peut avoir deux généalogies [3].

[1] Mt 1,8. — [2] Gn 10. — [3] 1 Ch 2,3—3,4; 4,1-23; 7,6-12; 8,1-40.

2. De Jésus, il est rapporté deux généalogies [4], aboutissant l'une et l'autre à Joseph, père de Jésus, mais fort différentes dans le nombre des ancêtres et dans les noms. Il ne suffit pas de dire que l'une est la généalogie de Joseph, l'autre celle de Marie, ni d'imaginer le double mariage de deux beaux-frères; Mt veut montrer la filiation davidique de Jésus, Lc son ascendance universelle remontant jusqu'à *Adam.

[4] Mt 1,1-17; Lc 3,23-38.

3. Il n'est pas heureux de recourir à l'invraisemblable et invérifiable interprétation des trois fois quatorze générations mentionnées par Mt[5], en faisant appel à la gématrie (cf *nombres) de David (D + V + D = 4 + 6 + 4) : on ignore la véritable orthographie de David (peut-être DVYD) et la généalogie de Mt vise autant Abraham que David. Mieux vaut se souvenir des computs *apocalyptiques du temps. Selon le IVe *Esdras, le monde est divisé en 12 périodes de sept semaines; selon Lc, Jésus vient au début de la 12e et dernière semaine du monde, puisqu'il y a chez lui 11 × 7 = 77 noms d'ancêtres. Selon le Livre d'*Hénok, le temps d'Israël est divisé en sept semaines : deux d'Israël à Salomon, deux de Salomon à l'exil, deux de l'exil au « temps de l'épée »; selon Mt, Jésus viendrait au début de la 7e et dernière semaine, puisqu'il y a chez lui 6 × 7 ancêtres; la difficulté vient de ce que Mt parle de 3×14. Aussi serait-il plus simple de constater que Mt a coiffé la généalogie traditionnelle de David [6] par la mention des trois patriarches, ce qui fait une séquence de 14 noms; tenant compte des trois repères classiques (Abraham, David, exil), il a complété la liste en reconstituant les deux autres séries de quatorze.

[5] Mt 1,17. — [6] Rt 4,18-22 = 1 Ch 2,10-13.

[genre littéraire]

1. Façon de s'exprimer dans une forme fixe. Ainsi le genre épistolaire : sur 13 500 lettres de l'Antiquité, 4 500 offrent la même entrée en matière (« protocole ») et la même finale, durant quelque 1000 ans.

2. Le genre littéraire implique la reprise, dans une vision personnelle, d'une manière stable de vivre, d'agir, de penser, d'écrire. Ainsi Paul transforme le genre épistolaire en substituant la grâce (gr. *kharis*) à la joie *(khara)* qui était ordinairement souhaitée.

3. En plus des divers genres concernant les paroles attribuées à Jésus (*logia, règles de vie, *paraboles, etc.), les évangiles présentent ses actions sous forme de récits de miracles, de sentences encadrées, de dialogues, de récits concernant Jésus, de sommaires, etc.

4. La détermination du genre littéraire relève de la *critique littéraire et n'engage pas immédiatement un jugement critique d'ordre historique sur la réalité de ce qui est rapporté.

→ allégorie — apocalypse — forme — *Formgeschichte* — milieu de vie — parabole — *Redaktionsgeschichte*.

Gentils

Du lat. *gentes* : « nations », hb. *gôyîm*, gr. *ethnikoï*. Nom donné aux non-juifs par les juifs, puis aux non-chrétiens par les chrétiens. Cette appellation, aujourd'hui en désuétude, voulait caractériser les nations sous leur aspect religieux non chrétien [1].

[1] Mt 5,47; 6,7; 18,17; Ga 2,14; 3 Jn 7 ⃞. ·

→ nation(s) — païen.

Gethsémani

→ Guethsémani.

gloire

gr. *doxa*, traduisant l'hb. *kâbôd*. Dans le NT, le mot n'a jamais l'acception courante en grec : « opinion »; il signifie parfois éclat, renommée, ordinairement ce qui fonde le renom, lui donne du poids (la racine hb. *kbd* implique l'idée de poids [1]) : richesse [2], importance sociale [3].

[1] 2 S 14,26. — [2] Gn 13,2; 31,1; Mt 4,8; 6,29. — [3] Gn 45,13; 1 R 3,13.

1. Le Dieu de gloire [4] est cet être riche et puissant, d'une telle *plénitude qu'elle déborde et diffuse sa richesse à travers la création [5]. Présente dans les *théophanies, la gloire est d'ordinaire accompagnée par la *nuée qui la voile et à la fois la manifeste [6]. Déjà perceptible dans les anges, cette plénitude est concentrée en J.C. [7]; elle doit se répandre à nouveau dans les *corps glorieux, à travers lesquels elle rejaillira inépuisable [8]. La gloire de Dieu, c'est Dieu manifesté, c'est Jésus Christ, c'est l'homme vivant [9].

[4] Ac 7,2; Ep 1,17. — [5] Ps 19,2; Sg 13,1-9; Is 6,3; Rm 1,20s. — [6] Ex 16,10; 33,20; Lc 9,31s.34s; 2 P 1,17. — [7] Jn 1,14; Tt 2,13. — [8] Rm 8,17; Ph 3,21; Col 3,4. — [9] Ps 8,6; 2 Co 3,18; 4,6.

2. Rendre gloire à Dieu, c'est reconnaître que Dieu est celui auquel convient parfaitement ce qui vient d'être dit [10].

[10] Ps 3,4; Is 42,8.12; Lc 2,14; 19,38; Ap 4,9.

3. « Les Gloires » désignent des *anges célestes [11].

[11] 2 P 2,10; Jude 8.

→ blanc — doxologie — fierté — lumière — nuée — transfiguration.

[glossolalie]

Du gr. *glôssa* : « langue, langage » et *lalia* : « parole » : « parler en *langue(s) ».

[gnose]

Du gr. *gnôsis* : « *connaissance », traduit d'ordinaire dans le NT par « science ».

1. Au sens large, la gnose désigne les mouvements religieux qui tendent à placer le *salut dans la seule connaissance des secrets divins et à méconnaître les valeurs terrestres.

2. Au sens étroit, le gnosticisme désigne une orientation de la pensée religieuse, juive, grecque ou chrétienne, se manifestant entre le Ier s.

av. J.C. et le IVe s. ap. J.C. Il se montre à travers les *dualismes qui séparent création et rédemption, les spéculations sur les émanations du divin dans le monde, les théories de la rédemption qui visent à libérer les esprits humains de la matière où ils sont enfermés, afin de leur permettre le retour dans leur patrie originelle, la divinité.

[goël]
Terme hb. désignant le proche parent auquel incombe le devoir de racheter biens et personnes qui seraient devenus la propriété d'un étranger. Il est le rédempteur, le défenseur, le protecteur des intérêts de l'individu et du groupe, spécialement dans les questions de patrimoine, de stérilité ou de vengeance [1].

[1] Lv 25,25-55; Nb 35,19; Dt 25,5.

→ *Intr*. VIII.2.A.a. — rédemption.

Gog et Magog
Selon Ézéchiel, *Gôg* est roi de la région appelée *Magôg* [1]; dans les *apocalypses juives et chrétiennes, ce sont deux nations qui doivent attaquer Israël (l'Église) lors de l'ère messianique; elles seront vaincues [2].

[1] Ez 38,2—39,15. — [2] Ap 20,8 □.

Golgotha
De l'ar. *gulgoltâ*, correspondant à l'hb. *gulgôlet* : « crâne ». Région de jardins et de tombeaux en dehors de la Ville, au nord-ouest de Jérusalem. Peut-être comprenait-elle une petite élévation qui rappelait la forme d'un crâne : d'où le français « calvaire ». Lieu où Jésus fut *crucifié [1].

[1] Mt 27,23; Mc 15,22; Jn 19,17 □.

→ *Carte* 1.

goûter
gr. *geuomai*.

1. *Au sens propre*. Apprécier la saveur d'un aliment [1], manger [2].

[1] 1 S 14,43; Jb 12,11; Mt 27,34; Jn 2,9. — [2] Jon 3,7; Lc 14,24; Ac 10,10; 20,11; 23,14; Col 2,21.

2. *Au sens métaphorique.* Le terme dit le caractère expérimental d'une *connaissance qui peut devenir *sagesse. Tel un nouveau-né qui aime le bon lait, ainsi le néophyte peut expérimenter le Seigneur [3], comme un avant-goût du don céleste qu'est la parole de Dieu [4]. Goûter la mort, c'est en percevoir l'amertume [5]; Jésus l'a fait afin d'en préserver les hommes [6], si bien que le croyant ne goûtera jamais la mort [7].

[3] Ps 34,9; 1 P 2,3. — [4] He 6,4s. — [5] 1 S 15,32; Mt 16,28 (= Mc 9,1 = Lc 9,27). — [6] He 2,9. — [7] Jn 8,52 □.

gouverneur

gr. *hègemôn.* Dans le NT, ce terme désigne le fonctionnaire romain administrant une *province. Il s'agit soit de proconsul, dont le titre est précisé (pour les provinces sénatoriales), soit de *légat, de *préfet ou de *procurateur (pour les provinces impériales), tel *Quirinius, *Pilate, *Félix, *Festus [1].

[1] Mt 10,18 (= Mc 13,9 = Lc 21,12); 27,2—28,14; Lc 2,2; 3,1; 20,20; Ac 23,24-33; 24,1-27; 26,30.

→ *Intr.* IV.2.B; IV.3.

grâce

gr. *kharis* (apparenté à *khara* : « joie »), lat. *gratia*, traduisant l'hb. *hén* (idée de « se pencher » favorablement vers quelqu'un) et *hèsèd* (ajoutant le motif de fidélité dans l'Alliance). Le terme, absent sur les lèvres de Jésus, appartient surtout au langage théologique de Paul (100 fois sur 155).

1. *Dieu* est grâce, source inépuisable de la faveur qu'il témoigne envers l'homme [1] et qui culmine en Jésus Christ [2]. Ainsi est inauguré le régime de la grâce, succédant à celui de la *Loi [3], où l'homme reçoit gratuitement [4], par opposition à toute idée de *rétribution due [5]. Telle est la Bonne Nouvelle [6], telle est la faveur souhaitée au début [7] et à la fin des lettres pauliniennes [8].

[1] Ex 34,6s; Ps 36,8-10; Ep 2,7; Col 1,6; He 4,16; cf 1 Co 16,3; 2 Co 8,6-9.19. — [2] Jn 1,14.16; Ep 1,6s. — [3] Jn 1,17; Rm 5,2.17; 6,14; 2 Th 1,12; 1 Tm 1,14. — [4] Rm 3,24; 11,5; Ga 1,15; Ep 2,5.8; 2 Th 2,16. — [5] Rm 4,4.16; 6,1.15; 11,6. — [6] Lc 4,22; Ac 14,3; 20,24.32; 1 P 5,12. — [7] Rm 1,7; 1 Co 1,3...; 1 P 1,2; 2 P 1,2. — [8] Rm 16,20; 1 Co 16,23...; He 13,25; cf Ap 22,21.

2. La richesse de la grâce multiforme [9] se manifeste dans le regard favorable de Dieu [10], dans la remise des fautes (*pardon) [11], dans le *don de la vie éternelle [12], dans la surabondance des dons spirituels (gr. *kharisma*) [13].

[9] Rm 5,17.20; 2 Co 4,15; 9,8.14; Ep 1,7; 2,7; 1 Tm 1,14; 1 P 5,10. — [10] Lc 2,40; Ac 14,26; 15,40; cf Ac 24,27; 25,9. — [11] Rm 5,15.20s; Ep 1,7; Col 2,13; 3,13; 2 Tm 1,9; Tt 2,11; 3,7; He 2,9; cf Lc 7,42s; Ac 3,14; 25,11.16; Ep 4,32. — [12] Rm 6,23. — [13] Rm 1,11; 11,29; 12,6; 1 Co 1,7; 7,7; 12,4; Ep 4,7; 1 P 4,10.

3. Du point de vue de celui qui reçoit, on dit : avoir la faveur de, être plein de grâce, avoir trouvé grâce auprès de Dieu [14], des hommes [15], ou bien rechercher la faveur comme une récompense ou comme acte de reconnaissance [16]. A cet aspect peut être joint le sens de « merci » (« grâces à... ») [17].

[14] Gn 6,8; Lc 1,28.30; 2,52; Jn 1,14; Ac 6,8; 7,46. — [15] Gn 39,4; Ac 2,47; 4,33; 7,10. — [16] Lc 6,32-34; 17,9 (cf 17,16). — [17] Rm 6,17; 7,25; 2 Co 9,15; Col 3,16; 1 Tm 1,12; 2 Tm 1,3.

4. Au sens banal, originel : charme du langage [18].

[18] Pr 22,11; Si 21,16; 37,21; Col 4,6.

→ action de grâces — charisme — don — justice — justification — miséricorde — saluer.

Grand Prêtre, grands prêtres

gr. *arkhi-hiereus*, de *arkhô* : « être le premier » et *hiereus* : « prêtre ».

1. *Au singulier* : le pontife suprême des juifs, issu de l'aristocratie sacerdotale. Il jouit d'une grande autorité civile et religieuse, au point qu'il représente le peuple devant les Romains. Il préside le *sanhédrin [1], mais ses privilèges et ses devoirs concernent surtout le *culte. Consacré par une *onction spéciale et investi d'une sainteté unique, il offre le *sacrifice quotidien [2], préside les grandes cérémonies et, seul, pénètre dans le *Saint des Saints pour la fête des *Expiations [3]. Il est désigné et déposé par les Romains, mais même sorti de charge il conserve son prestige, ainsi *Anne [4]. Selon l'Ép. aux *Hébreux, le Christ, entré au ciel, est le Grand Prêtre pour l'éternité à la manière non d' *Aaron mais de *Melchisédek [5]. Il a mené à son terme l'office du Grand Prêtre en étant lui-même le *prêtre et la victime, devenant le *médiateur unique de l'*alliance nouvelle [6].

[1] Cf Mt 26,57. — [2] Ex 29,42. — [3] He 9,25. — [4] Lc 3,2; Jn 18,13.24. — [5] He 4,14—5,10; 6,20. — [6] He 9,1-28.

2. *Au pluriel* : les membres de l'aristocratie sacerdotale de Jérusalem, admis au sanhédrin [7], chargés des finances [8] et de la police du Temple [9]. Avec les *anciens et les *scribes, ils désignent l'ensemble des autorités du peuple juif [10].

[7] Mt 26,59. — [8] Mt 27,3. — [9] Mc 14,1.10. — [10] Mt 26,3; Mc 15,31.

279

→ Aaron — culte — médiateur — prêtre — sacrifice — *Tableau* p. 29.

Grec

En gr. *Hellèn.*

1. Le terme désigne en général tout homme de langue et de culture grecque, quelle que soit son origine [1]. Grâce à la *diaspora juive, certains sympathisaient avec la religion d'Israël [2].

[1] Rm 1,14; Ga 2,3. — [2] Jn 12,20.

2. Opposé à *juif, le terme désigne les non-juifs, c'est-à-dire les païens [3]. Même s'il y a un ordre d'accession à la foi qui situe le Grec après le juif [4], toute distinction est abolie dans le Christ [5].

[3] 2 M 4,36; Mc 7,26; Jn 7,35; Ac 11,20...; 1 Co 1,24. — [4] Rm 1,16; 2,9s. — [5] Rm 3,9; 10,12; 1 Co 12,13; Ga 3,28; Col 3,11.

3. Les Grecs proprement dits sont caractérisés chez Paul par la quête de la *sagesse à l'aide de la raison humaine [6].

[6] 1 Co 1,22.

4. La langue « commune » (gr. *koïnè*) dans le monde hellénique et romain depuis la conquête d'Alexandre (de 333 av. à 500 ap. J.C.) est un grec qui diffère fort de la langue classique, l'attique, en raison de son accueil d'éléments provenant de l'ionien ou de dialectes variés; il ne doit pas cependant être identifié simplement au parler vulgaire des papyrus d'Égypte. La *Septante et le NT l'utilisent pour la phonétique et la syntaxe; mais le style et le sens des mots dépendent ordinairement de la langue biblique (ainsi pour *gloire, *bénédiction...). Le grec du NT n'est pas uniforme. Le fonds *sémitique se fait sentir davantage dans les paroles de Jésus. Mc est plus populaire et offre de nombreux « latinismes ». Mt présente souvent des hébraïsmes, tout en gardant un bon grec. Lc, qui sait atticiser (ainsi Lc 1,1-4), imite volontiers le parler de la Septante. Paul a un style personnel, émanant d'un homme qui parlait deux langues. Jn écrit un grec normal, mais en un style surprenant. Les Épîtres pastorales, celles de Jacques et de Pierre sont proches d'une bonne koïnè. C'est l'Épître aux Hébreux qui est l'écrit le plus proche de la langue littéraire.

→ *Intr.* IV.5; V.3.C; IX.9. — barbare — craignant-Dieu — hellénisme — païen — prosélyte.

Grèce

gr. *Hellas*. Nom grec de la province romaine d'*Achaïe [1].

[1] Ac 20,2 □.

greffe

L'image de Rm 11,17-24 inverse le procédé normal de la greffe. Le texte pourrait viser simplement la dépendance vitale du greffon par rapport à l'arbre, ou, à condition d'assimiler *olivier sauvage à païen, le paradoxe du salut reçu d'abord par les païens.

guéhenne

hb. *gé-Hinnûm*, gr. *gehenna* : vallée au sud de Jérusalem. Maudite depuis le temps où l'on y faisait des sacrifices humains, on y brûlait en permanence cadavres et détritus [1]. D'où l'emploi métaphorique du terme : lieu de châtiment par le feu [2], châtiment *eschatologique [3] et puissance déjà présentement à l'œuvre [4]. Les *apocryphes ont souligné cette doctrine.

[1] 2 R 23,10; Jr 7,31s. — [2] Mt 18,8s (= Mc 9,43.45.47). — [3] Is 66,24; Mt 5,22. 29s; 10,28 (= Lc 12,5); 23,33. — [4] Mt 23,15; Jc 3,6 □.

→ enfer — étang de feu — *Carte* 1.

Guennésareth

1. Du gr. *Gennèsaret*, rendant l'hb. *Ginnôsar*. Localité (ou pays) située sur la rive droite du lac de Tibériade entre Magdala et Capharnaüm [1].

[1] Mt 14,34; Mc 6,53 □.

2. Lc seul appelle le lac de ce nom [2].

[2] Lc 5,1 □.

→ Galilée (mer de) — *Carte* 4.

Guéraséniens (pays des)

Du gr. *gerasènos*, territoire de Guérasa, ville de la *Décapole près du Yabboq, à quelque 55 km au sud-est du lac de Tibériade, identifiée avec l'actuelle Jerach. L'expulsion du démon dans le troupeau de cochons eut lieu vraisemblablement à *El Kursi*, au sud du Wadi-es-Semah, sur la rive orientale du lac [1].

[1] Mc 5,1; Lc 8,26.37 □.

→ *Carte* 4.

guérir

1. En plus des verbes classiques en gr. *therapeuô* : « donner ses soins à, se faire le serviteur de » [1], *iaomai* : « faire cesser une maladie » [2], ou *hygiainô* : « rendre la santé » [3], le NT utilise en ce sens les verbes : *katharizô* : « purifier de la lèpre » [4], *sôzô* : « sauver » [5], et, une fois, *apolyô* : « délier » [6].

[1] Mt 4,23; 8,7; Lc 4,23... — [2] Mt 8,8... — [3] Jn 5,4-15; Ac 4,10. — [4] Mt 8,2s (= Mc 1,40-44 = Lc 5,12-14); 10,8; 11,5 (= Lc 7,22); Lc 4,27; 17,14-17 △. — [5] Mt 9,21s; Mc 10,52; Lc 17,19... — [6] Lc 13,12.

2. Jésus a guéri de nombreux malades, ordinairement par la seule parole (sauf Mc 7,33; 8,23; Jn 9,6) [7], souvent en liaison avec le sabbat [8]; il signifiait ainsi que le *règne de Dieu s'était approché [9].

[7] Mc 1,25; 2,11; 9,25. — [8] Mt 12,10-12; Mc 3,2.4; Lc 6,7.9; 13,14-16; 14,3; Jn 5,16.18; 9,14. — [9] Mt 11,4s (= Lc 7,22); Lc 6,19; Ac 10,38.

3. Le pouvoir de guérir les malades a été donné aux *Douze [10] et même aux 72 disciples [11]. Cette activité est exercée au nom de Jésus [12]. Il existe même un *don de guérison [13].

[10] Mt 10,1.8; Mc 6,13; 16,18; Lc 9,1.6. — [11] Lc 10,9. — [12] Ac 3,6; 19,13. — [13] 1 Co 12,9.28; cf Jc 5,14s.

→ maladie — onction.

Guethsémani

gr. *Gethsèmani* (de l'hb. *gat* : « pressoir » [ou *géy'* : « vallée »] et *ch°mâny* : « olive ») : « pressoir d'huile ». Domaine situé au pied du mont des *Oliviers, « jardin » à l'est du *Kédron qui vit Jésus en *agonie [1].

[1] Mt 26,36; Mc 14,32 □.

→ *Carte* 1.

Hadès

Nom grec *Haïdès* (étym. populaire *a-eidès* : « invisible ») du dieu des enfers, selon la mythologie grecque, puis du séjour des morts, les *enfers. Dans le NT, il est aussi l'en bas, les enfers [1] où se trouvent les morts [2]; il devient même le royaume de la *Mort, sa personnification [3]. Jésus en a été libéré, il en détient la clef [4], et a promis à son Église qu'elle tiendrait bon face à sa puissance [5]. Au dernier jour, l'Hadès sera jeté dans l'étang de feu [6].

[1] Mt 11,23 (= Lc 10,15). — [2] Lc 16,23; Ap 20,13. — [3] Jb 38,17; Is 28,15; Ap 6,8. — [4] Ac 2,24.27.31; Ap 1,18. — [5] Mt 16,18. — [6] Ap 20,14 □.

→ enfers — étang de feu — chéol.

haine

gr. *misos*.

1. Contraire de l'*amour, la haine est meurtre [1]. Fruit du péché, elle est d'origine satanique [2]. De là, la violente alternative devant laquelle est placé l'homme à qui Dieu manifeste sa vérité et son amour; il lui faut choisir : ou bien, ou bien [3]. En donnant sa vie, Jésus a tué la haine [4]. Désormais, c'est le *mal seul qui doit être haï et jamais le pécheur [5].

[1] Gn 4,2-8. — [2] Sg 2,24; 1 Jn 2,9.11; 3,10.12.15. — [3] Ps 26,4s; 119,113; Pr 8,13; Am 5,15; Mt 6,24 (= Lc 16,13); Rm 8,7; Jc 4,4; 1 Jn 2,15. — [4] Ep 2,14.16. — [5] Lc 6,27.

2. D'autre part, comme le sémite pense volontiers par couple de contraires, sans noter les nuances intermédiaires, « haïr » peut signifier « aimer moins » [6]. Ainsi lorsqu'il s'agit de Dieu [7] ou de l'attitude à l'égard des siens et de soi-même face à l'appel de Dieu [8], ou enfin : « Tu n'as pas à aimer tes *ennemis », était-il dit aux juifs du temps de Jésus [9].

⁶ Gn 29,31; Dt 21,15s. — ⁷ Ml 1,2-4; Rm 9,13. — ⁸ Lc 14,26; cf Mt 10,37; Jn 12,25. — ⁹ Mt 5,43.

→ Caïn — combat — ennemi — vengeance.

Hakeldama

gr. *Hakeldamakh*, de l'ar. *haqél* (champ) et *demâ* (sang) : « champ du sang ». Selon Ac 1,19, le sang peut être celui de Judas. Selon Mt 27,6-10, le sang est celui de Jésus et le domaine est devenu le « champ du potier », à cause de la prophétie de Za 11,12s insérée dans celles de Jr 18,2s; 19,1s; 32,7-9. A partir du IVᵉ s., la tradition chrétienne a localisé ce champ dans la vallée de Hinnom où, jadis, travaillaient déjà des potiers.

→ *Carte* 1.

[hallel]

→ Alleluia — psaumes.

Hanne

→ Anne.

Harmaguedôn

Lieu où, selon Ap 16,16, les rois du monde entier se rassemblent pour la guerre finale. Ce nom hb. veut probablement unir le mot hb. *har* : « montagne » et l'équivalent de Meguiddo, ville de la plaine d'Esdrelon où périrent de nombreux rois d'Israël, tel Josias [1]; elle symbolisait la catastrophe par excellence [2]. Le contexte d'Ap 16,16 permet d'évoquer ici la « montagne du Rassemblement » [3] où périt Gog, l'*ennemi *eschatologique [4].

[1] Jg 5,19; 2 R 9,27; 23,29s. — [2] Za 12,11. — [3] Is 14,13. — [4] Ez 38,2.4; Ap 20,8.

harpe

A parler rigoureusement, le NT n'évoque jamais le *psaltèrion*, (de *psallô* : « faire vibrer la corde d'un instrument de musique »), en hb. *nébèl*, instrument à dix cordes connu depuis l'Antiquité, réservé à la

284

musique sacrée, plus spécialement pour accompagner le chant. Il se distinguait du *kinnôr* (gr. *kithara* : « cithare ») par une table de résonance. En traduisant par « harpe » le gr. *kithara*, on aide à faire sentir ce que pouvait être une cithare, qui n'a rien à voir avec la guitare [1].

[1] 1 S 10,5; 2 S 6,5; Ps 33,2; 92,4; 144,9; Is 5,12; 14,11; Am 5,23; 6,5.

→ *Intr*. IX.6. — cithare.

hébreu

De l'hb. *'ibrî*, gr. *hebraïos*.

1. *Peuple*. Désignation ethnique soulignant l'origine palestinienne de certains membres du peuple élu [1].

[1] Ac 6,1; 2 Co 11,22; Ph 3,5 △.

2. *Langue*. Idiome cananéen, appartenant, comme le syriaque, au groupe nord-occidental des langues sémitiques, adopté par les Hébreux une fois fixés en Canaan. Apparenté à l'*araméen, il fut remplacé par lui après l'*exil, comme langue véhiculaire, mais il continua d'être la langue sacrée, facteur puissant de l'unité du peuple juif. Langue des textes *inspirés et de la prière, certainement connue de Jésus [2].

[2] Lc 23,38; Jn 5,2; 19,13.17.20; 20,16; Ac 21,40; 22,2; 26,14; Ap 9,11; 16,16 △.

→ *Intr*. III.2.A; V.3.B. — israélite — juif.

[Hébreux (Épître aux)]

Ce n'est pas une lettre, mais une sorte d'exhortation, à laquelle a été adjoint un billet épistolaire (13,22-25). L'exhortation est rédigée en une langue et un style qui trahissent un écrivain autre que Paul, mais qui reste inconnu; la pensée toutefois est proche de celle de Paul, ce qui explique le rattachement de l'épître au corpus paulinien. L'auteur a en vue des communautés chrétiennes non précisées, déjà anciennes, soumises à des influences *judéo-chrétiennes. La date, incertaine, se situerait entre 65 et 70. Lettre *deutérocanonique.

→ *Intr*. XV.

[hellénisme]

1. Période comprise entre Alexandre le Grand († 323 av. J.C.) et Auguste († 14 ap. J.C.).

2. Désigne aussi la diffusion de la culture *grecque, rendue possible par les conquêtes d'Alexandre, et son mélange au monde de la pensée orientale.

→ *Intr.* IV.5.

3. L'hellénisme, qui a influencé la pensée juive de la *diaspora (*Sagesse, Oracles *sibyllins), a pénétré certaines formulations de la foi chrétienne; non seulement dans le vocabulaire (gnose, épiphanie...) et dans le mode de raisonnement (la diatribe *stoïcienne), mais dans la pensée elle-même (*sagesse, *logos, *figure et réalité...).

Helléniste

gr. *Hellènistès* : « celui qui parle *grec ou vit à la manière grecque » : ainsi *Étienne ou *Saul. Dans les Actes, juif de la *diaspora parlant grec [1].

[1] Ac 6,1; 9,29; 11,20 □.

→ *Intr.* I.3.A; III.3. — Grec.

[Hénok (Livres d')]

La littérature hénokienne consiste en une compilation d'exhortations, de paraboles et de prophéties, relevant du genre *apocalyptique et attribuées au patriarche Hénok [1].

[1] Gn 5,3-18; 1 Ch 1,1-3; Lc 3,37; He 11,5.

1. Le *Livre d'Hénok (1 Hen)* comprend 108 chapitres groupés en cinq parties, datant de différentes époques. A la base, les chapitres 1-36 et 83-104, qui ont été écrits avant le Ier s. av. J.C., les visions (ch. 83-90) datant même d'avant 150. Texte capital pour comprendre l'*eschatologie du NT. — Les paraboles (ch. 37-71) pourraient dater du IIIe s. ap. J.C. Elles font mention du « Fils de l'homme » pour désigner le Messie, lui-même préexistant et plus qu'un homme. Le texte n'a pas été trouvé à *Qoumrân : hasard ou censure? — Enfin il contient une littérature astronomique (ch. 72-82) et un récit du déluge (ch. 106-108). Le Livre est cité par le NT en Jude 14s.

2. Les *Secrets d'Hénok (2 Hen*, Hénok slave), écrit originairement en grec, conservé en deux versions slaves, dont la plus courte et la moins romancée date du Xe s. ap. J.C. L'original date probablement d'avant 70 ap. J.C.

3. L'*Hénok hébreu (3 Hen)* est postérieur aux deux précédents. Il a

subi l'influence du gnosticisme et du rabbinisme. Il date du IIIe-
IVe s. ap. J.C.

→ apocryphes.

héritage

gr. *klèronomia* (de *klèros* : « lot qui échoit, sort » [1] et *nemô* : « partager »). Les *klèronomoï* reçoivent en partage, ils entrent en possession
(nemontai) d'un lot.

1. Dans la Bible, l'héritage désigne la possession inaliénable d'un
bien [2] à un autre titre que celui qui dérive du travail propre, par don [3],
conquête [4], succession [5], répartition [6]. Appliqué aux relations entre
Dieu et l'homme, ce langage souligne l'aspect de don gratuit : l'homme
ne mérite rien, il reçoit en possession.

[1] Mt 27,35; Ac 1,26. — [2] 1 R 21,3s. — [3] Gn 15,7. — [4] Ex 23,30. — [5] Gn 21,10.
— [6] Jos 13,7.14.

2. L'héritier (gr. *klèronomos*) des *promesses de Dieu, c'est Jésus
Christ en qui se concentre la descendance d'Abraham [7]. Davantage,
il est le Fils qui, de par sa naissance, a le droit d'hériter de toutes
choses [8]; de fait, en accueillant la mort par obéissance, il a hérité du
*Nom [9]. En lui, les croyants deviennent fils *adoptifs et cohéritiers [10];
juifs et païens, tous sont admis au même héritage [11].

[7] Ga 3,16. — [8] Mt 21,38s; He 1,2. — [9] He 1,4. — [10] Rm 8,14-17; Ga 4,1-7;
He 9,15. — [11] Ac 26,18; Ep 3,6.

3. L'héritage, déjà spiritualisé au cours de l'AT [12], n'est plus la terre
de Canaan [13], mais la bénédiction divine [14], la cité céleste [15], la véritable *Terre promise [16], le *royaume de Dieu [17], qui est la vie éternelle [18] accordée en espérance [19]; en définitive, Dieu même [20]. Voilà
ce qui est promis, aux *pauvres d'abord [21], et à tous les fils adoptifs
qui sont fidèles [22]. Ce n'est pas seulement une espérance, c'est déjà,
par la foi, un don car l'Esprit-Saint en est les arrhes [23].

[12] Dt 10,9; Ps 16,5; 73,26; Jr 10,16. — [13] Dt 7,1; Ac 13,19. — [14] 1 P 3,9. —
[15] He 11,8-10. — [16] Ps 37,9; Mt 5,5. — [17] Mt 25,34. — [18] Mt 19,29; Mc 10,17
(= Lc 18,18). — [19] Tt 3,7. — [20] Ap 21,7. — [21] Jc 2,5. — [22] 1 Co 6,9s; 15,50;
Ga 5,21; Ep 5,5. — [23] Ep 1,14.

→ *Intr.* VI.4.B.c. — promesse — reste — testament.

[herméneutique]

gr. *hermèneueïn* : « exprimer, interpréter, traduire ». D'abord limitée
à la théorie de l'explication d'un texte, cette méthode tend à désigner

aujourd'hui l'interprétation en acte qui, en s'offrant comme « traduction », « transposition », veut comprendre et dire le texte aujourd'hui.

→ discerner — exégèse.

Hérode

gr. *Hèrôdès*, de *hèrôs*, « noble, héros divinisé ». Le NT désigne de ce nom trois personnages → *Hérode le Grand* → *Hérode Antipas* → *Hérode Agrippa I*. A ces trois hommes, il faut ajouter Hérode Boèthos, appelé *Philippe en Mt 14,3 = Mc 6,17, et *Agrippa II.

Hérode Agrippa I

Petit-fils d'*Hérode le Grand (par Mariamne I et Aristobule), né en 10-9 av. J.C. Ami de Caligula (dont il reçut en 37 la *tétrarchie de *Philippe et l'Abilène, puis en 39, la Galilée et la Pérée) et de *Claude (qui, en lui donnant en 41 la *Judée et la *Samarie, lui rendit le royaume entier de son grand-père). Après six ans de règne (37-44), il meurt subitement à Césarée. Pour gagner la faveur du peuple, il persécuta la première communauté chrétienne [1].

[1] Ac 12,1-23 □.

→ *Intr.* I.1.D. — Hérode.

Hérode Antipas

gr. *Antipas*, abréviation de *Anti-patros* : « à la place du père ». Fils d'*Hérode le Grand et de Malthaké, frère cadet d'*Archelaüs, né en 22 av. J.C. *Tétrarque de Galilée et de Pérée en 4 av. J.C. Il renvoya sa femme, fille d'*Arétas IV, pour s'unir, en dépit de la loi juive, à *Hérodiade, femme de son demi-frère. Il fonda ou fortifia plusieurs villes, dont *Tibériade qui devint sa résidence. En 39, il fut exilé par les Romains à Lugdunum Convenarum, qui pourrait être Saint-Bertrand-de-Comminges [1].

[1] Mt 14,1.3.6; Mc 6,14.17.21.26; 8,15; Lc 3,1; 8,3; 13,31; 23,7.15; Ac 4,27; 13,1 □.

→ *Intr.* I.1.D. — Hérode.

Hérode le Grand

Né vers 73 av. J.C. d'un Iduméen, Antipater, et d'une princesse arabe. Il eut dix femmes (donc cinq sont connues : Doris, Mariamne I,

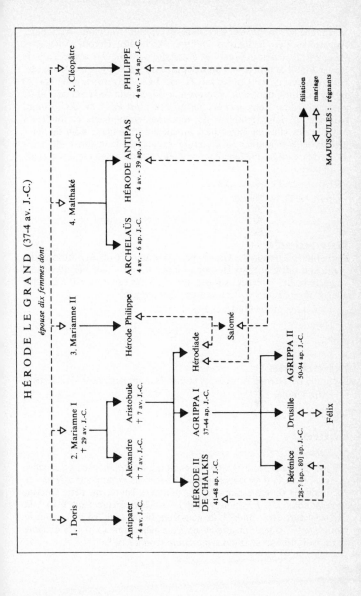

HÉRODE LE GRAND (37-4 av. J.-C.)

épouse dix femmes dont

1. Doris   2. Mariamne I † 29 av. J.-C.   3. Mariamne II   4. Malthaké   5. Cléopâtre

Antipater † 4 av. J.-C.

Alexandre † 7 av. J.-C.   Aristobule † 7 av. J.-C.

Hérode Philippe

ARCHELAÜS 4 av. - 6 ap. J.-C.   HÉRODE ANTIPAS 4 av. - 39 ap. J.-C.

PHILIPPE 4 av. - 34 ap. J.-C.

HÉRODE II DE CHALKIS 41-48 ap. J.-C.   AGRIPPA I 37-44 ap. J.-C.   Hérodiade

Salomé

Bérénice 28-? [ap. 80] ap. J.-C.   Drusille   AGRIPPA II 50-94 ap. J.-C.

Félix

filiation

mariage

MAJUSCULES : régnants

Mariamne II, Malthaké et Cléopâtre) et sept fils (Antipater, Alexandre, Aristobule, Hérode Bœthos Philippe, Archélaüs, Hérode Antipas et Philippe). Il réussit à gagner et à étendre son pouvoir avec l'aide de Rome dont il se proclama l'ami, depuis Jules *César jusqu'à *Auguste. *Gouverneur de la Galilée en 47 av. J.C., *tétrarque, puis roi de Judée en 41-40, maître de Jérusalem en 37, ensuite de la Samarie et de plusieurs villes, dont Jéricho, jusqu'à sa mort en 4 av. J.C. Grand bâtisseur, il dote Jérusalem de nombreux monuments et fonde ou restaure des villes hellénistiques, auxquelles il donne le nom de l'empereur, telle *Césarée. Sa dictature sanglante, le meurtre de trois de ses fils confère quelque épaisseur au récit du massacre des enfants de Bethléem [1].

[1] Mt 2,1-22; Lc 1,5; Ac 23,35 □.

→ *Intr*. I.1.D. — Hérode.

Hérodiade

Petite-fille d'Hérode le Grand par Mariamne I et Aristobule, elle quitta son oncle et mari Hérode Philippe I pour s'unir illégalement à un autre oncle, *Hérode Antipas, qu'en 39 elle suivit en exil à Lugdunum Convenarum (St-Bertrand-de-Comminges?) [1].

[1] Mt 14,3.6; Mc 6,17.19.22; Lc 3,19 □.

→ Hérode.

hérodiens

Partisans d'*Hérode Antipas, peut-être *sadducéens, hostiles à Jésus [1].

[1] Mt 22,16; Mc 3,6; 12,13 □.

heure

gr. *hôra*.

1. Division de la *journée. On en comptait douze du lever au coucher du soleil [1], variant en durée suivant les saisons et pouvant augmenter ou diminuer de onze minutes. La première heure, ou petit *matin, correspondait à 6 h [2]; puis venait la troisième heure (soit 9 h) [3], la sixième heure (soit midi) [4], la neuvième heure (soit 15 h) [5], enfin le *soir [6]; le NT signale encore la septième heure (soit 13 h) [7], la dixième heure (soit 16 h) [8] et la onzième heure (soit 17 h) [9].

¹ Jn 11,9. — ² Mt 20,1; Lc 24,1; Jn 8,2. — ³ Mt 20,3; Mc 15,25; Ac 2,15. — ⁴ Mt 20,5; 27,45 (= Mc 15,33 = Lc 23,44); Jn 4,6; 19,14; Ac 10,9. — ⁵ Mt 27,46 (= Mc 15,34); Ac 3,1; 10,30. — ⁶ Mt 8,16 (= Mc 1,32). — ⁷ Jn 4,52. — ⁸ Jn 1,39. — ⁹ Mt 20,9.

2. Court espace de temps [10].

¹⁰ Jn 5,35; 2 Co 7,8; Ga 2,5; 1 Th 2,17; Phm 15; Ap 17,12; 18,10.17.19.

3. Temps déterminé par un événement [11] ou par quelque chose [12]; plus particulièrement, l'heure de la *fin des temps (que nul ne connaît sinon le Père), celle de l'intervention ultime du Seigneur [13] et l'heure messianique (qui désigne le moment fixé par le Père pour glorifier son Fils par ses œuvres et par la croix [14]).

¹¹ Mt 8,13; 9,22; Jn 4,21.23. — ¹² Lc 1,10; 14,17; Jn 16,21; Ap 3,10; 14,15. — ¹³ Mt 24,36.44.50 (= Lc 12,39.46); 25,13; Jn 5,25.28; 1 Jn 2,18; Ap 3,3.10; 14,7.15. — ¹⁴ Mt 26,45; Mc 14,35.41; Jn 2,4; 7,30; 8,20; 12,23.27; 13,1; 17,1.

→ jour, journée — minuit — temps.

heureux!

gr. *makarios*. La béatitude est un mode sapientiel d'expression, connu dans la littérature profane et dans l'AT [1]. Au présent, félicitation pour un don accordé, pour un état de bonheur [2]. Au futur, annonce d'une joie à venir [3]. La béatitude ne doit pas être confondue avec la *bénédiction.

¹ Ps 1,1; 32,1s; Si 25,7-11. — ² Mt 5,3-11; 13,16; 16,17; Lc 6,20; 1 P 4,14; Ap 14,13... — ³ Mt 11,6; Lc 11,28; 12,37s.43; Jn 20,29...

Hiérapolis

gr. *Hierapolis* : « sainte ville ». Ville de *Phrygie, fondée au IIᵉ s. av. J.C., à quelques km au nord du confluent du Lycus et du Méandre. Elle était rendue prospère par ses sources d'eau chaude et son commerce de la laine. Patrie d'*Épictète [1].

¹ Col 4,13 □.

[Hillel]

Le grand Hillel fut contemporain d'*Hérode le Grand; il vécut de 30 av. à 10 ap. J.C. Docteur *pharisien, il prônait une interprétation large des textes de la *Loi.

hiver

Saison des pluies, approximativement du 15 octobre au 15 mai [1].
Le mot gr. *kheimôn* signifie aussi mauvais temps, tempête [2]. Le NT
parle d'hivernage [3].

[1] Mt 24,20 (= Mc 13,18); Jn 10,22; 2 Tm 4,21. — [2] Mt 16,3; Ac 27,18.20 □.
— [3] Ac 27,12; 28,11; 1 Co 16,6; Tt 3,12 △.

→ *Intr.* II.4. — année — été.

holocauste

*Sacrifice offert au Temple matin et soir, ainsi qu'en de multiples
occasions. En signe de don irrévocable et de « sacrifice parfait » (hb.
kâlîl), l'animal était entièrement (gr. *holos*) brûlé par le feu (gr. *kaiô*),
d'où l'appellation d'holocauste (gr. *holokautôma*). La fumée du
sacrifice monte (hb. *'âlâ* vers Dieu, d'où l'appellation hb. du rite :
'ôlâ. Impuissant à purifier du péché, il est rendu caduc par l'offrande
du Christ, seule efficace [1].

[1] Lv 1,3-17; Dt 33,10; Dn 8,11; Mc 12,33; He 10,6.8 □.

→ *Intr.* XIII.2.A. — autel — sacrifice.

homme

gr. *anthrôpos*, hb. *âdâm*, *enôch*.

1. A la différence des Occidentaux, les juifs ne considèrent pas l'homme
indépendamment de sa situation religieuse. L'homme n'est pas simplement un composé stable de *corps et d'*âme, mais un être suspendu à Dieu par son souffle même, par son *esprit [1]. *Image de Dieu,
l'homme doit se multiplier pour remplir la terre [2]. Il n'est donc pas
un individu que l'on peut considérer isolément; il est par sa *chair
même un être social; reconnaissant dans la *femme que Dieu lui a
présentée l'expression de soi-même en sa propre différence, l'homme
apprend à sortir de soi en aimant [3]. Toute rencontre avec le *prochain
manifeste diversement la relation qui fonde la société. Enfin l'homme
est image de la *seigneurie divine et doit soumettre la terre à sa
domination [4].

[1] Gn 2,7. — [2] Gn 1,26-28. — [3] Gn 2,23s. — [4] Gn 1,28s.

2. Or cet idéal, comment l'atteindre? Le péché a divisé la famille
humaine [5], rendu l'univers hostile [6], livré l'homme à la *mort [7] et à la
division de la *conscience [8]. Seul Jésus l'a réalisé, en tant que *servi-

teur de Dieu fidèle jusqu'à la mort [9], *réconciliant les hommes avec Dieu et entre eux [10].

[5] Gn 3—11. — [6] Rm 8,20. — [7] Gn 3,19; Sg 2,24; Rm 5,12. — [8] Rm 7,7-24. — [9] Is 52,13—53,12; Ph 2,6-11. — [10] 2 Co 5,18-21.

3. Jésus Christ, qui s'est identifié au *Fils de l'homme, est le nouvel et dernier *Adam [11], l'Homme *nouveau [12] par excellence, celui avec qui tout homme peut se dépouiller du vieil homme en le crucifiant [13], avoir l'entendement renouvelé [14] en celui-là même du Christ [15] et revêtir alors l'homme nouveau [16]. L'homme intérieur devient ainsi lui-même créature nouvelle [17]. L'humanité entière a en Jésus Christ son principe d'unité, permettant aux hommes de se rencontrer tout en assumant les différences de sexe, de race et de rang social [18].

[11] 1 Co 15,45. — [12] Ep 2,15. — [13] Rm 6,6; Col 3,9. — [14] Rm 12,2. — [15] 1 Co 2,16. — [16] Ep 4,22-24. — [17] 2 Co 4,16; 5,17. — [18] Ga 3,28.

→ *Intr.* V.2. — Adam — Fils de l'homme.

hosanna

De l'hb. *hôchîa'nâ* : « au secours! » (de la racine hb. *hôchîa'* : « sauver ») [1]. Acclamation populaire [2], équivalant à nos vivats, employée à la fête des *Tentes et lors des processions [3]. L'expression pourrait aussi provenir de l'araméen *'uchenâ* : « puissance » et signifier : « louange à » [4].

[1] Ps 118,25. — [2] 2 S 14,4; Ps 12,2. — [3] Lv 23,40; Mc 11,9; Jn 12,13. — [4] Mt 21,9.15; Mc 11,10 □.

hospitalité

gr. *philo-xenia* : « amour de l'étranger ». Les verbes *xenizô* : « héberger, loger », et *dekhomai* ou *lambanô* : « accueillir, recevoir » décrivent cette action. Loi sacrée du monde antique, prônée par l'AT [1], l'hospitalité est mise en valeur dans le NT. Son refus suscite l'indignation [2], ses négligences sont relevées [3], son désintéressement exigé [4]. Jésus en révèle le mystère : dans l'étranger, c'est le Christ lui-même qui est accueilli ou repoussé [5]. Aussi l'exercice empressé de l'hospitalité est-il un critère de vie chrétienne [6].

[1] Gn 18,1-8; 19,8; Jg 4,17-22; 19,3-9; Jb 31,32; Sg 19,13-17; Si 31,23. — [2] Lc 9,53s; cf Mt 10,14s; 22,7. — [3] Lc 7,44-46. — [4] Lc 14,13s; cf 10,34s. — [5] Mt 10,40; 25,35.43; Jn 1,11; He 13,2. — [6] Rm 12,13; 1 Tm 3,2; 5,10; Tt 1,8; 1 P 4,9.

→ étranger — hôtellerie.

hôtellerie

gr. *pan-dokheion* : « accueil de tous »[1]. A distinguer du *katalyma* (de *kata-lyô* : « dételer ») : « salle d'hôtes », soit dans une maison, soit dans un caravansérail, où l'on séjourne provisoirement[2]. Différent de *xenia* : « gîte, logis »[3].

[1] Lc 10,34s △. — [2] Mc 14,14 (=Lc 22,11); Lc 2,7; cf 9,12; 19,7 △. — [3] Ac 28,23; Phm 22 △.

huile

gr. *elaion*; *elaia* : « olivier »; en hb. *chèmèn* : « gras », *yiç^ehâr* : « éclatant ». Obtenue, sauf pour l'huile vierge[1], par le pressurage des olives concassées[2]. Aliment vital[3], signe de *bénédiction[4]. L'huile a divers usages : elle est source de *lumière[5]; elle peut aussi adoucir les plaies[6], fortifier les malades[7], faire resplendir le visage[8] et réjouir le cœur[9]. Mêlée à des parfums, elle honore l'hôte[10].

[1] Ex 27,20. — [2] Jb 24,11. — [3] Si 39,26. — [4] Dt 7,13; 28,40. — [5] Mt 25,3s. — [6] Is 1,6; Lc 10,34. — [7] Mc 6,13; Jc 5,14. — [8] Ps 104,15; Mt 6,17. — [9] Ps 45,8; Is 61,3; He 1,9. — [10] Ps 23,5; Lc 7,46.

→ oindre — parfum.

humilité

Du lat. *humilis* : « bas, près du sol *(humus)* ». L'hb. *'ânâh*, apparenté à *'any* : « pauvre », est ordinairement traduit par le gr. *tapeinos* : « humble », d'où *tapeinoô* : « s'abaisser ».

1. Le mot se comprend en relation d'opposition avec les termes d'élévation (gr. *hypsoô*) et d'*orgueil. Le NT reprend à son compte, surtout dans la bouche de Jésus, la loi divine qui décrit les préférences de Dieu pour les humbles, les humiliés[1].

[1] 1 S 2,7; Jb 5,11; Ps 147,6; Ez 17,24; Mt 23,12; Lc 1,52; 14,11; 18,14; Jc 1,9s; 4,6; 1 P 5,5s.

2. Jésus s'est dit « doux et humble de cœur »[2], qualifiant un état d'humilité, celui que proclament Marie[3] et Paul[4]. Cet état n'est pas le fruit d'une pratique pénitentielle[5], mais un constat d'existence : on est heureux sans rien, car on sait que Dieu console les humbles[6].

[2] Mt 11,29. — [3] Lc 1,48. — [4] Ac 20,19; Rm 12,16; 2 Co 10,1. — [5] Col 2,18.23. — [6] 2 Co 7,6; Ph 3,21; 4,12; Jc 4,10.

3. Si Jésus est humble, c'est qu'il s'est humilié, se vidant de tout (*kénose)[7], indiquant à ses disciples la voie de l'abaissement nécessaire [8]. Dieu veut que les collines soient abaissées [9], et il sait humilier ses apôtres [10].

[7] Ph 2,8; cf Ac 8,33. — [8] Mt 18,4; Ep 4,2; Ph 2,3; Col 3,12; 1 P 3,8; 5,5. — [9] Lc 3,5. — [10] 2 Co 11,7; 12,21 □.

→ douceur — orgueil — pauvre.

hydropique

gr. *hydropikos*, de *hydrôps*: « amas d'eau ». Épanchement de sérosité dans une cavité du corps ou entre les éléments du tissu conjonctif [1].

[1] Lc 14,2 □.

→ *Intr*. VIII.2.D. — guérir — maladie.

hymne

gr. *hymnos* (de *hymneô* : « chanter un chant grave », religieux ou héroïque). Ces pièces d'origine liturgique, par lesquelles on acclamait joyeusement en Jésus le Seigneur glorifié par Dieu, devaient ressembler aux *psaumes bibliques [1]. Les critiques estiment reconnaître, derrière les textes du NT, en plus des *doxologies, des hymnes chrétiennes [2].

[1] Ac 16,25; Ep 5,19; Col 3,16; He 2,12 □. — [2] Lc 1,46-55.68-75; 2,29-32; Jn 1,1.3-4.9-11.14 *a. b. e.* 16.17; Rm 10,5-8; Ep 4,7-10; 5,14; Ph 2,6-11; Col 1,5-20;1 Tm 3,16; He 1,3s; 1 P 1,19s; 2,23s; 3,18-22; 4,6; Ap *passim*.

→ chant — doxologie — psaume.

hypocrite

gr. *hypokritès* (de *hypo-krinomai* : « expliquer en faisant sortir la réponse du fond de soi-même », en particulier pour les songes; d'où « répondre, interpréter [une pièce], déclamer ») : « celui qui joue un rôle [1] ». Le terme ne désigne pas seulement l'homme dont les paroles et les actes ne correspondent pas à la pensée [2], il se charge d'un sens provenant probablement du mot araméen correspondant *hanefâ* qui, dans l'AT, signifie ordinairement « pervers, impie ». L'hypocrite est en puissance de devenir infidèle [3] et il devient parfois aveugle [4] : son jugement est faussé, perverti [5]. A l'opposé, la sincérité sans feinte et sans détour [6].

[1] Lc 20,20; Ga 2,13. — [2] Mt 6,2.5.16; 15,7; 22,18; 23,13. — [3] Mt 24,51; cf

Lc 12,46. — [4] Mt 7,5. — [5] Lc 6,42; 12,56; 13,15. — [6] Rm 12,9; 2 Co 6,6; 1 Tm 1,5; 1 P 1,22.

→ mentir — vices.

hysope

gr. *hyssôpos* (de l'hb. *'ezôb*). Arbrisseau aromatique aux fleurs bleues ou rouges, poussant dans les fentes des murailles et pouvant atteindre 1 m de hauteur. Il ressemble au câprier. Ses tiges, assez fragiles, servaient comme goupillons dans les *aspersions rituelles [1].

[1] Ex 12,22; Lv 14,4; 1 R 4,33; Ps 51,9; Jn 19,29; He 9,19 □.

I

Iconium

gr. *Ikonion*. Ville de *Lycaonie, sur les hauts plateaux de l'Asie Mineure, elle fut évangélisée à plusieurs reprises par Paul[1]. Auj. *Konya* .

[1] Ac 13,51; 14,1.19.21; 16,2; 2 Tm 3,11 □.

→ *Carte* 2.

idolâtrie, idoles

gr. *eidôlo-latria* (de *eidôlon* : « image » et *latreia* : « culte »). Face au *Dieu unique, qui ne peut pas être représenté[1], Israël a souvent été attiré par le culte païen et ses images sacrées des divinités étrangères[2]. Dès l'*exil, et même auparavant le judaïsme ne voit en ces images muettes que néant[3]. Elles sont mensongères et leur culte s'adresse aux démons[4]. En se convertissant, le païen abandonne les idoles de sa cité et de sa patrie pour servir le Dieu vivant[5], et doit se garder de la *cupidité qui est idolâtrie[6].

[1] Ex 20,2-5; Dt 4,15-24; Ac 17,29; Rm 1,23. — [2] Jg 8,24-27; 17,1—18,31; 1 R 12,28s; 15,13; Ac 7,41-43; 15,20; 17,16; Rm 2,22; 1 Co 5,10s; 6,9; 10,7. — [3] Ps 115; Sg 15; Is 44; Ba 6; 1 Co 8,4; 10,19-21; 12,2. — [4] Ap 9,20. — [5] 1 Th 1,9. — [6] Ep 5,5; Col 3,5.

→ *Intr.* VI.4.C.2. — argent — culte — dieux — image — prostitution — viandes sacrifiées.

idolothyte

→ viande sacrifiée aux idoles.

[Ignace d'Antioche]

Évêque d'Antioche de Syrie. L'un des premiers *Pères apostoliques, dont nous possédons plusieurs lettres écrites vers l'an 110 (aux églises d'Éphèse, de Magnésie, de Philadelphie, de Rome, de Smyrne, de Tralles, ainsi qu'à Polycarpe).

Illyrie
gr. *Illyrikon*. Pays montagneux au nord-ouest de la Macédoine, correspondant auj. à l'Albanie et à la Yougoslavie. Occupée depuis 167 av. J.C. par les Romains, l'Illyrie est devenue *province impériale en 27 av. J.C. Au Ier s. ap. J.C., on l'appelait volontiers *Dalmatie, quoique celle-ci corresponde davantage à la côte adriatique, tandis que l'Illyrie désignait la région proche de la frontière macédonienne [1].

[1] Rm 15,19 □; cf 2 Tm 4,10.

→ *Carte* 3.

image
gr. *eikôn*. Ce qui reproduit plus ou moins exactement et représente (rend présente) une réalité [1].

[1] Mt 22,20 (= Mc 12,16 = Lc 20,24).

1. Du *Dieu invisible, aucune image ne vaut [2], sinon l'*homme, image même de Dieu [3].

[2] (Ac 17,29;) Rm 1,23. — [3] Gn 1,26; Sg 2,23; Rm 8,29; 1 Co 11,7.

2. Le Christ est par excellence l'image du Dieu invisible [4].

[4] Sg 7,26; Jn 1,18; 14,9; Col 1,15 (;He 1,3).

3. L'*univers entier est marqué de l'empreinte unique du Christ [5] et chaque homme est recréé à l'image de l'Adam céleste que le Christ est devenu [6].

[5] Col 1,15-20. — [6] 1 Co 15,49; 2 Co 3,18—4,4; Col 3,10.

→ *Intr.* IX.5.A. — forme — idolâtrie — voir.

immoler
→ sacrifice — viande sacrifiée aux idoles.

immortalité
1. gr. *a-thanasia*. Selon l'anthropologie hellénistique, l'âme, émanation de la divinité, est par elle-même incorruptible et immortelle.

Selon la Bible, Dieu seul possède l'immortalité [1]; l'homme, mortel par lui-même, doit revêtir l'immortalité [2]. Quoique la victoire sur la mort soit une donnée biblique fondamentale, le terme immortalité ne vient que trois fois dans le NT.

[1] Dt 32,40; Sg 15,3; 1 Tm 6,16. — [2] Sg 1,15; 3,4; 8,13.17; Si 17,30; 1 Co 15, 53s △.

2. L'incorruptibilité (gr. *a-phtharsia*) est aussi le propre de Dieu [3], tandis que l'homme, créé pour l'incorruptibilité, a été voué par le *péché à la corruption [4]; mais, grâce au Christ qui en a été préservé [5], il pourra un jour, par la parole du Dieu vivant [6], hériter de l'incorruptibilité [7].

[3] Sg 12,1; Rm 1,23; 1 Tm 1,17. — [4] Sg 2,23s; Rm 1,23; 8,21; 1 Co 15,42-54; 2 Co 4,16; Ga 6,8; Ep 4,22; 2 P 1,4; 2,12. — [5] Ac 2,27.31; 13,34-37. — [6] Sg 6,19; 1 P 1,18.23; cf 3,4. — [7] Rm 2,7; 1 Co 9,25; 15,42-54; Ep 6,24; 2 Tm 1,10; 1 P 1,4 △.

→ *Intr.* IV.6.C. — mort — résurrection — vie.

impie

→ Antichrist — piété.

imposition des mains

→ main.

impôt

gr. *kènsos* (impôt) [1], *phoros* (tribut) [2], *telos* (taxe) [3]. Dans tous les pays occupés par Rome, quel qu'en soit le statut, les habitants qui n'ont pas la citoyenneté romaine sont tenus au « tribut du sol » (impôt foncier), au « tribut par tête » (frappant les biens mobiliers) et aux différents impôts indirects, telles les taxes que lèvent les *publicains. Les juifs de Palestine et de la *diaspora doivent, d'autre part, un impôt annuel au Temple.

[1] Mt 17,25; 22,17.19; Mc 12,14 △. — [2] Lc 20,22; 23,2; Rm 13,6s △. — [3] Mt 17,25; Rm 13,7 △.

→ *Intr.* IV.2.B.b; VI.3. — dîme — douane — publicain.

impudicité
→ prostitution — vices.

impur
→ pur.

incorruptibilité
→ immortalité.

incrédulité
1. gr. *a-pistia* : « non-croyance », manque de confiance. Dans l'AT, le concept manque, mais non la réalité signifiée [1]. Dans le NT, il stigmatise l'absence de foi [2] et même une foi insuffisante [3].

[1] Is 7,9; 53,1; Jr 4,22... — [2] Mt 13,58 (= Mc 6,6); 17,17 (= Mc 9,19 = Lc 9,41).20; 21,25 (= Mc 11,31 = Lc 20,5).32; Mc 16,11-17; Lc 22,67; 24,11; Jn 20,27; Ac 14,2; 19,9; 26,8; 28,24; Rm 3,3; 11,20.23; 1 Co 6,6; 7,12-15. — [3] Mc 4,40; 6,6; 9,24; Lc 1,20; 24,41; Rm 4,20.

2. gr. *oligopistia* : « petite foi ». Ce « peu de foi » peut affecter les croyants. Il consiste à méconnaître les signes de la Présence divine, en se refusant à obéir et à faire confiance [4].

[4] Mt 6,30 (= Lc 12,28); 8,26; 14,31; 16,8 △.

→ confiance — fidélité — foi.

infirmité
gr. *astheneia* (de *sthenos* : « force, vigueur » et *a* privatif) : « sans force », gr. *arrôstos* (de *rhônnymai* : « être vigoureux, fort ») : « faible, malade ».

→ maladie.

iniquité
Ce mot veut désigner non pas les divers péchés que l'homme peut commettre, mais l'opposition à Dieu qui est à la racine de tous les péchés et qui pousse en particulier à l'incrédulité. Le gr. *anomia* (de *nomos* : « loi » avec *a* privatif) dit au mieux ce qu'est cette force

*eschatologique hostile à Dieu dont parle volontiers le judaïsme contemporain du Christ [1]. Le gr. *adikia* (de *dikè* : « règle, justice », avec *a* privatif) : « injustice » peut aussi être ainsi traduit, dans la mesure où le sens biblique de la *justice lui est sous-entendu et où le le contexte montre qu'il s'agit plus d'une force que du résultat produit [2].

[1] Mt 7,23; 13,41; 23,28; 24,12; Rm 4,7; 6,19; 2 Co 6,14; 2 Th 2,3.7; Tt 2,14; He 1,9; 10,17; 1 Jn 3,4 △. — [2] Rm 1,18; 2,8; 9,14; 1 Co 13,6; 2 Th 2,10.12; 2 Tm 2,19; 1 Jn 1,9; 5,17.

→ justice — loi — péché.

injurier

gr. *blasphèmeô* (de *blas*, apparenté à *blabè* : « dommage, tort », et *phèmi* : « parler ») : « dire du mal de, injurier, insulter ». Dans le NT, le contexte impose un aspect de délibération et d'attaque qui invite à préférer la traduction « insulter ».

→ blasphémer — insulter.

inspiré

1. gr. *theopneustos* (de *theos* : « Dieu » et *pneô* : « souffler »). « Toute Écriture est inspirée de Dieu » [1]. Conformément à la croyance juive, les écrits de la Loi et des Prophètes sont « paroles de Dieu » [2], on ne peut les abolir [3], on y trouve la vie éternelle [4].

[1] 2 Tm 3,16 △. — [2] Rm 3,2. — [3] Jn 10,35. — [4] Jn 5,39.

2. En un sens élargi, les auteurs des écrits sacrés peuvent être dits « inspirés » : ils ont été « poussés par l'Esprit Saint » [5], en sorte qu'on dit indifféremment : « Dieu dit par un tel » ou « Un tel dit » [6].

[5] 2 P 1,21. — [6] Mt 1,22; Ac 3,21; 4,25; cf 2 P 3,16.

→ *Intr.* XII. — Bible — Écriture — esprit.

insulter

Divers termes grecs désignent les comportements qui attaquent autrui, par des paroles ou en gestes (comme conspuer quelqu'un), le blessant dans sa dignité ou son honneur. L'injure verbale est une faute très grave selon la Loi juive [1].

[1] Mt 5,22.

1. *Blasphèmeô* désigne, à la différence de son équivalent français, non seulement l'outrage contre la divinité mais l'*injure ou l'outrage

301

adressés à des hommes. Le sens est alors « insulter, outrager, se répandre en outrages ». Ainsi contre Jésus [2], contre les envoyés de Dieu [3], contre les chrétiens [4], contre autrui en général [5]. Les croyants doivent fuir un tel vice [6].

[2] Mt 27,39 (= Mc 15,29); Lc 23,39. — [3] Ac 13,45; 18,6; Rm 3,8. — [4] Rm 14,16; 1 Co 10,30; 1 P 4,4; Ap 2,9. — [5] Mt 15,19 (= Mc 7,23); 1 Tm 6,4; 2 Tm 3,2. — [6] Ep 4,31; Col 3,8; Tt 3,2.

2. *Kako-logeô* (de *kakos* : « mauvais », *legô* : « parler ») : non pas maudire, mais par ex. insulter ses parents [7] ou parler en mal (gr. *kakôs legô*) d'un chef, ainsi du Grand Prêtre [8].

[7] Ex 21,17; Ez 22,7; Mt 15,4 (= Mc 7,10). — [8] Ex 22,27; Ac 23,5.

3. *Loidoreô* (cf lat. *ludus*, jeu) : « se moquer » de manière outrageante. Ainsi de Jésus [9], des croyants [10]. Vice à proscrire [11]. Les chrétiens doivent y répondre par l'attitude contraire, celle de Jésus [12].

[9] 1 P 2,23. — [10] Ac 23,4; 1 Co 4,12; cf Jn 9,28. — [11] 1 Co 5,11; 6,10; cf 1 Tm 5,14. — [12] 1 Co 5,11; 1 P 3,9 △.

4. *Oneidizô* (d'une racine signifiant « raillerie », ou encore « reproche ») : « accuser, invectiver, discréditer » [13]. Terme utilisé surtout pour désigner l'opprobre subi par Jésus [14] et par les disciples à sa suite. C'est alors pour ceux-ci un honneur [15]. Autre mot : *khleuazô* (de *khleuè* : « *rire* ») : « railler » [16].

[13] Lc 1,25; 1 Tm 3,7. — [14] (Ps 69,10;) Mt 27,44 (= Mc 15,32); Rm 15,3; He 11,26; 13,13. — [15] Mt 5,11; He 10,33; 1 P 4,14. — [16] Ac 2,13; 17,32 △.

5. *Empaizô* (de *paizô* : « faire l'enfant *(pais)*, s'amuser ») : « se jouer de quelqu'un [17], prendre en dérision, bafouer » [18]. Terme surtout appliqué à Jésus durant sa passion [19]. Mot équivalent : (*ek-*) *mykterizô* (de *myktèr* : « nez ») : « froncer le nez, ridiculiser » [20].

[17] Mt 2,16. — [18] Lc 14,29; 2 P 3,3; Jude 18. — [19] Mt 20,19 (= Mc 10,34 = Lc 18,32); 27,29.31 (= Mc 15,20).41 (= Mc 15,31); Lc 23,11; He 11,36 △. — [20] Lc 16,14; 23,35; Ga 6,7 △.

→ blasphémer — injurier — langue — médire — raca — rire — vices.

intercession

Toute *prière de demande faite en faveur d'autrui est une intercession pour quelqu'un. *Abraham [1], *Moïse [2], le *Serviteur de Yahweh [3] sont des intercesseurs réputés qui annoncent le *médiateur par excellence qu'est Jésus Christ. L'intercession, c'est la prière (gr. *deomai* : « manquer de, avoir besoin, prier ») concernant un autre que soi [4]. Une autre manière, c'est l'entretien avec quelqu'un en vue

de le solliciter pour autrui ou pour quelque chose (gr. *entygkhanô*) :
ainsi de Jésus Christ [5] ou de l'Esprit Saint [6] ou des croyants en général [7]. La notion d'intercession suppose celle de solidarité entre les
êtres.

[1] Gn 18,16-33; 19,29. — [2] Ex 32,11-14. — [3] Is 53,12. — [4] Ac 8,24; Ph 1,4.19;
Ep 6,18. — [5] Rm 8,34; He 7,25. — [6] Rm 8,26s. — [7] 1 Tm 2,1.

→ médiateur — prier.

iota

gr. *iôta* : 9e lettre de l'alphabet grec, correspondant à la 10e lettre
de l'alphabet hébreu, le *yôd*. L'une et l'autre sont, à l'époque du NT,
les plus petites de leur alphabet [1].

[1] Mt 5,18 □.

Isaac

gr. *Isaak*, de l'hb. *yiçhâq*, abréviation de *yiçhaq-'él* : « Que Dieu
sourie [soit favorable]! » [1] Fils d'*Abraham et père de *Jacob [2], il
est l'enfant et l'héritier de la *promesse divine [3]. Offert en sacrifice
par son père, mais sauvé de la mort [4], il préfigure le Christ et annonce
la liberté des croyants [5].

[1] Gn 17,17.19; 18,12; 21,6; Ga 4,27. — [2] Dt 1,8; Mt 1,2; 8,11; 22,32 (= Mc
12,26 = Lc 20,37); Lc 3,34; 13,28; Ac 3,13; 7,8.32. — [3] Gn 17,15-22; 18,9-15;
21,1-7; Rm 9,7.9s; Ga 4,23.28; He 11,20. — [4] Gn 22,1-19; Rm 4,19; He 11,17s;
Jc 2,21. — [5] Ga 4,22-31; He 11,9-19; cf Jn 8,56 □.

Isaïe, Ésaïe

gr. *Èsaïas*, d'où la vocalisation française Ésaïe, de l'hb. *y^echa^c-yâhû* :
«Yahweh sauve ». Nom du *prophète juif du VIIIe s. av. J.C. Il a vu
la gloire de Dieu et a annoncé Jésus [1]. L'ouvrage publié sous son
nom est le recueil de prophéties le plus utilisé par le NT. On lui
attribue les chapitres 1-12; 15-23; 28-33. Le *Deutéro-Isaïe* ou « Livre
de la consolation d'Israël » datant de l'*exil, comprend les chapitres
40-55 et 34-35; le *Trito-Isaïe*, datant du retour de l'exil (ch. 56-66),
l'*Apocalypse*, postérieure au Ve s. (ch. 24-27). Voici les références aux
textes cités explicitement dans le NT, avec ou sans mention d'Isaïe :

[1] Is 6,1-5; Jn 12,41.

1. A partir du « Livre de l'Emmanuel » [2] et de quelques textes apparentés, le NT éclaire la nature du Nouvel Israël qu'est l'Église. Sont ainsi situés : l'appel à la conversion [3], l'endurcissement du peuple élu [4], l'annonce du salut aux nations [5], la naissance de l'Emmanuel [6], qui sera plein de confiance [7], pierre d'achoppement mais aussi pierre angulaire [8].

[2] Is 6,1—9,6. — [3] Is 40,3s (= Mt 3,3 = Mc 1,2s = Lc 3,4s = Jn 1,23); 52,11 (= 2 Co 6,17). — [4] Is 6,9s (= Mt 13,14s = Jn 12,39s = Ac 28,25-27; cf Mc 4,12; Lc 8,10); 29,13 (= Mt 15,7-9 = Mc 7,6s). — [5] Is 8,23—9,1 (= Mt 4,14-16); 11,10 (= Rm 15,12); 40,5 (= Lc 3,6); 52,7 (= Rm 10,15). — [6] Is 7,14 (= Mt 1,22s). — [7] Is 8,17s (= He 2,13). — [8] Is 8,14s (= 1 P 2,8); 28,16 (= Rm 9,33 = 10,11 = 1 P 2,6).

2. Des « poèmes du Serviteur » et de la littérature apparentée, le NT a repris quelques annonces : la mission salvifique du Messie que Dieu s'est choisi [9] et dont le comportement est humble [10], son destin qui est gloire après l'incompréhension et la mort ignominieuse [11], les apôtres envoyés aux *nations et subissant le même échec apparent [12].

[9] Is 61,1s (= Lc 4,17-19). — [10] Is 42,1-4 (= Mt 12,17-21). — [11] Is 53,1 (= Jn 12,38); 53,4 (Mt 8,17); 53,7s (= Ac 8,32s); 53,9 (= 1 P 2,22); 53,12 (= Lc 22,37). — [12] Is 49,6 (= Ac 13,47); 53,1 (= Rm 10,16).

3. D'autres citations convergent : Dieu a toujours rêvé d'un Temple, vraie maison de prière [13], non pas d'une bâtisse de pierre [14]. Tous les hommes ont péché [15], mais le péché sera définitivement enlevé [16], un reste sera sauvé [17] et tous seront instruits par Dieu [18]. Ainsi grâce à Jésus, le saint promis à David [19], les païens eux-mêmes entreront dans l'héritage d'Israël [20].

[13] Is 56,7 (= Mt 21,13 = Mc 11,17 = Lc 19,46). — [14] Is 66,1s (= Ac 7,48-50). — [15] Is 59,7s (= Rm 3,15-17). — [16] Is 59,20s (= Rm 11,26s). — [17] Is 1,9 (= Rm 9,29); 10,22s (= Rm 9,27s). — [18] Is 54,13 (= Jn 6,45). — [19] Is 55,3 (= Ac 13,34). — [20] Is 65,1s (= Rm 10,20s).

→ *Intr.* XII.2.A.b. — *Tableau*, p. 76.

[Isaïe (Ascension d')]

*Apocryphe comportant une légende juive sur le martyre d'Isaïe, datant du Ⅰᵉʳ s. av. J.C. [1], et deux fragments chrétiens d'*apocalypse, datés de 100 ou 150 ap. J.C. [2].

[1] *Asc. Is.* 1,1—3,12; 5,12-16. — [2] *Asc. Is.* 3,13—5,1; 6,1—11,43.

Iscariote

→ Judas (l') Iscariote — Simon Iscariote.

Israël

hb. *Yisrâ'êl*, mot composé d'un sujet et d'un verbe, tous deux à l'étymologie discutée. Le sujet *êl* signifie « but, domaine, chef », d'où « dieu ». Le verbe provient de la racine *srr* : luire, éclairer, sauver, dominer, ou de la racine *srh* : combattre, lutter. D'où le sens : « Que Dieu règne [sur nous] *ou* combatte [pour nous] ».

1. Nom de *Jacob; selon l'étymologie populaire : « fort contre Dieu » [1].

[1] Gn 32,29; 35,10; Rm 9,6 △.

2. Désignation ethnique de la partie nord du royaume de *David [2], puis de l'ensemble du pays [3].

[2] *Intr.* III.2; 2 S 5,3; 1 R 12,19. — [3] Mt 2,20s; 10,23.

3. Nom sacré du peuple des promesses, après que *Juda eut pris la première place [4], comportant douze *tribus [5] dont l'histoire est significative [6].

[4] Dt 5,1; Is 41,8; Mt 2,6; Ac 2,36; 4,10. — [5] Ex 24,4; Mt 19,28 (= Lc 22,30). — [6] Ac 7,2-53; Rm 11,26s.

4. Communauté politico-religieuse des descendants des *Judéens; le terme équivaut au nom de *juifs : les fils d'Israël, Israël même [7].

[7] Ne 9,1s; Jn 3,10; Rm 9,4; Ph 3,5.

5. A la suite des prophètes qui annoncent qu'un « *reste seulement sera sauvé » [8], les chrétiens distinguent l'Israël de Dieu [9] et l'Israël selon la chair [10]. Selon eux, la communauté de ceux qui croient en Jésus accomplit l'espérance juive en un nouvel Israël, nouveau peuple de Dieu [11].

[8] Is 10,20s; 46,3; Rm 9,27.29. — [9] Ga 6,16. — [10] 1 Co 10,18. — [11] Jr 31,31-33; Ez 36,22-30; Rm 9,6; He 8,8-10; Ap 7,4; 21,12.

→ *Intr.* III.2.B. — israélite — peuple de Dieu.

israélite

gr. *israèlitès.* Terme désignant les *juifs davantage sous leur aspect religieux [1].

[1] Jn 1,47; Ac 2,22; 3,12; 5,35; 13,16; 21,28; Rm 9,4; 11,1; 2 Co 11,22 □.

Italie

Le terme, qui désignait à l'origine la Calabre méridionale, correspond depuis *César à l'Italie actuelle. Le pays comportait d'importantes communautés juives, à Rome et à Puteoli; cela explique en partie le rapide succès du christianisme en ces régions [1].

[1] Ac 18,2; 27,1.6; He 13,24 □.

Iturée

gr. *Itouraia*. Territoire païen au nord-est de la Palestine. L'une des trois régions de la *tétrarchie de *Philippe II, dont la capitale est Chalkis [1].

[1] Lc 3,1 □.

ivraie

gr. *zizanion*, lat. *lolium temulentum*. Herbe vénéneuse, qui enivre (de « en » et « ivre »), d'où son nom. Dans l'AT, le terme, collectif, peut désigner toute plante nuisible, produit de la paresse coupable et châtiment de Dieu suite aux péchés des hommes [1]. L'ivraie ressemble au blé, mais ne dépasse pas 1 m de hauteur. Brûlée, elle devient l'image des pécheurs, victimes de Satan [2].

[1] Pr 24,31; Is 5,6. — [2] Mt 13,25-40 □.

→ ronce.

J

Jacob

gr. *Iakôb*, de l'hb. *yaʿaqôb*, abréviation de *yaʿqôb-él* : « Dieu protège (?) », nom interprété à partir de *ʿâqab* : « il a trompé » [1].

[1] Gn 27,36; Jr 9,3.

1. Petit-fils d'*Abraham, fils d'*Isaac [2], préféré à Ésaü son frère [3], père des douze patriarches [4], donnant son nom, qui est aussi *Israël, au peuple élu [5]. Le NT évoque quelques épisodes de sa vie [6].

[2] Gn 25 — 50; Mt 1,2 (= Lc 3,34); 8,11 (= Lc 13,28); 22,32 (= Mc 12,26 = Lc 20,37); Ac 3,13; 7,8.12.14s.32; He 11,9. — [3] Rm 9,13; He 11,20; 12,16. — [4] Mt 1,2; Ac 7,8. — [5] Lc 1,33; Ac 7,46; Rm 11,26. — [6] Jn 4,5s.12; Ac 7,8.12.14-16; He 11,21 □.

2. Père de *Joseph, l'époux de Marie [7].

[7] Mt 1,15s □.

Jacques

gr. *Jakôbos*, de l'hb. *yaʿaqôb*.

1. *Jacques* « *le Majeur* », fils de *Zébédée et, peut-être, de *Salomé [1], frère aîné de *Jean, avec celui-ci « fils du tonnerre » [2], l'un des *Douze [3]. Avec Pierre et Jean, l'un des trois témoins privilégiés des grands moments de la vie de Jésus : résurrection de la fille de Jaïre, Transfiguration, Agonie [4]. Il meurt décapité sous le règne d'*Hérode Agrippa I, entre 41 et 44 [5].

[1] Mt 4,21 (= Mc 1,19s = Lc 5,10); 27,56; cf Mc 15,40; Mc 10,35.41; cf Mt 20,20. — [2] Mc 3,17 (cf Lc 9,54). — [3] Mt 10,2 (= Mc 3,17 = Lc 6,14); Ac 1,13. — [4] Mt 17,1 (= Mc 9,2 = Lc 9,28); cf Mc 1,29; 5,37 (= Lc 8,51); 13,3; Jn 21,2. — [5] Ac 12,2 □.

2. *Jacques, fils d'Alphée*, l'un des Douze [6]. Parfois confondu avec Jacques le Petit, en identifiant (à tort) Alphée et Clopas [7].

[6] Mt 10,3 (= Mc 3,18 = Lc 6,15 = Ac 1,13). — [7] Mc 15,40; Jn 19,25 □.

3. *Jacques le Petit* (dit *le Mineur*); fils de Clopas et de Marie, frère de

Josèt [8] et de Jude [9]. Souvent confondu avec Jacques, fils d'Alphée. Bien qu'il n'ait pas été disciple de Jésus de Nazareth, Jacques a vu le Ressuscité [10]. Probablement parce que « *frère du Seigneur » [11], il joue un rôle capital dans l'Église de Jérusalem; les *judéo-chrétiens se réclament de lui [12]. La tradition en fait l'auteur de l'Épître de *Jacques [13]. D'après * Josèphe, il mourut lapidé en 62.

[8] Mc 15,40; cf 6,3; 15,47. — [9] Jude 1. — [10] 1 Co 15,7. — [11] Ga 1,19; cf Mt 13,55 (= Mc 6,3). — [12] Ac 12,17; 15,13; 21,18; Ga 2,9.12. — [13] Jc 1,1 □.

4. Le père de Jude [14].

[14] Lc 6,16; Ac 1,13 □.

[Jacques (Épître de)]
Exhortation adressée en bon grec par un chrétien d'origine juive à des judéo-chrétiens. Elle reprend la tradition des paroles de *Jacques le Petit, non l'apôtre mais le *frère du Seigneur. Elle peut dater de 57-62 ou, plutôt, de 80-90. Épître *deutérocanonique.

→ *Intr.* XV. — Épîtres (catholiques).

jalousie
1. Le NT connaît le serrement de cœur et la malveillance qu'on éprouve en voyant d'autres personnes jouir d'un bien qu'on voudrait avoir (« *envie » traduisant plutôt le gr. *phthonos*) [1] ou posséder exclusivement (« jalousie » proprement dite, traduisant, ainsi que « zèle », le gr. *zèlos* : « émulation, rivalité », d'où « envie, ambition, ferveur, zèle ») [2]. Un des sens de « l'*œil mauvais » [3].

[1] Mt 27,18 (= Mc 15,10); Rm 1,29; Ga 5,21.26; Ph 1,15; 1 Tm 6,4; Tt 3,3; Jc 4,5; 1 P 2,1 △. — [2] Ac 7,9; Rm 13,13; 1 Co 3,3; 13,4; 2 Co 12,20; Ga 4,17s; 5,20; Jc 3,14.16; 4,2. — [3] Dt 15,9; Si 31,13; Mt 20,15; Mc 7,22.

2. Le mot *zèlos* a souvent une portée religieuse, c'est pour Dieu qu'on est jaloux, en bien ou en mal [4]. Appliqué à Dieu, le terme, dépouillé de tout aspect égocentrique, doit être lié au fait que, étant unique, Dieu est exclusif de tout ce qui porte atteinte à sa *sainteté (Dieu ne tolère pas les *idoles) [5] et à son amour (Dieu ne tolère pas l'*adultère) [6]. Il équivaut à la *colère de Dieu, autre aspect de sa « sainteté ».

[4] Nb 25,11; 1 R 19,10; 1 M 2,24-27; Ps 69,10; Jn 2,17; Ac 5,17; 13,45; 17,5; 21,20; 22,3; Rm 10,2.19; 11,11.14; Ga 1,14; Ph 3,6; Tt 2,14; 1 P 3,13; Ap 3,19 △. — [5] Ex 20,5; 34,14; Dt 4,24; Jos 24,19s; 1 R 14,22; 1 Co 10,22; He 10,27. — [6] Ez 16,38; 23,25; 2 Co 11,2 △.

→ adultère — colère — envie — sainteté — vices — zèle.

Jannès et Jambrès
Noms donnés par 2 Tm 3,8 aux *magiciens d'Égypte que mentionnent Ex 7,11s.22; 8,3.14s; 9,11 □.

Jean
gr. *Iôannès*, de l'hb. *yehôhânân*, *yôhânân* : « Yahweh fait grâce ».

1. Fils de *Zébédée et, peut-être, de *Salomé [1], frère cadet de *Jacques « le Majeur », avec lui « fils du tonnerre » [2], l'un des *Douze [3]. L'un des trois disciples privilégiés, ordinairement en compagnie de Pierre et de Jacques [4]. Une des colonnes de l'Église [5]. La tradition l'identifie au *disciple que Jésus aimait et lui attribue le IVe évangile, trois épîtres et l'Apocalypse [6]. Il aurait vécu à Éphèse et été martyrisé sous Trajan au début du IIe s.

[1] Mt 4,21 (= Mc 1,19s = Lc 5,10); 27,56; cf Mc 15,40. — [2] Mc 3,17; cf Lc 9,54. — [3] Mt 10,2 (= Mc 3,17 = Lc 6,14); Ac 1,13. — [4] Mt 17,1 (= Mc 9,2 = Lc 9,28); Mc 1,29; 5,37 (= Lc 8,51); 9,38 (= Lc 9,49); 10,35.41; 13,3; 14,33; Lc 9,54; 22,8; Jn 21,2. — [5] Ac 3,1.3s.11; 4,13.19; 8,14; Ga 2,9. — [6] Ap 1,1.4.9; 22,8 □.

2. Père de Simon-Pierre, appelé encore Jona [7].

[7] Mt 16,17; Jn 1,42; 21,15-17 □.

3. Jean-Marc. → Marc.

4. Juif de famille pontificale [8].

[8] Ac 4,6 □.

[Jean (Épîtres de)]
Trois lettres rédigées probablement par le même auteur qui se désigne comme l'« Ancien », que l'on peut identifier avec l'apôtre Jean, du moins pour la 1re, la plus récente en date. Celle-ci et la 2e sont une sorte d'exhortation adressée à un groupe d'Églises pour les aider à rester fidèles dans la foi. La 3e est plus personnelle.

→ *Intr.* XV. — deutérocanoniques — Épîtres (catholiques).

[Jean (Évangile de)]
Écrit vers la fin du Ier s., ce livret se présente fort différemment des *Synoptiques, mais il est lui aussi un *évangile : il raconte le ministère

de Jésus pour inviter à la foi. La trame de cette existence n'est plus la séquence de deux périodes : Galilée, puis Jérusalem, mais la prédominance de la Judée avec quelques épisodes en Galilée. Jn omet beaucoup de détails transmis par les Synoptiques; mais il rapporte de nombreux autres détails, d'ordre historique ou topographique, qui sont de grande valeur pour l'historien. Ce qui distingue surtout le IVe évangile, c'est la perspective dans laquelle il se place. L'Esprit Saint est celui qui permet de comprendre l'histoire de Jésus, en sorte que l'évangile de Jean est appelé « l'évangile spirituel ». Méthodiquement, il proclame la Bonne Nouvelle pour le temps présent à travers l'histoire passée de Jésus de Nazareth. Une autre caractéristique de Jn, c'est l'actualisation de l'*eschatologie qui permet de fixer dans la rencontre de Jésus le don même de la vie éternelle. L'apôtre Jean est à l'origine de l'ouvrage, encore que ce soit une école johannique à laquelle on doive ce qui le caractérise et que des rédacteurs ultimes en aient parachevé la publication.

→ *Intr.* XV.

Jean Baptiste

Jean, fils de *Zacharie et d'*Élisabeth [1], dont l'activité est également mentionnée par l'historien juif *Josèphe, paraît dans le désert vers l'an 28 (ou peut-être dès 27), tel un *prophète [2]. Sa prédication offre quelque ressemblance avec certains aspects des écrits trouvés à *Qoumrân. Son ministère eut un grand succès auprès des foules, mais il ne dura guère puisque *Hérode Antipas le fit décapiter un ou deux ans après [3]. « Le baptême de Jean », expression stéréotypée [4], innove par rapport aux pratiques antérieures du *baptême : il concerne d'abord les juifs (et non les prosélytes), il ne se donne qu'une fois (non pas chaque jour comme chez les *esséniens), il requiert la *conversion de chacun (précisant ainsi la nature de la purification *eschatologique annoncée par les prophètes [5]). Les rapports historiques de Jean avec Jésus sont difficiles à préciser. Jésus exerça un baptême analogue à celui de Jean [6] et proclama son admiration pour l'envoyé eschatologique de Dieu [7]. De son côté, Jean s'est demandé si Jésus n'était pas celui qui devait venir [8]. Or, parallèlement au mouvement chrétien, se maintint une sorte de secte, les « johannites », héritiers des disciples de Jean, dont on mentionne l'existence à Éphèse vers l'an 54 [9]. Aussi Paul tend-il à subordonner Jean à Jésus [10] et la tradition évangélique a-t-elle tendu à réduire son rôle de baptiseur pour souligner celui de précurseur et de pur témoin [11].

[1] Lc 1. — [2] Mt 3,1.4 (= Mc 1,4.6); Lc 3,1s; 20,6. — [3] Mt 14,1-10 (= Mc 6,14-27); Lc 3,20. — [4] Mt 21,25s (= Mc 11,30.32 = Lc 20,4); Ac 1,22; 18,25; 19,3. — [5] Ez 36,25; Za 13,1. — [6] Jn 3,22. — [7] Mt 11,7-14; 17,11-13. — [8] Mt 11,2s (= Lc 7,18s). — [9] Ac 18,25; 19,3s. — [10] Ac 13,24s. — [11] Mt 3,11-15 (= Mc 1,7s = Lc 3,15-18); Jn 1,15.19-36; 3,27-30; 5,35s; 10,40s.

→ *Intr.* I.2. — baptême.

Jérémie

gr. *Ieremias*, de l'hb. *Yirmeyâhû* : probablement « Yahweh élève ». Ce grand *prophète du VIIe-VIe s. av. J.C. vécut la destruction de Jérusalem et la déportation en exil. Les contemporains de Jésus en attendaient le retour [1]. Le NT a retenu surtout le ch. 31, concernant l'alliance nouvelle [2] et évoquant Rachel qui pleure ses enfants déportés [3]. Paul lui reprend son appel à la fierté authentique [4] et Mt lui prête une prophétie de *Zacharie [5].

[1] Mt 16,14. — [2] He 8,8-12; 10,16s (= Jr 31,31-34). — [3] Mt 2,17s (= Jr 31,15). — [4] 1 Co 1,31 (= Jr 9,22s). — [5] Mt 27,9 (= Za 11,12s; cf Jr 32,6-9) □.

→ *Intr.* XII.2.A.b. — *Tableau*, p. 76.

Jéricho

gr. *Ierikhô*, de l'hb. *yerîhô*. Site néolithique. Appelée aussi « ville des palmiers », reconstruite avec magnificence par *Hérode le Grand près des ruines d'une cité cananéenne du même nom, dans une oasis très fertile de la profonde dépression du *Jourdain. Elle est reliée à Jérusalem à travers le désert de Juda par 37 km d'une route escarpée favorable au brigandage [1].

[1] Dt 34,3; Jos 5,13—6,26; Mt 20,29 (= Mc 10,46 = Lc 18,35); Lc 10,30; 19,1; He 11,30 □.

→ *Carte* 4.

Jérusalem

gr. *Ierosolyma, Ierousalèm*, hb. *Yerûchâlém, Yerûchâlaïm*.

1. Depuis sa conquête par David [1] (xe s.), la cité cananéenne d'*Urushalim* (« fondation du dieu Salem ») est au cœur de l'unité nationale juive. La tradition biblique y reconnaît la ville de *Melchisédek et en identifie le site avec le mont Moriah où *Abraham offrit son sacrifice. Demeure de Yahweh depuis le transfert de l'*arche et la construction du *Temple [2], elle est la Ville sainte, le centre spirituel du peuple, au point que son histoire représente la destinée d'Israël.

Devenue *idolâtre, elle subit le jugement de Dieu ³ : elle est prise et incendiée (vɪᵉ s.); après l'*exil, elle redevient, par le Temple rebâti, le lieu de la présence divine, préfigurant, selon le prophète, la cité de la paix (*Yerûchâlaïm*, de *châlôm* : « paix ») où se tiendra le jugement *eschatologique et où la joie sera offerte à tous les peuples ⁴.

¹ 2 S 5. — ² 2 S 6 — 7; 1 R 6 — 8. — ³ cf Ez 9,1 — 10,7. — ⁴ Is 25,6-10; Jl 4,9-17.

2. Au temps de Jésus, la ville est dotée par Hérode le Grand de constructions magnifiques : les murailles, les deux palais-forteresses de l'Antonia et du Palais, la nouvelle esplanade du Temple et le *Temple lui-même, de nombreuses demeures, un théâtre, un amphithéâtre, un hippodrome. Elle est entourée de jardins au nord et à l'ouest. Elle est aussi le centre de l'activité religieuse et le siège du grand *sanhédrin. Lors des *fêtes, on monte de partout en *pèlerinage au Temple. Par respect de la sensibilité des juifs, les autorités romaines résident à *Césarée et ne viennent dans la Ville que lors des grands rassemblements de foule.

3. Jésus est souvent monté à Jérusalem ⁵, c'est là que, une dernière fois, il affronte le peuple à son message et à sa personne. Il y meurt crucifié. C'est à Jérusalem que se forme la première communauté chrétienne et à partir d'elle que la prédication de l'Évangile rayonne dans le monde ⁶. C'est chez elle aussi que se sont installés les *judéochrétiens sous la présidence de *Jacques. Inquiétés par l'accession des païens à la Bonne Nouvelle, certains prétendent imposer la *circoncision ⁷. Un compromis est trouvé au *concile de Jérusalem ⁸. Mais peu à peu, avec la diffusion de la foi chrétienne à Antioche, à Éphèse et à Rome, la cité sainte n'est plus le centre du christianisme ⁹. Son rôle dans la réalisation du salut est terminé, mais c'est pour passer à une Jérusalem donnée du *ciel, dont la terrestre n'était que la *figure. La Jérusalem nouvelle est, au terme de la mission du Christ, la *patrie définitive de tous les rachetés ¹⁰.

⁵ Lc 13,34s; Jn 2,13. — ⁶ Ac 1,8; 2,1-11. — ⁷ Ac 15,1. — ⁸ Ac 15,23-29. — ⁹ Rom 15,19. — ¹⁰ He 12,22; Ap 21,1—22,5.

→ *Intr.* I.1.C.E; I.3.C; II.3.B; II.4.B; VI.2.A. — Barnabé — concile de Jérusalem — judéo-chrétiens — *Carte* 1.

Jésus Christ

1. gr. *Ièsous*, de l'hb. *Yéchûaʿ*, *Yᵉhôchûaʿ* : « Yahweh sauve ». Nom porté avant Jésus de Nazareth par *Josué ¹ et, probablement, par *Barabbas ². C'est par le *nom de Jésus de Nazareth que l'homme doit être sauvé ³. Le nom complexe « Jésus Christ » accole un nom

de personne (Jésus) et un nom de fonction (gr. *Christos* : « l'*Oint »),
unissant ainsi indissolublement le personnage historique et l'objet
de la foi; fréquente dans les Actes et les Épîtres, l'appellation est rare
dans les évangiles [4].

[1] Nb 27,18-23. — [2] Mt 27,16s. — [3] Ac 4,12; Ph 2,9-11. — [4] Mt 1,1.18; 16,21;
Mc 1,1; Jn 1,17; 17,3 □.

2. Comme pour la plupart des fondateurs de religion, Moïse, Bouddha
ou Mahomet, la vie de Jésus n'est guère attestée par des écrivains
non croyants. On peut citer toutefois *Josèphe vers 93, *Pline en 112,
Tacite vers 116, Suétone vers 120, les documents non *canoniques
comme l'Évangile de *Thomas. Quant aux textes non évangéliques
du NT, ils se réfèrent sans doute à la personne de Jésus, mais n'en
détaillent pas la vie terrestre. Les quatre évangiles (Matthieu, Marc,
Luc et Jean) constituent la principale source historique sur la vie et
l'œuvre de Jésus. A travers leur témoignage de foi, l'historien peut
reconstituer, à grands traits et pour l'essentiel, ce que fut son exis-
ence.

3. Jésus vécut en Palestine, surtout en Galilée, à *Capharnaüm,
près du lac, ainsi qu'à *Jérusalem, la capitale de la Judée. Son existence se situe grâce à un point de repère certain : *Jean vint prêcher
et baptiser au *Jourdain durant l'année qui suivit le 1er octobre 27
ou le mois d'août 28. Elle prend fin un vendredi 14 *nisan, à la veille
de la *Pâque juive, ce qui autorise deux datations plus vraisemblables:
7 avril 30 et 3 avril 33. Les autres datations sont plus approximatives:
Jésus est né à *Bethléem en 7 ou 6 avant notre ère; son activité
publique, entre son baptême par Jean (27-28) et sa mort (30 ou 33),
dura environ deux ans et quelques mois, peut-être un an en moins
ou en plus.

4. Sur ce canevas historique, on peut tracer un itinéraire vraisemblable. Jésus exerça à *Nazareth le métier de *charpentier jusqu'aux
jours où il se retira dans la solitude du désert de Judée et se fit baptiser
par Jean. Il pratique alors lui-même le baptême de Jean, puis retourne
en Galilée, annonçant la Bonne Nouvelle du règne de Dieu, guérissant
les malades et chassant les démons. Ses préférés sont les « pauvres »,
les enfants, les femmes, les déshérités, les gens méprisés par les pratiquants. Il bouscule le rigorisme et l'étroitesse de certains *pharisiens,
mais il se refuse à combler les aspirations révolutionnaires des *zélotes
et du peuple. Afin d'étendre son action, il groupe autour de lui une
troupe itinérante de *disciples, y choisissant *douze privilégiés qui
doivent évoquer le nombre des *tribus d'Israël et préfigurer l'*Israël
nouveau. Jésus se heurte à l'incompréhension des foules, à la sus-

313

picion jalouse des chefs religieux, à la prudence politique d'*Hérode Antipas (qui a fait décapiter Jean). Il rompt alors avec la Galilée et monte une dernière fois à Jérusalem où il fait une entrée triomphale le jour des Rameaux; il y chasse les vendeurs du Temple, acte de violence qui l'engage dans un conflit irréductible avec les autorités *sadducéennes et pharisiennes : la décision est prise de mettre fin à son activité et pour cela d'utiliser les offices de *Judas le traître. Quelques jours plus tard, après un *repas au cours duquel il fait ses adieux à ses disciples et annonce symboliquement sa mort par les paroles et l'action eucharistiques, Jésus est arrêté, probablement par une troupe romaine, questionné par les chefs juifs qui l'estiment digne de mort pour avoir *blasphémé en prétendant à une dignité divine; il est livré au préfet *Pilate qui le juge comme agitateur ayant troublé l'ordre public en se disant roi des juifs. Il le condamne à être *crucifié, après *flagellation. Jésus meurt sur la *croix et est *enseveli. Le sabbat terminé, les disciples trouvent le tombeau vide et s'en vont proclamer que Jésus est *ressuscité et leur est *apparu. L'histoire de Jésus cède la place à l'histoire de l'Église chrétienne.

5. Le message de Jésus peut être reconstitué avec quelque vraisemblance derrière les transformations qu'a nécessitées la transmission de la foi. Pour Jésus, comme pour tout bon juif converti à la voix de Jean, le *temps subit une mutation radicale : Dieu va intervenir de façon décisive, son *règne est tout proche; il faut donc être prêt, veiller et se convertir pour accueillir le Seigneur qui vient. Aux yeux de Jésus, à la différence des juifs, le règne de Dieu est déjà là, à travers ses propres actes : le doigt de Dieu est là [5], il y a ici plus que Salomon, plus que Jonas [6]; il faut découvrir le trésor caché [7]; il faut tout abandonner pour se mettre à la suite de Jésus [8].

Si Dieu agit ainsi, c'est pour apprendre aux hommes qu'ils sont tous ses enfants, sans distinction de races, de frontières ou de mérites : le *prochain est celui que j'approche [9]. Tout en valorisant l'existence personnelle de chaque *enfant de Dieu, qui doit avoir pleine *confiance en lui [10], Jésus n'a pas désagrégé le *peuple de Dieu, mais l'a fondé pour toujours en son propre *sacrifice, scellant à jamais par son *sang l'*alliance de Dieu avec les hommes [11]. Jésus n'a pas aboli, mais *accompli la Loi et Israël [12]. Les croyants qu'il groupe autour de lui ne constituent pas une « église » à côté d'Israël, mais une troupe dont l'unique principe de cohésion est l'attachement à sa parole et à sa personne [13].

A travers la foi des évangélistes qui a explicité le sens des paroles et des actes du Christ, l'historien parvient à viser ce que Jésus a réellement dit et fait sur terre. Voici ce qu'on peut retenir dans la multiplicité des opinions exégétiques. Sans doute Jésus ne s'est-il jamais déclaré explicitement « *Messie », sauf à la veille de sa mort; sans doute Jésus ne s'est-il pas appelé « * Fils de Dieu »; mais on peut lui attribuer certaines paroles qui soulèvent une question sur sa véritable personnalité. Jésus estimait avoir une relation unique avec Dieu son Père : il est « le Fils » par excellence [14], appelant Dieu « *Abba » [15] et entretenant une union singulière avec lui [16]. D'autre part, il prétend que tous les hommes doivent passer par lui pour obtenir la vie éternelle [17]. Son comportement fonde ces paroles : il prétend remettre les *péchés [18], il prend des *repas avec les pécheurs pour manifester le renouvellement de l'alliance de Dieu avec tous les hommes [19], enfin et surtout il se comporte parmi les disciples comme celui qui « *sert » [20]. Si l'historien ne peut attribuer à Jésus de Nazareth les titres christologiques que la foi lui confère, il bute contre ses prétentions extraordinaires et entend à nouveau la question de jadis : « Et vous, qui dites-vous que je suis? » [21].

[5] Lc 11,20. — [6] Lc 11,31s. — [7] Mt 13,44. — [8] Mt 16,24-26. — [9] Lc 10,29-37. — [10] Lc 12,22-32. — [11] Lc 22,20. — [12] Mt 5,17. — [13] Mt 12,30. — [14] Mc 12,6; 13,32. — [15] Mc 14,36. — [16] Mt 11,27. — [17] Mt 7,24-27. — [18] Mc 2,10. — [19] Mc 2,16s. — [20] Mc 10,45; Lc 22,27. — [21] Mt 16,15 (= Mc 8,27).

6. A cette question, les croyants ont répondu unanimement : « Tu es le Christ et le Seigneur. » Cette réponse importe à l'historien qui ne peut se contenter d'avoir interrogé les textes pour en dégager un noyau (ce que Jésus a dit et fait sur terre) et qui se doit de les questionner pour saisir les diverses compréhensions qu'ils offrent du fait. On peut distinguer en gros quatre stades dans la tradition sur Jésus, qui tire son origine de la foi au Christ ressuscité. Jésus élevé au ciel accomplit les espérances d'Israël et devient le *Seigneur de tous les temps [22]. La *mort de Jésus, comprise à la lumière des prophéties, est la source du *salut [23]. L'homme Jésus a légué des enseignements et des manières de vivre qui commandent le comportement chrétien [24]. Enfin la foi remonte plus avant dans le mystère de Jésus de Nazareth, s'interrogeant sur les origines humaines et divines de celui qu'elle affirme vivant à jamais [25].

[22] Ac 2,36; Rm 10,9; 1 Th 1,10. — [23] Ac 3,13.26; 1 Co 15,3s. — [24] He 10,7; 1 P 2,21-24. — [25] Mt 1—2; Lc 1—2; Jn 1,1.18; Rm 1,3s; 5,12-21; 1 Co 15, 15; Ph 2,6-11; Col 1,15; 2,9; He 1,2s.

→ Agneau de Dieu — apparitions du Christ — Christ — Corps du Christ — croix — Dieu — exaltation du Christ — fils de Dieu — Fils de l'homme — Messie — préexistence — procès de Jésus — règne — résurrection — seigneur — Verbe.

jeûne

gr. *nèsteia*.

1. En Israël, contrairement à d'autres religions, le jeûne n'est pas un exploit ascétique : la nourriture n'est-elle pas un don de Dieu [1]? Il équivaut à « humilier son âme », attitude de dépendance à l'égard de Dieu [2]. Ainsi est-il pratiqué pour se préparer à la rencontre de Dieu [3], pour se lamenter [4] ou pour implorer telle ou telle faveur [5], le pardon collectif ou individuel [6], la lumière divine [7], ainsi avant d'accomplir une mission [8]. Inséparable de l'*aumône et de la *prière [9], il implique aussi l'abstention des *bains, des *parfums et des relations sexuelles, et requiert surtout l'amour des *pauvres [10].

[1] Dt 8,3; Mt 15,32; Mc 8,3. — [2] Lv 16,29-31. — [3] Ex 34,28; Dn 9,3. — [4] 1 S 31,13. — [5] 2 S 12,16.22; Jl 2,12-17. — [6] 1 R 21,27; Jon 3,5.7s. — [7] Dn 10,3.12. — [8] Jg 20,26; Ac 14,23. — [9] Mt 6,2-4.5-8.16-18; 17,21 (= Mc 9,29); Lc 2,37; Ac 13,3. — [10] Is 58,3-7; Jl 2,16.

2. Au temps de Jésus, il est prescrit en certaines occasions et notamment au jour des *Expiations appelé : « le Jeûne » [11]. Par dévotion, les disciples de Jean Baptiste et les *pharisiens le pratiquent régulièrement, non sans risque d'ostentation [12].

[11] Lv 23,29; Ac 27,9. — [12] Jr 14,12; Mt 6,16s; 9,14 (= Mc 2,18 = Lc 5,33); Lc 18,12.

3. Le jeûne de Jésus au désert est un acte d'abandon confiant dans le Père seul, au moment d'inaugurer sa mission [13].

[13] Mt 4,2; cf Ex 34,28; 1 R 19,8.

4. Il demeure une pratique normale dans l'Église chrétienne, qui manifeste ainsi son attente du retour du Seigneur [14].

[14] Ac 13,2; 2 Co 6,5; 11,27; cf Mt 9,14s (= Mc 2,19s = Lc 5,34s) □.

Jézabel

gr. *Iezabel*, hb. *izèbèl*, de signification inconnue : peut-être « non élevé » (cf *I-kâbôd* : 1 S 4,21). Nom de l'épouse païenne du roi Achab, l'ennemie du prophète *Élie. En Ap 2,20, Jézabel est ou bien le nom porté par une fausse prophétesse, ou bien le nom désignant symboliquement cette prophétesse ou encore l'hérésie des *Nicolaïtes [1].

[1] 1 R 16,31; 19,1-3; 21,5-15.23; 2 R 9,10.22.30-37 □.

Job

gr. *Iôb*, hb. *iyyôb* = *Ayya-âbû* : « Où est le père (Dieu)? » Héros du Livre qui porte son nom. Exemple de justice et de patience [1].

[1] Ez 14,14-20; Jc 5,11 □.

→ Bible — *Tableau*, p. 76.

joie

Le sentiment de satisfaction et de plénitude de bien-être qu'on appelle joie s'exprime dans le NT à l'aide de trois termes de connotations diverses.

1. gr. *euphrainô, euphrosynè* (de *eu* : « bien » et *phrèn* : « lieu des sentiments et des passions, cœur ») : « réjouir, charmer ». Le terme, prédominant dans l'AT, est peu fréquent dans le NT; on le trouve surtout chez Lc, pour désigner la joie collective plus que le sentiment individuel, ainsi spécialement devant la création en général [1] ou dans les festins de bonne chère [2]. C'est le sentiment d'être heureux à sa place et avec les autres. Le terme, qui dans l'AT peut désigner la joie *eschatologique [3], n'apparaît guère en ce sens dans le NT, sauf dans des citations ou dans des allusions à l'AT [4]. Deux autres emplois sont à signaler [5].

[1] Ac 14,17. — [2] Lc 12,19; 15,23s.29.32; 16,19. — [3] Ps 96,11; 97,1; Is 65,19. — [4] Ac 2,26.28; 7,41; Rm 15,10; Ga 4,27; Ap 12,12; 18,20. — [5] 2 Co 2,2; Ap 11,10 △.

2. gr. *khara, khairô* (de même consonance que *kharis* : « grâce ») a été préféré par le NT. Le sens profane se retrouve dans des contextes épistolaires [6] ou pour désigner la « *salutation » dans la rencontre de deux êtres [7]. La joie vient surtout de l'accomplissement de l'attente vétérotestamentaire : la présence du salut dans la personne de Jésus [8]. Lc systématise cette réaction devant la Bonne Nouvelle : conversion, expérience du Ressuscité [9]. Jn manifeste que la joie est le résultat de la situation nouvelle inaugurée par le Christ [10], tandis que Paul souligne, spécialement en 2 Co et dans Ph, le paradoxe de la joie à travers la tristesse et la souffrance [11]. Les mêmes données se retrouvent dans les autres écrits du NT [12].

[6] Ac 15,23; 23,26; Jc 1,1. — [7] Mt 26,49; 27,29 (= Mc 15,8 = Jn 19,3); 28,9; Lc 1,28; Ac 15,23; 23,26; 2 Jn 10s △. — [8] Mt 2,10; 13,20 (= Mc 4,16 = Lc 8,13); 25,21.23; 28,8. — [9] Lc 1,14.58; 2,10; 10,17.20; 15,5-10; 19,6.37; 24,52. — [10] Jn 3,29; 4,36; 8,56; 16,20-22; 17,13; 20,20. — [11] 2 Co 6,10; 7,4; 13,9; Ph 1,18; 2,17. — [12] Mt 5,12 (= Lc 6,23); Ac 5,41; Jc 1,2; 1 P 4,13.

3. gr. *agalliasis, agalliaomai* : « jubiler, exulter, être dans l'allégresse ».

Ce terme vient souvent en renforcement du mot *khara*, pour en manifester l'explosion extérieure [13]; en continuité avec l'AT, qui fait exulter l'univers devant les hauts faits de Yahweh [14], le NT centre sur Jésus Christ le motif de sa jubilation, spécialement dans le culte [15] : l'allégresse caractérise le croyant qui a reconnu en Jésus le don définitif.

[13] Mt 5,12; Lc 1,14; Jn 8,56; Ac 2,26; 1 P 1,8; 4,13. — [14] Ps 9,15; 19,6; 89,13; 96,11; Is 25,9; 61,1; 65,19. — [15] Lc 1,44.47; 10,21; Ac 2,46; 16,34; He 1,9; 1 P 1,6.8; 4,13; Jude 24; Ap 19,7; cf Jn 5,35 △.

→ alleluia — heureux — rire — tristesse.

Jona

Père de Simon-Pierre [1].

[1] Mt 16,17 □.

→ Jean.

Jonas

gr. *Iônas*, hb. *yônâ* : « colombe ». *Prophète du royaume du Nord, au VIIIe s. av. J.C. [1]. Titre d'un livre (ve s.) rapportant le récit merveilleux d'un prophète type, présenté dans l'évangile comme préfigurant la prédication et la résurrection de Jésus [2].

[1] 2 R 14,25. — [2] Jon 1,1; 3,2-5; Mt 12,39-41; 16,4; Lc 11,29s □.

→ *Intr*. XII. — *Tableau*, p. 76.

Jonathan

gr. *Iônathas*. Juif de famille pontificale [1].

[1] Ac 4,6 □.

→ Jean.

Joppé

gr. *Ioppè*, hb. *yâphô* : « beauté ». Port très ancien et important, mais supplanté par *Césarée de Palestine. Pierre y ressuscita Tabitha; chez *Simon le corroyeur où il demeure, il a la vision qui l'engage à aller chez le centurion *Corneille. Auj. Jaffa [1].

[1] Ac 9,36-43; 10,1—11,13 □.

→ *Carte* 4.

Joseph

gr. *Iôsèph*, hb. *yôséph*, abréviation de *yôséph'él* : « Que Dieu ajoute [d'autres enfants à celui qui vient de naître]! »

1. Premier fils de *Jacob et de Rachel [1]. Son histoire [2] semble annoncer celle de Jésus [3]. *Éponyme d'une *tribu d'Israël, plus tard partagée entre ses deux fils, Éphraïm et Manassé [4]. Désigne aussi le royaume du Nord [5] ou Israël [6].

[1] Gn 30,23-25. — [2] Gn 37-50; Jn 4,5; He 11,21s. — [3] Ac 7,9-18 △. — [4] Nb 13,11; Ap 7,8 △. — [5] Ez 37,16. — [6] Ps 77,16.

2. Époux de Marie, la mère de Jésus [1], descendant de *David [2], habitant de Nazareth [3], *charpentier, c'est-à-dire artisan [4], considéré comme le père de Jésus [5].

[1] Mt 1,16.18-24; 2,13.19; Lc 1,27; 2,4.16. — [2] Mt 1,20; Lc 1,27. — [3] Mt 2,23; Lc 2,4.39.51. — [4] Mt 13,55. — [5] Lc 3,23; 4,22; Jn 1,45; 6,42 □.

3. Josès (Josèt), fils de *Marie (3), frère de Jacques le Petit, un des *frères de Jésus [1].

[1] Mt 13,55 (= Mc 6,3); Mt 27,56 (= Mc 15,40.47) □.

4. Notable juif d'Arimathie [1].

[1] Mt 27,57-59 (= Mc 15,43-45 = Lc 23,50); Jn 19,38 □.

5. Joseph, dit Barsabbas, qui fut proposé pour remplacer Judas [1].

[1] Ac 1,23 □.

[Josèphe]

Juif né à Jérusalem en 37 ap. J.C., mort à Rome vers 98. Il prit part, d'abord du côté juif, puis du côté romain, à la guerre juive dont il écrivit l'histoire : *Guerre juive* (75-79); il rédigea les *Antiquités juives* (vers 95), histoire allant de la création du monde jusqu'en 66, et le *Contre Apion* (vers 96), défense du livre précédent contre ceux qui ne voient là que fables et légendes. Les renseignements qu'il fournit sont d'une grande valeur historique (même si certains, comme le *recensement de Quirinius, peuvent être contestés), en particulier, sur Pilate, Jean Baptiste, Jacques de Jérusalem et la notule sur les disciples de Jésus. Il laisse percer une pointe apologétique, écrivant à la gloire du peuple Israël, de sa propre personne ainsi que de ses protecteurs.

→ *Intr*. I.2.

Josué

gr. *Ièsous*, hb. *Yᵉhôsûaʿ* : « Yahweh sauve ». Successeur de Moïse qui mena les Hébreux à la conquête de la terre promise. Cette histoire est rapportée dans le Livre de Josué [1].

[1] Ex 17,8-13; Nb 11,28; 13,16; Si 46,1; Ac 7,45; He 4,8 □.

joug

gr. *zygos*. Pièce de bois assujettissant les têtes d'une paire de bœufs et, par extension, attelage des bêtes de trait [1]. Métaphore traditionnelle en Israël pour désigner l'esclavage [2], la servitude sous un tyran [3]. Elle désigne aussi la vraie relation de l'« esclave » avec son maître [4], la sagesse authentique [5]; mais la Loi a rendu cette relation pesante [6]; le joug de Jésus, qui la remplace, est *doux, c'est-à-dire facile à porter, parce que bien adapté [7].

[1] Nb 19,2. — [2] Lv 26,13; Jr 27—28; 1 Tm 6,1. — [3] 1 R 12,4.9-11.14. — [4] Jr 2,20; 5,5; Os 11,4. — [5] Si 51,26. — [6] Ac 15,10; Ga 5,1; cf Mt 23,4. — [7] Mt 11,29s.

→ esclave — Loi — nuque.

jour, journée

gr. *hèmera*.

1. Comme dans toutes les civilisations, le jour s'étend « depuis le matin jusqu'au soir » [1]; il s'oppose à la *nuit, comme la *lumière aux *ténèbres. Alors que sa durée réelle pouvait, selon les saisons, s'étendre de dix à quatorze *heures, on comptait « douze heures » dans le jour [2]. Le jour succède à la nuit [3], on dit qu'il fait jour [4], on parle de la chaleur du jour [5], du jour qui baisse [6]. La mention successive du jour et de la nuit signifie un certain espace de temps [7].

[1] Ac 28,23. — [2] Jn 11,9. — [3] Lc 21,37; Jn 9,4; Ac 27,33.39. — [4] Lc 6,13. — [5] Mt 20,12. — [6] Lc 9,12; 24,29. — [7] Mt 4,2; 12,40; 1 Th 2,9; 2 Th 3,8; 1 Tm 5,5; Ap passim.

2. Tandis que les Romains comptaient la journée de minuit à minuit, les juifs du temps de Jésus liaient leur comput au calendrier lunaire cultuel. La journée commençait avec l'apparition de la lune et durait jusqu'au lendemain soir [8]. La fête de Pâque commençait la *veille au soir [9]; le *sabbat « commence à luire » dès le vendredi soir [10] et le commencement du « lendemain du sabbat » a lieu le samedi soir [11]. Pour désigner une journée entière, on se sert volontiers de l'expression

« nuit *et* jour »[12]; pour dire la durée d'une nuit et d'un jour, le gr. dit *nykht-hèmeron*[13].

[8] Dt 23,11; Mc 16,1s. — [9] Jn 19,31. — [10] Lc 23,54. — [11] Mt 28,1. — [12] Mc 4,27; 5,5; Lc 2,37; Ac 20,31; 26,7; 1 Th 3,10; 2 Tm 1,3. — [13] 2 Co 11,25.

→ calendrier — chant du coq — heure — matin — nuit — soir — veille.

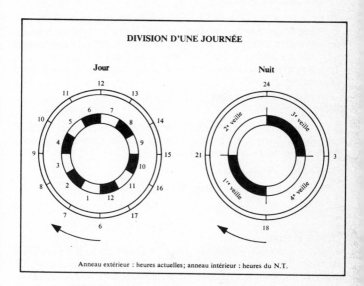

DIVISION D'UNE JOURNÉE

Jour

Nuit

Anneau extérieur : heures actuelles; anneau intérieur : heures du N.T.

Jour du Seigneur

1. gr. *hèmera tou Kyriou*. Expression stéréotypée pour désigner le triomphe de Dieu sur ses ennemis[1]. Pour décrire cet événement, l'imagerie est demeurée constante : le Dieu guerrier des premières traditions[2], le Dieu créateur triomphant dans le combat originel sur les *Bêtes et le chaos[3], le caractère soudain de sa venue[4], la transformation radicale de l'univers[5]. Cette croyance permet de penser la *Seigneurie de Dieu sur tous les hommes et sur tous les temps, qui n'est concevable qu'en se plaçant à la *fin du monde[6]. Au temps de Jésus, la tradition biblique a progressé sur trois points. Le Jour ne concerne plus seulement Israël, mais toutes les *nations[7]. Il aura

321

lieu non à un moment du temps, mais à la fin de l'histoire [8]. Il est le Jour du Seigneur Jésus autant que celui de Dieu [9].

[1] Is 13,2-6; Ez 30,3; So 1,7; 2 Th 2,2. — [2] Nb 10,35s; Jos 10,12s; Is 9,3; 28,21; Os 2,2; Mt 24,29s. — [3] Is 24,1; Ez 38; Mt 24,29; Ap 19,11—21,1. — [4] Am 5,18s; Mt 24,44; 1 Th 5,2s; Ap 3,3. — [5] Ps 93; 98; Ac 1,6; 3,20; Rm 8,19-22; Ph 3,20s. — [6] Ps 96; 97; 1 Co 15,24-28. — [7] So 2,4-15; Za 14,12-20. — [8] Dn 8,17; 9,26; 11,35-40; Ac 2,17; 1 Th 4,16s; 1 Co 15,52. — [9] Mt 24,30s; Lc 17,24; 1 Co 1,8; Ph 1,6.10.

2. La résurrection de Jésus anticipe dans le temps au jour de Pâques le triomphe de Dieu sur la Mort. Ainsi le Jour n'est plus simplement un événement attendu; il est intériorisé dans le croyant qui devient un « fils du Jour » [10]. Sans éliminer la tradition du dernier jour [11], Jean actualise dans la vie même de Jésus la lumière de Pâques et de la *parousie [12].

[10] 1 Th 5,5. — [11] Jn 6,39s.44.54; 11,24; 12,48; 1 Jn 4,17. — [12] Jn 5,24s; 12,31; 14,3.20-23; cf Mt 28,20.

3. Le Jour du Seigneur est aussi le « dimanche », spécialement consacré au culte de Dieu [13]. Il rappelle le grand acte de Dieu qui ressuscita Jésus et il annonce le retour du Christ.

[13] Ac 20,7; 1 Co 16,2; Ap 1,10.

→ heure — jugement — Maranatha — parousie — temps.

Jourdain
1. gr. *Iordanès*, hb. *yardén* (de *yârad* : « descendre »). Ce fleuve suit un cours déterminé par la faille qui, dès la fin du tertiaire, s'étend de la Syrie du Nord à l'Afrique orientale; depuis sa source, à 520 m d'altitude, il parcourt 220 km jusqu'à la mer Morte (— 392 m) [1].

[1] Mt 3,6.13; Mc 1,5.9; Lc 4,1 △.

→ *Intr.* II.3.C. — *Carte* 4.

2. Le NT distingue la région du Jourdain [2] et la région « au-delà du Jourdain » [3]. Celle-ci désigne la rive gauche du fleuve (actuelle Transjordanie), dont les habitants furent longtemps étrangers, sinon ennemis des Israélites.

[2] Mt 3,5 (= Lc 3,3). — [3] Mt 4,15 (= Mc 3,8); 19,1 (= Mc 10,1); Jn 1,28; 3,26; 10,40 △.

[Jubilés]

ou « Petite Genèse ». *Apocryphe de l'AT qui raconte l'histoire de la création du monde jusqu'à Moïse, en 50 « jubilés » (de l'hb. *yôbél* : « cor ou corne annonçant la fête, année jubilaire »), ou périodes de 49 années, l'année finale étant celle de l'installation en Terre sainte. L'ouvrage a été composé vers 125 av. J.C. Il est de tendance sacerdotale et légaliste. On a découvert à *Qoumrân le texte hb. des chapitres 1—2, 21—22, 25 et 32—40 et justifié ainsi la valeur des traductions latine et éthiopienne en notre possession.

Juda

gr. *Ioudas*, de l'hb. *Yᵉhûdâ*, abréviation de *Yᵉhud-'él* : « loué soit El »[?] [1]. Fils de *Jacob et de Léa [2], ancêtre de la principale *tribu d'Israël [3], celle d'où Jésus est issu [4].
Le territoire dévolu à cette tribu porta son nom : c'est la *Judée [5].

[1] Gn 29,35. — [2] Mt 1,2s; Lc 3,33 △. — [3] Gn 49,8-12; Mt 1,2s; Lc 3,33; He 8,8; Ap 7,5. — [4] He 7,14; Ap 5,5 △. — [5] Jos 15; Mt 2,6; Lc 1,39 △.

judaïsant

Du gr. *ioudaizô* : « se comporter en juif ». Nom donné dans l'histoire aux seuls *judéo-chrétiens qui, malgré la décision du *concile de Jérusalem, veulent imposer aux convertis du paganisme la *Loi juive, qu'ils continuent eux-mêmes d'observer [1]. Ils s'opposent violemment à Paul, pour qui leur attitude est une négation implicite de la force salvifique de la seule foi au Christ [2]. A ne pas confondre avec les faux docteurs d'origine juive [3].

[1] Ga 2,14 □; cf Ac 11,2; 15,5; 21,20. — [2] Ga 2,21. — [3] 1 Tm 1,3-7; Tt 1,10-16.

judaïsme

gr. *ioudaïsmos*. Le judaïsme tardif désigne la religion de l'Israël post-exilique (après 538 av. J.C.). Développement de la pensée vétéro-testamentaire, surtout sous l'influence de l'hellénisme [1].

[1] Ga 1,13s □.

→ *Intr.* I.1.B; XI. — hellénisme.

Judas, Jude

gr. *Ioudas*, de l'hb. *y^ehûdâ* (→ Juda).

1. *Iscariote*, gr. *Iskariôtès*, parfois *Iskariôth* [1], de signification incertaine ; de l'hb. *ich kariôt* : « homme de Carioth », ou de l'ar. *ichqaryâ* : « le faux », ou du gr. *sikarios* : « tueur à gages ». Fils de *Simon, l'un des *Douze [2], toujours cité en dernier dans la liste et avec la mention qu'il a trahi Jésus [3]. Deux motifs sont donnés de sa trahison : l'amour de l'argent [4] et l'action de Satan [5]. Des traditions variées rapportent sa mort [6].

[1] Mc 3,19 ; 14,40 ; Lc 6,16. — [2] Mt 26,14.47 (= Mc 14,10.43 = Lc 22,47s) ; Lc 22,3 ; Jn 6,71 ; Ac 1,25s. — [3] Mt 10,4 (= Mc 3,19 = Lc 6,16) ; 26,25 ; 27,3 ; Jn 6,71 ; 12,4 ; 13,2 ; 18,2.3.5 ; Ac 1,16. — [4] Mt 27,15s ; Jn 12,6 ; cf 13,29. — [5] Lc 22,3 ; Jn 6,70s ; 13,2.26s. — [6] Mt 27,5 ; Ac 1,18.25s □.

2. *Le Galiléen*, né en Gaulanitide. Il fomenta une insurrection, probablement lors du *recensement de Quirinius (6/7 ap. J.C.), luttant pour la libération du joug romain et le rétablissement de la théocratie avec le refrain : « Pas de roi hormis Dieu ! » Il est à l'origine du parti des *zélotes [7].

[7] Ac 5,37 □.

3. *Habitant de Damas*, probablement *judéo-chrétien [8].

[8] Ac 9,11 □.

4. *Jude* (fils) de Jacques, l'un des *Douze. Correspond dans les listes parallèles, chez Mt à Lebbée et chez Mc à Thaddée [9].

[9] Lc 6,16 ; Jn 14,22 ; Ac 1,13 □.

5. *L'un des *frères de Jésus* [10].

[10] Mt 13,55 (= Mc 6,3) □.

6. *L'auteur*, peut-être pseudonyme, d'une *Épître qui porte son nom [11]. Frère de Jacques, que certains identifient à 5.

[11] Jude □.

7. *Barsabbas*, chrétien de Jérusalem délégué à Antioche [12].

[12] Ac 15,22.27.32 □.

[Jude (Épître de)]

Sorte d'homélie, très juive d'accent, attribuée à *Jude, non l'apôtre mais le *frère du Seigneur. Elle date probablement de 80-90.

→ *Intr*. XV. — deutérocanoniques — Épîtres (catholiques).

Judée
gr. *Ioudaïa*.

1. A la période *hellénistique, le terme désigne la partie sud de la *Palestine, l'ancien royaume de *Juda, avec Jérusalem comme capitale [1]. Partie du royaume d'*Hérode le Grand [2], puis de l'ethnarque *Archelaüs [3], elle fut intégrée à la *province romaine de Syrie depuis 6 av. J.C. [4], sauf de 41 à 44 où elle fut soumise à *Hérode Agrippa I [5]. Lieu de naissance de Jean et de Jésus [6]; lieu privilégié de la prédication du Baptiste [7], de Jésus [8] et des premières communautés chrétiennes [9].

[1] Mt 3,5 (= Mc 1,5); 4,25 (= Mc 3,7 = Lc 6,17); Ac 1,8; Rm 15,31; 2 Co 1,16. — [2] Lc 1,5. — [3] Mt 2,22. — [4] Lc 3,1. — [5] Ac 12,19. — [6] Mt 2,1.5; Lc 1,65; 2,4. — [7] Mt 3,1. — [8] Mt 19,1 (= Mc 10,1); Jn 3,22; 4,3.47.54; 7,1.3; 11,7. — [9] Ac 2,9; 8,1; 9,31; 11,1.29; 12,19; 15,1; 21,10; 28,21; Ga 1,22; 1 Th 2,14 △.

2. Le terme peut désigner aussi l'ensemble de la *Palestine [10].

[10] Lc 4,44; Ac 10,37 △.

→ *Intr*. II.1. — *Carte* 4.

[judéo-chrétiens]
Nom donné dans l'histoire aux chrétiens, hébreux [1] ou hellénistes, qui provenaient du judaïsme, non du paganisme. Leur communauté de Jérusalem a pour chef *Jacques, « frère du Seigneur » [2], et continue d'observer la Loi et certaines coutumes juives [3], sans pour autant verser dans l'excès des *judaïsants [4]. Elle fut dispersée à la suite de la ruine de Jérusalem en 70 ap. J.C.

[1] Ac 6,1. — [2] Ga 1,19; 2,9-12. — [3] Ac 2,46; 10,14; 13,2s; 18,4.18; 20,6.16; 21,21-23. — [4] Ac 11,2; Ga 2,14-16.

→ *Intr*. I.3.A.

jugement
1. gr. *krisis*. En plus du sens (originel en grec) : « trier, cribler, séparer, discerner [1], apprécier [2], examiner [3] », les mots *krinô*, *krisis* ont ordinairement une dimension juridique : droit à fixer d'après la loi [4], torts à redresser, justice à rétablir par le juge [5], décisions prises [6]. Cette activité judiciaire caractérise l'œuvre de Dieu et du Christ.

[1] Mt 16,3; Lc 12,57; 1 Co 11,29-32; 12,10; He 5,14. — [2] Lc 7,43; 19,22; Jn 7,24; 8,15s; Ac 4,19; 16,15; 26,8; Rm 14,1.3-5; 1 Co 14,24.29. — [3] 1 Co 11,31. — [4] Lc 23,24; Jn 18,31; Ac 23,3; 24,6. — [5] Mt 5,25; Lc 12,14. — [6] Ac 3,13; 16,4; 20,16; 21,25; 25,25; 1 Co 7,37; Tt 3,12.

2. Dieu est le juge des vivants et des morts [7]. Cette conviction repose sur deux évidences. La *justice est à faire respecter et à établir [8]. Juste et miséricordieux, Dieu connaît le cœur de l'homme [9]. Le jugement ne relève donc pas des hommes [10], mais il a été confié par Dieu à son Fils Jésus qui le rendra à la *fin des temps [11].

[7] 1 S 2,10; Ps 67,5; 75,8; Jr 25,31; Ac 17,31; Rm 3,6; 1 Co 4,4; 5,13; He 12,23; 1 P 4,5. — [8] Gn 16,5; Ex 5,21; Ps 72,1s; Is 11,3s; Jr 23,5; Mt 12,18.20; 23,23; Ac 8,33; 1 P 2,23. — [9] Ps 7,10; Jr 11,20; 17,10; Lc 18,6; He 4,12. — [10] Mt 7,1s (= Lc 6,37); 1 Co 4,3.5; 10,29; Jc 4,12. — [11] Jn 5,22-27; Ac 10,42; 2 Tm 4,1.

3. L'imagerie utilisée est traditionnelle : assises finales [12], procès [13], rétribution selon la conduite [14], au dernier « *Jour » [15], au « Jugement » [16]. Ce jugement s'exercera avant tout d'après l'amour du prochain [17] et l'accueil fait à la Parole évangélique [18]; en cas de refus, le même mot *krinô* en vient à signifier « condamner » [19].

[12] Mt 19,28 (= Lc 22,30); 25,31-46; 2 Tm 4,8; He 6,2; 9,27; 10,27; Ap 20,4. — [13] Is 41,21-24; Jr 2,9; Os 4,1; 1 Co 6,1-7. — [14] Mt 16,27; Rm 2,2.12.16; 5,16; He 13,4; Jc 2,13; 1 P 1,17; Ap 20,12s. — [15] Mt 10,15; 11,22.24; 12,36; Rm 2,5.16; 2 P 2,9; 3,7; 1 Jn 4,17; Jude 6. — [16] Mt 12,41s; Lc 10,14; 11,31s. — [17] Mt 25,31-46; 1 Jn 3,14. — [18] Jn 12,48; 2 Th 2,12. — [19] Mt 23,33; Mc 12,40 (= Lc 20,47); Lc 11,32; 24,30; Jn 5,29.

4. Jean montre que ce jugement au dernier jour [20] est déjà à l'œuvre dans l'histoire. Venant dans le monde et ayant reçu du Père le jugement [21], Jésus n'est sans doute pas venu pour le jugement/condamnation, mais il opère un discernement, un tri, un jugement entre les hommes qui sont placés en présence de la *lumière [22]. Dès maintenant, le *Prince de ce monde est jugé et condamné, car Dieu juge en sauvant Jésus de la mort, et le *Paraclet convainc les croyants de la justice de la cause du Christ [23].

[20] Jn 12,48. — [21] Jn 5,22.27. — [22] Jn 3,17.18-21; 9,39; 12,31.47. — [23] Jn 16,8-11.

→ condamner — discerner — justice — procès de Jésus.

Juif

gr. *Ioudaios*, de l'hb. *yᵉhûdî* (→ Juda). Le Livre des *Actes des Apôtres offre tous les sens du terme.

1. *Sens neutre.* A l'origine, membre du royaume de *Juda [1]; au temps de Jésus, membre du peuple d'Israël avec une connotation raciale [2], par exemple dans l'expression des *Synoptiques : « roi des Juifs », — à l'exclusion des *Samaritains [3].

[1] 2 R 16,6; Jr 32,12. — [2] Jn 3,1. — [3] Mt 2,2; 27,11 (= Mc 15,2 = Lc 23,3); Jn 4,9.22.

2. *Sens religieux.* — (*a*) *observateurs de la Loi et des traditions mosaïques* [4]. Paul les associe typiquement aux Grecs, et pour rappeler leur priorité dans l'ordre du salut et pour les ranger avec les païens dans l'orbite de la miséricorde divine [5]. — (*b*) *contre-distingués des chrétiens*, tantôt sans note péjorative [6], tantôt avec connotation d'incrédulité envers Jésus ou d'inimitié pour les chrétiens [7]. Chez Jn, le terme cesse ordinairement d'avoir une signification ethnique pour désigner la catégorie des incrédules [8].

[4] Mc 7,3; Jn 2,6.13; 5,1; 6,4; 7,2; 11,55; 12,9.11; Rm 2,17.28s; Ap 2,9; 3,9. — [5] Rm 2,9; Ga 3,28. — [6] Mt 28,15; Jn 8,31. — [7] Jn 9,22; 2 Co 11,24. — [8] Jn 2,18-20; 6,41; 10,31.

→ *Intr.* III.2.C; IV.6.E.

jurer
gr. *omnymi, omnyô.*

→ serment.

justice, justification
gr. *dikaiosynè, dikaios* : « juste, conforme au droit »; *dikaiôsis* : « justification »; *dikaioô* : « justifier »; *dikè* : « droit, punition, vengeance »; tous ces termes dérivent de la racine *dik-*, signifiant la direction, comme *deiknymi* : « indiquer ». Ils traduisent l'hb. *çèdèq (çᵉdâqâ)*, *çaddîq*, décrivant une attitude qui fonde et entretient entre deux parties une alliance de communion.

1. *La justice de Dieu* est, par excellence, justice salvifique : fidèle à l'*Alliance, le Dieu juste accomplit ses *promesses de salut [1]. Elle combat pour l'établissement du droit et du bonheur, sans pour autant s'identifier à la justice commutative (équivalence des obligations et des charges) [2]. Rarement le terme est employé pour parler de la justice judiciaire (gr. *dikaiôma* : « verdict, prescriptions » [3]) ou distributive (*rétribution) [4], jamais pour la justice punitive. *Colère et justice de Dieu ne sont pas deux moments successifs de l'histoire, elles expriment l'action fidèle de Dieu amenant à lui ou éloignant de lui le pécheur [5]. En définitive, elle est Jésus en personne [6].

[1] Ps 40,10s; Is 45,21; 46,13; Mt 3,15; 21,32; Rm 3,21-26. — [2] 2 S 8,15; Ps 45, 4-8; Is 41,2; cf Mt 20,4. — [3] Lc 1,6; Rm 1,32; 2,26; 8,4; He 9,1.10; Ap 15,4. — [4] 2 Th 1,5s; He 2,2; cf Lc 23,41. — [5] Ps 85,4-6; Mi 7,7-9; Rm 1,17s; 10,3; Ph 3,9; Jc 1,20. — [6] 1 Co 1,30; cf 2 Co 5,21.

2. *Dieu justifie* : il regarde comme (ou rend) juste, il fait droit, il libère [7]. L'homme ne peut se justifier; c'est Dieu seul qui justifie [8]; il pardonne à l'impie non pas en vertu de ses œuvres ou de sa pratique de la *Loi [9], mais en vertu de la *grâce de J.C., le Juste ressuscité, auquel le croyant est uni par la foi [10]. En l'homme justifié, le Christ inaugure la vie de l'*Esprit sanctificateur, source d'œuvres de charité [11].

[7] Gn 44,16; Si 23,11. — [8] Is 50,8; Rm 4,5s; 8,33; cf Lc 10,29. — [9] Jb 4,17; Ps 143,1s; Ga 2,15-21; 3,6-29. — [10] Os 2,21s; Mt 9,13 (= Mc 2,17 = Lc 5,32); Rm 1,17; 3,21-26; 3,27—4,25; 9,30-32; 10,3-10; Ph 3,8s; Tt 3,5-7. — [11] Mt 12,37; Rm 2,13; 5,1; 1 Co 1,30; He 11,7; Jc 2,14-26.

3. *La justice de l'homme* consiste à être « juste » ce que Dieu veut qu'il soit, c'est-à-dire être dans l'Alliance [12] grâce à une vie conforme à la *volonté divine [13]. Luc garde un vocabulaire qui fait écho au judaïsme : Jésus, les parents de Jean, Syméon, Corneille, tous sont des justes [14] tandis que d'autres se font passer pour tels [15]. Matthieu en est aussi l'écho [16], mais il prône la nouvelle justice, chrétienne [17].

[12] Ps 7,9; 17,1-5; 18,22-24; 26,1-6. — [13] Mi 6,8; Lc 1,75; Ep 6,14; 2 Tm 2,22; 1 Jn 2,29; 3,10; Ap 19,8. — [14] Lc 1,6; 2,25; 23,47-50; Ac 3,14; 7,52; 10,22; 22,14; cf Mc 6,20; Jc 5,6; 1 Jn 3,7. — [15] Lc 10,29; 16,15 (= Mt 23,28); 20,20. — [16] Mt 1,19; 10,41; 13,17.43.49; 23,35; 25,37.46; 27,19. — [17] Mt 5,6-10.20; 6,1.33.

→ *Intr.* VI.4. — fidélité — foi — iniquité — salaire.

K

Kédron
gr. *Kedrôn*, hb. *qidrôn* (de *qâdar* : « être sombre, trouble »). Lit d'un ruisseau ordinairement desséché à l'est de Jérusalem, passage obligé vers le mont des *Oliviers ou *Guethsémani [1].

[1] 2 S 15,23; 1 R 2,37; Jn 18,1 □.

→ *Carte* 1.

Kenchrées
L'un des trois ports de *Corinthe, à l'est de l'isthme, sur le golfe Saronique. Il permettait aux navigateurs venant d'Orient de desservir Corinthe sans contourner la partie méridionale de la *Grèce, aux côtes dangereuses. A Kenchrées, où Paul a transité au retour du deuxième voyage, se trouvait une Église, dont Phœbé était la diaconesse [1].

[1] Ac 18,18; Rm 16,1 □.

→ *Carte* 2.

kénose
1. gr. *kenôsis* : « action de rendre vide, de priver de tout ». Terme spécialisé dans le langage théologique pour dire l'abaissement dont il est question dans le passage de l'épître aux Philippiens : « Il s'est vidé lui-même, prenant forme d'esclave... » (Ph 2,7) → 3.

2. L'adjectif gr. *kenos* qualifie une réalité (la foi, la croix, la fierté, la gloire, la doctrine) de vaine [1], de stérile [2], de portée nulle [3], de creuse [4]. Le verbe gr. *kenoô* dit l'action qui produit un tel résultat [5].

[1] Ac 4,25; 1 Co 15,58; 2 Co 6,1; Ga 2,2; Ph 2,16; 1 Th 2,1; 3,5; Jc 4,5. — [2] 1 Co 15,10. — [3] 1 Co 15,14; Ep 5,6; Col 2,8. — [4] 1 Tm 6,20; 2 Tm 2,16; Jc 2,20. — [5] Rm 4,14; 1 Co 1,17; 9,15; 2 Co 9,3.

3. Le sens de l'expression « il s'est vidé lui-même » dépend de l'interprétation donnée au mot gr. *morphè* : « forme » (s'agit-il de la «nature » divine et humaine, ou de l'apparence seule, ou des « traits » sous lesquels « il » s'est manifesté?) ainsi qu'au sujet de la phrase (s'agit-il du Verbe s'incarnant ou du Christ existant?). Selon l'avis commun des critiques, il ne s'agit pas de l'incarnation du *Verbe qui prendrait la « nature » humaine, car en s'abaissant il se serait dépouillé de la nature divine, et en étant glorifié il aurait abandonné la nature humaine. Il s'agit donc du Christ qui, au lieu de conserver les traits de la gloire divine, a préféré être démuni de tout en prenant les traits de l'*esclave. Le texte ne dit rien sur quelque « anéantissement » de la divinité; il décrit les phases du dépouillement de Jésus Christ jusqu'à la *mort de la croix.

Képhas

gr. *Kèphas*, de l'ar. *képhâ* : « rocher », traduit en gr. non pas *petra*, mais *Petros*. Surnom donné par Jésus à *Simon et repris ordinairement par Paul [1].

   [1] Jn 1,42; 1 Co 1,12; 3,22; 9,5; 15,5; Ga 1,18; 2,9.11.14 □.

→ Pierre.

kérygme

Terme technique, du gr. *kèrygma* : « proclamation, prédication » [1]. Le verbe *kèryssô* est employé plus fréquemment.

   [1] Mt 12,41 (= Lc 11,32); Rm 16,25; 1 Co 1,21; 2,4; 15,14; 2 Tm 4,17; Tt 1,3 □.

1. Annonce de Jésus, devenu Christ, Seigneur, Sauveur par sa résurrection.

2. Au sens large, englobe la *catéchèse : c'est la réponse, comme en écho, à l'expérience que l'Église fait du Seigneur vivant.

→ prêcher.

[koinè]

Adjectif grec signifiant : « commune ». Désigne la langue *grecque communément parlée *(koinè dialektos)* dans l'Empire romain du temps du Nouveau Testament.

→ grec.

kor

gr. *koros*, hb. *kor*. Mesure hébraïque de capacité, valant environ 360 litres [1].

[1] Lc 16,7 □.

→ mesures.

Kyrios

→ maître — seigneur.

L

laine

gr. *erion*. Une des richesses de l'Orient [1]. Employée pour les *vêtements de dessus, teinte [2] ou blanche comme neige [3], d'où le symbole de *pureté [4].

[1] 2 R 3,4; Ez 27,18. — [2] He 9,19. — [3] Ps 147,16; Dn 7,9; Ap 1,14. — [4] Is 1,18 □.

lait

gr. *gala*. De brebis, de chèvre ou de vache, le lait était la nourriture de base des *Hébreux d'abord nomades, puis fixés en Canaan, pays de pâturages [1]. Avec le miel ou le vin, le lait est l'image du bien-être et du bonheur messianique [2]. En *métaphore, la parole du Christ [3] ou les rudiments de l'enseignement chrétien [4].

[1] Dt 32,14; Pr 27,27; 1 Co 9,7. — [2] Ex 3,8; Si 39,26; 46,8; Jr 11,5; Ez 20,6.15; Jl 4,18. — [3] 1 P 2,2. — [4] 1 Co 3,2; He 5,12s □.

lamentation

gr. *odyrmos* [1] : « plainte, lamentation », *thrèneô* [2] : « se lamenter en un chant de deuil, par un chant funèbre », traduisant l'hb. *qînâ*.

[1] Mt 2,18; 2 Co 7,7 △. — [2] Mt 11,17 (= Lc 7,32); Lc 23,27; Jn 16,20 △.

→ deuil — tristesse.

lampe

1. gr. *lampas*, hb. *lapîd* : semble désigner plutôt une torche ou une lanterne [1].

[1] Gn 15,17; Ex 20,18; Jg 7,16; 15,4; Jdt 10,22; Jb 41,11; Si 48,1; Is 62,1; Ez 1,13; Dn 10,6; Mt 25,1-8; Jn 18,3; Ac 20, 8; Ap 4,5; 8,10 △.

2. gr. *lykhnos, lykhnia,* hb. *nér, mᵉnôrâ.* A l'époque de Jésus, en argile, ronde et plate, avec un pincement pour la mèche, alimentée à l'*huile et posée sur un support [2]. Elle reste allumée le jour et la nuit, source de *feu et de *lumière dans la *maison obscure [3]. Éteinte, la vie cesse [4]. Faite pour éclairer [5], elle peut symboliser la *vigilance [6], le rayonnement des croyants et des Églises [7], enfin la parole prophétique [8] et la présence de Dieu [9] ou de l'Agneau [10]. Dans le cas où elle désigne les Églises [11], mieux vaudrait traduire par candélabre ou *chandelier.

[2] Mt 5,15 (= Mc 4,21 = Lc 8,16 = 11,33). — [3] Lc 15,8. — [4] Jb 18,5s; Pr 13,9; Jr 25,10; Ap 18,23. — [5] Mt 6,22; Mc 4,21; Lc 11,33s.36. — [6] Ex 27,20s; 2 Ch 29,7; Lc 12,35. — [7] Mt 5,15; Ph 2,15; Ap 11,4. — [8] Jn 5,35; 2 P 1,19. — [9] 2 S 22,29; Ps 119,105; Pr 20,27; Ap 22,5. — [10] Ap 21,23. — [11] Ap 1,12s.20; 2,1.5; cf He 9,2 △.

langue

1. gr. *dialektos* : langue d'un peuple, d'un pays [1]. A la Pentecôte, chacun entendait les Apôtres parler dans sa langue maternelle [2].

[1] *Intr.* V.3; Ac 1,19; 21,40; 22,2; 26,14. — [2] Ac 2,6.8 △.

2. gr. *glôssa* : « langue [3], langage [4] ».

a) Par *la langue,* l'homme communique ou voile les sentiments de son *cœur. Elle peut donc aussi bien louer et *bénir Dieu [5] que maudire les hommes [6], ou cacher la pauvreté des intentions secrètes [7].

[3] Ex 11,7; Ps 22,16; Mc 7,33.35; Lc 1,64; 16,24; Ap 16,10. — [4] Is 28,11; 1 Co 14,21; Ap 5,9; 7,9; 10,11; 11,9; 13,7; 14,6; 17,15. — [5] Ps 35,28; Is 50,4; Lc 1,64; Ac 2,26; Rm 14,11; Ph 2,11. — [6] Si 28,13-26; Rm 3,13; Jc 1,26; 3,2-12. — [7] Jr 9,2.7; 1 Jn 3,18; 1 P 3,10 △.

b) Parler en langue(s). Prière extatique de louange adressée à Dieu et nécessitant un interprète pour être comprise de l'assistance [8]. *Charisme promis aux croyants [9], inférieur à la *prophétie. A la Pentecôte, les disciples annoncent les merveilles de Dieu en des langues que les étrangers entendent [10].

[8] 1 Co 12,10.28.30; 13,1.8; 14. — [9] Mc 16,17. — [10] Ac 2,3s.11; 10,46; 19,6 △.

→ parole — Pentecôte.

Laodicée

gr. *Laodikeia.* Ville de *Phrygie en Asie Mineure. Son industrie textile avait éclipsé celle de *Colosses [1]. Sa communauté chrétienne, fondée peut-être par *Épaphras [2], est objet de la sollicitude de Paul; à elle est adressée une de ses lettres, aujourd'hui perdue [3] ainsi que l'un des sept messages de l'Apocalypse [4].

[1] Cf Ap 3,17s. — [2] Col 1,7; 4,12s.15. — [3] Col 2,1; 4,16. — [4] Ap 1,11; 3,14 □.

→ *Carte* 2.

lapidation

gr. *lithazô, litho-boleô* (de *lithos* : « pierre » et *ballô* : « jeter ») : « lapider, jeter des pierres ».

1. *Au sens propre*, peine capitale prescrite par la Loi, notamment en cas d'*adultère et de *blasphème; elle était exécutée hors de la ville [1]. Les premières pierres devaient être lancées par les témoins du délit [2], les autres par le peuple rassemblé.

[1] Lv 24,14; 2 Ch 24,20-22; Mt 21,35; 23,37 (= Lc 13,34); Jn 8,5; Ac 7,58s; He 11,37; 12,20. — [2] Jn 8,7.

2. *Au sens large*, lynchage exprimant la fureur populaire contre un provocateur [3].

[3] Ex 17,4; Nb 14,10; 15,35s; Lc 20,6; Jn 8,59; 10,31-33; 11,8; Ac 5,26; 14,5.19; 2 Co 11,25 □.

→ *Intr.* VI.4.C.c.

larmes

→ tristesse.

laver

gr. *niptô* : « laver », *niptomai* : « se laver » le visage [1], les mains, les pieds, mais non laver un objet, filets ou vêtements (en ce cas, gr. *plynô*)[2].

[1] Mt 6,17; Jn 9,7.11.15. — [2] Lc 5,2; Ap 7,14; 22,14 △.

1. Le *lavement des pieds* était un service rendu obligatoirement à l'*hôte qu'on accueillait [3], et d'ordinaire accompli par un *esclave non juif [4]. Service que les *disciples aimaient à rendre à leur *rabbi et que Jésus a voulu rendre à ses disciples : exemple unique et *symbole du *sacrifice fondateur de la communauté [5]. « Belle œuvre » à faire toujours [6].

[3] Gn 18,4; Lc 7,38.44. — [4] 1 S 25,41. — [5] Jn 13,4-15. — [6] 1 Tm 5,10.

2. *Se laver les mains* avant le repas est un rite de *pureté cultuelle que Jésus a critiqué dans la mesure où il ne symbolise pas la pureté intérieure [7]. *Pilate, par son geste, proteste de son innocence [8].

[7] Mt 15,2.20 (= Mc 7,2s). — [8] Dt 21,6-8; Ps 26,6; Mt 27,24 △.

→ *Intr*. VIII.1.C. — bain — eau — pur.

Lazare

gr. *Lazaros*, de l'hb. *èl'âzâr* : « Dieu aide ».

1. Habitant de *Béthanie, frère de Marthe et de Marie, rendu à la vie par Jésus [1].

[1] Jn 11,1.2.5.11.14.43; 12,1.2.9.10.17 □.

2. Nom du pauvre d'une *parabole; cas unique où un personnage fictif reçoit un nom, choisi peut-être en raison de sa signification [2].

[2] Lc 16,20.23.24.25 □.

[légat]

lat. *legatus Augusti pro praetore* : général de *légion délégué par l'empereur avec sa pleine autorité; il a rang de *gouverneur de province. Le légat de *Syrie disposait de trois légions, soit de 18 à 30 mille légionnaires.

légion

gr. *legiôn*, du lat. *legio*. Composée de 10 *cohortes, soit de 6 à 10 mille hommes, c'est la plus importante unité de l'armée romaine. Dans le NT, synonyme de multitude [1].

[1] Mt 26,53; Mc 5,9.15; Lc 8,30 □.

légiste

gr. *nomikos* : litt. « qui concerne la Loi » [1], « juriste » [2]. Terme utilisé, surtout par Luc, pour désigner le *scribe comme spécialiste des applications de la Loi [3], un « *docteur de la Loi » (gr. *nomodidaskalos*) [4].

[1] Tt 3,9. — [2] Tt 3,13. — [3] (Mt 22,35;) Lc 7,30; 10,25; 11,45s.52; 14,3 △. — [4] Lc 5,17; Ac 5,34; 1 Tm 1,7 △.

→ *Intr*. XII.1.C. — docteur — scribe.

lèpre

gr. *lepra*. Outre la maladie de ce nom, le terme désigne diverses affections de la peau, entraînant une impureté cultuelle qui excluait de la communauté. Pour pouvoir y rentrer guéri, l'homme devait être rituellement *purifié par un *prêtre [1].

[1] Lv 13—14; 2 R 5,7; Mt 8,2s (= Mc 1,40.42 = Lc 5,12s); 10,8; 11,5 (= Lc 7,22); 26,6 (= Mc 14,3); Lc 4,27; 17,12 □.

lepte

gr. *lepton*, de *leptos* : « mince » (*lepô* : « ôter l'enveloppe, peler »), sous-entendu *nomisma* : « ce qui est établi par l'usage, monnaie ». La plus petite monnaie, grecque et romaine, de bronze (environ 1,55 g), de valeur infime (1/8ᵉ d'*as). Parfois synonyme d'*obole ou de chalque. Certains traducteurs proposent de transposer en « centime » [1].

[1] Mc 12,42; Lc 12,59; 21,2 □.

→ monnaies.

lettre

1. gr. *gramma* (de *graphô* : « creuser, graver, écrire »). Le mot signifie « caractère d'écriture » [1], « inscription » [2], « billet » [3], les « Saintes Lettres » [4], la lettre par opposition à l'esprit [5].

[1] 2 Co 3,7; Ga 6,11. — [2] Lc 23,38. — [3] Lc 16,6s; Ac 28,21. — [4] 2 Tm 3,15. — [5] Rm 2,27.29; 7,6; 2 Co 3,6 △.

2. gr. *epistolè* (de *epistellô* : « envoyer une lettre, mander » [6]). Le mot désigne ordinairement la correspondance [7], parfois des lettres officielles [8].

[6] Ac 15,20; 21,25; He 13,22 △. — [7] Ac 23,25.33; Rm 16,22; 1 Th 5,27. — [8] Ac 9,2; 15,30; 22,5.

→ *Intr*. IX.3.B. — écriture — épître.

levain

gr. *zymè*. Morceau de la pâte à faire le *pain, qu'on laissait fermenter et qu'on incorporait à la pâte fraîche pour la faire lever. Ainsi le levain a la puissance de soulever la masse entière [1]. Comme les anciens croyaient que le processus impliquait une altération de la substance, la Loi ne permettait pas de l'utiliser dans les offrandes cultuelles [2]; aussi l'image du levain a-t-elle ordinairement un sens péjoratif et signifie un facteur caché de corruption [3].

[1] Os 7,4; Mt 13,33 (= Lc 13,20s). — [2] Ex 23,18; Lv 2,11. — [3] Mt 16,6 (= Mc 8,15 = Lc 12,1); 16,11s; 1 Co 5,6-8; Ga 5,9 □.

→ azymes.

Lévi

gr. *Leyi, Leyei*, hb. *Léwî*, de signification obscure; selon l'étymologie populaire : « s'adjoindre, s'attacher à ».

1. Fils de *Jacob et de Léa, *éponyme de la *tribu sacerdotale des *lévites [1].

[1] Gn 29,34; Dt 33,8-11; He 7,5.9; Ap 7,7 □.

2. *Publicain, nommé Matthieu en Mt 9,9 [2].

[2] Mc 2,14; Lc 5,27.29 □.

[lévirat]

Du lat. *levir* : « beau-frère ». Prescription visant à perpétuer le nom et à assurer le maintien du bien de famille : le frère aîné d'un homme mort sans descendance en devait épouser la *veuve [1]. Exception à la loi concernant les degrés de parenté dans le mariage [2]. Coutume illustrée par l'histoire de Tamar [3], de Ruth [4] et par le cas de conscience des *sadducéens voulant ridiculiser Jésus [5].

[1] Dt 25,5-10. — [2] Lv 18,16; 20,21. — [3] Gn 38. — [4] Rt 2,20; 3,12. — [5] Mt 22,23-33 (= Mc 12,18-27 = Lc 20,27-38).

→ *Intr.* VIII.2.B.e. — mariage.

lévites

gr. *leyitès*, hb. *léwî*. Descendants de la tribu sacerdotale de Lévi [1], anciens prêtres des hauts lieux des campagnes, devenus une sorte de bas-clergé qui ne pouvait avoir accès à l'*autel [2] et qui était chargé d'offices annexes au *culte : exécution de la musique, préparation des sacrifices, perception des dîmes [3]; les lévites assuraient aussi la police du Temple.

[1] Dt 33,8-11; Lc 10,32; Jn 1,19; Ac 4,36; He 7,11. — [2] 2 R 23,9; Ez 44,10-16. — [3] He 7,5.9 □.

→ *Intr.* VIII.2.C; XIII.1.A.b. — Aaron — dîme — Grand Prêtre — Lévi — prêtre — sacerdoce.

lèvres

gr. *kheîlos*. Au service du *cœur, elles en révèlent les desseins [1].
Le « fruit des lèvres », la parole, c'est de *confesser le *nom de Dieu [2]
et de le proclamer [3].

[1] Ps 141,3; Pr 10,32; 26,23; Is 29,13; Mt 15,8 (= Mc 7,6); Rm 3,13; 1 P 3,10. —
[2] Ps 51,17; Is 6,5; 57,19; So 3,9; He 13,15. — [3] 1 Co 14,21 □.

libation

Désigne le rite complémentaire d'un *sacrifice, par lequel de l'huile [1],
de l'eau [2] ou du vin [3] était versé autour ou sur l'*autel. Évoquant
le sang répandu (gr. *ekkhynnô*) [4], le terme gr. *spendomaï* est repris
par Paul dans un sens figuré [5].

[1] Gn 35,14. — [2] 2 S 23,16. — [3] Dt 32,38; Si 50,15. — [4] Ex 29,12; Lv 8,15;
Mt 23,35 (= Lc 11,50); 26,28 (= Mc 14,24 = Lc 22,20); Ac 22,20; He 9,22;
Ap 16,6. — [5] Ph 2,17; 2 Tm 4,6 □.

→ aspersion — sacrifice — sang.

[Liber Antiquitatum Biblicarum]

*Apocryphe de l'AT. *Livre* édifiant sur les *Antiquités bibliques*, c'est-à-
dire sur l'histoire du salut depuis Adam jusqu'à Saül. L'original hb.
nous est parvenu en une traduction lat. qui décalque une version gr.
On n'y reconnaît pas d'interpolation chrétienne. L'ouvrage est daté
d'avant 70 ap. J.C. Il a été faussement attribué à Philon, d'où son
appellation de « Pseudo-Philon ».

libérer, liberté

1. gr. *eleutheroô* : action par laquelle un individu ou un peuple est
arraché à l'*esclavage et devient libre. Si l'AT est plein de la réalité
visée (délivrance d'*Égypte, retour de *Babylone), le NT ne considère jamais plus directement l'aspect politique et temporel de la
libération. Ce sont même d'autres termes qui sont employés de préférence : *sauver, *racheter. Certes les disciples de Jésus sont exempts
(= libres) des *impôts au Temple [1], les hommes se répartissent en
« esclaves et libres » [2], mais ce vocabulaire n'est présent qu'en un
seul passage de Jean [3] et en trois de Paul [4].

[1] Mt 17,26; cf Rm 7,3; 1 Co 7,39. — [2] 1 Co 12,13; Ep 6,8; Col 3,11; 1 P 2,16;

2 P 2,19; Ap 6,5; 13,16; 19,18. — ³ Jn 8,32-36. — ⁴ Rm 6—8; 1 Co 7—10; Ga 2—5.

2. La liberté (gr. *eleutheria*), qui dans le NT n'a jamais le sens de liberté civile (fondement romain de la dignité humaine), ne se définit pas par l'indépendance ni par la maîtrise de soi, mais par le fait que nous sommes *enfants de Dieu ⁵. Cette liberté spirituelle a été acquise par le Christ ⁶ et communiquée par l'Esprit ⁷; elle rend libre du jugement d'autrui ⁸. Telle est la loi royale de la liberté du croyant, parole de Dieu plantée en lui ⁹.

⁵ Rm 8,21. — ⁶ Ga 2,4; 5,1.13. — ⁷ 2 Co 3,17. — ⁸ 1 Co 10,29. — ⁹ Jc 1,21.25; 2,8.12 □.

3. L'état d'homme libre (gr. *eleutheros*) se définit, selon le NT comme d'ordinaire, par opposition à l'état d'*esclave. Mais contrairement à la mentalité politique ou *stoïcienne, l'homme ne naît pas libre, mais esclave de la corruption ¹⁰. Il ne peut se rendre libre par la *connaissance ni par quelque initiation aux religions à *mystères ni par quelque *mythe. Il est asservi aux puissances mauvaises, le *Péché et la *Mort; et il ne peut s'en libérer lui-même, il est même, sans l'Esprit, fatalement conduit à la mort ¹¹. C'est le Christ seul qui rend libre ¹², non pas pour qu'on devienne indépendant du Libérateur, mais pour que, libéré de la Loi ¹³, du Péché et de la Mort ¹⁴, on devienne «esclave» de Jésus Christ ¹⁵ et de ses frères ¹⁶, accédant ainsi à la justice et à la sainteté ¹⁷.

¹⁰ Jn 8,39; 2 P 2,19. — ¹¹ Rm 7,7-25. — ¹² Jn 8,32-36; Rm 6,18-22; Ga 5,1. — ¹³ Rm 7,3-6; 8,3. — ¹⁴ Rm 8,2. — ¹⁵ 1 Co 7,21s.39; Ga 3,28; 5,1. — ¹⁶ 1 Co 9,19. — ¹⁷ Rm 6,20.22.

4. Le libre arbitre est sollicité par les puissances adverses de la *chair et de l'*esprit; il n'est pas violenté par la *grâce toute-puissante de Dieu ni par l'action de Satan; mais, jadis esclave du Péché, il peut résister à cette propension et répondre à l'appel incessant de Dieu qui l'invite à la *conversion ¹⁸.

¹⁸ Jn 6,44; Rm 3,5-8; 9,19s; Ga 5,13; Jc 1,13-15; 1 P 2,16; 2 P 2,19.

→ *Intr.* XIV.2.A. — affranchi — esclave — rédemption — sauver.

Libye

Pays situé à l'Ouest de l'*Égypte, voisin de *Cyrène ¹.

¹ Ac 2,10 □.

lier et délier

gr. *deô kai lyô*. L'expression doit être comprise à la lumière des coutumes juives. La synagogue pratiquait l'*excommunication, prononçant son jugement par « lier et délier », ainsi pour délier d'un vœu par lequel on s'était lié. L'expression s'applique au domaine disciplinaire (excommunication) et aux décisions doctrinales ou juridiques. En Mt 16,19, Pierre a le pouvoir de statuer sur les conditions d'entrée dans le royaume des cieux. En Mt 18,18, la communauté ecclésiale reçoit ce même pouvoir. En Jn 20,23, le Ressuscité emploie d'autres mots : « retenir et remettre » pour dire la même réalité.

→ délier.

lin

La plante cultivée en Égypte et en Palestine [1] servait au tissage des *étoffes de luxe (hb. *bad*, gr. *linon*), destinées avant tout aux *vêtements cultuels [2]. Le terme hb. *chéch*, *bûç*, gr. *byssos* semble désigner une qualité supérieure de lin, utilisée par les prêtres et les gens riches [3]. De lin étaient les *linceuls et les *bandelettes destinés à l'*ensevelissement.

[1] Ex 9,31; Jos 2,6. — [2] Lv 6,3; 16,4.23; 2 S 6,14; Dn 10,5; 12,6s; Ap 15,6. — [3] Gn 41,42; Ex 39,28; 2 Ch 5,12; Pr 31,22; Lc 16,19; Ap 18,12.16; 19,8.14 □.

linceul

gr. *sindôn*. Grand morceau de toile fine, dans lequel on enveloppait les cadavres pour leur *ensevelissement [1].

[1] Mt 27,59 (= Mc 15,46 = Lc 23,53).

→ *Intr.* VIII.2.D.b. — drap.

linge

gr. *lention* (du lat. *linteum*). Étoffe pouvant servir de tablier ou de serviette de toilette [1].

[1] Jn 13,4s □.

lion

gr. *leôn*. Bête sauvage qui pouvait monter des déserts du Jourdain jusque dans les pâturages de Judée [1]. En raison de sa force, il caractérise l'ennemi brutal [2], la parole puissante de Dieu [3], la victoire du héros, le lion de Juda [4].

[1] Jr 49,19; Mi 5,7. — [2] 2 R 17,25; Dn 6,4-24; 2 Tm 4,17; He 11,33; 1 P 5,8; Ap 9,8.17; 10,3; 13,2. — [3] Jr 25,30; Ap 4,7; 10,3. — [4] Gn 49,9s; Nb 23,24; 1 S 17,34; Ap 5,5 □.

→ bêtes.

lis

gr. *krinon*, hb. *chûchan*. Terme collectif désignant diverses fleurs sauvages des champs (lis, colchiques, iris, tulipes, narcisses), aux couleurs éclatantes. En Mt 6,28 (= Lc 12,27), peut-être des anémones dont la couleur rouge pourrait évoquer les vêtements royaux de Salomon [1].

[1] Cf Ct 2,1s.16; 4,5; 6,2s; Os 14,6 □.

livre

gr. *biblion*, *biblos* : « papyrus (égyptien) », d'où « rouleau, livre ».

1. Rouleau de parchemin ou codex de *papyrus où sont consignées et unifiées des paroles et des pensées de Dieu ou des hommes. Dans l'Antiquité, un livre comportait de 1 800 à 3 000 stiques (lignes de 35 ou 36 lettres, soit l'hexamètre grec). La *Torah a été ainsi subdivisée en cinq livres : Genèse et Deutéronome formaient des unités naturelles (78 et 60 pages en hébreu dans l'édition de Kittel), le reste fut divisé en trois (66, 44 et 72 pages). De même furent divisés en deux « livres », Samuel, Rois, Chroniques. Les « livres » du NT sont déterminés en fonction de leur auteur, de leurs destinataires ou de leur contenu.

2. Le mot prend un sens différent, en fonction de son sujet. Ainsi dans le NT, le livre de l'Alliance [1], le Livre de la Loi [2], celui de Moïse [3], d'Isaïe [4] ou des Psaumes [5], comme celui de l'évangile ou de l'apocalypse de Jean [6]. La fonction de ces livres est semblable à celle de l'Écriture : témoigner, rappeler, sceller des paroles prophétiques [7].

[1] Ex 24,7; He 9,19. — [2] Dt 28,58.61; Ga 3,10. — [3] 2 Ch 25,4; Mc 12,26. — [4] Lc 3,4; 4,17. — [5] Lc 20,42; Ac 1,20. — [6] Jn 20,30; Ap 1,11. — [7] Dt 31,26s; Is 30,8; Jr 36; Ap 22,7.9. 18s.

3. Au sens métaphorique, il existe un « livre de vie » [8], un livre où sont inscrites les actions des hommes en vue du jour du * jugement [9], enfin le livre scellé que seul l'Agneau peut ouvrir : probablement le livre consignant les actions de Dieu au cours de l'histoire du peuple, son *dessein, qui s'accomplit en J.C. [10].

[8] Ex 32,32s; Ps 69,29; Dn 12,1; Lc 10,20; Ph 4,3; Ap 3,5; 13,8; 17,8; 20,12.15; 21,27. — [9] Dn 7,10; Ap 20,12. — [10] Ez 2,9s; Ap 5,1-10; cf 2 Co 3,14-16.

→ *Intr.* IX.3. — Bible — Écriture.

livre

gr. *litra*. Mesure romaine de poids, valant environ 327,5 g [1].

[1] Jn 12,3; 19,39 □.

→ poids.

loger, logis

→ hôtellerie.

[logia]

Pluriel du mot grec *logion* : « réponse d'oracle, parole, sentence ».

1. Sentence qui n'appartient pas nécessairement au contexte où elle se trouve : par exemple, Mt 5,13; 5,15.

2. A la suite de Papias (100-130 ap. J.C.) qui rédigea une *Exégèse des logia du Seigneur*, les critiques pensent qu'à la source des évangiles *synoptiques il y avait une collection de paroles de Jésus, souvent désignée par le sigle *Q.

→ agrapha — exégèse — genre littéraire — milieu de vie — Q — Thomas (Évangile de).

Logos

Mot grec, signifiant « parole ». Il traduit l'hb. *dâbâr* qui désigne aussi bien une *parole dite [1] qu'une chose faite, une affaire [2]. Dans la littérature johannique, il désigne la Parole personnifiée, le *Verbe [3].

[1] Mt 7,24.28; 8,8; 15,12; Lc 4,32.36. — [2] Mt 21,24 (= Mc 11,29 = Lc 20,3); Ac 8,21; 15,6. — [3] Jn 1,1.14; 1 Jn 1,1; Ap 19,13 △.

→ parole.

loi

gr. *nomos* (de *nemô* : « partager, attribuer, posséder ») : « usage, coutume, loi », hb. *tôrâ* : « enseignement, loi ». Mot fréquent chez

Paul, rare dans les évangiles, absent de Mc, des *Épîtres catholiques (sauf Jc), de l'Apocalypse.

1. Au sens large, le terme équivaut parfois à l'ensemble de l'AT [1]. D'ordinaire, il désigne les cinq premiers livres de la *Bible, attribués à *Moïse, dépositaire de la volonté de Yahweh sur son peuple [2] : c'est la *Torah ou *Pentateuque.

[1] Jn 10,34; Rm 3,19s; 1 Co 14,21. — [2] Mt 7,12; 12,5; Lc 2,27; 16,17; 24,44; Rm 3,21; Ga 4,21; *Intr.* XII.

2. Au sens strict, la loi est la *révélation enseignée par Dieu à Israël [3] pour régler sa conduite. Elle ne doit jamais être isolée de Dieu qui, seul, lui donne valeur par sa parole. Si le *décalogue ne devient dialogue, il se durcit en catalogue.

[3] *Intr.* VIII.2.C.d; XII.1; XIV.

3. Jésus n'a pas aboli la Loi de l'AT, entendue au sens de révélation vivante; il l'a menée à son *accomplissement [4]. Tout en s'y soumettant [5], il situe les préceptes par rapport à l'exigence de conversion intérieure et il s'oppose au légalisme contemporain qui les surévaluait sans distinction [6]. Surtout, il la concentre dans le double commandement de l'amour de Dieu et du prochain [7], il la radicalise en l'identifiant au devoir absolu d'aimer [8], il la personnalise en proclamant : « Et moi, je vous dis... » [9].

[4] Mt 5,17. — [5] Mt 5,18; Lc 2,22-24.27.39; 16,17. — [6] Mt 12,5; 15,6; 23,23. — [7] Mt 22,36.40 (= Lc 10,26). — [8] Mt 5,43s; Lc 6,27s. — [9] Mt 5,22.28.32.34.

4. Jean utilise le mot « loi » exclusivement dans le sens de la Loi ancienne [10]. Tout en lui donnant par ailleurs divers sens, Paul s'en sert aussi pour désigner le régime vétérotestamentaire des rapports de Dieu avec Israël. Cette « économie » est périmée, car le Christ y a mis fin [11], lui par qui est inauguré le régime de la grâce [12].

[10] Jn 1,17; 8,17; 10,34. — [11] Rm 10,4. — [12] Rm 5,20; 6,14.

5. Ainsi, dans sa polémique contre ceux qui plaçaient dans la Loi la source de la justification, Paul réduit la Loi à n'être qu'une simple indication du bien à faire, même si dans son origine elle est divine [13]; ses indications sont impuissantes par elles-mêmes à transformer la conduite humaine, comme l'avaient dit les prophètes [14].

[13] Rm 7,7-25. — [14] Jr 31,33; *Intr.* I.4.

6. Le mot peut s'appliquer enfin aux deux extrêmes du *dessein salvifique de Dieu. D'un côté, il est parlé de la loi inscrite dans la *conscience, accomplie « naturellement » sans en connaître l'origine divine, pour désigner non pas un régime d'où Dieu serait absent, mais la situation où se trouvent ceux qui n'ont pas la *foi juive ou chrétienne [15]. A l'autre extrême, Paul parle de la « loi du Christ » [16], non pour déclarer que la nouvelle alliance est encore un régime légaliste, mais pour montrer que, morte avec le Christ en croix, la Loi ressuscite en quelque sorte par la force de l'Esprit qui fait comprendre les paroles de Jésus de Nazareth [17]. De même, l'épître de *Jacques parle de la « loi royale de liberté » [18]. Quant à Jean, qui identifie loi et loi de Moïse, tout ce qui est positif dans la Loi passe dans le « commandement » [19].

[15] Rm 2,14s. — [16] Ga 6,2; cf 1 Co 9,21. — [17] Rm 8,1-17. — [18] Jc 1,25; 2,8.12. — [19] Jn 13,34s; 15,12.17; 1 Jn 3,23.

→ commandement — docteur de la Loi — légiste.

Lot

gr. *Lôt*, hb. *Lôth*, d'étymologie incertaine. Neveu d'*Abraham, émigré avec lui en Canaan [1]. Resté « juste » au milieu des pécheurs de Sodome, Lot fut délivré par Dieu [2]. Le châtiment de ses concitoyens évoque le « *Jour du *Fils de l'Homme »; celui de sa femme doit exhorter à ne pas se retourner en arrière « en ce jour-là » [3].

[1] Gn 11,27.31; 13,1-13. — [2] Gn 19. — [3] Sg 10,6s; Si 16,8; Lc 17,28s.32; 2 P 2,6-8 □.

Luc

gr. *Loukas*, probablement diminutif du lat. *Lucanus*. D'origine païenne, médecin, compagnon de voyage de Paul, comme le suggèrent les passages des Actes des Apôtres à la première personne du pluriel (« récits-nous ») [1], Luc est l'auteur du IIIᵉ évangile et des *Actes des Apôtres [2].

[1] Ac 16,10-17; 20,5-15; 21,1-18; 27,1—28,16. — [2] Col 4,14; 2 Tm 4,11; Phm 24 □.

[Luc (évangile de)]

Écrit probablement après 70 (ruine de Jérusalem) et avant 80-90 par un Grec que la tradition identifie avec le médecin compagnon de Paul (Col 4,14). Écho de nombreuses traditions, cet évangile, composé pour des chrétiens de culture hellénique, constitue le premier tome d'un ouvrage qui, avec les *Actes des Apôtres, dépeint le *dessein salvifique de Dieu (cf. Lc 22,43-44).

→ *Intr.* XV.

lumière

gr. *phôs*, hb. *ôr*.

1. Créature de Dieu, caractéristique de la clarté [1] que rayonnent le soleil [2], le *feu [3], les *lampes [4].

[1] Gn 1,3.5; Jn 11,9s. — [2] Ap 22,5. — [3] Mc 14,54 (= Lc 22,56). — [4] Lc 8,16; 11,33; 15,8; Ac 16,29; 2 P 1,19; Ap 18,23; 22,5.

2. Symbole de bonheur, de prospérité et de joie [5], elle vient de Dieu qui est lumière [6] et qui en est accompagné dans ses manifestations glorieuses [7], ainsi lors de la *Transfiguration de Jésus [8] ou dans l'apparition à Paul [9], ou encore pour * vêtir ses anges [10]. Les disciples de Jésus doivent porter la lumière au monde [11] et parler en plein jour [12]. L'*étoile du matin brille déjà dans leur cœur en attendant la lumière de la *Jérusalem céleste [13].

[5] Ps 27,1; Is 58,8; Am 5,20; Mt 4,16; Lc 1,79; 2,32. — [6] Ps 36,10; 1 Tm 6,16; 1 Jn 1,5. — [7] Ps 104,2; Ez 43,2. — [8] Mt 17,2.5. — [9] Ac 9,3; 22,6.9.11; 26,13. — [10] Ac 12,7. — [11] Mt 5,14.16; Lc 12,35. — [12] Mt 10,27; Lc 12,3. — [13] 2 P 1,19; Ap 21,23s; 22,5.

3. Selon Paul, par la *médiation du Christ, reflet de la *gloire de Dieu, la lumière brille dans nos *cœurs [14], en sorte qu'elle ne peut s'accorder avec les *ténèbres [15]. Le croyant est devenu « fils de lumière » [16], ce qui engendre une conduite irréprochable [17] et un devoir de rayonnement [18]. Dans le *combat, il faut prendre les armes de lumière [19] contre *Satan qui se déguise en *ange de lumière [20]. Le Père des lumières mettra tout en pleine lumière [21].

[14] 2 Co 4,4.6; Col 1,12; 2 Tm 1,10. — [15] 2 Co 6,14. — [16] Ep 5,8; 1 Th 5,5; cf Lc 16,8. — [17] Ep 5,9. — [18] Ph 2,15. — [19] Rm 13,12. — [20] 2 Co 11,14. — [21] 1 Co 4,5; cf Jc 1,17.

4. Chez Jean, Jésus Christ est la lumière authentique [22] qui transforme les croyants en fils de lumière [23]. La lumière livre un *combat aux ténèbres [24], et l'homme doit choisir entre elles, c'est-à-dire croire en Jésus et aimer ses *frères [25].

[22] Jn 1,4; 8,12; 9,5; 12,35.46. — [23] Jn 12,36. — [24] Jn 1,9; 1 Jn 2,8. — [25] Jn 3,19-21; 1 Jn 2,10.

→ gloire — jour — ténèbres.

lunatique

du lat. *lunaticus*, gr. *selèniakos* (de *selèniazomai* : « être sous l'emprise de la lune »). Malade influencé, croyait-on par les phases de la *lune et « saisi » temporairement par des convulsions attribuées à un *esprit mauvais. Peut-être à identifier avec l'épileptique. Sa guérison ressemble à la délivrance des *possédés [1].

[1] Mt 4,24; 17,15 □.

lune

gr. *selènè*. Sans être l'objet de quelque *culte [1], la nouvelle lune (gr. *neomènia*) détermine le calendrier des *fêtes [2] et exerce une réelle influence sur les humains [3]. Au dernier jour, selon l'imagerie *apocalyptique, elle perdra sa couleur *blanche et son éclat [4].

[1] Dt 4,19; 17,3; Jr 8,2; 2 R 23,5. — [2] Gn 1,14; Lv 23; Nb 10,10; Ps 81,4; Is 1,13; Os 2,13; Col 2,16. — [3] Ps 121,6; Mt 4,24; 17,15. — [4] Is 24,23; 30,26; Jl 3,4; Mt 24,29 (= Mc 13,24); Lc 21,25; Ac 2,20; 1 Co 15,41; Ap 6,12; 8,12; 12,1; 21,23 □.

→ *Intr*. V.1; XIII.3.A.

Lycaonie

gr. *Lykaonia*. Région des hauts plateaux de la Turquie actuelle, au nord de la *Cilicie, annexée depuis 25 av. J.C. à la *province romaine de *Galatie. On y parlait le *grec, mais aussi la langue originaire. Paul en évangélisa les villes d'*Iconium, *Lystres et *Derbé [1].

[1] Ac 14,6 □.

→ *Carte* 3.

Lydda

gr. *Lydda*, hb. *Lod*, entre Tel Aviv et Jérusalem. Ville antique où Pierre guérit Énée et où se constitua vers la fin du Ier s. av. J.C. un important centre d'études *talmudiques, avec deux grands *rabbis, Eliézer ben Hyrkan et Aqiba [1].

[1] 1 Ch 8,12; Ac 9,32.35.38 □.

→ *Carte* 4.

Lysias

gr. *Lysias*. *Tribun d'origine grecque ou orientale. Ayant acquis la qualité de *citoyen romain, il est chargé du maintien de l'ordre à

Jérusalem. Il intervient lors de l'émeute contre Paul [1]; son nom est mentionné deux fois seulement [2].

[1] Ac 21,31—23,30. — [2] Ac 23,26 (et 24,7); 24,22 □.

Lystres

gr. *Lystra*, *Lystroï*. Petite ville de *Lycaonie, au nord-ouest d'*Iconium. Devenue *colonie romaine en 6 av. J.C. [1].

[1] Ac 14,6.8.21; 16,1s; 2 Tm 3,11 □.

→ *Carte* 2.

M

[Maccabées]

1. hb. *maqqabi*, surnom de Judas, troisième fils de Mattathias, qui organisa la résistance juive à l'oppresseur Antiochus Épiphane (166-161 av. J.C.). Surnom donné aux sept frères martyrs. Le terme pourrait dériver de *maqqèbèt* : « marteau », surnom analogue à celui de Charles Martel.

2. Le *1er Livre des Maccabées* raconte l'histoire juive de 175 à 135 av. J.C. Il a été écrit en hb. au début du Ier s. av. J.C., sous Alexandre Jannée (103-76), mais nous ne possédons que la version grecque. C'est un *deutérocanonique.

3. Le *2e Livre des Maccabées* raconte la même histoire d'une manière qui se veut plus édifiante. Il a été écrit en grec, vers l'an 120 av. J.C. C'est un *deutérocanonique.

4. Le *3e Livre des Maccabées* est un *apocryphe grec daté entre le Ier s. av. J.C. et le Ier s. ap. J.C. Il n'a rien à voir avec les livres canoniques précédents. Il raconte de façon romanesque le triomphe des juifs sur leurs ennemis.

5. Le *4e Livre des Maccabées* est un *apocryphe grec datant du Ier s. ap. J.C. Discours de type stoïcien, élaboré à partir du récit du courageux martyre des Maccabées.

Macédoine

Région du Nord de la Grèce. *Province romaine depuis 146 av. J.C. Souvent traversée ou visitée par Paul [1].

> [1] Ac 16,9s.12 ; 18,5 ; 19,21s.29 ; 20,1.3 ; 27,2 ; Rm 15,26 ; 1 Co 16,5 ; 2 Co 1,16 ; 2,13 ; 7,5 ; 8,1 ; 9,2.4 ; 11,9 ; Ph 4,15 ; 1 Th 1,8 ; 4,10 ; 1 Tm 1,3 □.

→ *Intr.* IV.3.C. — Philippes — Thessalonique — *Carte* 3.

Magadan

Site inconnu, en bordure du lac de *Guennésareth; Mc 8,10 l'appelle *Dalmanoutha [1].

[1] Mt 15,39 □.

Magdaléenne

Originaire de Magdala (cf hb. *migdol* : « tour »), ville située sur le lac de *Galilée, au nord de *Tibériade. Elle est parfois identifiée à Magadan et à *Dalmanoutha. Désignation de *Marie-Madeleine.

mages

gr. *magos*. A l'origine, selon Hérodote, nom d'une tribu persane aux fonctions sacertodales, experte dans l'interprétation des phénomènes célestes [1]. Ceux dont parle Mt sont des hommes sages, étrangers au monde juif [2], dont on ne peut dire qu'ils étaient « rois » ni qu'ils étaient « trois ». En milieu grec, sorciers [3].

[1] Jr 39,3.13; Dn 1,20; 2,2.10.27; 4,4; 5,7.11.15. — [2] Mt 2,1.7.16. — [3] Ac 8,9.11; 13,6.8 □.

magie

gr. *mageia*. Prétention d'un pouvoir occulte sur la divinité par divers moyens : nœuds magiques, consultation des esprits, des morts ou des *astres, enchantements, charmes, divination, sorcellerie (gr. *pharmakeia*). Pratiquée couramment dans le monde antique [1], elle a pénétré en Israël, malgré les interdictions de la Loi [2]. Le NT la repousse avec horreur [3].

[1] Ex 7,11; Is 47,9; Ac 8,9.11; 13,6.8; 19,19; Ap 9,21; 18,23. — [2] Ex 22,17; Lv 19,26.31; Nb 23,23; Dt 18,10s; 1 S 28; 2 R 9,22; 17,13; Mi 5,11. — [3] Ga 5,20; Ap 21,8; 22,15.

→ *Intr.* IV.6.D; VI.4.C.b. — idolâtrie — oracle — vices.

main

1. gr. *kheir*, hb. *yâd* (*kaph* : « paume »). La main de Dieu symbolise sa *puissance souveraine. Forte, terrible [1], elle domine l'histoire du peuple [2]; on peut avoir confiance en elle [3]. Le Père a tout remis dans les mains de Jésus [4], il les rend toutes-puissantes [5]. Quand la main du Seigneur est avec quelqu'un [6], ses mains aussi deviennent puissantes [7].

¹ Dt 3,24; 4,34; Jb 19,21; He 10,31; 1 P 5,6. — ² Ex 13,3.14; 1 S 5,9; Ps 8,7; Ac 4,28.30. — ³ Dt 33,3; Ps 31,6; 73,23; Sg 3,1; Mt 4,6 (= Lc 4,11); Lc 23,46; Jn 10,29. — ⁴ Mt 3,12 (= Lc 3,17); Jn 3,35; 13,3. — ⁵ Jn 10,28s; cf Mt 11,27. — ⁶ Ps 89,22; 139,5; Jr 1,9; Ez 1,3; Lc 1,66; Ac 7,25; 11,21; 14,3; 19,11. — ⁷ Mc 6,2; Ac 5,12.

2. De là, le geste de l'*imposition des mains*, aux diverses significations dans l'AT : *bénédiction [8], rites sacrificiels [9], *bouc émissaire [10], rite d'initiation [11], geste de substitution [12]. Ainsi Jésus bénit [13] ou *guérit [14]; les disciples de même [15]. Ce geste devient un rite qui signifie la transmission d'un pouvoir, d'une fonction [16], et peut-être le don de l'Esprit après le *baptême [17].

⁸ Gn 48,14. — ⁹ Lv 3; Nb 8. — ¹⁰ Lv 16,21. — ¹¹ Nb 27,18.23. — ¹² Lv 24,14; Dn 13,34. — ¹³ Mt 19,13.15 (= Mc 10,16); Lc 24,50; Ap 1,17. — ¹⁴ Mc 6,5; 8,23.25; Lc 4,40; 13,13. — ¹⁵ Mt 9,18; Mc 7,32; 16,18; Ac 9,12.17; 28,8. — ¹⁶ Ac 6,6; 13,3; 1 Tm 4,14; 5,22; 2 Tm 1,6. — ¹⁷ Ac 8,17s; 19,6; He 6,2.

maison

gr. *oikos, oikia*, hb. *bayît* (*béit* dans les mots composés, comme Beth-el : « maison de Dieu »). Comme en la plupart des langues, la maison désigne aussi bien un édifice qu'une famille [1]. En hb. l'analogie est fondée sur le fait qu'une même racine *bânâ* signifie bâtir un édifice et une famille [2].

¹ Gn 12,1; Lc 1,69; 1 Co 3,9; 1 Tm 3,15. — ² 2 S 7,5.13.

→ *Intr.* VIII.1.A. — édifier.

maître

Comme en français, le mot offre diverses nuances, telles que « celui qui domine » ou « celui qui sait ».

1. *Oikodespotès* : « maître de maison » [1]; *despotès* : « propriétaire » [2], appliqué à Dieu ou au Christ [3].

¹ Mt 10,25; 13,27. — ² 1 Tm 6,1s; Tt 2,9; 1 P 2,18; *Intr.* VIII.2.A. — ³ Lc 2,29; Ac 4,24; 2 Tm 2,21; 2 P 2,1; Jude 4; Ap 6,10 △.

2. *Kyrios*, d'ou dérive *kyrieuô* : « avoir la souveraineté, dominer », ordinairement traduit par « Seigneur », sauf en quelques cas qui conviennent à d'autres que Dieu ou Jésus [4].

⁴ Mt 6,24 (= Lc 16,13); 18,25; 20,8; 21,30; 24,45-50; Jn 20,15.

3. *Epistatès* : « celui qui se tient dessus » [5], traduction grecque de *rabbi chez Lc.

⁵ Lc 5,5; 8,24.45; 9,33.49; 17,13 △.

350

4. *Didaskalos* (hb. *rabbi*) : « celui qui enseigne », utilisé souvent à l'adresse de Jésus [6].

[6] Mt 8,19; Mc 4,38; Lc 7,40; Jn 1,38.

→ enseigner.

mal

Réalité opposée au bien ou au bon, qu'on appelle mauvaise (insuffisante, de moindre valeur) ou méchante (moralement ou religieusement destructive). Elle est dite en hb. par *ra'* *(ra'ah)*, en gr. par deux mots presque équivalents : *kakos (K)* et *ponèros (P)* (de *ponos* : « travail, fatigue, peine »); *ponèros* est employé davantage pour désigner une certaine responsabilité dans le mal, une perversité, ou pour personnifier le Mal.

1. *Le fait* est constaté dans le NT comme dans l'AT : choses mauvaises, subies dans l'ordre physique [1] ou produites dans l'ordre moral [2], hommes mauvais [3], esprits mauvais [4], le mal comme tel [5], le Mauvais personnifié qui est identifié à *Satan [6]. Le mal divise d'avec Dieu et d'avec les hommes [7]; il faut l'éviter à tout prix [8] et prier pour cela [9].

[1] Mt 15,22; Lc 16,25; Ac 28,5. — [2] Mt 22,18 (*P*); Ac 23,9; Rm 14,20; Col 1,21 (*P*). — [3] Mt 21,41; 24,48; 2 Tm 3,13 (*P*). — [4] (*P*) : Mt 12,45; Lc 7,21; 8,2; 11,26; Ac 19,12s.15s; Ep 6,12. — [5] Mt 5,11 (*P*); Rm 7,19.21 (*K*); Rm 12,9 (*P*); 12,21 (*K*). — [6] (*P*) : Mt 5,37; 13,19.38; Jn 17,15; Ep 6,12.16; 2 Th 3,3; 1 Jn 2,13s; 3,12; 5,18s; probablement Mt 6,13; 13,38. — [7] Rm 1,29; Tt 3,3. — [8] Rm 12,9 (*P*); 12,17.21; Col 3,8; Ep 4,31; 1 P 3,9. — [9] Mt 6,13; Ac 8,22.

2. *Le problème* du mal n'est pas examiné directement : le NT ne se soucie pas de venger Dieu d'être l'auteur du mal. Le mal est ou le résultat d'une punition divine méritée, invitant à se *convertir pour qu'il n'arrive pas pire [10], ou une *épreuve à supporter, grâce à l'expérience de l'amour de Dieu [11]. Le mal n'est pas un principe métaphysique, ni un principe constitutif du monde (Zoroastre), ni même le produit d'un « esprit de ténèbres » opposé à l' « esprit de lumière » (*dualisme qoumrânien). Il ne vient pas de Dieu [12], mais du cœur de l'homme qui, dès les origines, est devenu mauvais [13] : l'homme se laisse entraîner au mal à cause des puissances mauvaises [14], de la concupiscence [15] ou du mauvais usage de la liberté ou de la langue [16]. Le mal n'est pas causé par une ignorance, mais par le *péché. Aussi c'est Jésus Christ seul qui l'a vaincu [17] et qui libère du mal et de ses puissances.

[10] Lc 13,1-5. — [11] Rm 5,5; 8,20-22. 35s.38s. — [12] Jc 1,13. — [13] Gn 6,5; 1 S 17,28; 1 R 2,44; Jr 3,5; (*P*) : Mt 9,4; 12,34; 22,18; Mc 7,22; Lc 11,39; Rm 1,29;

1 Co 5,8; He 3,12. — [14] Ep 6,12. — [15] 1 Tm 6,10. — [16] 1 Co 14,20; Jc 3,8;
1 P 2,1; 3,10. — [17] Mt 12,28; Jn 17,15; Ac 3,26; Ga 1,4; Col 2,15; 1 Jn 2,14.

→ libérer, liberté — péché — Satan.

maladie

1. La maladie (gr. *nosos* [1]), que désignent ou nuancent des termes
variés : infirmité (*arrôstos* [2], *asthenès* [3] : « sans vigueur »), langueur
(*malakia* [4] : « mollesse »), le fait d'être frappé (de *mastix* [5] : « fléau »)
ou de se mal porter *(kakôs ekhein* [6]*)*, est comprise non pas comme un
simple phénomène naturel, mais toujours dans sa relation au *péché
et aux *puissances du *mal. Pourtant ni les prophètes ni Jésus ne
l'attribuent à quelque *rétribution collective [7].

[1] Mt 4,23s; 8,17; 9,35; 10,1; Mc 1,34; Lc 4,40; 6,18; 7,21; 9,1; Jn 5,4; Ac 9,12;
1 Tm 6,4 △. — [2] Mt 14,14; Mc 6,5.13; 16,18; 1 Co 11,30 △. — [3] Lc 5,15;
Jn 11,4; Ac 28,9... — [4] Mt 4,23; 9,35; 10,1 △. — [5] Mc 3,10; 5,29.34; Lc 7,21 △.
— [6] Mt 4,24; 8,16; 9,12; 14,35; 17,15; Mc 1,32.34; 2,17; 6,55; Lc 5,31; 7,2 △.
— [7] Si 38,9s; Is 53,3-5; Ez 18; Lc 13,1-5; Jn 9,2s.

2. Face à nos maladies, Jésus éprouve de la pitié et lutte contre
elles en les *guérissant et en les « portant » [8]. C'est qu'il y voit une
conséquence du péché et un signe de la domination de *Satan [9].
Le recul de la maladie symbolise le triomphe progressif de la *vie
sur la *mort. Désormais, comme toute souffrance, la maladie est
située dans le courant de la *rédemption [10], en attendant que les
hommes soient à jamais guéris par le feuillage de l'*arbre de vie [11].

[8] Mt 8,16s; 20,34; 25,36. — [9] Lc 13,16; Jn 5,14. — [10] 2 Co 4,10; Col 1,24. —
[11] Ap 22,2; cf Ez 47,12.

3. Le NT cite de nombreuses maladies [12].

[12] *Intr*. VIII.2.D.

→ guérir — médecin — sauver.

malédiction

→ maudire.

malheureux !

gr. *ouai*, hb. *ôy, hôy*. Onomatopée signifiant la déclaration attristée
d'un état de malheur [1] ou l'annonce d'un malheur à venir [2]. A ne
pas confondre avec la *malédiction (gr. *ara*) qui communique le
malheur.

352

[1] Mt 11,21 (= Lc 10,13); 23,13-29 (= Lc 11,42-52); Lc 6,24-26; 1 Co 9,16; Ap 9,12; 11,14. — [2] Mt 18,7 (= Lc 17,1); 24,19 (= Mc 13,17 = Lc 21,23); 26,24 (= Mc 14,21 = Lc 22,22); Jude 11; Ap 8,13; 12,12; 18,10.16.19 □.

Mammon

gr. *mamônas*, ar. *mâmôn* : « richesse », mot à mettre en relation avec la racine *'mn* : « ce qui est sûr, sur quoi l'on peut compter, ce qui dure ». Terme de la littérature tardive, biblique et *rabbinique, au sens de richesse inique. Ainsi dans le NT [1].

[1] Si 31,8; Mt 6,24; Lc 16,9.11.13 □.

→ argent — richesse.

[mandéisme]

Croyances et rites d'une secte *gnostique et baptiste établie dans le Sud de la Mésopotamie. Le terme dérive de l'ar. *manda* : « connaissance » : ses sectateurs sont aussi appelés *nazoréens (probablement de la racine *nçr* : « observer ») et sabéens (de la racine *sbʿ* : « bains »). A travers les textes, assez tardifs, on reconnaît un *dualisme gnostique (lumière/ténèbres), des influences babyloniennes, iraniennes, manichéennes et même musulmanes. Quelques ressemblances s'imposent avec le NT, en particulier avec l'évangile de Jean; mais on peut difficilement parler de dépendance mutuelle. La langue mandéenne est l'*araméen oriental.

mangeoire

→ crèche.

[manichéisme]

Doctrine s'inspirant de Mani, Persan du IIIe s. ap. J.C., selon laquelle le Bien et le Mal sont deux principes originaires de l'existence, indépendants l'un de l'autre et en lutte l'un contre l'autre.

manne

gr. *manna* : « grain d'encens », reprenant le gr. *man* qui, dans la *Septante, traduit l'hb. *mân*. Une étymologie populaire (hb. *mâ hû* :

353

« qu'est cela? » [1]) dit l'origine mystérieuse de la nourriture accordée par Dieu à son peuple pendant la traversée du *désert [2]. Événement interprété diversement au cours de la tradition biblique : soutien et *épreuve d'Israël [3], aliment spirituel [4], type du *don du Christ [5], nourriture *eschatologique [6].

[1] Ex 16,15. — [2] Ex 16; Nb 11,7-9; He 9,4. — [3] Dt 8,1-6; Mt 4,1-4 (= Lc 4,1-4). — [4] Sg 16,20-29; 1 Co 10,3. — [5] Jn 6,31.49. — [6] Ps 78,23-25; Ap 2,17 □.

manteau

1. Au sens actuel, traduit le gr. *phailonès*, lat. *paenula*, sorte de pèlerine, de cape avec capuchon, de casaque couvrant le buste [1].

[1] 2 Tm 4,13 □.

2. Traduit souvent le gr. *himation*, lat. *toga* : pièce rectangulaire de laine ou de lin, non cousue, avec ouverture pour les bras, jetée sur les épaules ou enroulée autour du corps [1]; elle était ôtée pour laisser plus alerte [2] et pouvait servir la nuit de couverture [3]. Ne désigne pourtant pas un « manteau » au sens moderne, mais plus généralement le *vêtement de dessus, par opposition à la *tunique, vêtement de dessous [4]. C'est une sorte de veste enfilée par-dessus la chemise, indispensable pour l'étiquette. Le mot, utilisé au pluriel, devrait être traduit par le terme générique « vêtement » [5].

[1] Ac 12,8. — [2] Mt 24,18; Mc 10,50; Ac 7,58; 22,20. — [3] Ex 22,25s; Dt 24,12s; Mt 5,40 (= Lc 6,29). — [4] Mt 24,18 (= Mc 13,16); Lc 22,36; Ac 9,39. — [5] Mt 17,2 (= Mc 9,3 = Lc 9,29); 21,7s (= Mc 11,7s = Lc 19,35s); 26,65; 27,31 (= Mc 15,20 = Jn 19,2). 35 (= Mc 15,24 = Lc 23,34); Mc 5,28.30; Lc 7,25; 24,4; Jn 13,4.12; 19, 23s; Ac 1,10; 7,58; 10,30; 14,14; 16,22; 18,6; 20,33; 22,20.23; Jc 5,2; 1 P 3,3; Ap 3,4s.18; 4,4; 16,15.

→ robe — tunique — vêtement.

Maranatha

Expression *araméenne, peut-être d'origine liturgique, qui peut être traduite : « Le *Seigneur vient » *(mâran-atâ)* ou « Notre Seigneur, viens! » *(mâranâ-tâ)* [1]. Expression traduite en grec : « Viens, Seigneur Jésus » [2].

[1] 1 Co 16,22. — [2] Ap 22,20 □.

Marc

gr. *Markos*, nom d'origine romaine, signifiant : « marteau ». Jean, surnommé Marc, fils de Marie de Jérusalem, cousin de *Barnabé, compagnon du premier voyage de Paul [1]; peut-être identique à celui qui est en relation avec Paul et avec Pierre [2]. Selon la tradition, auteur du IIe évangile de la collection *canonique.

[1] Ac 12,12.25; 13,5.13; 15,37.39. — [2] Col 4,10; 2 Tm 4,11; Phm 24; 1 P 5,13. □

[Marc (évangile de)]

Le plus ancien *évangile, écrit à Rome avant 70 (ruine du Temple), vraisemblablement après 64 (persécution de Néron), à partir de nombreuses traditions écrites ou orales, dont certaines peuvent remonter à l'apôtre Pierre. Adressé probablement à des non-juifs, il invite à croire en Jésus Christ. On reconnaît à sa source la voix d'un témoin et celle d'une communauté qui transmet sa catéchèse de foi. La « finale de Marc » (16,9-20) est *canonique, mais non pas *authentique; elle peut dater de la fin du Ier s.

→ *Intr*. XV.

marchand

→ changeurs — Temple.

mariage

gr. *gamos*. Sur l'institution du mariage → *Intr*. VI.4.B.b; VIII.2.B.

1. L'union conjugale répond à une double finalité : l'aide mutuelle [1] et la fécondité par laquelle le couple procrée [2]. En dépit des autorisations de la Loi [3] et de certaines pratiques rapportées dans l'AT [4], Jésus a affirmé que le mariage doit être stable, monogamique, et la législation sur le *divorce n'est que concession à la « dureté du cœur » des hommes [5].

[1] Gn 2,18; 1 Co 7,3-5. — [2] Gn 1,28; 3,20; Dt 25,5; Mt 22,24-28 (= Mc 12,19-23 = Lc 20,28-33). — [3] Ex 21,10; Dt 21,15-17; 22,22.28. — [4] Gn 29,15-30; Jg 8,30; 2 S 3,2-5; 1 R 11,3. — [5] Ps 128; Si 25,1.8; 26,1.13; Mt 19,8.

2. Le mariage est la condition normale de l'homme durant sa vie mortelle [6]. Or Jésus, qui n'était pas marié, a manifesté la valeur du célibat en vue du royaume des cieux [7] : c'est là un don spécial [8], signifiant la situation nouvelle qu'a amenée la fin des temps inaugurée en Jésus. De ce point de vue, « il n'y a ni homme ni femme, car tous vous ne faites qu'un dans le Christ Jésus » [9] : à l'ancienne opposition homme/femme vient s'ajouter l'opposition marié/vierge. Ces deux types sont nécessaires pour constituer et exprimer de façon complémentaire la plénitude du royaume des cieux.

[6] Rm 7,2s; Ep 5,22; Col 3,18. — [7] Mt 19,12; Lc 18,29. — [8] 1 Co 7,7. — [9] Ga 3,28.

3. Le mariage, selon la création, n'est pas l'objet d'une institution spécifiquement religieuse; cependant l'*alliance entre Yahweh et Israël est souvent exprimée à l'aide de la métaphore matrimoniale [10]. En fondant la nouvelle alliance dans son sang [11], Jésus devient l'Époux de l'Église; désormais le *symbole unificateur du mariage n'est plus seulement l'union idéale d'un homme et d'une femme, mais l'union du Christ et de l'Église : tel est le « grand *mystère » dont parle Paul [12].

[10] Is 54,5-7; Jr 2,2; Ez 16,6-14; Os 2,21s. — [11] Lc 22,20. — [12] Ep 5,32; cf Mc 2,19; Jn 3,29; 2 Co 11,2; Ap 19,7; 21,2.9.

→ adultère — alliance — divorce — époux — fécondité — femme — fiancés — noces — veuve — virginité.

Marie

gr. *Maria(m)*, hb. *Miryâm*.

1. *Marie, mère de Jésus*, originaire de Nazareth, épouse de *Joseph, cousine d'*Élisabeth [1]. Selon les évangiles, elle est la Fille de *Sion, la Vierge qui enfante le Messie, la croyante par excellence, dont la maternité dit la foi et la parfaite obéissance [2]. La mère de Jésus est présente au début [3] et à la fin de la vie publique de son fils [4]. La tradition a vu en elle « la nouvelle *Eve », mère de tous les croyants [5].

[1] Mt 1 — 2; 13,55 (= Mc 6,3); Lc 1 — 2; Ac 1,14. — [2] Lc 1,38.45; 11,27s. — [3] Jn 2,1-12. — [4] Jn 19,25s. — [5] Jn 19,27; Ap 12; cf Gn 3,15.20.

→ femme — mère — vierge.

2. *Marie, mère de Jacques le Mineur et de Joseph* (Josès). Certains l'identifient à Marie de * Cléophas, sœur de la mère de Jésus. Ordinairement mentionnée avec Marie-Madeleine [6].

[6] Mt 27,56.61; 28,1; Mc 15,40.47; 16,1; Lc 24,10; Jn 19,25 □.

3. *Marie de Béthanie*, sœur de *Marthe et de *Lazare [7]. Elle est identifiée par Jn avec la femme qui versa du parfum sur la tête de Jésus [8] et aussi, mais à tort, par certains auteurs, avec la pécheresse de Lc 7,37-50.

[7] Lc 10,39.42. — [8] Jn 11,1—12,3 □.

4. *Marie, mère de Marc* [9].

  [9] Ac 12,12 □.

5. *Une chrétienne de Rome* [10].

  [10] Rm 16,6 □.

Marie-Madeleine
gr. *Maria hè Magdalènè* : « Marie la *Magdaléenne* ». Ancienne
*possédée, guérie par Jésus, présente à la mort et à l'ensevelissement
de Jésus, première femme à avoir été rencontrée par le Ressuscité.
A ne pas identifier avec *Marie de Béthanie ni avec la pécheresse
de Lc 7,37-50 [1].

  [1] Mt 27,56.61; 28,1; Mc 15,40.47; 16,1.9; Lc 8,2; 24,10; Jn 19,25; 20,1.11.16.
  18 □.

Marthe
gr. *Martha*, sœur de *Marie de Béthanie et de *Lazare [1].

  [1] Lc 10,38-41; Jn 11,1-39; 12,2 □.

martyr
gr. *martys*, « témoin ». A partir du texte de l'AT [1], de récits *apocryphes de martyres [2] et de paroles de Jésus [3], le terme a fini par
désigner celui qui donne sa vie par fidélité au *témoignage rendu à
Jésus [4].

  [1] 2 M 6—7; Dn 3,24-26. — [2] cf He 11,35-39. — [3] Mt 10,18 (= Mc 13,9);
  10,32s (= Lc 12,8s); Jn 15,13. — [4] Ac 22,20 (?); Ap 2,13; 6,9; 17,6; 20,4.

matin
gr. *prôï*. Pas la matinée, mais la quatrième *veille de la nuit (3 h - 6 h),
quand le jour commence à poindre [1]. Le gr. *orthros* précise : « le grand
matin, l'aurore » [2].

  [1] Mt 16,3; 20,1; 21,18; 27,1; Mc 1,35; 11,20; 13,35; 15,1; 16,2.9; Jn 18,28;
  20,1; 21,4; Ac 28,23; Ap 2,28; 22,16 □. — [2] Lc 21,38; 24,1.22; Jn 8,2; Ac
  5,21 □.

Matthias
gr. *Matthias*, forme abrégée de *Mattathias*. Le disciple qui remplaça
Judas Iscariote et devint ainsi l'un des *Douze Apôtres [1].

  [1] Ac 1,23. 26 □.

357

Matthieu

gr. *Maththaios*. *Publicain, percepteur des taxes et impôts, identifié par Mt à Lévi. L'un des *Douze. Selon la tradition, auteur du premier évangile [1].

[1] Mt 9,9; 10,3; Mc 3,18; Lc 6,15; Ac 1,13; cf Mc 2,14 (= Lc 5,27.29) □.

[Matthieu (évangile de)]

Premier de la collection des quatre *évangiles. Attribué par la tradition ancienne à l'apôtre de ce nom. Écho de traditions palestiniennes, il n'est pas cependant la traduction de quelque original araméen, mais de rédaction grecque. Composé probablement en Syrie, au plus tard vers 80-90, il s'adresse, selon les uns à des croyants venus du judaïsme, selon d'autres à des chrétiens *hellénistes. Cet évangile, écrit dans la foi pour la foi, est caractérisé par l'importance donnée aux enseignements de Jésus, mais il présente le message du Christ sous le mode d'une existence à portée doctrinale. Évangile de l'Église par excellence.

→ *Intr.* XV.

maudire

1. gr. *kat-araomai* (dérivé de *ara* : vœu, imprécation recourant à une force supérieure contre l'objet maudit). Il ne s'agit pas du constat d'un état de malheur (les « *malheureux ! » [1]), ni même de l'annonce du malheur qui est la conséquence d'un comportement [2], mais du contraire de la *bénédiction, son inversion : c'est un jugement efficace de séparation [3]. Ainsi la Loi *condamne ceux qui la transgressent [4]. Mais Jésus a racheté les hommes de la malédiction en la prenant sur lui [5]. Jésus n'a jamais maudit, sinon, d'après un récit obscur, le *figuier stérile [6].

[1] Mt 11,21; Lc 6,24... — [2] Mt 18,7; 24,19. — [3] Jr 26,6; Ml 2,2; Mt 25,41; Jn 7,49; He 6,8. — [4] Dt 11,26-29; 30,1.19; Rm 3,14; Ga 3,10; 2 P 2,14. — [5] Ga 3,13. — [6] Mc 11,21.

2. Le chrétien ne doit jamais maudire, mais bénir ceux qui le maudissent [7]. Au sens large, à partir d'autres mots grecs comme *kakologeô*, il s'agit d'*insultes et d'outrages, contrairement à certains traducteurs.

[7] Lc 6,28; Rm 12,14; Jc 3,9s □.

→ anathème — blasphémer — crucifiement 1 — insulter — malheu-reux! — médire — raca.

médecin

gr. *iatros*, hb. *rophé*. A l'origine, le médecin est assimilé au *magicien ou identifié au * prêtre [1] : il semblait concurrencer Dieu, seul *gué-risseur [2]. Par la suite, son rôle est honoré et, à l'époque romaine, il existe de nombreux professionnels : saigneurs, chirurgiens, baigneurs, fort considérés, même s'ils sont critiqués [3].

[1] Lv 13. — [2] Ex 15,26; 2 R 20,8; 2 Ch 16,12. — [3] cf Si 38,1-15; Mt 9,12 (=Mc 2,17 = Lc 5,31); Mc 5,26 (= Lc 8,43); Lc 4,23; Col 4,14 □.

Mèdes

gr. *Mèdoï*. Habitants du sud de la mer Caspienne, d'origine iranienne, mais politiquement réunis à la Perse vers 550 av. J.C. Des Israélites furent déportés de *Samarie chez eux vers 720 av. J.C. [1].

[1] Gn 10,2; 2 R 17,6; 18,11; Tb 1,14; Ac 2,9 □.

médiateur

gr. *mesitès*.

1. Au sens commun du terme, c'est un intermédiaire entre deux parties séparées qui cherchent à s'accorder. La plupart des religions ont cherché à combler la distance qu'on ressent entre Dieu et l'homme. Magiciens, prêtres, rois, héros célestes, incarnations de Vichnou ou de Mithra, toutes sortes d'êtres sont chargés d'établir un lien entre la divinité et l'humanité. Chez les juifs, *anges, rois, prophètes, prêtres, *Serviteur de Yahweh, tous jouent ce rôle; mais c'est *Moïse qui, en définitive, est présenté comme le médiateur de l'Alliance par la Loi et le culte.

2. Or Paul déclare que la médiation recherchée n'a pas été obtenue. La *Loi, matérialisée dans la lettre, est devenue ministère de condam-nation [1] et, en faisant prendre conscience de l'état de pécheur [2], entraîne la *malédiction [3]. Les victimes offertes dans le *culte ne faisaient pas entrer réellement en *communion avec Dieu [4]. Loi et culte accentuaient la séparation sans produire l'accord.

[1] 2 Co 3,6-9. — [2] Rm 7,7-15. — [3] Ga 3,10s. — [4] He 10,1-11.

3. Jésus est présenté comme le médiateur unique [5]. Pourquoi? Non pas dès son incarnation parce que, selon certains théologiens, il unit en sa personne les deux natures, divine et humaine, mais en raison de son sacrifice de *réconciliation. A la croix s'accomplit la plus extrême séparation d'avec les hommes et d'avec Dieu [6] et en même temps la plus parfaite *obéissance à Dieu et l'entière solidarité avec les hommes [7].

[5] 1 Tm 2,5 : He 8,6; 9,14s. — [6] Mc 15,34; Ga 3,13. — [7] He 5,7-9.

4. Jésus médiateur n'est pas un simple tiers, un moyen qui, par son *intercession, « médiatise » une relation des hommes avec Dieu, il est celui en qui, à jamais, s'opère la *communion entre Dieu et les hommes [8].

[8] Jn 14,6.

médire

Attenter en paroles à la réputation d'autrui. S'il n'y a pas de fondement dans la réalité, la médisance devient calomnie.

1. Pour la médisance, on trouve en grec : *psithyrismos* (de *psithyrizô* : « gazouiller ») : « commérage [1], diffamation [2] »; *kako-logeô* (*kakos* : « mauvais », *legô* : « dire ») : « dire du mal, décrier » [3]; en d'autres cas : « insulter » [4]; *kata-laleô* (*kata* : « contre », *laleô* : « parler ») : au sens propre, « médire » [5]; le contexte permet parfois de préciser qu'il s'agit de calomnies.

[1] 2 Co 12,20. — [2] Rm 1,29 △. — [3] Mc 9,39; Ac 19,9. — [4] Mt 15,4 (= Mc 7,10); Ac 23,5 △. — [5] Ac 6,13; Rm 1,30; 2 Co 12,20; Jc 4,11; 1 P 2,1.

2. Pour la calomnie : *dys-phèmeô* (l'opposé de *eu-phèmeô* : « parler bien de ») : « calomnier, diffamer » [6]; *dia-ballô* (cf *diabolos* : « diable, accusateur ») : « critiquer (pour diviser), diffamer » [7]; *kata-laleô* (cf ci-dessus), en raison du contexte : « calomnier » [8]; *ep-èreazô* : « calomnier, machiner contre quelqu'un » [9]. Ces deux derniers termes tendent à signifier l'*insulte.

[6] 1 Co 4,13; 2 Co 6,8 △. — [7] 1 Tm 3,11; 2 Tm 3,3; Tt 2,3. — [8] 1 P 2,12; 3,16. — [9] Lc 6,28; 1 P 3,16 △.

→ blasphémer — insulter — maudire — vices.

Melchisédek

hb. *malki-çèdèq* : « mon roi est justice ». Roi-prêtre [1], instaurateur du sacerdoce royal [2], supérieur à celui d'Aaron [3], apparu sans commencement ni fin; il préfigure le Christ [4].

[1] Gn 14,18-20. — [2] Ps 110,4. — [3] He 7,1-17. — [4] He 5,6.10; 6,20 □.

→ Aaron — sacerdoce.

mémoire

gr. *mimnèskomai* : « rappeler, se souvenir ». A la base de la famille
de mots, se trouve la racine hb. *zâkar*, par laquelle le juif se montre
homme de *tradition, profondément inséré dans son peuple : à la
manière de Dieu qui se souvient de son alliance et de ses promesses [1],
le croyant aime à se rappeler les hauts faits de Dieu afin de se maintenir
dans une foi authentique [2]. Ainsi, en Dieu, parvient-il à dominer
le temps. Le chrétien montre son originalité par rapport à l'AT en
ce qu'il actualise, lors de l'eucharistie, l'événement de la croix rédémp-
trice : il fait mémoire (gr. *eis tèn anamnèsin*) de Jésus [3]. Selon Jn,
ce souvenir est rendu possible par l'action de l'Esprit Saint, qui en
rappelant fait comprendre et actualise la présence de Jésus [4].

[1] Gn 9,15s; 30,22; Ex 2,24; 32,13; 1 S 1,20; Ps 98,3; 105,8.42; Jr 15,15; 18,20; 31,34; He 8,12; 10,17. — [2] Ex 20,8; Dt 5,15; 8,2; 26,3-10; Ps 103,18; 105,5; Ml 3,22. — [3] Ac 20,35; 1 Co 11,24s; 2 Tm 2,8. — [4] Jn 14,26; cf Ac 20,35; 2 Tm 2,8.

mendiant

gr. *pros-aitès* (de *aiteô* : « demander »). « Plutôt mourir que mendier ! » [1]
car c'est une « honte » [2] et une malédiction [3]. Rares dans l'ancien
Israël où les liens familiaux étaient très serrés, les mendiants étaient
devenus nombreux [4]; souvent *aveugles, ils se tenaient au bord des
routes [5] ou près des portes du Temple [6].

[1] Si 40,28. — [2] Lc 16,3. — [3] Ps 109,10. — [4] Dt 15,7. — [5] Mc 10,46 (= Lc 18,35). — [6] Ac 3,2 □.

menthe

gr. *hèdyosmon*, lat. *mentha piperita*. Herbe aromatique très courante,
utilisée comme épice. Les *pharisiens s'astreignaient à en payer la
*dîme alors que la Loi ne le prescrivait pas [1].

[1] Mt 23,23; Lc 11,42 □.

mentir

gr. *pseudomai*. Mentir, ce n'est pas seulement tromper par une apparence ou des paroles qui ne sont pas en accord avec l'être et la pensée [1],

c'est rompre le lien qui unit aux hommes [2], et à Dieu qui ne ment pas [3]. En effet, la *vérité est relation interpersonnelle; mentir, c'est mener à la perdition, détruire la solidarité, tuer l'autre [4].

[1] Ex 20,16; Jn 8,55; Rm 9,1; 2 Co 11,31; 1 Tm 2,7; 4,2; Tt 1,12; Jc 3,14; Ap 3,9. — [2] Ps 78,36; 101,7; Pr 6,19; 30,8; Jr 9,4s; 13,25; Mt 5,11; Rm 1,25; 3,4.7; Ep 4,25; Col 3,9; 1 Tm 1,10; 1 Jn 1,6; 2,4.21s; 4,20; Ap 14,5; 21,8.27; 22,15. — [3] Ps 89; Tt 1,2; He 6,18; 1 Jn 1,10; 2,27. — [4] Jn 8,40-44; 2 Th 2,9.

→ erreur — hypocrite — vérité — vices.

mer

gr. *thalassa*.

1. Avec la terre et le ciel, une des trois régions qui constituent l'univers [1]. Désigne aussi bien la mer Méditerranée [2] et la mer Rouge (parfois gr. *erythros* [3]) que le lac de Tibériade [4]. La « mer vitreuse » est l'océan céleste d'où vient la pluie [5].

[1] Ac 4,24; 14,15; Ap 10,6; 14,7. — [2] Ac 10,6.32; 17,14; 27,30. — [3] Ac 7,36; 1 Co 10,1s; He 11,29 △. — [4] Nb 34,11; Mt 4,13... — [5] Ap 4,6; 15,2 △.

2. Reliée à l'abîme chaotique des origines [6], la mer est le lieu où habitent et agissent les puissances démoniaques [7] et où les morts sont rassemblés [8]; un jour elle sera détruite [9]. Comme Dieu, Jésus en maîtrise les flots déchaînés et, au besoin, marche dessus, tandis que Pierre, par son manque de foi, risque d'y sombrer [10].

[6] Gn 1,2.9s; 7,11; Si 43,25. — [7] Jb 7,12; Is 27,1; 51,9s; Dn 7; Mt 8,32; Ap 7,2s; 13,1. — [8] Ap 20,13. — [9] Ap 21,1. — [10] Ps 89,9s; Jon 1; Na 1,4; Mt 8,24-27 (= Mc 4,37-41 = Lc 8,23-25); 14,24-27 (= Mc 6,47-50; Jn 6,17-20).

→ *Intr.* V.1. — démons — eau — Galilée (mer de).

mère

gr. *mètèr*.

1. Le NT connaît les joies et les tribulations de la *femme qui conçoit [1], est enceinte [2], enfante dans la douleur [3], allaite son nourrisson [4], est soucieuse de l'avenir de ses enfants [5] ou pleure sur ceux qui ne sont plus [6]. La maternité est chose bonne et salutaire [7]. Comme le père, la mère a droit à la piété filiale [8].

[1] Lc 1,24.31.36; 2,21. — [2] Mt 1,18.23; Lc 2,5. — [3] Lc 1,13.57; 23,29; Jn 16,21; Ap 12,2.4s. — [4] Mt 24,19 (= Mc 13,17 = Lc 21,23); Lc 11,27. — [5] Mt 20,20. — [6] Mt 2,18. — [7] 1 Tm 2,15; 5,14. — [8] Mt 15,4-6 (= Mc 7,10-12); 19,19 (= Mc 10,19 = Lc 18,20).

2. La dignité de la mère provient dans le NT du fait que Jésus est né d'une femme [9] et est inséparable de « sa mère » [10]. Pourtant Jésus n'admire en elle que celle qui a écouté la Parole de Dieu [11] et ne craint pas de l'écarter durant le temps de sa vie publique [12] jusqu'au jour de sa mort [13]; c'est que « sa mère » est quiconque met en pratique la volonté de « son Père » [14]. Aussi l'appel à suivre Jésus peut-il l'emporter sur la piété filiale [15].

[9] Ga 4,4. — [10] Mt 2,11.13s.20s. — [11] Lc 11,27s. — [12] Lc 2,48; Jn 2,4. — [13] Jn 19,27. — [14] Mt 12,46-50 (= Mc 3,31-35 = Lc 8,19-21). — [15] Mt 10,35.37 (= Lc 12,53; 14,26); 19,29 (= Mc 10,29s).

3. La fonction maternelle est appliquée métaphoriquement à la Jérusalem céleste qui supplante la Jérusalem d'en bas [16], devenant la Femme par excellence [17]. Jésus se comporte, à l'image de Dieu même [18], comme une mère qui rassemble ses enfants [19]. Paul assimile son *ministère à celui d'un enfantement [20] et aux tendres soins d'une mère [21].

[16] Ga 4,26; Ap 21,2. — [17] Ap 12. — [18] Is 49,15; 66,13. — [19] Lc 19,41-44. — [20] Ga 4,19. — [21] 1 Th 2,7s.

→ enfant — femme — père.

Mésopotamie

gr. *Mesopotamia*. Au sens large, région « entre les fleuves » : le Tigre et l'*Euphrate. Patrie d'*Abraham [1].

[1] Ac 2,9; 7,2 ☐.

Messie

gr. *Messias*, traduisant l'hb. *Mâchiah*, l'ar. *mechihâ* : « *Oint ».

1. Le terme est appliqué dans l'AT avant tout au roi, puis aux prêtres consacrés par l'onction, enfin de manière éminente au libérateur promis, ordinairement Fils de David [1].

[1] *Intr.* XII.2.C; Ex 28,41; 1 S 9,16; 2 S 7,12-16; Ps 132,17.

2. Le titre de Messie connotait au temps de Jésus l'idée de royauté temporelle [2]. Jésus, lui, ne veut pas qu'on le lui décerne [3], quoique, à la fin de sa vie, il se laisse acclamer d'un titre équivalent : *Fils de David [4]. D'autre part, pour annoncer son sort, il se situe dans le monde transcendant du *Fils de l'homme [5], tout en l'associant à la souffrance qui l'attend [6].

[2] Jn 6,15. — [3] Mt 16,20 (= Mc 8,30 = Lc 9,21); Lc 4,41. — [4] Mt 20,30

(= Mc 10,47s = Lc 18,38s). — [5] Mt 26,63s (= Mc 14,61s = Lc 22,69). — [6] Mt 16,21s (= Mc 8,31s = Lc 9,22); 17,22s (= Mc 9,31s = Lc 9,44); 20,18s (= Mc 10,33s = Lc 18,31.33).

3. Le NT utilise normalement l'équivalent grec « Christ » [7]. Les premiers chrétiens proclament que le Ressuscité est le Christ, en un sens qui *accomplit et dépasse les espérances juives, et ils joignent volontiers ce titre à celui de Seigneur [8].

[7] Sauf Jn 1,41; 4,25 △. — [8] Ac 2,36.

→ Christ — Fils de David — Jésus Christ — Seigneur.

mesure

1. gr. *metrètès*. Mesure grecque de capacité des liquides. Ce terme correspond à la mesure hébraïque de l'*éyphâ*, ou encore du *bat*. Elle vaut 1/10e de *kor*, c'est-à-dire 36,44 litres [1].

[1] Jn 2,6 □.

2. Le même mot « mesure » traduit aussi le gr. *saton*, grécisation de l'hb. *se'â*. Ancienne mesure de capacité des solides, valant 1/3 d'*épha*, soit 12,13 litres [1].

[1] Mt 13,33; Lc 13,21 □.

3. Parfois aussi « mesure » désigne le *koros*, grécisation de l'hb. *kor*, ancienne mesure de capacité des solides et des liquides, valant 364 litres, soit 10 éphas. L'hb. *homèr* qui lui correspond également désignait ce qu'un âne peut porter [1].

[1] Lc 16,7 □.

4. Enfin le *khoinix*, mesure grecque de capacité des solides, valant environ 1,21 litres, soit 1/10e de *se'â* [1].

[1] Ap 6,6 □.

→ mesures.

[mesures]

Les mesures de longueur ou de capacité que mentionne le NT sont difficiles à estimer, du fait que les unités de base varient avec les civilisations, babylonienne, hellénistique, romaine, syrienne, palestinienne, et du fait que ces diverses estimations ont interféré entre elles. Cela explique les différences qu'offrent les tableaux proposés dans les Dictionnaires ou dans les Bibles. Un élément semble constant, soigneusement indiqué dans les tableaux suivants, à savoir le rapport entre les différentes mesures. Si l'unité de base (coudée et épha) varie, le rapport qu'elle tient avec les autres unités ne change pas : la brasse vaut 4 coudées, le stade en vaut 400; le seah vaut 1/3 d'épha, le kor en vaut 10. Les estimations dépendent donc en définitive du choix de la valeur de l'unité de base.

MESURES DE LONGUEUR

						Syrie	Palestine	Gréco-romaine
mille	1					1 572,7 m	1 537,5 m	1 478,9 m
stade	7,5	1				213	205	185
brasse	750	100	1			2,13	2,05	1,85
pas	1 500	200	2	1		1,065	1,025	0,925
coudée	3 000	400	4	2	1	0,5328	0,525	0,462
pied	4 500	600	6	3	1,5	0,3552	0,341	0,308

MESURES DE CAPACITÉ

kor/koros	1				364 litres
epha - metrètès - bat - jarre	10	1			36,44
seah- saton	30	3	1		12,13
khoinix	300	30	10	1	1,21

Mesures de longueur. Elles sont prises en fonction du corps humain : la coudée va du coude à l'extrémité du majeur, l'empan (demi-coudée) mesure la main ouverte du pouce jusqu'à l'auriculaire, la palme (tiers de l'empan) correspond à la largeur de la main, le doigt (ou pouce = un quart de palme). Pour les distances, les juifs connaissaient aussi la longueur d'un « chemin de sabbat » (entre 1 100 m et 1 250 m). Le *roseau, ou canne, vaut six coudées.

Mesures de capacité. Elles étaient de deux sortes, selon qu'il s'agissait de la contenance des solides (blé, orge...) ou des liquides (huile, vin...). Pour les solides, le NT mentionne deux mesures hébraïques, désignées par un terme grécisé : le *seah* et le *kor*, ainsi qu'une mesure grecque, le *khoinix* et une mesure romaine, le modius (gr. *modios*), ou boisseau. Pour les liquides, on utilisait en Palestine le gr. *xestès* : « sétier, cruche » (0,46 litre) dont le terme, au sens courant de cruche, apparaît en Mc 7,4, le *bat* hébraïque et le gr. *metrètès*, tous deux équivalents.

[métaphore]

gr. *metaphora* (de *pherô* : « porter » et *meta* : « entre, d'un côté à l'autre ») : « transposition de sens ». Procédé de langage par lequel, en se fondant implicitement sur une comparaison (« Achille s'élance, tel un lion »), on désigne un objet du nom qui convient proprement à un autre (« Le lion s'élance »). La Bible est coutumière du langage métaphorique, lequel acquiert en elle une valeur traditionnelle : ainsi le « propriétaire de la vigne » est Dieu lui-même, les « serviteurs » sont des prophètes, etc. (Mt 20,8 ; 21,33-44).

→ allégorie — genre littéraire — parabole.

meule

gr. *mylos*. Deux meules superposées, dont la supérieure était tournante, servaient à moudre le blé nécessaire chaque jour. Travail pénible, réservé aux femmes [1], mais dont l'arrêt signifiait la cessation de la vie [2]. Des moulins plus grands étaient mus par des ânes [3].

[1] Ex 11,5 ; Mt 24,41. — [2] Qo 12,3s ; Jr 25,10 ; Ap 18,21s. — [3] Mt 18,6 ; Mc 9,42 □.

Michel

gr. *Mikhaèl*, hb. *Mykâ'él* : « Qui est comme Dieu ? ». Archange victorieux du *Dragon [1].

[1] Dn 10,13.21 ; 12,1 ; Jude 9 ; Ap 12,7 □.

[Michnah]

1. Mot hébreu (de l'hb. *chânah* : « répéter ») : « enseignement ». Originairement, répétition orale de la *Loi.

2. Recueil rédigé par Juda le Saint (135-200), à partir des traditions tannaïtiques (de l'ar. *tannaïn* : « répétants » qui vécurent de 10 à 200 ap. J.C.), orales puis écrites.
Ce recueil de jurisprudence comprend 6 parties ou « ordres » (hb. *sedârîm*), 63 traités (hb. *massektôt*), 523 chapitres (hb. *perakîm*), rassemblant les diverses *michnayôt*. Il est à la base du *Talmud.

→ *Intr.* XII.1.B. — Loi — Torah.

midi

1. *Heure.* Milieu du jour (gr. *mesèmbria* = *hèmeras mesès*), la 6e *heure [1].

  [1] Ac 22,6; 26,13 □.

2. *Région.* Les pays du sud (gr. *mesèmbria*) [2]; le terme ordinaire est *notos*, qui signifie proprement « vent du sud » [3].

  [2] Gn 24,62; Ac 8,26 □. — [3] Ct 4,16; Mt 12,42 (= Lc 11,31); Lc 12,55; 13,29; Ac 27,13; Ap 21,13 □.

→ heure — journée.

[midrach]

Mot hb. (de l'hb. *dârach* : « rechercher ») signifiant « recherche », en couplant les nuances d'étude et d'explication.

1. Ce terme caractérise l'*exégèse *synagogale, œuvre de tradition et de réflexion (non pas de révélation comme dans l' *apocalyptique). Procédé par lequel est expliqué et illustré un passage d'Écriture en fonction du temps présent et en vue d'une exhortation à mieux vivre; il ne peut être assimilé à la fable ni à l'affabulation légendaire. Cette méthode prolonge le procédé biblique de réflexion sur les Écritures du passé : ainsi Ez 16, Is 60—62, Ps 78, Sg ou les *apocryphes comme *Jubilés ou les *Testaments des XII Patriarches, ou même Mt 21,2-7 sur Za 9,9.

2. Écrit (au pluriel : *midrachîm*) rassemblant ces exégèses traditionnelles. Appliqué aux parties législatives de la *Torah, il élabore de nouvelles règles de conduite, c'est la *halaka* (hb. *hâlak* : « marcher, conduire ») : tels sont, pour l'Exode la *Mekhilta* (= « mesure »), pour le Lévitique le *Sifra* (= « livre »), pour les Nombres et le Deutéronome les *Sifré* (« livres »). — Appliqué aux parties narratives de la Torah, le midrach veut dégager la signification des récits et des événements, c'est la *haggada* (ar. *aggadtâ*) : « présentation » : ainsi la *Genèse rabba*, le *Cantique rabba*, les *Lamentations rabba* (*Rabba* provenant soit du nom du premier auteur, Rabbi Ochaya Rabba, soit de l'hb. *rab*, d'où « Genèse développée »).

→ *Intr.* XII.1.C.

miel

gr. *meli*. Le miel abondait dans le désert de Judée, déposé par des abeilles sauvages au creux des rochers [1]. Selon certains, il s'agirait

367

plutôt d'un miel végétal, sirop de raisins, de dattes ou de figues [2].

[1] Jg 14,8s.18; Mt 3,4; Mc 1,6. — [2] Ez 3,3; Ap 10,9s □.

Milet
gr. *Milètos*. Port sur la côte ouest de l'Asie Mineure [1].

[1] Ac 20,15.17; 2 Tm 4,20 □.

→ *Carte* 2.

[milieu de vie]
Expression traduisant le terme technique allemand *Sitz im Leben*.

1. En *critique littéraire, le milieu où s'est « formée » une tradition littéraire. On distingue, par exemple : d'après leurs activités caractéristiques, les fonctions liturgique, catéchétique, missionnaire ; d'après le contenu de la foi, le milieu pascal et le milieu prépascal.

2. A ne pas confondre avec les coordonnées des événements (lieu, temps) ; la détermination de ces dernières relève de la *critique historique.

→ *Formgeschichte* — genre littéraire.

mille
gr. *milion*, lat. *mille passus* : « mille (double-)pas », mesure romaine de distance, valant 7 1/2 *stades, soit environ 1,5 km. Des bornes en marquaient la distance le long des routes romaines [1].

[1] Mt 5,41 □.

→ mesures.

millénarisme
Au sens précis, doctrine interprétant à la lettre Ap 20,1-6 : le jugement dernier et l'établissement du Royaume de Dieu seront précédés par une période de mille ans, au cours de laquelle le Christ glorieux régnera sur terre en compagnie des saints qui auront connu la « première résurrection ».
Au sens large, toute conception qui attend le monde à venir sous l'image d'une terre promise ou d'un paradis terrestre, se rattachant au mythe de l'âge d'or originel ou au messianisme terrestre.

mine

gr. *mna*. Monnaie grecque de compte, en argent (436 g), équivalant au salaire de quelque quinze années de travail [1].

[1] Lc 19,13-25 □.

→ monnaies.

ministère

1. Du lat. *ministerium* : « service ». Fonction reçue par délégation et exercée avec *autorité. Le terme générique peut désigner des autorités civiles [1], des *services liturgiques juifs [2], la dignité sacerdotale de Jésus Christ [3], son autorité même [4], ou enfin divers services confiés à des croyants. Les principaux mots grecs correspondant au ministère chrétien sont *diakonia* : « service » [5], *exousia* : « autorité » [6], *oikonomia* : « administration » [7], *kharis/kharisma* : « don gracieux » [8], *pempô, apostellô* : « envoyer » [9], *presbeuô* : « ambassade » [10].

[1] Lc 12,11; 20,20; Tt 3,1. — [2] Lc 1,23; He 9.21. — [3] He 5,4. — [4] Mt 7,29. — [5] Ac 6,1.4; Rm 12,7. — [6] 2 Co 10,8; 13,10. — [7] Col 1,25. — [8] Rm 1,5; 1 Co 12,4. — [9] Jn 4,34.38; Ac 1,25; 15,25; 1 Co 4,17. — [10] 2 Co 5,20; Ep 6,20; cf Lc 14,32; 19,14.

2. A l'origine des ministères se tient l'Envoyé par excellence [11], Jésus Christ qui les confie [12] et leur confère sa propre autorité [13]. L'Esprit Saint coordonne les divers ministères qu'il adapte à chacun et dont il assure l'exercice [14].

[11] He 3,1s; 13,20; 1 P 2,25. — [12] Ac 20,24; Rm 1,5; 1 Co 4,1-5; 5,4s; 12,5. — [13] Mt 10,40 (= Lc 10,16); Jn 13,20; 2 Co 5,20. — [14] 1 Co 12,4.11.18; 14,26; Ep 4,7.16.

3. L'Église est structurée par la distinction quelques-uns/tous, quelques-uns au service de tous. Les deux principaux ministères sont le service de la Parole [15] et le service de la communion fraternelle [16]. A partir de là, il existe une grande diversité de ministères qui sont établis en fonction des circonstances : gouvernement (*épiscope, *presbytre, *diacre), assistance (ainsi la *collecte), don de *guérison, etc., pour ne point parler de l'*apostolat, de la *prophétie [17]. S'il y a lieu, les grâces nécessaires à leur exercice sont communiquées par l'imposition des *mains. Tous les chrétiens, hommes et femmes, peuvent exercer des ministères, même si aucune femme n'est mentionnée comme épiscope ou presbytre.

[15] Rm 12,6-8; 1 Co 12,8; 1 Tm 3,2; He 13,7; 1 P 4,11. — [16] Rm 12,8.13; 1 Co 12,28; 1 Th 5,12. — [17] Ac 20,28; Rm 12,4-7; 1 Co 12,9s.28-30; 1 Th 5,12; 1 Tm 3,1; 5,17; 1 P 2,5s.

→ apôtres — diacre — Église — épiscope — presbytre — servir.

minuit

gr. *mesonyktion* [1] ou « au milieu de la nuit » [2], fin de la 2e veille.

[1] Ex 12,29; Mc 13,35; Lc 11,5; Ac 16,25; 20,7 △. — [2] Mt 25,6; Ac 27,27 △.

→ heure — journée — nuit — veille.

miracle

1. Du lat. *mirari* : « s'étonner ». Acte de puissance (gr. *dynamis*, d'ordinaire au pluriel : « puissances »), prodige (gr. *teras* : toujours au pluriel : « choses extraordinaires, monstrueuses ») par lequel Dieu fait un signe (gr. *sèmeion*) aux hommes qui s'en étonnent (gr. *thaumazô*). Ces mots expriment divers aspects d'une même réalité : sa nature extraordinaire, son origine (puissance de quelqu'un), sa portée significative ou son effet surprenant. Si Jésus a fait beaucoup de miracles, on ne trouve le terme *dynameis* qu'à trois reprises dans ses paroles [1], tandis qu'il revient volontiers sur les lèvres des spectateurs [2] ou sous la plume des narrateurs [3]. Le mot « prodige » n'est jamais utilisé qu'accompagné par celui de « signe », dans l'expression stéréotypée : *sèmeia kai terata* [4]; sans doute ce sont des prodiges, mais ils n'intéressent que par leur valeur de signes : voir, entendre, marcher, vivre.

[1] Mt 7,22; 11,21.23 (= Lc 10,13); Mc 9,39 △. — [2] Mt 13,54 (= Mc 6,2); 14,2 (= Mc 6,14). — [3] Mt 11,20; 13,58; Mc 6,5; Lc 19,37. — [4] Mt 24,24 (= Mc 13,22); Jn 4,48; Ac 2,19.22.43; 4,30; 5,12; 6,8; 7,36; 14,3; 15,12; Rm 15,19; 2 Co 12,12; 2 Th 2,9; He 2,4 △.

2. En dehors des phénomènes d'ordre *eschatologique qui sont annoncés pour l'avenir (comme la *lune qui se change en sang ou les *étoiles qui tombent du ciel) et qui relèvent du langage *apocalyptique [5], en plus des miracles qui concernent Jésus et qui sont de l'ordre du langage théologique [6], le NT rapporte un certain nombre de miracles accomplis après Pâques : le parler en *langues au jour de la Pentecôte, la *glossolalie, les autres miracles opérés par les Apôtres : guérisons multiples, résurrection de Tabitha, exorcismes [7]. Surtout parmi les miracles faits par Jésus, on relève environ vingt-cinq récits de guérison : *fièvre [8], *lèpre [9], paralysie [10], *surdité-mutisme [11], cécité [12], épilepsie [13], rhumatismes [14], humeurs incontinentes [15], blessure [16]; trois *exorcismes proprement dits [17], trois *résurrections de morts [18], huit ou neuf miracles sur les éléments : tempête apaisée [19], pains multipliés [20], marche sur la mer [21], didrachme dans la bouche du poisson [22], pêches miraculeuses [23], eau changée en vin [24], figuier desséché [25]. Ce nombre est peu élevé si l'on évoque la littérature contemporaine sur le sujet et si l'on exerce la critique sur certains récits qui forment doublet [26].

[5] Mt 24,29; Ap 6,12. — [6] Lc 1,34s; 9,29... — [7] Ac 2,6-8; 3,6; 8,13; 9,32-42; 19,11; 2 Co 12,12. — [8] Mt 8,14s (= Mc 1,29-31 = Lc 4,38s). — [9] Mt 8,1-4 (= Mc 1,40-44 = Lc 5,12-16); Lc 17,11-19. — [10] Mt 8,5-13 (= Lc 7,1-10); 9,1-8 (= Mc 2,1-12 = Lc 5,17-26); 12,9-14 (= Mc 3,1-6 = Lc 6,6-11); Jn 4,46-54; 5,1-9. — [11] Mt 9,32-34; Mc 7,31-37. — [12] Mt 9,27-31; 20,29-34 (= Mc 10,46-52 = Lc 18,35-43); Mc 8,22-26; Jn 9. — [13] Mt 17,14-21 (= Mc 9,14-29 = Lc 9,37-43). — [14] Lc 13,10-17. — [15] Mt 9,20-22 (= Mc 5,25-34 = Lc 8,43-48); Lc 14,1-6. — [16] Lc 22,50s. — [17] Mt 8,28-34 (= Mc 5,1-20 = Lc 8,26-39); 15,21-28 (= Mc 7,24-30); Mc 1,21-28 (= Lc 4,31-37). — [18] Mt 9,18-26 (= Mc 5,21-43 = Lc 8,40-56); Lc 7,11-17; Jn 11. — [19] Mt 8,18.23-27 (= Mc 4,35-41 = Lc 8,22-25). — [20] Mt 14,13-21 (= Mc 6,31-44 = Lc 9,10-17); 15,32-39 (= Mc 8,1-9); Jn 6,1-15. — [21] Mt 14,22-33 (= Mc 6,45-52). — [22] Mt 17,24-27. — [23] Lc 5,1-11; Jn 21,1-14. — [24] Jn 2,1-11. — [25] Mt 21,18-22 (= Mc 11,12-14.20-24). — [26] Ainsi pour Mt 9,27-31.32-34; 15,32-39.

3. Si Jésus a pris l'initiative de faire des miracles, ce n'est pas pour satisfaire la curiosité face à un guérisseur [27] ni pour réfuter quelque mauvaise volonté [28], mais pour manifester la puissance de Dieu à l'œuvre, comme l'annonçait la prophétie [29], et pour vaincre Satan par le doigt de Dieu [30]. Ces miracles n'ont pas automatiquement converti les témoins [31]; Jésus se les laissait d'ordinaire arracher, à la mesure de la foi qui les sollicitait [32]. Si parfois ils sont présentés comme produits par la compassion de Jésus [33], ils sont plus ordinairement vus comme la sanction divine du Messie et le symbole de la victoire sur le diable [34]. Enfin Dieu a continué d'opérer des miracles à travers les croyants, au point qu'on a parlé d'un « don des miracles » [35].

[27] Lc 23,8. — [28] Mt 12,38s (= Lc 11,29s); 16,3s (= Mc 8,11s). — [29] Is 29,18s; 35,4-6; 61,1s; Mt 11,2-6 (= Lc 7,18-23). — [30] Mt 12,28 (= Lc 11,20). — [31] Mt 11,21 (= Lc 10,13). — [32] Mt 13,58; Mc 6,5. — [33] Mt 9,36; 14,14 (= Mc 6,34); 15,32 (= Mc 8,2); 20,34. — [34] Ac 2,22; 10,38. — [35] Mc 16,17.20; Rm 15,19; 1 Co 12,10; 2 Co 12,12; Ga 3,5; 1 Th 1,5; He 2,4.

→ aveugle — guérir — oreille — puissance — signe.

miroir

gr. *esoptron* (de *eis* : « vers » et la racine *op* signifiant « voir »; cf. *eis-oraô* : « avoir les yeux dirigés vers, contempler »). Bien qu'au temps des Romains il existât déjà des miroirs en verre, la plupart étaient en métal poli, par exemple en *bronze. Le miroir des anciens reflétait une image fidèle, encore que légèrement floue, de la face de l'homme [1]. Le chrétien est un miroir de la *gloire divine qui l'envahit [2].

[1] Ex 38,8; Jb 37,18; Si 12,11; 1 Co 13,12; Jc 1,23s □. — [2] Sg 7,26; 2 Co 3,18.

miséricorde

Dans les mots apparentés : bonté, compassion, grâce, miséricorde, pitié, qui signifient tous une attitude favorable à celui qui est dans la misère, deux orientations se discernent qui permettent de mesurer l'ampleur du terme biblique.

1. D'un côté est soulignée la disposition objective à soulager la détresse d'autrui. C'est ordinairement le mot gr. *eleos* qui la désigne (cf *Kyrie eleison!*) [1]; il ne s'identifie pas au sentiment de compassion, mais implique la double nuance d' « inclinaison vers » (hb. *hén*) et de fidélité à l'Alliance (hb. *hèsèd*). Fidèle à lui-même et à son alliance, Dieu se solidarise avec le misérable et le pécheur, il fait grâce, c'est-à-dire clémence et « miséricorde » (du lat. *miseri-cordia :* « cœur » sensible à la « misère ») [2].

[1] Cf Mt 9,27; 15,22; 17,15; 20,30s (= Mc 10,47 = Lc 18,38s); Lc 17,13. — [2] Nb 14,17-19; Ps 103,7-10; Is 54,7s; 55,7; Lc 1,54.72; Mt 5,7; 23,23.

2. L'autre orientation prend en considération le lieu, la source et la profondeur du sentiment qui incline à l'acte de pitié : la compassion (hb. *rahamim* : « entrailles ») correspondant au gr. *oiktirmos* [3] *:* « compassion manifestée » ou *splagkhna* [4] : « entrailles, sein maternel », le cœur, la tendresse, la bonté.

[3] Rm 12,1; 2 Co 1,3; He 10,28. — [4] Mt 9,36; 14,14 (= Mc 6,34); 15,32 (= Mc 8,2); 20,34; Mc 9,22; Lc 10,33; 7,13; 15,20; 2 Co 6,12; Ep 4,32; Ph 1,8; Phm 7; 1 Jn 3,17.

3. Le contexte seul indique la nuance du passage. Du reste, le gr. comme l'hb. juxtapose souvent les différents termes, comme s'il voulait à la fois dire la réalité et la source, le fait et le sentiment [5]. Les verbes semblent contenir les deux nuances, tandis que les substantifs favoriseraient la distinction. La miséricorde est le propre de Dieu [6], et elle doit caractériser aussi le chrétien [7].

[5] Ex 34,6s; Lc 1,78; Rm 9,15; Ph 2,1; Col 3,12; Jc 5,11. — [6] Ex 33, 19; Lc

1,50; Rm 9,15s.18.23; 11,32; 15,9; 1 P 1,3. — [7] Ps 112,5; Mi 6,8; Mt 9,13; 12,7; 18,23-35; Lc 6,36; 10,37; Rm 12,8; Jc 2,13.

→ aumône — grâce.

mite

gr. *sès*. Larve réduisant en poussière les *étoffes, une des richesses de l'époque [1].

[1] Mt 6,19s; Lc 12,33; Jc 5,2 □.

→ ver.

[Mithra]

Antique divinité indo-européenne. Sa « religion à *mystères » ne pénètre réellement dans l'empire romain qu'au IIe s. ap. J.C., en particulier sous l'emblème du dieu soleil triomphant *(sol invictus)*.

mois

1. Le mois (gr. *mèn*) est lié aux phases de la lune, ce que suggère l'étymologie : mois *(yèrah, mèn)* et lune *(yâréah, mènè)* dérivent d'une même racine. Le mois est alternativement de 29 et de 30 jours (selon l'astronomie, sa durée moyenne est de 29 jours, 12 heures, 44 minutes, 2,8 secondes). Les mois portent des noms (non signalés dans le NT) et des numéros d'ordre, le premier étant le mois de *nisan (mars-avril).

2. En raison de la connexion entre *calendrier et culte, le mot « mois » peut prendre le sens de fête religieuse [1]. La « néo-ménie » peut signifier « nouveau mois » ou encore « nouvelle lune » [2]; elle était solennellement fêtée par des sacrifices [3].

[1] Ga 4,10. — [2] Col 2,16 △. — [3] Nb 28,11-15; Ez 46,6s.

→ calendrier — lune — nisan.

Moïse

gr. *Mô[y]sès*, hb. *Môché* (nom d'origine égyptienne : *mos* = fils, d'où p. ex. Thûtmosis).

1. Libérateur et législateur d'Israël. Au temps de Jésus, le judaïsme hellénistique en avait fait un héros, un génie; le judaïsme palestinien voyait en lui l'auteur inspiré des cinq livres de la *Toraḥ [1], le médiateur suprême de la Loi entre Dieu et le peuple [2], le maître définitif [3], enfin le *prophète par excellence dont on attendait le retour [4]. Une telle autorité pouvait empêcher les juifs de reconnaître celle qui s'affirmait dans les actes et les paroles de Jésus [5].

[1] Mt 22,24 (= Mc 10,3s = Lc 20,28); Mc 7,10; 10,3s. — [2] Jn 7,19.22; Rm 9,15; 10,5; cf Ga 3,19. — [3] Mt 8,4 (= Mc 1,44 = Lc 5,14); 23,2; Jn 7,22s. — [4] Ac 3,22; 7,37. — [5] Jn 5,45s; 7,28s; 2 Co 3,15.

2. Aux yeux des chrétiens, Jésus est supérieur à Moïse qui le préfigure comme chef et rédempteur, législateur et prophète [6].

[6] Mt 17,3; Jn 1,17.45; Ac 7,35; 13,38; 26,22; He 3,2s.

→ Aaron — alliance — loi — médiateur — prophète.

[Moïse (Assomption, Apocalypse de)]
1. L'*Assomption de Moïse* est un *apocryphe de l'AT, datant de peu après la mort d'Hérode (4 av. J.C.).

2. L'*Apocalypse de Moïse* est un apocryphe de l'AT, daté entre 20 av. J.C. et 50 ap. J.C. Il est identique à la *Vie d'Adam et d'Ève*, dont le titre dit plus exactement le contenu.

moisson
gr. *therismos*, hb. *qâçîr*. La récolte des céréales se faisait en avril-mai. Cette époque est temps de joie [1] et de récompense [2]. D'où l'image du *jugement final de Dieu. Anticipée dans le temps de l'Église [3], la moisson de Dieu aura lieu définitivement au *Jour du Seigneur [4].

[1] Ps 126,5; Is 9,2; Jn 4,36. — [2] 2 Co 9,6; Ga 6,7-9. — [3] Mt 9,37 s (= Lc 10,2); Jn 4,35-38. — [4] Mt 13,24-30.36-43; Mc 4,29; Ap 14,14-19.

→ fêtes — fruit — joie — Jour du Seigneur — jugement — Pentecôte — vendange.

Moloch
gr. *Molokh*. Transcription grecque de l'hb. *molèk*. Mot obtenu peut-être à partir d'une corruption intentionnelle de *mèlèk*, roi, ou, plus probablement, à partir du terme technique désignant un sacrifice d'enfant. Divinité *cananéenne exigeant des sacrifices humains [1].

[1] Lv 20,5; 2 R 16,3; 23,10; Am 5,26; Ac 7,43 □.

→ guéhenne.

monde

gr. *kosmos* (de *kosmeô* : « ordonner, agencer ») et *aiôn(A)* (hb. ʿ*ôlâm* : « temps qui dure », puis « monde spatial »).

1. **Univers* [1].

[1] Sg 9,9; Jn 1,10; 17,5; 21,25; Ac 17,24; Rm 8,22; 1 Co 3,22.

2. *Lieu où vivent les humains* [2], dans lequel on vient [3], on est [4], duquel l'on sort [5], ou, avec une nuance temporelle, le monde qui doit venir [6].

[2] Mt 4,8 (cf Lc 4,5); 16,26 (= Mc 8,36 = Lc 9,25); 26,13; Lc 12,30 (cf Mt 6,32); Ac 1,8; Rm 1,8; 4,13. — [3] Jn 1,9; 3,19; 11,27; 12,46; Rm 5,12s; 1 Tm 1,15; He 10,5; 1 Jn 4,1; 2 Jn 7. — [4] Jn 1,10; 9,5; 17,11; 1 Co 5,10; 2 Co 1,12; 1 Jn 3,17; 4,17. — [5] 1 Co 5,10; Jn 13,1. — [6] (A) Mt 12,32; Mc 10,30; Lc 20, 35; Ep 1,21; He 6,5.

3. *Lieu où se fait la rédemption des hommes.* Paul et Jean ont élaboré une théologie de l'histoire du salut dans le monde. Par le *péché, le monde actuel est mauvais, car il est tombé au pouvoir du dieu du siècle, le Mauvais, le *Prince de ce monde [7]. Réalité ambiguë, le monde témoigne encore de son Créateur [8], mais il s'oppose à Dieu par son esprit, sa sagesse, sa paix [9] : il ne connaît ni Dieu ni Jésus, il les a en haine [10]. Mais Jésus, envoyé par Dieu qui aime le monde [11], a sauvé le monde en le vainquant [12]; il ôte le péché du monde [13] en donnant sa *chair pour qu'il vive [14]. Le monde structuré par le péché est en train de disparaître [15]; il ne devient pas un « nouveau cosmos », mais doit être jugé et assumé dans le royaume de Dieu [16]. Le croyant, lui aussi, a triomphé du monde par sa foi [17]; sans doute reste-t-il *dans* ce monde, mais comme Jésus, il n'est plus *de* ce monde [18] et doit se garder du Mauvais [19]. Alors, tel un foyer de lumière [20], il apprend le bon usage de ce monde et coopère à sa transformation [21].

[7] Jn 12,31; Rm 3,19; 5,12s; 1 Co 2,6.8 (A); 2 Co 4,4 (A); Ga 1,4 (A); 4,3; 1 Jn 5,19. — [8] Jn 1,3; Ac 17,24; He 1,2(A); 11,3(A). — [9] Jn 14,27; 1 Co 1,20s; 2,12; 3,19; 2 Co 7,10; Jc 2,5; 4,4. — [10] Jn 1,10; 7,7; 14,17; 15,18s; 17,25; 1 Jn 3,13. — [11] Jn 3,16; 10,36; 17,18.21.23; 1 Jn 4,9. — [12] Jn 3,17; 4,42; 12,47; 16,11.33; 1 Jn 4,14. — [13] Jn 1,29; 2 Co 5,19; 1 Jn 2,2. — [14] Jn 6,51. — [15] 1 Co 7,31; 1 Jn 2,17. — [16] cf Jn 13,1; 16,28; 1 Co 6,2. — [17] 1 Jn 5,4s. — [18] Jn 8,23; 9,5; 17,11.15s; 1 Co 5,10; 1 Jn 4,5. — [19] Jn 17,15; Rm 12,2(A); 1 Jn 2,15; 5,5. — [20] Ph 2,15. — [21] 1 Co 7,29-31.

→ éon — siècle — univers.

[monnaies]

1. Avant la frappe des monnaies, le paiement s'est longtemps effectué par un *poids déterminé de métal précieux. Cela explique le fait que certaines monnaies (la mine, le sicle, le talent) ont gardé le nom d'une mesure de poids. Ainsi le *talent aurait été en principe le poids de métal qu'un homme pouvait porter; il se divisait en 60 *mines et la mine en 60 *sicles. Selon l'échelle des poids babyloniens, le talent pesait 30,300 kg.

2. Diverses sortes de monnaies, de bronze, d'argent et d'or, avaient cours en Palestine au temps de Jésus. Le système monétaire grec, introduit en Israël depuis l'époque des Séleucides et généralisé depuis les conquêtes d'Alexandre le Grand, y coexistait avec le système monétaire romain, celui de l'occupant. Les pèlerins, les soldats, les commerçants apportaient en outre des monnaies particulières à tel ou tel pays étranger. Quant à une monnaie proprement juive, la question reste controversée. La frappe de monnaies suppose un état d'indépendance, ce qui n'a guère été le cas au cours de l'histoire d'Israël depuis la royauté où aucune monnaie n'est attestée. D'autre part, on connaît un sicle juif, que l'on fait remonter, mais sans certitude, à l'époque de la domination perse ou, plus souvent, à l'époque des *Maccabées. Pour leur part, les Asmonéens, et surtout Hérode le Grand et ses successeurs purent frapper des monnaies de bronze; les procurateurs romains en firent autant; dans les deux cas, ces monnaies étaient exclusivement destinées à la circulation locale. Le NT ne nomme explicitement aucune monnaie *juive*. L'expression indéterminée « pièce d'argent » a été parfois traduite par « sicle » (terme qui est rapporté à une monnaie juive) ou, ce qui est erroné, par « denier » (monnaie romaine); l'incertitude demeure.

La monnaie grecque et la romaine sont explicitement nommées dans le NT. Pour la monnaie *grecque*, l'unité de base est la *drachme en argent, divisée en 6 *oboles d'argent et en 48 chalques de bronze. 2 drachmes valaient 1 *didrachme; 4 drachmes faisaient 1 tétradrachme, appelé parfois *statère. Il existait aussi une pièce de bronze, de valeur infime, le *lepte, 1/7e du chalque. Les très grosses sommes étaient comptées par *talents et par *mines, respectivement 6 000 et 100 drachmes. La monnaie *romaine* avait pour unité le *denier d'argent, divisé en 4 sesterces de laiton et 16 *as de bronze. L'as se divisait en 4 *quadrants.

3. Le titre et le poids à l'état neuf des différentes pièces étant mal connus, la valeur respective ne peut être déterminée que de manière approximative. L'estimation du pouvoir d'achat serait encore plus conjecturale. Les chiffres indiqués dans le *Tableau* ci-contre permettent seulement de fournir un ordre de grandeur et les équivalences à l'intérieur d'un ensemble.

ARGENT	talent	1										
	mine	60	1									
	statère = sicle	1 500	25	1								
	didrachme	3 000	50	2	1							
	drachme = denier	6 000	100	4	2	1						
BRONZE	(sesterce)	24 000	400	16	8	4	1					
	(dipondius)	48 000	800	32	16	8	2	1				
	as	96 000	1 600	64	32	16	4	2	1			
	(semis)	192 000	3 200	128	64	32	8	4	2	1		
	quadrant	384 000	6 400	256	128	64	16	8	4	2	1	
	lepte	768 000	12 800	512	256	128	32	16	8	4	2	1

montagne
gr. *oros*, hb. *har*.

1. Dans la plupart des religions, la montagne est considérée comme
le point où le ciel rencontre la terre. Elle est le lieu du rassemblement
des dieux [1], le lieu de la création du monde [2]. Elle peut symboliser
l'orgueil de l'homme [3]. Elle constitue un lieu privilégié pour le culte,
ainsi les hauts lieux en Israël ou le mont Sion [4]; mais, avec Jésus
Christ, ce n'est plus sur telle ou telle montagne mais en esprit et
vérité que l'homme doit adorer Dieu [5].

[1] Is 14,13. — [2] Ez 28,14.16. — [3] Is 2,12-15; Ez 6,3; Lc 3,5. — [4] Ps 2,6; Jr 2,20.
— [5] Jn 4,20s.

2. La région montagneuse d'Israël et de Juda [6] est un lieu solitaire
quasi désertique [7], où il fait bon prier [8] ou bien se réfugier dans la
détresse [9].

[6] Lc 1,39.65. — [7] Comp. Mt 18,12 et Lc 15,4; Mt 14,23; Mc 5,5.11 (= Lc
8,32s); Jn 6,3. — [8] Mc 6,46; Lc 6,12; Jn 6,15. — [9] Mt 24,16 (= Mc 13,14 =
Lc 21,21); Lc 23,30; He 11,38; Ap 6,14-16.

3. Cinq montagnes sont explicitement désignées : le mont des
*Oliviers, le *Sinaï [10], le *Sion [11], le Garizim [12] et celle de Nazareth [13].
Par contre, il est difficile de préciser de quelle montagne il s'agit dans
les cas suivants : la Tentation [14], la Transfiguration [15], le lieu du
« sermon sur la montagne » [16] ou de l'appel des disciples [17], les montagnes de l'Apocalypse [18], telle montagne où Jésus s'assoit [19], les
montagnes évoquées par Jésus dans son enseignement [20], la montagne où Jésus avait donné rendez-vous [21].

[10] He 8,55; 12,20. — [11] Ap 21,10. — [12] Jn 4,20s. — [13] Lc 4,29. — [14] Mt 4,8; cf Lc 4,5. — [15] Mt 17,1.9 (= Mc 9,2.9 = Lc 9,28.37); 2 P 1,18. — [16] Mt 5,1; 8,1; cf. Lc 6,17. — [17] Mc 3,13; Lc 6,12. — [18] Ap 8,8; 16,20; 17,9. — [19] Mt 15,29; Jn 6,3. — [20] Mt 5,14; 17,20; 21,21; Mc 11,23; 1 Co 13,2. — [21] Mt 28,16.

→ Intr. II.3. — Agar — Harmaguedôn.

mort

1. Selon l'anthropologie biblique dominante, le passage de l'être-en-vie à l'être-sans-vie n'est pas conçu comme la séparation de l'âme et du corps, mais comme la perte de cette vitalité : la *vie s'arrête, sans que cesse l'existence d'ombre dans le *chéol. Le mort (gr. *nekros*) n'est plus l' « âme vivante » qu'il était devenu par la création [1], car l'*esprit l'a quitté pour retourner à Dieu, seul immortel [2]. Dans le NT, la mort (gr. *thanatos*) est envisagée dans un contexte de résurrection, non pas d'*immortalité.

[1] 1 Co 15,45. — [2] Qo 12,7; 1 Tm 6,16.

2. A l'époque du NT, le problème de la mort individuelle est posé en sa rigueur. Sans doute retient-on l'image d'aller « se coucher avec ses pères » (gr. *koimaomai*, de *keimai* : « être étendu ») [3] pour dire que la mort met fin à une vie rassasiée de jours (gr. *teleutaô*) [4]; mais il faut rendre compte de la loi universelle de la mort, souvent brutale (gr. *apokteinô* : « tuer ») [5]. Héritiers de la tradition sapientielle, Paul met à son origine le *Péché [6], Jean *Satan [7]. La Mort, dont l'ombre pèse sur l'humanité entière [8], devient même une puissance personnifiée [9], gardant l'homme pécheur à sa merci [10].

[3] 2 R 14,16; Jb 14,12; Ac 13,36; 1 Co 11,30; 15,6.18.20.51; 1 Th 4,13s. — [4] Ac 2,29; 7,15. — [5] Mt 23,37; Lc 13,4.31; Ac 21,31. — [6] Rm 5,12.17; 6,23; 1 Co 15,21s. — [7] Jn 8,44; He 2,14. — [8] Mt 4,16; Lc 1,79. — [9] Jb 28,22; 1 Co 15,56; Ap 20,14. — [10] He 2,14; Ap 6,8; 8,9; 18,8.

3. La mort de Jésus a été, dès les origines, comprise comme une mort volontaire, acceptée pour le rachat de la multitude des hommes [11]. Paul l'a reliée au fait que, Dieu ayant « fait le Christ Péché pour nous » [12], Jésus a subi la conséquence ultime du Péché, qu'est la mort, jusqu'à mourir en *croix [13], mais, comme Jésus était juste, il meurt pour nous [14], nous *réconciliant avec Dieu [15] et enlevant tout pouvoir au Péché [16] : la mort a perdu tout empire sur lui [17], et par lui sur nous tous, ainsi que sur la création entière [18]. La mort est engloutie dans la victoire du Christ [19], victoire que préfigurent les *résurrections opérées par Jésus durant sa vie mortelle [20].

[11] Mt 20,28 (= Mc 10,45); Lc 22,27. — [12] 2 Co 5,21. — [13] Ph 2,8. — [14] Rm 5,6-8; 1 Co 15,3; 1 Th 5,10. — [15] Rm 5,10. — [16] Rm 6,10. — [17] Rm 6,9. — [18] Rm 8,2.19-22. — [19] 1 Co 15,26.54-56. — [20] Mt 9,24 (= Mc 5,39 = Lc 8,52s); Lc 7,12.15; Jn 11,13s.25s.

4. Par le *baptême, tout croyant est configuré à la mort du Christ afin que la vie du Christ se manifeste en lui progressivement [21] : il est « mort » dans le Christ [22]. Croire en Jésus, c'est aussi passer de la mort à la vie [23]. La mort corporelle, tout en restant douloureuse et détestable parce que fin de la vie et perte du moyen d'expression qu'est le *corps, est absorption par la vie de ce qu'il y a de mortel en nous [24]; la mort devient gain et même béatitude [25]. C'est que la communion avec le Christ n'est pas brisée par la cessation de la vie terrestre [26], le Seigneur Jésus demeurant à jamais le même [27]. Le croyant ne doit donc plus avoir peur de la mort [28], car il est dans le Christ à jamais vivant [29].

[21] Rm 6,3-5. — [22] 2 Co 5,14. — [23] Jn 5,24; 8,51; 11,25; 1 Jn 3,14. — [24] 2 Co 5,1-5; cf 1 Co 15,51-53. — [25] Ph 1,21; Ap 14,13. — [26] 2 Co 5,8; Ph 1,23. — [27] Rm 14,8s. — [28] 1 Co 15,57s; He 2,14. — [29] Jn 11,25s.

→ *Intr.* VIII.2.D.b. — immortalité — passion du Christ — procès de Jésus — résurrection — souffrir — vie.

moutarde

Plante commune en Palestine, appelée aussi sénevé (gr. *kokkos sinapeôs*). Elle pouvait atteindre jusqu'à 3 m de hauteur, et même 4 m près du lac de Guennésareth. Ses grains, dont on tirait le condiment du même nom, étaient si minuscules qu'ils désignaient proverbialement ce qui est très petit [1].

[1] Mt 13,31 (= Mc 4,31 = Lc 13,19); 17,20 (= Lc 17,6) □.

muet

gr. *a-lalos* : « qui ne parle pas » [1], infirme qui est ordinairement *sourd (gr. *kôphos*) comme l'indique le contexte [2]. Le mutisme peut être un châtiment, infligé au père de Jean Baptiste [3], ou encore le résultat d'une possession démoniaque [4]. Sans voix (gr. *a-phônos*) sont aussi l'*agneau de la prophétie d'Isaïe, les *idoles et l'ânesse de Balaam [5]. Matthieu n'a pas relevé les guérisons de muets comme un signe messianique [6].

[1] Mc 7,37; 9,17.25 △. — [2] Mt 9,32s; 12,22; 15,30s; Lc 1,22; 11,14. — [3] Lc 1,20.22.64. — [4] Mt 9,33; Lc 11,14. — [5] Ac 8,32; 1 Co 12,2; 2 P 2,16. — [6] Is 35,6; Mt 11,5.

→ parole — sourd — voix.

multitude

Ce mot traduit ordinairement l'adjectif substantivé, avec ou sans article, *(hoï) polloï*, correspondant à l'hb. *(ha)rabbim*. Le sens comparatif grec (par opposition à d'autres, moins nombreux) n'est acceptable qu'en deux cas [1]; ordinairement, en accord avec l'AT [2] et l'usage de *Qoumrân, le sens est positif et désigne un ensemble [3]. Certains traducteurs continuent cependant à maintenir un sens restrictif : « beaucoup », dans certains cas, surtout lorsque le terme est adjectif [4].

[1] Mt 24,12; 2 Co 2,17. — [2] Is 52,14; 53,11s. — [3] Mt 20,28; 26,28; Rm 5,15; 12,4s; 1 Co 12,12; He 9,28. — [4] Mt 22,14; Lc 7,47; Rm 5,16.

mûrier

En gr. *sykaminos*, dérivé de *sykè* : « figuier ». Arbuste produisant des fruits succulents et des feuilles dont se nourrit le ver à soie. A ne pas confondre avec le *sycomore [1].

[1] Lc 17,6 □.

myrrhe

gr. *smyrna*, hb. *môr* (d'une racine signifiant : « amer »). Baume précieux, produit à partir d'une résine rouge importée d'Arabie et utilisée pour les *parfums des noces [1], des *ensevelissements [2]; composante de l'huile consécratoire, elle pouvait servir d'offrande [3]. Mélangée au *vin, la myrrhe, de goût amer, en augmentait la vertu enivrante; selon une coutume juive, le breuvage était parfois donné aux suppliciés [4].

[1] Ps 45,8s; Pr 7,17; Ct 1,13; 4,14; 5,5.13. — [2] Jn 19,39. — [3] Ex 30,23-35; Mt 2,11. — [4] Mc 15,23.

→ parfum — vinaigre.

Mysie

gr. *Mysia*. Région nord-ouest de l'actuelle Turquie, intégrée depuis 129 av. J.C. à la *province romaine d'*Asie [1].

[1] Ac 16,7s; cf 20,6 □.

→ Pergame — Troas — *Carte* 3.

mystère

gr. *mystèrion* (de *myo*: « fermer [la bouche] »; *myeô* : « introduire » dans les cérémonies cultuelles, comme celle d'Éleusis, d'Isis, de *Mithra ; *mystès* : « initié »). Culte ou savoir réservé à des initiés.

1. *Au sens large* : « chose cachée, obscure; secret » [1]. Correspond à l'hb. *sôd* [2] et à l'ar. *râz* [3]. Dans l'AT (*Daniel [4], *Sagesse [5]) et la littérature *apocryphe (*Hénok, *Qoumrân), les secrets divins concernent le *dessein éternel de salut; ce qui est souligné, ce n'est pas l'aspect impénétrable à la raison, mais celui de *révélation. De même, dans le NT, le terme, ordinairement relié à un verbe de révélation ou d'annonce, n'a rien de commun avec les cultes à mystères des Grecs [6] ni avec les religions orientales.

[1] Tb 12,7.11; Si 27,16.21. — [2] Am 3,7. — [3] Dn 2. — [4] Dn 2,28; 4,6. — [5] Sg 2,22; 6,22; 12,5. — [6] 1 Co 12,2; cf Sg 14,23.

2. *Trois sens principaux* peuvent être dégagés du NT :
— les hauts faits de Dieu, ses interventions dans l'établissement de son *règne [7], sa *sagesse cachée mais révélée en Jésus Christ, le mystère par excellence [8];
— les révélations secrètes [9];
— le sens profond de certaines réalités, comme le destin d'Israël [10], l'activité de l'*Antichrist [11], le mariage [12].

[7] Mt 13,11; 13,35; Ap 10,7. — [8] Rm 16,25; 1 Co 2,7s; Ep 1,9; 3,3; 6,19; Col 1,25-27; 1 Tm 3,16. — [9] Ap 1,20; 17,7. — [10] Rm 11,25. — [11] 2 Th 2,7. — [12] Ep 5,32.

→ *Intr.* IV.6.B.C.

mythe

gr. *mythos* (ne dérivant pas de *myeô* : « initier », mais peut-être d'une racine indo-européenne signifiant « pensée, considération ») : « parole, récit, fable ».

1. Dans le langage courant, en un sens dégradé, le terme équivaut à « légende » [1], par opposition à la relation véridique de témoins oculaires [2].

[1] 1 Tm 1,4; 4,7; Tt 1,14. — [2] 2 Tm 4,4; 2 P 1,16 □.

2. Au sens moderne, le mythe est la forme discursive donnée à ce qui, de la vérité, ne peut être transmis dans une définition. Récit dans lequel le monde divin conditionne et éclaire l'origine, la nature et la fin du monde des hommes. Dès lors, le mythe ne doit pas être identifié à des récits imaginaires produits par la naïveté humaine, ni au revêtement littéraire de quelque réalité. Selon sa structure formelle, le mythe est l'actualité agissante d'un événement appartenant aux origines, que cet événement soit considéré comme historique ou non.

3. Israël a hérité de ces premières expressions fondamentales de l'existence religieuse; il les reprend dans la perspective de son monothéisme absolu. C'est ainsi qu'on peut à juste titre parler de mythe à propos de certains récits : péché d'Adam, déluge, guerres des nations et *Antichrist, nouvel *Adam. On peut aussi reconnaître des motifs mythiques (extraits de récits mythiques) dans certaines traditions, spécialement *apocalyptiques.

→ symbole — vérité.

N

Naaman

gr. *Naïman*. Général de l'armée syrienne, originaire de *Damas, guéri de la lèpre par *Élisée [1].

   [1] 2 R 5; Lc 4,27 □.

[nabatéen]

Le royaume nabatéen, florissant du Ier s. av. au Ier s. ap. J.C., s'étendait de la mer Rouge (golfe d'Aqaba) à Damas, en longeant la Palestine. Capitale Pétra. Il devint en 106 ap. J.C. *province romaine d'*Arabie. Sa langue était l'*araméen.

→ Arabie — Arétas IV.

[Nag Hammadi]

Village de Haute-Égypte, non loin de Chenoboskion, là où, au IVe s., Pacôme avait fondé des monastères. Vers 1947 y furent découverts treize livres datant du IVe s., constituant une bibliothèque de quelque mille pages, ouvrages pour la plupart traduits du grec en copte (langue des chrétiens d'Égypte, alphabet grec, avec sept signes provenant du « démotique », écriture vulgaire des anciens Égyptiens). Parmi ces livres, signalons *l'Apocryphon* (= Livre secret de Jean), la *Sagesse de Jésus*, *l'Évangile de Vérité* (homélie voulant dévoiler la vérité de l'Évangile), *l'Évangile de *Thomas* et *l'Évangile de *Philippe* (florilège de sentences et de pensées *gnostiques).

→ apocryphes — gnose.

naître, renaître

Comme dans la plupart des religions, la Bible exprime sa foi en une autre vie par le *symbole de la nouvelle naissance, accordée dès ici-bas par la divinité. Elle en diffère radicalement dans la conception qu'elle en offre : il ne s'agit pas d'un rite magique d'initiation qui transformerait la nature humaine, mais d'un acte de Dieu qui a fait d'Israël son *premier-né lors de la sortie d'*Égypte [1] et qui promet le renouvellement définitif grâce à la *Loi inscrite dans les cœurs [2]. Selon le judaïsme tardif, le *baptême faisait du *prosélyte un nouveau-né.

Le NT précise que le croyant « naît de » (gr. *gennèthènai ek*, passif de *gennaô* : « engendrer ») l'Esprit et l'eau [3] ou d'en haut [4]. Cette dernière affirmation est encore sous-jacente dans le grec, quand il est dit que le croyant « renaît » (gr. *ana-gennaomai*) par la force de la *Résurrection [5] ou par la *Parole divine [6]. Enfin par le gr. *palingenesia* : « ré-génération » à la fin des temps [7], l'individu est situé dans l'histoire plus vaste de la « création nouvelle » [8]. Cette régénération a lieu également au baptême [9]; grâce au germe d'incorruptibilité que le croyant désormais porte en lui, il est invité à une vie nouvelle [10].

[1] Ex 4,22; Dt 32,6.18s. — [2] Ez 36,26s. — [3] Jn 3,5s.8. — [4] Jn 3,3.7. — [5] 1 P 1,3. — [6] 1 P 1,23; cf Jc 1,18. — [7] Mt 19,28; cf Ap 21,5. — [8] 2 Co 5,17. — [9] Tt 3,5. — [10] 1 Jn 3,9; cf 1 Jn 2,29; 4,7.

→ baptême — enfant — engendrer — fils de Dieu — nouveau.

nappe

gr. *othonè*. Celle que vit Pierre n'était pas un linge destiné à couvrir la table du repas, mais une grande pièce de toile [1].

[1] Ac 10,11; 11,5 □.

nard

gr. *nardos*. Huile parfumée d'une plante de l'Himalaya; fort rare, elle était souvent falsifiée. Selon le judaïsme tardif, le nard est une des choses qu'Adam avait emportées du *paradis [1].

[1] Mc 14,3; Jn 12,3 □.

→ parfum.

Nathanaël

hb. *nᵉtan'él* : « Dieu a donné ». Selon Jn, originaire de Cana, un des premiers disciples de Jésus, type de l'Israélite capable de foi. A partir du IXe s., certains l'identifient avec *Barthélemy, nommé comme lui avec *Philippe [1].

[1] Jn 1,45-50; 21,2; cf Mt 10,3 □.

nation, nations

1. Au singulier, le gr. *ethnos* (hb. *gôy*) signifie une nation au sens politique du terme [1], la nation juive [2], ou encore le peuple chrétien, la génération nouvelle [3], la nation sainte [4].

[1] Mt 24,7; Ac 7,7; 8,9. — [2] Lc 7,5; 23,2; Jn 11,48.50-52; 18,35; Ac 10,22; 24,2.10.17; 26,4; 28,19 △. — [3] Mt 21,43; cf Jr 7,28s. — [4] 1 P 2,9; cf. Ex 19,6.

2. Au pluriel, le gr. *ethnè* (hb. *gôyîm*) désigne en raccourci les peuples *païens, exceptionnellement les chrétiens d'origine païenne [5], ordinairement tous ceux qui ne font pas encore partie du peuple élu [6], en quelque sorte « les autres », ceux qui n'ont pas la foi juive ou chrétienne [7]. Les traductions françaises semblent ne conserver le terme « nations » que dans les citations de l'AT [8]. Plus rarement, le contexte montre que le sens reste politique. Dans quelques cas cependant, la distinction n'est pas sûre [9].

[5] Rm 11,25; Ga 2,12; Ep 3,1. — [6] Gn 10,5; Dt 7,6; Jr 10,25; Mt 4,15; 10,5; 20,25; Lc 21,24; Ac 4,25. — [7] Mt 6,32; 1 Co 5,1; 12,2; 1 P 2,12. — [8] Par ex. Mt 12,18. — [9] Lc 21,25; 24,47.

→ Gentils — païen — peuple.

naviguer

gr. *pleô*. Terme retenu surtout par Lc, pour dire les diverses opérations : s'embarquer [1], faire voile [2], naviguer [3], débarquer [4].

[1] Ac 15,39; 18,18; 20,6. — [2] Ac 13,4; 14,26; 20,15; 27,1. — [3] Ac 20,16; 21,7; 27,2.4-10.24; Ap 18,17. — [4] Lc 8,26 □.

→ *Intr.* IV.3.B.

Nazara, Nazareth

gr. *Nazaret(h)* [1] ou *Nazara* [2]; en ar. peut-être *naç^erat* ou *naç^erâ*. Bourgade insignifiante de Galilée, non mentionnée par l'AT, *Josèphe ni le *Talmud. Elle est, à 350 m d'altitude, située à 4,500 km de Sepphoris, là où Judas le Galiléen se révolta vers 6 ap. J.C. [3]; par Nazareth passait une route qui reliait Sepphoris à une voie secondaire joignant Damas à l'Égypte.

¹ Mt 2,23; 21,11; Mc 1,9; Lc 1,26; 2,4.39.51; Jn 1,45s; Ac 10,38 △. — ² Mt 4,13; Lc 4,16 △. — ³ *Intr.* II.3.B; XI.4.

→ *Carte* 4.

[Nazareth (inscription de)]

En 1878 était découverte l'Inscription dite de Nazareth, dalle de marbre (0,60 m × 0,375 m), sur laquelle se trouve, écrite en grec, une ordonnance concernant la violation de sépulture. Les spécialistes s'entendent auj. pour y reconnaître la traduction du texte latin d'un édit de l'empereur Auguste publié en l'an 8 par le procurateur Coponius à l'occasion d'un geste de profanation du Temple par les Samaritains : ils y avaient répandu des ossements de cadavres. Cet édit ne doit donc pas être mis en relation avec le récit du prétendu enlèvement du cadavre de Jésus par les disciples (Mt 27,62-66; 28,11-15).

Voici la traduction du *Diatagma Kaisaros* :

« Ordonnance de César. Il me plaît que les sépultures et les tombeaux qu'on a faits par religion pour les aïeux ou les enfants ou les proches demeurent immuables à perpétuité. Si néanmoins un accusateur vient convaincre quelqu'un, soit de les avoir détruits, soit d'avoir exhumé de quelque autre manière les corps ensevelis, soit de les avoir transférés en d'autres lieux par manœuvre frauduleuse et à des fins injurieuses, soit enfin d'avoir changé de place les dalles (ou les inscriptions) et les pierres d'un tombeau, j'ordonne que le coupable soit condamné (ou mis en jugement) pour lèse-religion envers les hommes avec la même rigueur que pour lèse-piété à l'égard des dieux (ou comme en matière de lèse-divinité par manquement aux devoirs des hommes envers les dieux). Car il faudra honorer les morts beaucoup plus (qu'on ne l'a fait). Qu'il ne soit absolument permis à personne de changer (les tombes) (ou de déplacer « les corps »). Sinon, je veux que, du chef de violation de sépulture, le coupable soit condamné à mort » (trad. J. Schmitt).

Nazarénien, Nazaréen

1. gr. *Nazarènos*, à traduire par « Nazarénien » ou « de Nazareth » : citoyen de *Nazareth ¹.

¹ Mc 1,24; 10,47; 14,67; 16,6; Lc 4,34; 24,19 △.

2. gr. *Nazôraios*, traduit par Nazoréen ou Nazaréen : terme désignant Jésus ¹, le Galiléen ², et, une fois, les chrétiens ³. Le terme pose un problème d'étymologie non résolu. On le fait dériver tantôt de l'hb.

nâzîr, naziréen : « consacré, saint »[4], tantôt de *néçèr* : « rejeton »[5] ou de *neçûrîm* : « le Reste »[6] ou encore de la racine *mandéenne *nçr* : « observer ».

[1] Mt 2,23; Lc 18,37; Jn 18,5.7; 19,19; Ac 2,22; 3,6; 4,10; 6,14; 22,8; 26,9. — [2] Comp. Mt 26,71 et 26,69. — [3] Ac 24,5 △. — [4] Jg 13,5; cf 16,17; Mc 1,24. — [5] Is 11,1. — [6] Is 49,6.

[naziréat]

De l'hb. *nâzîr* : « mis à part, consacré ». Pratique religieuse dérivant d'un *vœu, parfois permanent[1], parfois limité à quelque trente jours[2]; en ce cas, il prenait fin par un sacrifice au Temple[3]. En vertu de ce vœu, l'on était tenu à ne pas se couper les cheveux, à ne pas boire de liqueurs fermentées, à ne pas contracter d'impuretés légales[4].

[1] Jg 13,4 s; 1 S 1,11.28; Lc 1,15; cf Am 2,11. — [2] Nb 6,2. — [3] 1 M 3,49; Ac 21,23. — [4] Nb 6,1-21.

→ consacrer — vœu.

néoménie

gr. *neomènia*, de *neos* : « nouveau » et *mènè* : « lune » : « nouvelle lune, nouveau mois, premier jour du mois »[1].

[1] Ga 4,10 : Col 2,16 □.

→ année — calendrier — lune — mois.

Nicodème

gr. *Nikodèmos* (= « peuple victorieux »), nom fréquent chez les Grecs et dans la tradition juive. *Pharisien, notable juif, « docteur d'Israël », peut-être membre du *Sanhédrin. Jean le présente comme un homme droit, fidèle, mais timoré et même obtus en face de Jésus[1].

[1] Jn 3,1.4.9; 7,50; 19,39 □.

Nicolaïtes

gr. *Nikolaïtaï*. Selon Ap 2,6.15 □, secte probablement chrétienne, peut-être de tendance *gnostique et libertine. On ignore quel est le Nicolas dont ils tirent leur nom.

[nisan]

Nom babylonien du *mois qui commençait à la première nouvelle lune suivant l'équinoxe du printemps (mars/avril). Ce mois était le premier de l'année au temps de Jésus.

→ calendrier.

noces

1. gr. *gamos*. Jésus a pris part aux noces de Cana [1]. Le NT voit dans la grande fête que constituent les noces une figure du festin *eschatologique [2], les noces de l'*Agneau [3]. Tous les hommes sont invités à y participer [4], s'ils ont le *vêtement de noce [5].

[1] Jn 2,1-3. — [2] Is 25,6. — [3] Ap 19,7.9. — [4] Mt 22,9. — [5] Mt 22,11 s; cf 2 R 10,22; Lc 15,22; Ap 19,8.

2. gr.*nymphôn* désigne plutôt la salle de noce [6] où se rassemblent les « fils de la salle de noce », les invités [7]. Les jeunes mariés sont appelés en gr. *nymphios* [8], *nymphè* [9].

[6] Mt 22,10. — [7] Mt 9,15 (= Mc 2,19 = Lc 5,34). — [8] Mt 9,15 (= Mt 2,19s = Lc 5,34s); 25,1.5s.10; Jn 2,9; 3,29; Ap 18,23. — [9] Mt 10,35 (= Lc 12,53); 25,1; Jn 3,29; Ap 18,23; 21,2.9; 22,17 △.

→ *Intr.* VIII.2.B. — époux — fiancés — mariage.

Noé

gr. *Nôe*, de l'hb. *Noah* (*nwh* : « reposer ») [1]. Dans la ligne de la tradition sacerdotale [2], sapientielle [3] et apocalyptique (Livre d'*Hénok) [4], le NT voit en lui le type de l'homme juste et vigilant qui échappe au châtiment imminent et bénéficie du salut [5].

[1] Gn 5,29—9,28; Lc 3,36. — [2] Gn 6,9. — [3] Sg 10,4; Si 44,17. — [4] *Livre d'Hénok* 6,1—11,2; 60,1-25; 65,1—69,25; 106,1—107,3. — [5] Mt 24,37-39 (= Lc 17,26s); He 11,7; 1 P 3,20; 2 P 2,5.

→ déluge.

nom

gr. *onoma*, hb. *chém*.

1. Au 8e jour après sa naissance, l'homme reçoit de ses parents, ou de Dieu lui-même, un nom qui exprime son rôle dans le monde [1]; ce nom est parfois changé au cours de l'existence [2]. A l'époque gréco-romaine, les juifs de la *diaspora portaient un second nom, grec ou latin [3].

¹ Gn 3,20; 1 S 25,25; Mt 1,21.23; Lc 1,13.63. — ² Gn 17,5; 32,28-30; 2 R 23,34; Mt 16,18. — ³ Ac 13,9.

2. Selon une conviction très répandue, le nom dit la personne en sa profondeur. Il dit à la fois la présence active de quelqu'un et sa distance, ainsi quand Yahweh fait habiter sur terre son Nom ⁴. Aussi connaître le nom de quelqu'un, c'est avoir accès au mystère de son être ⁵ et même le dominer en quelque sorte ⁶.

⁴ Dt 12,5; 2 S 7,13; 1 R 3,2; 8,16. — ⁵ Jn 10,3; Ap 19,12. — ⁶ Gn 2,19s; 2 S 5,9; 12,28; Ps 49,12.

3. « Le Nom » désigne *Yahweh lui-même ⁷. Le connaître, c'est se trouver en sa présence ⁸. L'invoquer, c'est entrer en communion avec lui ⁹; le sanctifier, c'est reconnaître qu'il est Dieu même ¹⁰; le prononcer en vain, c'est disposer indûment de sa personne ¹¹. Jésus a révélé que « Père » est le vrai nom de Dieu ¹².

⁷ Lv 24,11-16; Dt 12,5; Ps 54,3; 89,25; Jn 12,28. — ⁸ Ex 3,13-16; Jn 17,26. — ⁹ Ac 2,36. — ¹⁰ Is 29,23; Mt 6,9. — ¹¹ Ex 20,7; Rm 2,24; Ap 13,6. — ¹² Jn 17,6; Rm 8,15; Ga 4,6.

4. Jésus reçoit le nom d'*Emmanuel, de *Seigneur, de *Christ, de *Fils de Dieu. Il hérite même du Nom qui appartient à Dieu seul ¹³. Aussi le croyant doit-il prier et agir en son nom, c'est-à-dire en union intime avec sa puissance ¹⁴, en attendant de recevoir un nom nouveau ¹⁵, peut-être celui qui est au-dessus de tout Nom ¹⁶, ou encore celui de fils dont on l'appelle ¹⁷.

¹³ Ac 5,41; Ph 2,10s; 3 Jn 7. — ¹⁴ Mt 7,22; 18,20; Mc 9,38; 16,17; Lc 10,17; Jn 14,13s; 15,16; Ac 3,6; 10,43. — ¹⁵ Is 62,2; Ap 2,17; 3,12; 14,1. — ¹⁶ Ph 2,9. — ¹⁷ Mt 5,9; 1 Jn 3,1.

→ blasphémer — vocation.

nombres

1. En dehors des nombres de valeur arithmétique exacte ou approchée, il existe des nombres à *portée *symbolique*, qu'il n'est pas toujours facile de préciser. Certes la Bible ne dépend pas des spéculations pythagoriciennes (1 et 3 sont masculins, 2 et 4 sont féminins, 7 virginal), mais elle présente des cas assez clairs de valeur symbolique. 4 = totalité cosmique; 7 = série complète, comme la *semaine, chiffre dont la perfection est divisible (3 + 4, ou 3 1/2), ou non atteinte (7 — 1 = 6); 10 = valeur mnémotechnique des dix doigts; 12 = chiffre parfait des 12 lunaisons, base du comput suméro-accadien ancien et nombre des 12 *tribus; 40 = les années d'une génération.

2. Les *nombres dits triangulaires* résultent d'un calcul cher aux anciens : on peut les représenter par un triangle équilatéral où sont inscrites horizontalement les unités dont ils se composent ⠋. Ils constituent la somme arithmétique des *n* premiers chiffres $(1 + 2 + 3 + 4 + ... n)$, qui équivaut à $n \frac{n+1}{2}$.

Ainsi pour les 120 du Cénacle (Ac 1,15) $n = 15$, pour les 153 gros poissons (Jn 21,11) $n = 17$, pour 666, nombre de la *Bête (Ap 13,18), $n = 36$ (lui-même obtenu avec $n = 8$, correspondant au 8e roi de Ap 17,11, ou encore carré de 6, le chiffre imparfait par excellence).

3. La *gématrie* permettait d'interpréter certains nombres qui représenteraient l'addition de la valeur numérique donnée aux différentes lettres de l'alphabet. Ainsi 666 = NRWN QSR (Néron César) = 50 + 200 + 6 + 50 + 100 + 60 + 200, ou encore : LATEINOS = 30 + 1 + 300 + 5 + 10 + 50 + 70 + 200 : c'est l'Empire romain. Sans doute est-il difficile de démontrer l'exactitude de ces hypothèses, et 666 pourrait simplement, par la répétition de 6 (= 7 — 1) désigner l'imperfection par excellence.

nouveau

Deux mots gr. signifient la nouveauté. *Kainos (K)*, le plus fréquent, dit ce qui n'a jamais servi [1], ce qui est inattendu [2], inventé, tout autre, ce qui innove. *Neos (N)* dit ce qui est neuf par rapport au passé, jeune et non pas vieux : ainsi le plus jeune [3] ou le vin non vieilli [4]. Parfois, l'un et l'autre termes sont couplés avec le mot « vieux » (gr. *palaios*), pour dire une totalité [5] ou une opposition : l'Esprit et la lettre [6], l'homme nouveau et le vieil homme [7], l'être nouveau et l'ancien [8], les deux Alliances [9], le commandement nouveau [10], la pâte nouvelle [11], le jugement renouvelé [12].

[1] Mt 9,17 (Mc 2,21 s = Lc 5,38); 27,60 (= Jn 19,41). — [2] Mc 16,17. — [3] *(N)* Lc 15,12s; 22,26; Jn 21,18. — [4] *(N)* Mt 9,17 (= Mc 2,22 = Lc 5,37-39). — [5] Mt 13,52. — [6] Rm 7,6. — [7] Ep 4,24; Col 3,10 (*K* et *N*). — [8] 2 Co 5,17. — [9] He 8,13; 12,24 *(N)*. — [10] 1 Jn 2,7. — [11] 1 Co 5,7. — [12] Ep 4,23.

1. Avant toute chose, c'est l'*Alliance qui, accomplissant la prophétie [13], est nouvelle [14]; avec elle, tout est renouvelé [15] : la création [16], la vie [17], grâce à l'Esprit de nouveauté [18].

[13] Jr 31,31; Ez 36,26. — [14] Lc 22,20; 1 Co 11,25; 2 Co 3,6; He 8,8.13; 9,15; He 12,24 *(N)*. — [15] Ap 21,5. — [16] 2 Co 5,17; Ga 6,15. — [17] Rm 6,4. — [18] Rm 7,6; Tt 3,5.

2. En venant, Jésus a apporté un enseignement nouveau [19] et donné son commandement nouveau, nouveau en ce sens qu'il le rattache lui-même à l'Alliance nouvelle [20].

[19] Mc 1,27; Ac 17,19.21. — [20] Jn 13,34; 1 Jn 2,7s; 2 Jn 5.

3. *Homme nouveau, le Christ [21] fait des croyants des hommes nouveaux [22], qui doivent sans cesse, par l'Esprit, renouveler leur jugement [23], l'homme intérieur [24]; ils ont reçu un *nom nouveau [25].

[21] Ep 2,15. — [22] Ep 4,24; Col 3,10 (*K* et *N*); cf He 6,6. — [23] Rm 12,2; Ep 4,23 (*N*). — [24] 2 Co 4,16; Col 3,10 (*N*). — [25] Ap 2,17; 3,12.

4. L'Église est tendue vers les cieux nouveaux et la terre nouvelle [26], la Jérusalem céleste [27], où Jésus boira avec ses disciples le vin nouveau [28] et où les élus chanteront le cantique nouveau [29].

[26] 2 P 3,13; Ap 21,1. — [27] Ap 3,12; 21,2. — [28] Mt 26,29 (= Mc 14,25). — [29] Ap 5,9; 14,3.

→ Dédicace — vieillard.

Nouveau Testament

gr. *hè kainè diathèkè* : « la nouvelle *alliance ». Ensemble des 27 livres reçus comme *canoniques par l'Église.

→ *Intr.* XV. — Bible — canon — testament.

nuée

1. gr. *nephelè*, au sens propre : nuage annonçant la *pluie [1] ou procurant de l'*ombre [2].

[1] 1 R 18,44s; Lc 12,54. — [2] Is 25,5; Jude 12.

2. A la fois opaque et lumineuse, elle manifeste Dieu présent sans en dévoiler le mystère [3].

[3] Ex 13,21s; 19,16-20; 1 R 8,10-13; Mt 17,5 (= Mc 9,7 = Lc 9,34s); 1 Co 10,1s.

3. Élément de l'appareil des *théophanies *eschatologiques [4], qui accompagne (« avec », « dans ») [5] ou qui porte (« sur ») [6].

[4] Ac 1,9; Ap 1,7; 10,1; 14,14. — [5] Dn 7,13; Mc 13,26 (= Lc 21,27); 14,62; Ap 11,12. — [6] Mt 24,30; 26,64; 1 Th 4,17; Ap 14,14-16 □.

→ ombre.

nuit

gr. *nyx.*

1. A l'époque romaine, la période allant du coucher au lever du soleil était divisée en quatre *veilles dont la durée n'était pas constante.

2. Le symbolisme de la création voit dans la nuit les ténèbres mortelles et l'espérance du jour [1]. Il est réinterprété en fonction de la nuit pascale où s'est accompli le salut [2]. Désormais le croyant, s'il est encore *dans* la nuit, n'est plus *de* la nuit, jusqu'au *Jour où la lumière sera sans déclin [3]. Dieu se révèle volontiers durant la nuit [4], temps privilégié de la prière [5].

[1] Gn 1,5; Ps 130,6; Is 21,11; Jn 11,10; Rm 13,12. — [2] Ex 11,4; 12,12.29; Sg 18,14s; 1 Co 11,23. — [3] 1 Th 5,5; Ap 21,25; 22,5. — [4] Ac 5,19; 16,9; 18,9; 23,11; 27,23; 1 Th 5,2. — [5] Mc 1,35; Lc 6,12.

→ jour — lumière — ténèbres — veille.

nuque

gr. *trakhèlos* : « cou » [1]. Partie du corps d'une bête qui se raidit sous le joug, d'où le « cou raide » (gr. *sklèro-trakhèlos*), symbole d'entêtement [2].

[1] Mt 18,6 (= Mc 9,42 = Lc 17,2); Lc 15,20; Ac 15,10; 20,37; Rm 16,4 △.
[2] Ac 7,51; cf Is 48,4 △.

O

obéir, obéissance

Ordinairement obéissance et désobéissance traduisent le gr. *hyp-akoè*, *par-akoè* qui qualifient une audition (gr. *akoè*, de *akouô;* « écouter, ouïr ») : c'est *écouter la voix en se mettant dessous *(hypo)* ou refuser d'écouter en se mettant à côté *(para)* : d'où l'attitude d'adhésion dans la *foi [1] ou de refus dans l'éloignement [2].

Parfois ces mots traduisent les termes *peithomai*, *apeitheô*, qui signifient « se laisser persuader » ou « se rebeller », « se fier » ou « se défier de », être docile ou indocile, se soumettre ou résister [3].

[1] Gn 22,18; Ex 5,2; 1 S 15,22; Mt 8,27 (= Mc 4,41); Rm 1,5; 5,19; 10,16; 2 Co 10,5; Ph 2,8; He 11,8. — [2] Mt 18,17; Mc 5,36; Rm 5,19; 2 Co 10,6; He 2,2. — [3] Lc 1,17; Ac 5,29.32; 26,19; 27,21; Rm 1,30; 2,8; 10,21; 11,30-32; Ga 5,7; Ep 2,2; 5,6; He 3,18; 4,6.11; Jc 3,3.

→ alliance — confiance — écouter — fidélité — oreille — péché — volonté de Dieu.

[obole]

gr. *obolos*. Piécette grecque, valant 1/6e de *drachme et 8 pièces de cuivre (gr. *khalkos*).

→ monnaies.

œil

gr. *ophthalmos* (cf *opsomai* : « je verrai », *pros-ôpon* : « face, visage »), hb. *'ayin* : « source, œil », source des larmes [1]. Cet organe de la vision est un membre du corps [2]; l'œil et l'*oreille peuvent désigner la totalité de l'action humaine [3]. Il est l'un des biens les plus précieux de l'homme, comme l'indique le mot « pupille » qui est traduit en gr. *korè* : « fille de l'œil » [4] et en hb. *ichôn* : « petit homme de l'œil » [5]. Parmi les expressions où entrent les yeux, on peut relever les suivantes. « Ouvrir les yeux », c'est rendre la vue [6], délivrer des ténèbres spirituelles [7]; avoir les yeux ouverts, c'est reconnaître quelqu'un [8]. L'œil s'identifie au *cœur, pour désigner l'*esprit qui saisit quelque chose [9]. L'œil trahit l'homme intérieur, il est la « lampe du corps » [10] qui, laissant passer la lumière divine, empêche de chuter [11] et permet d'admirer les hauts faits de Dieu [12]; aussi parle-t-on d'un œil bon [13] et d'un œil mauvais [14], ainsi que de la convoitise des yeux [15]. « Lever les yeux », c'est devenir attentif à quelque chose [16] ou entrer en dialogue avec quelqu'un, avec Dieu même [17]. Jésus a ouvert les yeux des *aveugles pour symboliser l'accueil de la Bonne Nouvelle [18]. Heureux ces yeux-là! [19].

[1] Jr 8,23; Ap 21,4. — [2] 1 Co 12,16s. — [3] Is 6,11; Mt 13,14s; Mc 8,18. — [4] Ps 17,8; Lm 2,18. — [5] Dt 32,10. — [6] Mt 9,30; Jn 9,10.14. — [7] Is 42,7; Ac 26,18. — [8] Lc 24,31. — [9] Si 17,8; Lc 19,42; Ga 3,1; Ep 1,18. — [10] Mt 6,22s. — [11] Mt 15,14. — [12] Ps 118,23; Mt 21,42 (= Mc 12,11). — [13] Lc 11,34. — [14] Mt 20,15. — [15] Mt 5,29; 18,9; 2 P 2,14; 1 Jn 2,16. — [16] Mt 17,8; Lc 16,23; Jn 4,35; 6,5. — [17] Lc 6,20; 18,13; Jn 11,41; 17,1. — [18] Mt 9,29s; Mc 8,18.23.25; Jn 9. — [19] Mt 13,16 (= Lc 10,23).

→ aveugle — face — voir.

œuvres

En *travaillant (gr. *ergazomai*, *poieô*, *prassô*), l'homme produit des « œuvres » (gr. *erga*, pluriel de *ergon*), a une certaine « conduite » (gr. *praxis*); le mot « œuvre » connote une action qui a une portée religieuse.

1. Jésus accomplit les œuvres du Père [1], qui sont aussi les siennes [2]; seule la foi les perçoit à travers les *signes ou miracles de Jésus [3]. L'œuvre unique de Jésus est le salut des hommes par la croix [4]. Elle révèle le Père à travers le Fils [5].

[1] Jn 5,36. — [2] Jn 14,10. — [3] Jn 12,37. — [4] Jn 17,4. — [5] Jn 14,9s.

2. L'homme accomplit des œuvres bonnes et des œuvres mauvaises [6]. Jésus, lumière du monde, agit comme un révélateur des œuvres bonnes [7], en sorte que l'œuvre unique à accomplir est la foi en celui que Dieu a envoyé [8]. Dieu rétribue à chacun selon sa conduite [9]. Selon Paul, il faut savoir que ce ne sont pas les œuvres, mais la foi seule qui est source de la justification et du salut [10]; mais avec Jean et Jacques, il faut ajouter que la foi sans les œuvres est morte [11]; l'œuvre unique est la charité agissant par la foi [12].

[6] Mt 5,16; 23,3; Rm 8,13; Ga 5,19-21; Ap 2,2.5s.19.22s; 3,1s.8.15; 14,13; 18,6. — [7] Jn 3,19-21; Ep 5,6-14; 1 Jn 3,12. — [8] Jn 6,28s. — [9] Mt 16,27; 1 P

1,17; Ap 20,12s; 22,12. — [10] Rm 3,27s; 4,2.6; Ga 2,16; 3,2.5.10. — [11] Jc
2,14.17s.20-26; 1 Jn 3,18. — [12] Ga 5,14; 1 Th 1,3.

→ *Intr*. XIV.1.B. — justification — travailler.

offrande

gr. *prosphora*, de *pros-pherô* : « apporter ».

→ culte — présenter — sacrifice.

oindre

1. gr. *aleiphô* : « enduire » (d'huile, de parfum). Geste de portée
diverse : beauté et santé du corps [1], joie [2], marque d'honneur [3],
guérison d'un malade [4].

[1] Rt 3,3; 2 Ch 28,15; Mt 6,17. — [2] Jdt 10,3; Dn 10,3. — [3] Ps 23,5; Is 61,3;
Mc 16,1; Lc 7,38.46; Jn 11,2; 12,3. — [4] Mc 6,13; Jc 5,14 △.

2. gr. *khriô*, hb. *mâchah*, verbe réservé à la *consécration cultuelle.
L'usage relève peut-être du symbolisme reconnu au geste : l'*huile
pénètre tout, même la *pierre. Ainsi, par la consécration, un *roi,
un *prêtre, un *prophète, un *autel sont spécialement mis à part [5].
L'onction conférait au roi la force de l'Esprit [6], faisant de lui l' « Oint »
(hb. *machîah* = le *Messie) du Seigneur; le NT a appliqué à Jésus
les textes d'AT sur l'onction du roi-prêtre [7]. L'onction sacerdotale
n'est pas dite de Jésus, car il est Grand Prêtre, non comme *Aaron,
mais selon l'ordre de *Melchisédek [8]. Quant à l'onction prophétique, elle est attribuée à Jésus et mise en relation avec son baptême [9].
Enfin dans le chrétien, « oint » à son baptême, demeure l'huile d'onction (gr. *khrisma*), c'est-à-dire la Parole de Dieu, reçue du Christ
sous l'action de l'Esprit, ou encore l'Esprit Saint lui-même, par laquelle
il est instruit de toutes choses [10].

[5] Ex 30,29s; 1 S 10,1.6; 1 R 19,16. — [6] 1 S 16,13. — [7] Ps 2,2; 110,1; Ac 4,25-27;
He 1,8s. — [8] Lv 4,5; 8,12; He 5,5-10. — [9] Is 61,1; Lc 4,18-21; Ac 10,38; cf
Lc 3,21s. — [10] 1 Jn 2,20.27; cf Jn 14,26; 2 Co 1,21.

→ Christ — guérir — huile — Messie— parfum.

olivier

gr. *elaia*. Avec le figuier et la vigne, l'une des trois plantations caractéristiques de la Palestine [1]. Toujours vert, il symbolise volontiers le
juste [2] et la Sagesse qui révèle la voie de la justice [3].

[1] *Intr*. II,5; VII.1.A; Rm 11,17.24; Jc 3,12. — [2] Ps 52,10; Ap 11,4. — [3] Si
24,14.19-23 □.

→ *Intr*. II.5; VII.1.A. — greffe — huile.

Oliviers (mont des)

gr. *to oros tôn Elaiôn*, ou encore *oros kaloumenon Elaiôn* : « montagne dite Oliveraie [1] » (= Éléona). Crête de quelque 3 km à l'est de Jérusalem, à moins de 1 km des murs de la ville, au-delà de la vallée du *Kédron. Panorama splendide sur la ville et sur l'esplanade du Temple. Près du Kédron. se trouve *Guethsémani ; au sommet méridional, *Bethphagué (812 m) ; sur le versant opposé, à l'est, *Béthanie. La voie romaine de Jéricho à Jérusalem passe par le mont des Oliviers. Au temps de Jésus, la colline était couverte d'une épaisse forêt d'oliviers, propice à la retraite solitaire [2].

[1] Mt 21,1 (= Mc 11,1) ; 24,3 (= Mc 13,3) ; 26,30 (= Mc 14,26 = Lc 22,39) ; Jn 8,1. — [2] Lc 19,29 ; 21,37 ; Ac 1,12 □.

→ *Carte* 1.

ombre

1. gr. *skia*. Se réfère à une double expérience : en tant qu'absence de lumière, elle équivaut aux *ténèbres de mort [1] ; en tant qu'elle suppose la *lumière, tout en préservant de l'ardeur du soleil [2], elle symbolise la présence de Dieu et de sa puissance, par mode de protection [3]. De là, le verbe *episkiazô* : « couvrir de son ombre » [4].

[1] Is 9,1 ; Mt 4,16 ; Lc 1,79. — [2] Jb 7,2 ; Jon 4,5s ; Mc 4,32 ; cf Ap 7,15s. — [3] Ps 17,8 ; 91,1 ; Is 4,5s ; 25,4s ; 49,2 ; Ez 31,6 ; He 9,5. — [4] Ex 40,35 ; Nb 9,18.22 ; Sg 19,7 ; Mt 17,5 ; Lc 1,35 ; 9,34 ; Ac 5,15 △.

2. Dans un autre contexte de pensée, l'ombre s'oppose à la réalité *(sôma)* comme la figure à la chose représentée [5].

[5] Col 2,17 ; He 8,5 ; 10,1 △.

→ mort — nuée — nuit — ténèbres.

oméga

→ alpha et oméga.

onction

→ oindre.

Onésime

gr. *Onèsimos* : « utile, profitable, avantageux ». Esclave en faveur de qui Paul intercède dans le billet envoyé à *Philémon, probablement son maître [1].

[1] Col 4,9; Phm 10 □.

→ Archippe — Philémon.

or

gr. *khrysos*. Connu depuis l'Antiquité en Israël, qui l'importait surtout d'Arabie méridionale, ce métal précieux servait de monnaie; nullement indispensable, il était jugé périssable [1]. Il signifie pourtant ce qui est beau, riche, glorieux, valable et durable [2].

[1] Qo 12,6; Mt 10,9; Ac 3,6; 20,33; 1 Co 3,12; 1 Tm 2,9; Jc 2,2; 5,3; 1 P 1,7.18; 3,3. — [2] Mt 2,11; 23,16s; Ac 17,29; 2 Tm 2,20; He 9,4; Ap 1,12s; 3,18.

→ argent — richesse.

oracle

Réponse de la divinité à l'homme qui la consulte. Le NT signale cette pratique divinatoire (gr. *manteuomai*) [1], mais n'utilise le terme propre *khrèmatismos* que dans le sens de *révélation faite par Dieu [2]; avec le verbe *khrèmatizô*, cette révélation prend parfois l'allure d'une monition, d'où souvent la traduction : « divinement averti par... », mais il s'agit simplement d'une instruction : à Joseph, à Siméon, à Corneilie, à Moïse, à Noé ou aux hommes, Dieu révèle sa volonté, sans en avoir été prié [3]. En dehors de ces cas, la traduction française « oracle » ajoute une dimension que le NT lui-même semble avoir voulu éviter, d'autant que la *Septante, qu'il suit d'ordinaire, n'a alors pas repris le terme *khrèmatizô*, mais a conservé le verbe « parler » (gr. *legô*, hb. *dibbèr*). Sans doute le contexte peut-il une fois, avec le gr. *logia*, suggérer cette interprétation [4], mais il est inutile de conférer à la simplicité biblique une tonalité magique qui en a été écartée [5].

[1] Ac 16,16 △. — [2] Rm 11,4 △. — [3] Mt 2,12.22; Lc 2,26; Ac 10,22; He 8,5; 11,7; 12,25 △. — [4] Ac 7,38. — [5] Mt 2,17; 12,17; 13,35; 21,4; 22,31; 27,9; Rm 3,2; He 5,12.

→ magie — révélation — songe.

ordre

1. Pour le NT comme pour l'AT, Dieu a créé l'univers « avec mesure, nombre et poids » [1]. Paul, s'adressant aux païens, évoque cette ordonnance, comment Dieu a défini des temps fixes, des saisons, etc [2].

[1] Sg 11,20. — [2] Ac 14,17; 17,24-27.

2. gr. *taxis*, *tagma*. L'assemblée des chrétiens, même comptant des *charismatiques, doit se tenir décemment dans l'ordre [3].

[3] 1 Co 14,40; 15,23; cf Col 2,5.

3. « Selon l'ordre de *Melchisédek » signifie « à la manière de Melchisédek », pour distinguer deux genres de *sacerdoce [4]. Cette expression n'a rien à voir avec le « pouvoir d'ordre ».

[4] He 5,6.10; 6,20; 7,11.17 △; cf Ps 110,4.

oreille

gr. *ous*. La partie du corps qu'on appelle « oreille » [1] symbolise la compréhension, avec la nuance propre qui la distingue de l'*œil, à savoir : *écouter, c'est *obéir. « Avoir des oreilles » [2], c'est être apte à comprendre, mais c'est aussi pouvoir se les boucher et les « rendre incirconcises » [3] pour ne pas vouloir entendre et comprendre [4]. Pour appeler à l'attention, on invite à « se mettre des paroles dans les oreilles » (gr. *en-ôtizomai*) [5], on cherche à les y « introduire » [6]. Si Jésus a « ouvert les oreilles » des *sourds [7], c'est pour symboliser l'action de Dieu qui « éveille l'oreille » [8], en sorte que des paroles peuvent « s'accomplir aux oreilles » [9] : la parole devient un événement actuel. Ces oreilles peuvent être « *béatifiées », et, jointes aux yeux [10], désignent l'être en sa totalité. Par opposition à la proclamation sur les toits, on peut parler ou entendre au creux de l'oreille, dans le secret [11]. Toujours il s'agit de *révélation et de *sagesse : l'oreille s'identifie même au *cœur [12].

[1] 1 Co 12,16. — [2] Mt 11,15; 13,9; Mc 7,16; Ap 2,7. — [3] Jr 6,10; Ac 7,51. — [4] Is 6,10; Mt 13,15; Ac 28,27. — [5] Is 28,23; Ac 2,14 △. — [6] Jr 9,19; Lc 9,44. — [7] Is 35,5s; Mt 11,5 (= Lc 7,22); Mc 7,34s. — [8] Ps 40,7; Is 50,4s; cf He 10,5. — [9] Lc 4,21; cf 1,44. — [10] Mt 13,16. — [11] Mt 10,27 (= Lc 12,3). — [12] 1 R 3,9; Pr 23,12.

→ écouter — obéir.

orge

gr. *krithè*. Graminée abondante en Palestine, moissonnée au printemps; l'offrande d'une gerbe d'orge en *prémices inaugurait les *sabbats des fêtes pascales. Moins cher que le *blé, elle servait à faire le pain des pauvres [1].

[1] Lv 23,15; Rt 3,15; 2 R 4,42; Jn 6,9.13; Ap 6,6 □.

orgueil

1. Une série de termes grecs évoque une image de hauteur, soit directement par le mot *hypsoô* : « élever » (par ex. soi-même) [1], être hautain [2], soit à l'aide du préfixe *hyper* (au-dessus) mis devant *aïrô*, lever [3], devant *(è)phania* : apparence recherchée à l'opposé de l'humilité [4], devant *phroneô*, estimer [5], devant *ogkos*, volume [6].

[1] Mt 23,12; Lc 1,52; 2 Co 10,5. — [2] Rm 11,20. — [3] 2 Co 12,7; 2 Th 2,4 △. — [4] Mc 7,22; Lc 1,51; Rm 1,30; 2 Tm 3,2; Jc 4,6; 1 P 5,5 △. — [5] Rm 12,3 △. — [6] 2 P 2,18; Jude 16 △.

2. Une autre image est celle du gonflement obtenu par l'action de souffler, d'où gonfler, boursoufler, en gr. *physioô* (rattaché à *physaô*) [7]. On pourrait lui apparenter celle de *typhoô* : « envahir de fumée », aveugler des fumées de l'orgueil [8].

[7] 1 Co 4,6.18s; 5,2; 8,1; 13,4; 2 Co 12,20; Col 2,18 △. — [8] 1 Tm 3,6; 6,4; 2 Tm 3,4 △.

3. La vantardise, la fanfaronnade (*alazoneia* [9]; cf le *miles gloriosus* de Plaute), est indiquée par les mots *kaukhèsis* et *kaukhèma*, pris au sens péjoratif : l'homme se vante, parce qu'il établit son assurance et sa *confiance en soi-même [10], tandis que la *fierté authentique a son fondement en Dieu seul [11].

[9] Rm 1,30; 2 Tm 3,2; Jc 4,16; 1 Jn 2,16 △. — [10] Ps 49,7; Rm 3,27; 4,2; 11,18; 1 Co 1,29; 4,7; 5,6; Jc 3,14. — [11] Si 50,20; Jr 9,22s; 1 Co 1,31; 3,21; 2 Co 10,8-17; 11,10-30; Ga 6,14; Ep. 2,9.

→ confiance — fierté — humilité.

orient

lat. *oriens* (participe présent de *oriri* : « se lever »), gr. *anatolè* (de *ana-tellô* : « faire se lever ») : « le levant, l'est ».

1. Un des quatre points cardinaux. « S'orienter », c'est faire face au soleil levant [1], ainsi les *mages face à l'astre [2], c'est avoir à sa droite le sud (le *Néguev), derrière soi l'ouest (la *mer); à sa gauche le nord (région cachée).

[1] Ez 43,1; Ap 21,13. — [2] Mt 2,2.9.

2. Une région située à l'est de la Palestine, la Transjordanie [3], là où

399

se trouvent « les fils de l'Orient » [4], ou plus loin encore [5]. De cette région peut venir exceptionnellement le malheur [6], ordinairement le bonheur, comme la gloire du Dieu d'Israël [7].

[3] Nb 32,19. — [4] Jg 6,3. — [5] Mt 2,1; 8,11 (= Lc 13,29); 24,27. — [6] Ap 16,12. — [7] Ez 43,2; Ap 7,2; cf 2 P 1,19.

3. En métaphore, pour désigner la lumière qui succède aux ténèbres [8], l'astre ou le soleil de justice [9].

[8] Is 8,23—9,1; Mt 4,16. — [9] Lc 1,78; cf Ml 3,20.

→ astres — matin — midi — soleil.

orphelin

gr. *orphanos*. Selon l'AT, le secours aux orphelins, les plus démunis des êtres avec les *veuves et les *étrangers résidants, est un acte de *piété prescrit par la Loi [1], un signe de *justice [2], qui peut caractériser la religion sincère [3]. Le sens métaphorique « privé de chef » est repris dans le discours après la Cène, avec une note de tendresse [4].

[1] Dt 14,29. — [2] Jb 29,12. — [3] Jc 1,27. — [4] Jn 14,18 □; cf Lm 5,3.

os

gr. *osteon* : « os, ossements [1] ». L'expression « *chair et os » désigne le corps terrestre en sa totalité, ce qui permet à l'homme d'entrer en relation avec autrui, d'où la signification d'une étroite parenté [2]; le Ressuscité n'est pas un fantôme, puisqu'il peut entrer en relation visible avec ses disciples [3]. Jésus en croix est le véritable *agneau pascal dont on ne doit pas briser les os [4].

[1] Mt 23,27; He 11,22. — [2] Gn 2,23; 29,14; Jg 9,2; 2 S 19,13. — [3] Lc 24,39. — [4] Ex 12,10.46; Nb 9,12; Ps 34,21; Jn 19,33 □.

→ chair — corps.

Osée

hb. *hôchéaʿ* (contraction de *yᵉhôchuaʿ* : « Yahweh sauve »). *Prophète du VIIIᵉ s. av. J.C., pendant la décadence du royaume du Nord. Quoique son auteur soit nommé une seule fois dans le NT [1], le livre d'Osée appartient à la *Bible que l'Église consultait volontiers pour se comprendre. Non seulement a été retenue son admirable parole sur la *miséricorde supérieure au *sacrifice [2], mais aussi il a permis de rappeler la menace qui pèse sur les pécheurs [3], de comprendre que l'Église est faite des deux peuples [4] et de proclamer sa confiance en Dieu vainqueur de la mort [5].

[1] Rm 9,25. — [2] Mt 9,13; 12,7 (= Os 6,6). — [3] Lc 23,30 (= Os 10,8); cf Ap 6,16. — [4] Rm 9,25s (= Os 2,1.25); 1 P 2,10 (= Os 1,6.9; 2,3.25). — [5] Mt 2,15 (= Os 11,1); 1 Co 15,55 (= Os 13,14) □.

→ *Intr*. XII. — Bible — prophète — *Tableau*, p. 76.

oui

gr. *naí*. En plus des nombreux cas où le Oui introduit ou signifie une réponse affirmative à une question [1], réponse qui doit dire les sentiments intérieurs [2], quelques usages sont notables. Le Oui équivaut parfois à un *Amen, sanctionnant une affirmation par une référence à une conviction secrète [3]; dans ce sens le Oui dit par Jésus au Père [4] ou par l'Esprit à l'Église [5]. Davantage, en Jésus les *promesses divines ont leur Oui [6], en Jésus se fonde et se trouve le Oui [7].

[1] Mt 9,28; 13,51; 17,25; 21,16; Jn 11,27; 21,15s... — [2] Mt 5,37; 2 Co 1,19; Jc 5,12. — [3] Mt 11,9 (= Lc 7,26); Lc 11,51; 12,5; 2 Co 1,20; Ap 1,7. — [4] Mt 11,26 (= Lc 10,21). — [5] Ap 14,13. — [6] 2 Co 1,20. — [7] 2 Co 1,19.

→ amen — serment — vérité.

outre

gr. *askos*. Peau de chèvre, cousue en forme de sac, destinée à contenir, transporter, conserver quelque liquide. Une outre ayant contenu une fois du *vin nouveau, ne pouvait plus en recevoir, une deuxième fermentation la faisant éclater [1].

[1] Jb 32,19; Mt 9,17 (= Mc 2,22 = Lc 5,37s) □.

P

pagne

gr. *zônè*. Sorte de kilt en tissu, ou tablier de peau drapé autour des reins, plus ou moins long. Ancien costume des *Cananéens, il était devenu un vêtement de dessous, correspondant au caleçon. Dans le cas de Jean Baptiste, il peut s'agir soit d'une ceinture serrant le *manteau, soit de la tenue prophétique, c'est-à-dire d'un pagne et d'un manteau [1].

[1] 1 S 2,18; Jr 13,1s; Mt 3,4 (= Mc 1,6); cf 2 R 1,8; Za 13,4 □.

→ ceinture — vêtement.

païen

Du lat. *paganus* : « campagnard », appellation des non-chrétiens lorsqu'ils durent se retirer dans un district rural *(pagus)* par suite de l'expansion du christianisme dans le monde romain. Le terme gr. *ethnikos* (dérivé de *ethnè* : « nations ») désigne le non-juif [1]. Les païens (gr. *hoï ex ethnôn*) se distinguent du *peuple élu en ce qu'ils ne connaissent pas Dieu [2], mais ils peuvent être donnés en exemple [3] : ils sont, eux aussi, menés par Dieu [4] et même appelés à la foi [5]. La distinction juifs/païens survit durant l'existence de l'Église qui anticipe leur réconciliation [6].

[1] Is 8,23; Mt 5,47; 6,7; 18,17; 3 Jn 7; cf Ga 2,14 □. — [2] Ga 2,15; Ep 2,11s; 1 Th 4,5. — [3] Mt 5,47; Rm 15,9-12. — [4] Is 45; Mt 8,10; Ac 14,16. — [5] Lc 13,28; Ac 11,1.18; Ap 12,5; 15,4; 21,24. — [6] Rm 9—11; Ep 2,11-21.

→ *Intr.* I.3.C; III.2.G; IV.6-7; VI.1.B. — Gentils — nations.

pain

gr. *artos*.

1. Aliment fait avec de la farine d'*orge (plus ordinaire que le froment de *blé) et du *levain. Cuit sur une plaque ou au four, il recevait une forme de disque (pouvant servir d'assiette) ou de miche; il ressemblait à une pierre [1]. Il est ce dont on ne peut se passer, la nourriture fondamentale [2], au point qu'il est souvent synonyme de *repas [3]. Il n'est jamais coupé au couteau, mais rompu avec la main en vue du partage : partager le pain, c'est le donner [4], c'est souder et signifier l'union des convives [5].

[1] Mt 7,9 (= Lc 11,11); cf 4,3 (= Lc 4,3). — [2] Am 4,6; Mc 3,20; Lc 11,5; 15,17. — [3] Lc 14,15; Ac 2,42. — [4] Is 58,7; Jr 16,7. — [5] Ps 41,10; Mt 14,19 (= Mc 6,41 = Lc 9,16 = Jn 6,11); 26,26 (= Mc 14,22 = Lc 22,19 = 1 Co 11,23); Jn 13,18; 1 Co 10,16.

2. Le pain dont l'homme a besoin chaque jour, Dieu le donne à celui qui l'en prie [6]. *Manne céleste qui rassasie [7], il *figure la nourriture *eschatologique, le don définitif [8].

[6] Mt 6,11 (= Lc 11,3); 2 Co 9,10. — [7] Mt 14,20 (= Mc 6,42 = Lc 9,17 = Jn 6,13; cf 6,26). — [8] Ps 78,23-25; Is 30,23; Jr 31,12; Lc 22,16; Ap 2,17.

3. *Métaphore privilégiée, il dit la *Parole de Dieu, vraie vie de l'homme [9], déjà préfigurée par la *manne. Jésus en personne est « le pain de la vie », seul vivifiant [10], celui qu'il a donné à ses disciples la veille de son *sacrifice [11]. En le distribuant à la foule dans le désert, Jésus apprend à ses disciples comment donner en surabondance la Parole et l'*eucharistie [12].

[9] Dt 8,3; Am 8,11; Mt 4,4 (= Lc 4,4). — [10] Jn 6,35-47. — [11] Mt 26,26 (= Mc 14,22 = Lc 22,19 = 1 Co 11,23). — [12] Mt 14,13-21 (= Mc 6,32-44 = Lc 9,10-17); 15,32-38 (= Mc 8,1-9); Jn 6,1-15.

→ azymes — eucharistie — fraction du pain — manne — repas.

pains de l'offrande

gr. *artoï tès protheseôs* : « pains déposés devant » la face de Yahweh, au nombre de douze, placés sur une table (non celle de l'*autel, mais dans le *Saint) et renouvelés chaque *sabbat par les prêtres qui les consommaient. L'origine du rite très ancien des « pains de proposition » reste très controversée [1].

[1] Lv 24,5-8; Mt 12,4 (= Mc 2,26 = Lc 6,4); He 9,2 □.

paix

gr. *eirènè*, hb. *châlôm*. Tranquille possession des biens [1], du bonheur [2] et avant tout de la santé [3]. Non seulement absence de guerre [4] et de désordre [5], mais entente cordiale [6], rendue possible par le Dieu de la paix qui instaure ainsi son *règne [7] et qui annonce le *Messie, prince de la paix [8]. Par son sang versé, Jésus Christ a *réconcilié les hommes avec Dieu et entre eux [9]. La paix qu'il donne n'est pas celle du *monde [10], mais celle qui accompagne le don du Saint Esprit [11] et qui persiste même dans la *persécution [12]. Aussi le chrétien, artisan de la paix [13], aime-t-il souhaiter la paix, notamment dans ses salutations [14].

[1] Lc 11,21; Ac 24,2. — [2] Jg 19,20; Ps 73,3. — [3] 2 S 18,32; Ps 38,4; Is 57,19. — [4] Qo 3,8; Lc 14,32; Ac 12,20; Ap 6,4. — [5] 1 Co 14,33. — [6] 1 R 5,26; Mc 9,50; Ac 7,26; Rm 12,18; Ep 4,3; Jc 3,18. — [7] Ps 85,9-14; Rm 14,17; 2 Co 13,11. — [8] Is 9,5s; Lc 1,79; 2,14; 19,42; Ac 10,36; Ep 2,17; 6,15. — [9] Ep 2,14-22; Col 1,20; Ap 1,4; cf 2 Co 5,18-20. — [10] Jr 6,14; 8,11; Mt 10,34 (= Lc 12,51); Jn 14,27. — [11] Jn 20,19-23; Ga 5,22. — [12] Jn 16,33. — [13] Mt 5,9. — [14] Lc 7,50; 10,5; Rm 1,7; 1 Co 1,3; 2 Co 1,2; Ga 1,3; Ep 1,2; Col 3,15; 1 P 1,2; 5,14.

→ réconcilier — repos — salut.

[Palestine]

gr. *hè Palaistinè (Syria)*, hb. *pᵉlèchèt*. Originairement, le pays des Philistins (qui n'en occupèrent cependant qu'une petite partie); ensuite région intégrée en 65 ap. J.C. à la province romaine de *Syrie; enfin, à partir de 139 ap. J.C., province romaine de Judée.

→ *Intr.* I.1; II; III.1-2. — *Carte* 4.

palmier

Jadis abondant dans la vallée du Jourdain, le palmier-dattier (gr. *phoinix*, hb. *tâmâr*) était tenu pour sacré et on le représentait en motif sur le Temple et sur certaines synagogues [1]. Image du juste, de la beauté, de la sagesse [2]. On en agitait les rameaux (gr. *baïon*), en signe de joie, à la fête des *Tentes [3] ou pour le triomphe d'un chef victorieux [4].

[1] Jg 4,5; 1 R 6,29-35; Ez 40,16. — [2] Ps 92,13; Ct 7,8; Si 24,14. — [3] Lv 23,40. — [4] 1 M 13,37.51; Jn 12,13; Ap 7,9 □.

→ *Intr.* II.5.

Paphos

→ Chypre.

Pâque

gr. *pascha*, hb. *pèsah*, ar. *pashâ* (étymologie discutée : « apaisement »,
« coup » frappant les premiers-nés, « sauter par-dessus » les maisons
des Hébreux). Désigne aussi bien la fête que l'agneau immolé.

1. *Pâque juive.* La principale solennité d'Israël commençait en avril
au soir du 14 nisan (dernier jour avant la pleine lune qui suit l'équinoxe de printemps) et se prolongeait durant sept jours, la semaine des
*Azymes [1]. L'antique fête nomade du printemps (les bergers offraient
les prémices du troupeau) avait été transformée en commémoration
de l'événement fondateur du peuple : Yahweh faisant sortir les
Hébreux d'Égypte à travers la mer des Roseaux [2]. Tout juif devait,
en principe, aller en *pèlerinage à Jérusalem célébrer la *fête par
excellence de la Pâque, ce qu'a fait Jésus.

Selon le rituel probablement en vigueur au temps de Jésus, le repas
pascal était préparé à la fin de l'après-midi du 14 nisan. On ne pouvait
consommer du pain fermenté pendant les sept jours qui suivaient.
Chaque famille devait immoler au Temple un agneau (ou un *chevreau) mâle d'un an, sans défaut. Son *sang était soigneusement
recueilli, puis, avec une branche d'*hysope, on en marquait les mon-
tants et le linteau de la porte des maisons. Ensuite l'agneau était rôti
entier sans qu'on lui brisât aucun os [3]. Puis, en nombre suffisant, les
convives se réunissaient de préférence dans la chambre haute, ornée
de tapis pour la circonstance. Le repas était inauguré par une *coupe
de vin sur laquelle le président prononçait deux bénédictions et
qu'ensuite on faisait circuler autour de la table. Une bassine d'eau
passait de main en main pour permettre aux participants de se *purifier avant la manducation de la Pâque. Pendant que circulait une
seconde coupe de vin, le président expliquait au plus jeune des convives
la signification des différents rites. L'agneau est celui qui a détourné
des maisons des Hébreux l'Ange exterminateur, avant la sortie
d'Égypte ; le pain sans levain est celui que les Hébreux avaient emporté
à la hâte, en fuyant d'Égypte, sans qu'il ait eu le temps de fermenter [4].
Puis, après le chant du début du *Hallel [5], le président du repas prenait les pains, les rompait et les distribuait aux convives. On mangeait
l'agneau pascal avec des herbes amères et des morceaux de pain azyme
trempés dans du *harosèt* (compote de figues et de raisins cuits dans du
vin, qui symbolisait les briques fabriquées par les Hébreux pendant
leur servitude en Égypte). L'agneau pascal devait être mangé tout
entier et ses restes brûlés avant le lever du jour. On buvait alors la
coupe de bénédiction, puis on entonnait la fin du Hallel [6]. Une dernière coupe de vin clôturait le repas. On se séparait, mais sans quitter

la maison dont il n'était pas permis de sortir pendant toute la nuit pascale.

¹ Ex 12,15-20. — ² Ex 12,11-14.23; He 11,27. — ³ Jn 19,33. — ⁴ Ex 12,17-20. — ⁵ Ps 113—114. — ⁶ Ps 115-118; Mc 14,26.

2. *La Pâque chrétienne* célèbre la résurrection de Jésus qui eut lieu au premier jour de la semaine après le 14 nisan, c'est-à-dire le *dimanche [7]. Elle est en outre commémoration de l'acte sacrificiel de Jésus et anticipation de la fête *eschatologique [8]. Paul identifie le Christ à la victime pascale et déduit du rituel des Azymes des conséquences sur la vie pascale de sainteté et de pureté des chrétiens [9].

⁷ Lc 24,1; Ac 20,7; 1 Co 16,2; Ap 1,10. — ⁸ 1 Co 11,26. — ⁹ 1 Co 5,6-8; cf Ap 5,6; 13,8.

→ *Intr.* VI.4.C.b; XIII.3.B. — azymes — cénacle — Cène — eucharistie — fête — mémoire — repas — résurrection — sacrifice.

parabole

1. Plusieurs termes caractérisent le mode littéraire qui procède par comparaison et par énigme. Les mots grecs *parabolè* (*para* et *ballô* : « mettre en parallèle ») et *paroïmia* correspondent à l'hb. *mâchâl* et *hîddâ*, de portée plus vaste. Ceux-ci désignent en effet non seulement la comparaison développée, mais aussi l'énigme, la comparaison allégorisante, dont le but n'est pas simplement de fournir une illustration, mais d'inviter à chercher une signification.

2. Les *Synoptiques appellent parabole parfois une sentence ou un proverbe [1], ordinairement une comparaison développée en un récit agréable à entendre : ainsi les paraboles du Règne, les vignerons homicides, le festin de noces, le figuier, Satan expulsant Satan, la paille et la poutre, l'homme riche, le serviteur vigilant, le figuier stérile, l'invitation au repas, la brebis perdue, le juge inique et la veuve, le pharisien et le publicain, les mines [2]. Isolés de leur contexte, les différents éléments de ces paraboles n'ont pas de sens; ils convergent sur un seul enseignement.

¹ Mt 15,15 (= Mc 7,17); Lc 4,23; 5,36. — ² Mt 13 (= Mc 4 = Lc 8); 21,33-45 (= Mc 12,1-11 = Lc 20,9-18); 22,1-14 (= Lc 14,15-24); 24,32 (= Mc 13,28 = Lc 21,29); Mc 3,23; Lc 6,39; 12,16; 12,41; 13,6; 14,7; 15,3; 18,1; 18,9; 19,11.

3. Jn préfère le terme grec *paroïmia*, qu'il oppose volontiers à *parrèsia* : « liberté de langage » [3], conférant au mot un sens plus énigmatique que « parabole ». Il faut noter cependant que *paroïmia* est employé en outre au sens de proverbe [4]. En raison du contenu, on est porté à rapprocher les paraboles johanniques des *allégories, dans lesquelles, contrairement aux paraboles, les divers détails ont chacun une signification propre : le bon pasteur, la vraie vigne [5].

[3] Jn 16,25.29. — [4] 2 P 2,22. — [5] Jn 10,6; 15,1-6.

4. Le mot *parabolè* est aussi employé au sens de *symbole ou de *figure [6].

[6] He 9,9; 11,19.

→ allégorie — enseigner — mystère — révélation — sagesse.

Paraclet

gr. *paraklètos*, mot johannique apparenté à *paraklèsis* : « consolation »; mais avec un sens différent; il se rattache à *parakaleô* pris au sens de « appeler près de soi »; ce terme juridique désigne celui qui est « appelé à côté » (gr. passif de *parakaleô*, lat. *ad-vocatus*) d'un accusé pour le défendre ou l'aider. Cette fonction est exercée par l'Esprit Saint en faveur du Christ dans le cœur des disciples [1] ou par le Christ devant le Père en faveur des disciples [2]. Le Paraclet désigne trois aspects de l'activité de l'Esprit Saint : présence de Jésus [3], défense de Jésus [4], mémoire vivante de l'Église qui lui permet d'actualiser ce qu'a dit Jésus [5].

[1] Jn 14,16. — [2] 1 Jn 2,1. — [3] Jn 14,15-17. — [4] Jn 15,26; 16,7. — [5] Jn 14,26 □.

paradis

Le gr. *paradeisos* (dérivé du perse, cf hb. *pardés* : « parc ») traduit l'hb. *gân* : « jardin ». En accord avec ceux qui imaginaient l'existence des dieux telle l'heureuse vie des gens fortunés d'ici-bas, l'Éden caractérise le paradis originel [1], le paradis de délices [2], le paradis de Dieu [3], celui où l'on espère vivre avec Dieu « au plus haut des cieux » [4]. Le judaïsme y voyait le lieu caché où les morts attendent la résurrection, séjour transformé pour le bon larron de Luc par la perspective d'être « avec Jésus » [5].

[1] Gn 2,8. — [2] Gn 3,23s; Ez 31,9; Jl 2,3. — [3] Ez 28,13; Ap 2,7. — [4] 2 Co 12,4. — [5] Lc 23,43 □.

→ ciel — enfers.

[parallèle]

Terme de critique littéraire désignant un passage d'évangile ressemblant étroitement au passage d'un autre évangile, ordinairement synoptique. Les textes parallèles sont indiqués par le sigle =.

→ doublet — synoptique.

Parascève

Du gr. *Paraskeuè*, de *para-skeuazô* : « mettre en état, préparer »[1].

[1] Mt 27,62; Mc 15,42; Lc 23,54; Jn 19,14.31.42 □.

→ Préparation.

pardonner

gr. *aphièmi* : « laisser aller, laisser libre→», hb. *kippèr* : « couvrir », *nâsâ* : « supprimer », *sâlah* : « pardonner ». Rétablir la relation entre deux êtres, rompue à cause d'une offense.

1. Dès l'AT, Dieu est avant tout un Dieu de pardon[1]; son cœur n'est pas comme celui de l'homme[2]; du pécheur, il veut la *conversion[3]. Lorsqu'il a pardonné, le *péché est ôté, détruit, jeté derrière, il n'existe plus[4], même si l'homme continue à se souvenir qu'il a été pécheur. Voilà ce que Dieu a fait en Jésus Christ[5].

[1] Ne 9,17. — [2] Os 11,8s. — [3] Ez 18,23. — [4] Ex 32,32; Is 1,18; 6,7; 38,17. — [5] Rm 3,21-26; 2 Co 5,19.

2. Jésus ne s'est pas contenté d'annoncer le pardon du Père miséricordieux. Il remet les péchés dès son ministère terrestre[6]. Envoyé par Dieu pour *expier les péchés[7], il donne sa vie et verse son *sang[8]. Ainsi il opère la *réconciliation entre Dieu et les hommes[9]. Ressuscité, il confie à ses disciples la mission d'annoncer le pardon[10] et le pouvoir de pardonner en son nom[11].

[6] Mt 9,1-8 (= Mc 2,1-12 = Lc 5,17-26); Lc 7,36-50. — [7] He 2,17; 1 Jn 4,10. — [8] Mt 26,28; Mc 10,45; Lc 22,20; 1 P 2,24; 1 Jn 1,7. — [9] Rm 5,10s; 2 Co 5,18-20; Ep 2,16. — [10] Lc 24,47; Ac 5,31; 10,43; 13,38s. — [11] Jn 20,23; cf Mt 16,19; 18,18.

3. Pour être fils du Père céleste, le croyant doit imiter Dieu et pardonner sans cesse[12].

[12] Mt 5,23s.43-48; 6,12-15 (=Mc 11,25=Lc 11,4); 18,21-35.

→ conversion — dette — expier — péché — réconcilier.

parfait

gr. *teleios* (de *telos* : « fin »). Étymologiquement, l'épithète s'applique à des êtres limités dont on dit qu'ils sont complets, achevés, sans défaut et jouissent de l'intégrité physique et morale [1]. Si la Bible proclame que les œuvres de Dieu sont parfaites [2], elle ne dit jamais (à la différence des Grecs) que Dieu est parfait, sauf en Mt 5,48 où Jésus invite à « être parfaits comme Dieu est parfait ». Certains critiques attribuent à Mt cette hellénisation du qualificatif « *miséricordieux » que Lc a maintenu dans le même contexte [3]. D'autres y lisent un anthropomorphisme décalqué sur le commandement de l'AT : « Soyez saints parce que je suis saint » [4]. Mt met en Dieu l'idéal de la perfection proposée aux croyants : ne pas se complaire dans la pratique de la Loi, mais aimer tous les hommes [5], donner ses biens aux pauvres [6]. Même si l'on n'est plus un débutant, un « bébé » [7], la perfection nouvelle [8] est non seulement menacée, mais relative à un état qui ne sera acquis qu'au ciel dans l'*Homme parfait [9]. Et cependant, grâce à Jésus qui a été rendu parfait [10], le croyant doit tendre à la perfection [11]. Le même idéal est visé à l'aide de la négation d'une impureté (gr. *a-mômos* : « sans tare ») [12] ou d'une conduite blâmable (gr. *a-memptos* : « sans reproche ») [13].

[1] Gn 17,1; Lv 22,22; Dt 18,13. — [2] Dt 32,4; 2 S 22,31; Ps 19,8; Rm 12,2; Jc 1,17.25; 1 Jn 4,12. — [3] Lc 6,36. — [4] Lv 19,2; 1 P 1,15s. — [5] Mt 5,20.48. — [6] Mt 19,21. — [7] 1 Co 3,1; He 5,14. — [8] 1 Co 2,6; 14,20; Ph 3,15; Col 4,12. — [9] Ep 4,13; Ph 3,12. — [10] He 2,10; 5,9; 7,28; 12,2. — [11] Col 1,28; He 6,1; 10,14; Jc 1,4; 3,2; 1 Jn 4,18. — [12] Ep 1,4; 5,27; Ph 2,15; Col 1,22; He 9,14; 1 P 1,19; 2 P 3,14; Jude 24; Ap 14,5 △. — [13] Lc 1,6; Ph 2,15; 3,6; 1 Th 3,13; 5,23; He 8,7s △.

→ accomplir — amour — plénitude — pur — saint.

parfum

gr. *osmè* : « odeur », *euôdia* : « bonne odeur », *thymiama, myron* : « parfum ».

1. Indispensables en Israël, comme dans tout l'Orient antique [1], pour la vie sociale et religieuse, les parfums sont des résines importées surtout d'Arabie et d'Afrique orientale, simples (= aromates) ou mélangées à de l'huile. De la trentaine de parfums cités dans l'AT, le NT mentionne *aloès, amome, *aromates, cinnamome, *encens, *myrrhe, *nard.

[1] Ap 18,13.

2. Parfumer la tête de son *hôte est un geste traditionnel d'accueil [2]; dans les *ensevelissements, l'*onction est un hommage rendu au mort [3].

[2] Lc 7,46. — [3] Mt 26,7.12 (=Mc 14,3.8=Jn 12,3.7); Mc 16,1.

3. Dans le *culte, le parfum qui s'exhale en brûlant symbolise la

*prière [4]. D'où l'antique expression « sacrifice de bonne odeur » [5], pour désigner l'offrande du Christ [6] ou la générosité du croyant [7]. De là aussi le rayonnement de ceux qui sont oints au baptême [8].

[4] Lc 1,9; He 9,4; Ap 5,8. — [5] Gn 8,21. — [6] Ep 5,2. — [7] Ph 4,18. — [8] 2 Co 2,15.

→ *Intr.* VIII.1.C.b. — aromate — autel — encens — huile — jeûne — joie — oindre.

parole

gr. *logos* (parfois *rhèma*), hb. *dâbâr*. Deux notes principales caracté risent la parole, selon la Bible qui s'accorde avec la mentalité orientale Parole et réalité sont indissolublement unies, au point que *dâbâr* signifie aussi bien parole (récit, commandement) que chose (réalité, affaire). Point de parole qui ne soit réalité, point de réalité qui soit communicable sans parole. En outre, parole et action sont liées : parler, c'est agir, ce qui est vrai avant tout de Dieu qui crée par sa parole.

1. *La parole de Dieu*, qui produit ce qu'elle annonce [1], est vivante et efficace [2]. Elle révèle le sens de la création et devient *commandement salutaire [3]; elle promet le salut à ceux qu'elle interpelle [4].

[1] Ps 33,9; Sg 9,1; Is 55,10s. — [2] He 4,12. — [3] Ex 20,1-17; Ps 119. — [4] Ac 13,26.

2. *Jésus*, à la différence des *prophètes, n'introduit pas ses paroles en évoquant la Parole de Dieu [5]; il déclare : « Mais moi, je vous dis » [6]. Sa parole, d'un mot, opère des *miracles [7], pardonne les péchés [8], transmet son pouvoir personnel [9] et perpétue sa présence [10]. Comme celle de Dieu, elle interpelle ceux qui l'entendent et qui doivent s'enga ger pour ou contre [11]. Aujourd'hui comme jadis, les hommes se divisent face à cette parole [12].

[5] Am 1,6; cf Lc 3,2. — [6] Mt 5,22.28... — [7] Mt 8,8.16; Jn 4,50-53. — [8] Mt 9,1-7 (= Mc 2,3-12 = Lc 5,18-25). — [9] Mt 18,18; Jn 20,23. — [10] Mt 26,26-29 (= Mc 14,22-25 = Lc 22,15-20). — [11] Mt 7,24-27; 13,23. — [12] Mc 8,38 (= Lc 9,26); Ac 13,46; 1 Th 1,6.

3. *La Parole*, sans détermination, finit par désigner non pas propre ment des paroles de Jésus [13], mais le message de l'Évangile annoncé dans la prédication chrétienne [14]. Cette parole hérite des prérogatives de la Parole même de Dieu : salut, efficacité, vie, car elle est la parole même de Jésus, prêchée [15]. Aussi cette prédication divise-t-elle à son tour les hommes [16].

[13] Lc 4,36. — [14] Ac 4,29.31; 6,2.4; 8,4.25; Ga 6,6. — [15] Rm 10,17. — [16] 2 Co 2,14-17.

4. *Selon Jean*, dans la ligne de la tradition sapientielle [17] et à la suite de l'Épître aux *Hébreux [18], la Parole de Dieu subsistante préexiste à la création dont elle est l'auteur [19]; devant l'insuccès des premières manifestations de la Parole, celle-ci a pris un visage : elle est devenue *chair [20]. Là encore, elle veut inviter les hommes à reconnaître le Père à travers la figure de Jésus et à mieux entendre leur commune parole [21].

[17] Pr 8,22-31; Si 24,7-19. — [18] He 1,1-4. — [19] Jn 1,1-3. — [20] Jn 1,11.14. — [21] Jn 3,34; 12,50; 17,8.14.

5. *Les hommes* reçoivent dans la tradition sapientielle de nombreuses recommandations concernant leur langage [22]. Jacques poursuit dans la même ligne [23], tandis que Jésus avait recommandé la sincérité radicale [24] : la bouche parle de l'abondance du cœur [25].

[22] Ps 39,2; 141,3; Si 28,13-26. — [23] Jc 1,19; 3,2-12. — [24] Mt 5,33; 2 Co 1,17s; Jc 5,12. — [25] Lc 6,45.

→ *Intr.* XII. — prêcher — révélation — Verbe — vérité.

parousie

D'un mot grec *parousia* (du participe de *par-eimi* : « être là »), signifiant ordinairement présence [1] ou « venue » [2]. Utilisé dans le monde gréco-romain pour désigner les visites officielles des empereurs, il se rattache en outre à la tradition *apocalyptique de l'AT sur la venue du Seigneur [3]. Désigne essentiellement l'avènement du Seigneur, de son *Jour [4]. Attendue avec amour, elle amène à modifier la conduite chrétienne [5].

[1] 1 Co 16,17; 2 Co 10,10; Ph 1,26; 2,12. — [2] 2 Co 7,6s. — [3] Za 9,9. — [4] Mt 24,3.27.37.39; 1 Co 15,23; 1 Th 2,19; 3,13; 4,15; 2 Th 2,1.8s; 2 P 1,16. — [5] 1 Th 5,23; Jc 5,7s; 2 P 3,4.12; 1 Jn 2,28 □.

→ Jour du Seigneur — jugement.

Parthes

gr. *Parthoï*. Habitants du sud-est de la mer Caspienne, d'origine iranienne. De 248 av. à 224 ap. J.C., ils constituèrent un royaume indépendant qui était constamment en guerre avec les Romains. Ils comptaient des juifs parmi eux [1].

[1] Ac 2,9 □.

parvis

gr. *hè aulè hè exôthen tou naou* : « la cour qui est à l'extérieur du sanctuaire ». Esplanade qui entoure le *sanctuaire à l'intérieur du *Temple [1].

   [1] Ap 11,2 □.

[pascal]

1. Qui concerne le temps de la Pâque.

2. Plus spécialement, ce qui est déterminé par la foi des premiers
chrétiens en la résurrection de Jésus.

[Passion du Christ]

du lat. *pati* : « supporter, *souffrir », gr. *paskhô*. Terme résumant les
souffrances que Jésus a annoncées et endurées, et que les chrétiens ont
interprétées comme ayant valeur *rédemptrice pour la libération des
hommes.

→ croix — crucifiement — flagellation — procès de Jésus — souffrir.

passions

→ convoitise.

pasteur

→ berger.

[Pastorales]

→ Épîtres.

patience

1. gr. *makrothymia* (de *makros* : « long » et *thymos* : « cœur, courage,
ardeur, colère ») : « long courage, patience, endurance ». La *Septante et le NT ont rendu par ce mot l'hb. *èrèk appayîm* : « retenir la
colère [avoir le nez étendu] », d'où la « long-animité » : « avoir le
souffle long ». La patience caractérise le Dieu de l'alliance [1], qui

412

n'oublie pas les élus qui souffrent [2] et qui sait temporiser pour permettre au pécheur de se convertir [3]. A son tour, par la force de l'Esprit, l'homme doit se montrer patient envers son prochain [4], longanime en raison de la charité [5] et, comme le laboureur, attendre patiemment l'avènement du Seigneur [6].

[1] Ex 34,6; Nb 14,18; Ps 103,8; Si 2,11; Rm 2,4. — [2] Lc 18,7. — [3] Rm 9,22; 1 Tm 1,16; 1 P 3,20; 2 P 3,9.15. — [4] Mt 18,26.29; Ep 4,2; Col 1,11; 3,12; 1 Th 5,14. — [5] 1 Co 13,4; 2 Co 6,6; Ga 5,22. — [6] Jc 5,7s.

2. gr. *anokhè*/*anekhomai* (de *ana* : « en haut » et *ekhomai* : « tenir ») « tenir en haut, tenir droit, ferme, sup-porter ». Le terme indique moins l'attitude intérieure que le comportement extérieur qui en résulte : laisser passer quelque chose de mauvais. Dieu diffère ainsi sa colère sans renoncer à établir sa justice [7]. Jésus a patiemment supporté l'incompréhension de ses contemporains [8]; le croyant, à son tour, doit patienter dans l'épreuve et la persécution, ou tout simplement dans sa vie avec les autres [9]. La patience tend à devenir constance (gr. *hypo-monè*) [10].

[7] Rm 2,4; 3,26. — [8] Mt 17,17 (= Mc 9,19 = Lc 9,41). — [9] 1 Co 4,12; Ep 4,2; Col 3,13; 2 Tm 2,24. — [10] 2 Th 1,4.

→ constance — espérance — miséricorde.

Patmos
Ilot rocheux de la mer Égée, au sud de Samos, à l'ouest de *Milet. L'auteur de l'*Apocalypse s'y trouvait « à cause de la Parole de Dieu et du témoignage de Jésus ». Bien que ces termes n'imposent pas qu'il y ait été déporté ou prisonnier, la tradition ultérieure interprète ce passage comme la conséquence d'une persécution, soit au temps de Domitien (vers 94), soit peut-être au temps de Néron (vers 70) [1].

[1] Ap 1,9 □.

→ *Carte* 2.

patrie
gr. *patris*. Ce mot désigne soit la terre des pères dans son ensemble [1], soit le lieu d'origine, ville ou village où la famille est installée [2]. Si Jésus a pleuré sur Jérusalem, il n'a pas eu de demeure terrestre [3], comme les patriarches qui étaient à la recherche d'une patrie meilleure [4].

[1] 2 M 8,21; Jn 4,44. — [2] Mt 13,54 (= Mc 6,1). 57 (= Mc 6,4 = Lc 4,24). — [3] cf Mt 8,20; Lc 19,41; Jn 1,38. — [4] He 11,14-16; cf Ph 3,20; 1 P 1,1 □.

Paul

gr. *Paulos*. Juif de Tarse, de la tribu de Benjamin, *pharisien, *citoyen romain de naissance [1]. D'abord persécuteur des chrétiens, il s'est converti au Christ qui lui a *apparu [2]; il devient l'Apôtre des païens, qu'il visite au cours de trois grands voyages missionnaires [3]. Il est arrêté à Jérusalem et, après deux années de captivité à Césarée, transféré à Rome [4]. Il est l'auteur de nombreuses *épîtres qui ne nous sont pas toutes conservées : 2 aux Thessaloniciens, 1 aux Philippiens, 4 aux Corinthiens, 1 aux Galates, 1 aux Romains, 1 à Philémon, 1 aux Colossiens; on lui attribue encore les épîtres suivantes : 1 aux Éphésiens, 2 à Timothée, 1 à Tite. En revanche, il n'est pas l'auteur de l'Épître aux Hébreux.

Il n'est pas possible de condenser en une formule la pensée théologique de Paul, fût-ce celle de la justification par la foi ou de la vie dans le Christ Jésus. On peut déterminer trois étapes majeures marquant l'évolution de cette pensée fort complexe. Dans la première étape (épîtres aux *Thessaloniciens), la perspective de la *parousie imminente commande ses réactions : le fait passé de Pâque équilibre un enseignement qui pourrait être excessivement polarisé par la fin des temps qui vient. Dans la deuxième étape (épîtres aux *Philippiens, aux *Galates, aux *Corinthiens et aux *Romains), Paul manifeste le présent chrétien dans son épaisseur : ce n'est pas seulement un instant situé entre un passé et un avenir, il actualise par le baptême le fait passé de Pâque et anticipe par le don de l'Esprit la parousie à venir; la lettre aux Romains se présente comme une véritable synthèse de la pensée de Paul à cette époque. Dans la troisième étape (épîtres aux *Colossiens, à *Philémon et aux *Éphésiens), Paul retrouve l'antique perspective de l'*Exaltation et considère le Christ et le chrétien « dans les cieux ». De ce sommet, l'épître aux Éphésiens brosse une synthèse du dessein de Dieu. Quant aux *épîtres pastorales, elles transposent le message paulinien en fonction d'une Église qui est aux prises avec de nouveaux dangers doctrinaux.

L'influence de la doctrine paulinienne a été considérable, au point que, dès l'écrit le plus tardif du NT, on loue à la fois la sagesse donnée à Paul et on met en garde contre les erreurs possibles d'interprétation, car il s'y trouve des passages difficiles [5].

[1] Ac 16,21.37s; 22,25-29; 23,27; Ph 3,5. — [2] Ac 9,1-30; 22,3-21; 26,9-20; 1 Co 9,1; Ga 1,13-17; Ph 3,12. — [3] Ac 13,1 — 14,28; 15,36—18,22; 18,23 — 21,14. — [4] Ac 21,17—28,31. — [5] 2 P 3,15s.

→ *Intr.* I.4. — chronologie — *Cartes* 2,3 — *Tableau*, p. 572.

414

pauvre

gr. *ptôchos* (de *ptèssô* : « se blottir »), traduisant d'ordinaire plusieurs mots hb. : *'ânî, 'ânâw, ebyôn*. Le pauvre est celui auquel il manque quelque chose pour pouvoir vivre. Le terme enveloppe deux significations, en relation mutuelle.

1. *Au sens économique.* Les pauvres font partie de la situation ordinaire de ce monde-ci [1]. L'Église elle-même, en dépit des efforts des premiers chrétiens, connaît l'oppression des pauvres par les riches [2]; mais elle lutte en faveur des pauvres, car leur situation n'est pas tolérable [3]; ainsi est entreprise la *collecte en faveur des indigents de Jérusalem [4].

[1] Dt 15,11; Mt 26,11 (= Mc 14,5 = Jn 12,8). — [2] Ac 6,1; Jc 2,2s. — [3] Mt 19,21 (= Mc 10,21 = Lc 18,22); Lc 16,8; Jc 2,15s; 1 Jn 3,17. — [4] Rm 15,26s; Ga 2,10; 1 Co 16,1-4; 2 Co 8—9.

2. *Au sens religieux.* De par leur situation, les pauvres sont ouverts à une spéciale présence de Dieu et se trouvent de plain-pied avec le royaume de Dieu [5]. Dieu les préfère aux riches, et en fait ses protégés [6]. C'est à eux que Jésus annonce la Bonne nouvelle [7]. Accueillie de la main de Dieu, la pauvreté peut devenir identique à l'*humilité : c'est être « pauvre de cœur », au plus profond de soi-même [8], sans quoi toute richesse est un leurre [9]. Jésus s'est identifié au disciple et même peut-être à tout homme dans le besoin, lui conférant son éminente dignité dans le monde [10]. Loin de tenir compte de la condition sociale [11], il faut entendre la question sans cesse posée par les pauvres et découvrir en eux le visage du Christ qui s'est fait pauvre [12], lui qui a été « doux et humble de cœur » (parfois re-traduit en araméen par ‹*anwânâ*, composé de *'ânî* et *'ânâw*) [13].

[5] Lc 6,20; 16,19s. — [6] 1 S 2,7; Lc 1,47s.52s. — [7] Mt 11,5 (= Lc 7,22); Lc 4,18. — [8] Mt 5,3. — [9] Ap 3,17. — [10] Mt 10,42; 25,40.45. — [11] Jc 2,1-4. — [12] 2 Co 8,9. — [13] Mt 11,29.

→ *Intr.* VII.4. — collecte — douceur — riche.

péager
→ publicain.

pêche
1. Sur le lac de Guennésareth, des corporations groupant patrons et ouvriers [1] pratiquaient le métier de la pêche (gr. *halieuô* : « vivre sur

mer, pêcher », de *hals* : « mer, sel » ; ou *agreuô* : « prendre au piège [2], pêcher »), surtout de nuit au fanal [3], avec une ou plusieurs barques [4]. Outre la ligne avec son hameçon [5] (et le harpon [6]), on utilisait surtout le filet (gr. *diktyon*). Celui-ci était soit une sorte d'épervier (gr. *amphiblèstron*, de *amphi* : « autour » et *ballô* : « jeter »), muni de poids au bord, utilisé surtout pour la pêche en eau profonde [7], soit une sorte de seine (gr. *sagènè*), muni de poids à un bout et de flottants à l'autre, utilisé surtout pour la pêche de surface ou à partir du rivage [8].

[1] *Intr.* VII.1. B; Mc 1,20; Lc 5,7. — [2] Mc 12,13; 2 Tm 2,26. — [3] Lc 5,5; Jn 21,3. — [4] Mc 4,36; Lc 5,11. — [5] Mt 17,27. — [6] Jb 40,26; Am 4,2. — [7] Mt 4,18 (= Mc 1,16). — [8] Mt 13,47s.

2. L'expression « pêcheurs d'hommes » (gr. *haleeis anthrôpôn*) [9] ou « tu prendras des hommes » (gr. *anthrôpous esèi zôgrôn*) [10] est difficile à interpréter. Elle comporte l'idée de capture et d'arrachement comme par un piège. Peut-être s'appuie-t-elle sur le symbolisme biblique des *eaux infernales de la mort [11], d'où les hommes sont arrachés; plus probablement elle veut dire le rassemblement des hommes en vue du *Jugement final [12].

[9] Mt 4,19 (= Mc 1,17). — [10] Lc 5,10; cf 2 Tm 2,26 ☐. — [11] Ps 18,17; 144,7. — [12] Mt 13,47-50.

→ poisson.

péché

Parmi la constellation de termes désignant un manquement, une faute, la famille de mots grecs de racine *hamart*- est la plus fréquente (296 emplois). *Hamartia* a aussi une portée plus vaste que *adikia* : « iniquité », qui relève de la terminologie juridique (22 fois) et que *parabasis* (de *para-bainô* : « aller à côté, transgresser ») qui se réfère à la transgression d'ordonnances divines (14 fois). A la différence du monde grec où le verbe *hamartanô* : « manquer le but », n'implique pas malice, mais erreur ou influence du destin, l'AT lie essentiellement le péché (hb. *héth*, *'awôn*) à la relation de l'homme avec Dieu : pécher, c'est être infidèle à l'*Alliance; c'est trahir l'*amour, c'est se séparer de la communauté. Au péché il n'est d'autre remède que le *pardon du Dieu saint, ce que signifie la fête des *Expiations.

1. Jésus parle comme un juif de son temps. Est « pécheur » celui qui n'est pas dans l'Alliance (le *païen) [1] et celui qui n'observe pas la *volonté de Dieu, exprimée en particulier dans la *Loi [2]. Jésus dénonce le péché jusque dans les racines secrètes du comportement [3]. Il rappelle l'infinie *miséricorde de Dieu toujours prêt à pardonner [4] et se montre l'ami des pécheurs [5]; il va jusqu'à remettre les péchés [6], rémission qui sera pleinement effective par son *sang versé et par la vertu de sa *résurrection [7]; seul le *blasphème contre l'Esprit est irrémissible [8]. Enfin le croyant doit, comme Dieu, pardonner à celui qui a péché contre lui [9].

[1] Mt 26,45 (= Mc 14,41); Lc 6,32-34; 24,7; cf Mt 9,10s (= Mc 2,15s = Lc 5,30); Lc 15,1s; 19,7; Ga 2,15. — [2] Mt 9,13 (= Mc 2,17 = Lc 5,32); 19,17-19 (= Mc 10,19 = Lc 18,20); cf Mt 15,3; Lc 11,42; 13,2. — [3] Mt 5,27s; 6,22s; 15,1-20 (= Mc 7,1-23). — [4] Lc 11,4; 15,1-32; 18,13. — [5] Mt 11,19 (= Lc 7,34); Lc 15,1s; 19,7. — [6] Mt 9,2.5s (= Mc 2,5.7.9s = Lc 5,20s.23s); Lc 7,37-50; 19,9; Jn 5,14; 8,11. — [7] Mt 26,28; Lc 24,47; Ac 2,38; 5,31; 10,43; 13,38; 26,18. — [8] Mt 12,31 (= Mc 3,28s). — [9] Mt 18,15.21 (= Lc 17,3s).

2. Grâce à une profonde compréhension de la mort et de la résurrection de Jésus, Paul pénètre l'origine, la nature, la force, l'universalité du péché et de sa rédemption. Rappelant que la Loi ne préserve pas du péché (au contraire!) [10], il proclame que tous les hommes ont péché [11] et il campe la figure d'*Adam inaugurant la condition pécheresse de l'humanité par l'action du péché personnifié; Adam figure ainsi de façon négative le Christ sauveur de tous [12]. De fait, Jésus qui n'avait pas connu le péché, est mort pour nos péchés [13], Dieu « l'a fait Péché pour nous » [14], condamnant ainsi le péché dont il libère [15]. Le croyant est par son *baptême mort au péché, mais il doit chaque jour actualiser cette *mort [16].

[10] Rm 3,20; 1 Co 15,56; Ga 3,19. — [11] Rm 3,23. — [12] Rm 5,12-21; 7,8-13; cf Jc 1,15. — [13] Rm 5,8; 1 Co 15,3; Ga 1,4; Col 1,14; 1 Tm 1,15; Tt 2,14; He 9,15; 1 P 3,18. — [14] 2 Co 5,21; He 4,15; 1 P 2,22.24. — [15] Rm 8,2s; He 1,3; 2,17; 5,1; 7,26s; 9,26; 1 P 4,1. — [16] Rm 6,1-22; 8,2.

3. Selon Jean, le péché du monde est la puissance d'hostilité à Dieu qui préexiste à l'homme, le *diable homicide et menteur [17]. Jésus enlève ce péché, car il triomphe du Prince de ce *monde [18]. L'homme est, à l'origine, dans un état indifférencié qu'on peut appeler *ténèbres; le péché consiste à préférer les ténèbres à l'irruption de la *lumière [19].

[17] Jn 8,44; 1 Jn 3,8. — [18] Jn 1,29; 12,31s; 16,11.33; 1 Jn 1,7-10; 2,12; 3,5; 4,10; cf Ap 1,5. — [19] Jn 1,5; 3,19; 9,41.

→ *Intr.* XIV.2.A-B. — dette — expier — justice — pardon.

pédagogue

gr. *paidagôgos* : « conducteur d'enfants ». *Esclave chargé non pas d'éduquer (rôle du père), mais de conduire l'enfant à l'école, jusqu'à sa majorité [1].

[1] 1 Co 4,15; Ga 3,24 □.

→ *Intr.* IX.2.

[peine de mort]

La peine capitale en Israël est la *lapidation. La décapitation [1] et la *crucifixion, ainsi que la mise à mort par l'épée [2], relèvent des coutumes romaines.

[1] Mt 14,10; Mc 6,16.27; Lc 9,9 △. — [2] Ac 12,2.

→ *Intr.* VI.4.A.a et C.c.

pèlerinage

1. Déplacement de fidèles vers un lieu consacré par une manifestation divine ou par la présence d'un homme de Dieu, pour y rencontrer le Seigneur. Pour désigner cette coutume, la Bible n'a pas de terme spécifique; elle utilise l'expression « monter à » (gr. *anabainô*).

2. Depuis que le *culte centralisé au *Temple avait supplanté tout autre sanctuaire, la Loi [1], pour préserver le peuple des contaminations idolâtriques ambiantes, imposait à tout adulte, juif ou *prosélyte, de « monter » adorer à Jérusalem trois fois l'an : à la Pâque [2], à la Pentecôte [3], aux Tentes [4]. Les pèlerins arrivaient par caravanes (*syn-odia* : « action de cheminer avec ») [5], le plus souvent à pied; leur nombre pouvait atteindre quelque 125 000, avec les semi-prosélytes [6] et les étrangers, sans compter les habitants de Jérusalem. On logeait, sinon dans la ville, aux alentours sous des tentes ou dans des bourgs. Cet immense rassemblement, effectué au chant des *psaumes des montées [7], préfigurait le jour du *salut universel. L'entrée de Jésus à Jérusalem se situe probablement dans le contexte d'un pèlerinage pascal [8].

[1] Ex 23,27. — [2] Lc 2,41s; Jn 2,13. — [3] Ac 2,5; 20,16; 24,11. — [4] Jn 7,8. — [5] Lc 2,44. — [6] Jn 12,20. — [7] Ps 120—134. — [8] Mt 21,1-9 (= Mc 11,1-10 = Lc 19,28-38); Jn 12,12.

3. La *métaphore du pèlerinage appliquée à la marche de l'homme vers l'au-delà ou vers Dieu est fréquente dans l'Antiquité. Les pérégrinations d'Abraham et des pères y ont donné, pour Israël, un support concret [9]. L'état de pèlerin, voyageur de passage, est rendu par le terme *par-epi-dèmos*, litt. « étranger non résidant ». Ainsi sont appelés les chrétiens [10] : sous la conduite du Christ, leur chef et avant-coureur [11], ils sont en quête de la *patrie véritable [12], en marche vers la *Jérusalem céleste [13]; leur vie est tendue à rejoindre le Seigneur [14]; ce qui n'enlève pas leur valeur, mais confère leur vrai sens aux pèlerinages cultuels.

⁹ Gn 23,4; (Lv 25,23); 1 Ch 29,15; He 11,13. — ¹⁰ 1 P 1,1; 2,11. — ¹¹ He 2,10 *(archègos)*; 6,20 *(prodromos)*. — ¹² He 11,16; 13,14. — ¹³ He 12,22-24. — ¹⁴ 2 Co 5,6; Ph 3,12-14.

→ *Intr*. IV.6.A; XIII.3.B. — diaspora — étranger — fête — patrie — voie.

pénitence

Du lat. *poenitentia* (de *poenitere* : « se repentir », avec l'idée de peine et, pour nous, l'image de pénitencier). Le sens de châtiment, punition, serait courant dès 1220. Il semble regrettable que ce mot soit utilisé par des traducteurs pour rendre le terme grec *metanoia*, qui signifie « conversion, repentir ».

De soi, la pénitence déborde la *confession des péchés et les pratiques d'austérité (*jeûner, se couvrir de *sac et de *cendres) auxquelles trop souvent on la réduit. Ses « œuvres » sont l'ensemble de la conduite chrétienne et ne trouvent leur sens que dans la *conversion totale et radicale, dans la *réconciliation avec Dieu et l'Église et dans la restauration de l'*édifice spirituel.

→ confesser — conversion — expier — repentir.

[Pentateuque]

Du gr. *hè pentateuchos biblos*, « le *livre en cinq [livres] » : les cinq livres (Genèse, Exode, Lévitique, Nombres, Deutéronome) qui constituent la *Torah au sens propre. Cette division n'est pas originaire, mais existait déjà lors de la traduction par la *Septante. Dans le NT, c'est la *Loi (gr. *ho nomos*).

Pentecôte

1. *Fête juive* qui doit tardivement (iie s. av. J.C.) ce nom au fait qu'elle se célébrait au 50e jour (gr. *hè pentèkostè*) après la Pâque. Elle coïncidait avec la *fête de la *Moisson, jour d'*action de grâces où, après les « sept semaines » que dure en moyenne la récolte, étaient offertes les *prémices des produits de la terre [1] : c'était la fête des « premiers fruits », la *fête des *Semaines [2]. Elle était l'occasion d'un *pèlerinage à Jérusalem [3], écho et couronnement du pèlerinage pascal. Les rabbins y virent plus tard la commémoraison annuelle de l'*Alliance, quand la Loi fut donnée au *Sinaï [4].

419

¹ Ex 23,16. — ² Ex 34,22; Lv 23,15; Dt 16,9. — ³ Ac 2,9; 20,16; 1 Co 16,8 □.
— ⁴ cf Ex 19,1-16.

2. *La fête chrétienne* commémore la Pentecôte qui suivit la mort de
Jésus; elle fut marquée par le don *eschatologique de l'Esprit Saint
qui inaugure le temps de l'Église ouverte à tous les peuples ⁵.

⁵ Jl 3,1-5; Ac 2,1-11.

→ *Intr.* XIII.3.B. — fête.

père

gr. *patèr*, hb. *âb*; pour dire « notre père » : hb. *abînû*.

1. *Au sens propre.* Le père ainsi que la mère doivent être honorés ¹,
mais sans que ce devoir soit un absolu ². Ils doivent se garder d'arbitraire et de brutalité ³.

¹ *Intr.* VIII.2.A; Ex 20,12; Mt 15,4-6 (= Mc 7,10-12); 19,5.19 (= Mc 10,7.19
= Lc 18,20); Ep 5,31; 6,2. — ² Mt 4,22 (= Mc 1,20); 8,21 (= Lc 9,59);
10,35.37 (= Lc 12,53); 14,26); 19,29 (= Mc 10,29); Lc 2,48s. — ³ Ep 6,4;
Col 3,21; He 12,7.

2. *Au sens large.* Les ancêtres (au pluriel), et plus spécialement
Abraham, Isaac, Jacob, David ⁴. Dans le judaïsme, le *rabbi était
appelé « père »; de cet usage, Jésus condamne l'excès ⁵, tandis que
Paul se considère comme le père des chrétiens qu'il a conduit à la foi ⁶.

⁴ Mt 3,9 (= Lc 3,8); 23,30.32 (= Lc 11,47s); Mc 11,10; Jn 4,1.12.20; 6,31;
8,56; Ac 3,13; Rm 4; Jc 2,21; 2 P 3,4. — ⁵ Mt 23,9. — ⁶ 1 Co 4,15; Ga 4,19;
1 Th 2,11; Tt 1,4; Phm 10.

3. *Dieu*, dans l'AT, est dit père d'Israël ⁷ ou du roi ⁸, rarement d'un
individu ⁹, en vertu d'une paternité qui n'a rien de mythologique ni
de biologique, mais qui provient de l'*élection et de la *rédemption
par Dieu ¹⁰. Cette paternité n'a rien non plus de celle d'un *paterfa-
milias* romain, mais déborde de tendresse ¹¹. Face aux esprits chagrins,
Jésus révèle l'extension et la profondeur de la paternité divine à
l'endroit de tous les hommes, même pécheurs ¹². Il n'a jamais appelé
Dieu père d'Israël, mais soit : « mon Père » (*abba!) ¹³, soit : « votre
Père » ¹⁴, ou, équivalemment, dans la prière des disciples : « notre
Père »; tous les croyants sont fils de Dieu, *enfants de Dieu ¹⁵.

⁷ Ex 4,22; Dt 32,6; Is 63,16; Jr 31,9. — ⁸ 2 S 7,14; Ps 89,27. — ⁹ Si 4,10;
23,1-4; 51,10; Ml 2,10. — ¹⁰ Dt 14,1s; Os 11. — ¹¹ Os 11,3s. — ¹² Mt 5,45;
6,32; Lc 15. — ¹³ Mt 7,21; 10,32; 11,27; Mc 14,36; Lc 2,49; Jn... — ¹⁴ Mt 5,16;

Mc 11,25s; Jn 20,17. — [15] Lc 11,2; Jn 1,12.18; Rm 8,15.29; Ga 4,6; 1 P 1,17; 1 Jn 3,1.

→ abba — Dieu — enfant — mère.

[Pères de l'Église]

Auteurs chrétiens des premiers siècles qui par l'union de leur sainteté et de leur doctrine exercent dans l'Église une paternité spirituelle. Les *Pères apostoliques* forment un groupement peu homogène des écrivains de l'âge postapostolique, dont voici les principaux textes : la 1re Épître de *Clément de Rome* (96), la 2e de *Clément* (vers 150), les sept *Lettres d'Ignace d'Antioche* (vers 115), l'*Épître de Barnabé* (soit 95, soit 115 ou même 135), le *Pasteur d'Hermas* (vers 140), *la Lettre de Polycarpe* (fin 1er s.), le récit du *Martyre de Polycarpe* (156?), la *Didachè* (fin 1er s.), les écrits de *Papias* (90-135), l'Apologie de *Quadratus* (129), la Lettre à *Diognète* (IIe s.?).

Pergame

gr. *Pergamos*. Auj. *Bergama* (Turquie). Ancienne capitale de la *Mysie, célèbre au temps des Attalides : alors, vers 170 av. J.C., se serait répandu l'usage du parchemin, la peau de Pergame *(hè pergamènè diphthera)*. Célèbre centre de guérisons par le dieu Asklépios-Esculape. Depuis 129 av. J.C., capitale (avec *Éphèse) de la *province romaine d'Asie. Il y avait là un temple en l'honneur d'Auguste et de Rome [1].

[1] Ap 1,11; 2,12 □.

→ *Carte* 2.

[péricope]

Passage qui peut être dé-coupé *(*gr. *peri-koptô)* à l'intérieur d'un ensemble : ainsi la guérison du lépreux [1].

[1] Mc 1,40-44.

perle

gr. *margaritès*. Bijou très estimé et de grand prix [1], elle peut servir de parure féminine [2]; en métaphore, elle dit la valeur inestimable du royaume de Dieu [3] et la splendeur de !a Jérusalem céleste [4].

[1] Ap 18,12. — [2] 1 Tm 2,9; Ap 17,4; 18,16. — [3] Mt 7,6; 13,45s. — [4] Ap 21,21 □.

persécution

gr. *diôgmos* (de *diôkô* : « poursuivre [1], persécuter ») : « persécution ».

[1] Ph 3,12.14.

1. Le fait est là, les messagers de Dieu sont persécutés : *prophètes [2] et *disciples [3], *Paul, qui fut persécuteur [4], tous sont persécutés, comme Jésus l'a été [5]. Loin de fuir la persécution, il faut la supporter courageusement [6] et prier pour ses persécuteurs [7].

[2] Mt 5,12; Ac 7,52. — [3] *Intr.* I.3. B; Mt 5,11; 10,23. — [4] 1 Co 15,9; Ga 1,13.23; 5,11; Ph 3,6; 1 Tm 1,13; 2 Tm 3,11s. — [5] Jn 5,16; 15,20. — [6] Ga 6,12. — [7] Mt 5,44; Rm 12,14.

2. La persécution a un sens. Elle provient de la haine du monde pour Jésus [8]; elle concerne « la *Voie » et le Christ en personne [9]. Jésus l'a annoncée à ses disciples [10] et les en a déclarés « *heureux » [11]. Celui qui est persécuté est toujours assisté par le Christ et l'Esprit [12].

[8] Jn 15,18-20. — [9] Ac 9,4s; 22,4.7s; 26,14s. — [10] Mc 10,30. — [11] Mt 5,10. — [12] Mt 10,19s (= Mc 13,11 = Lc 12,11s); Lc 21,12-15; Rm 8,35; 2 Co 12,10; 2 Th 1,4.

→ souffrir — tribulation.

peste

gr. *loîmos*. Dès l'AT, terme générique désignant toute épidémie meurtrière : choléra, peste proprement dite, typhus, etc. Un des trois grands châtiments de Dieu, annoncé comme prodrome de la fin [1], appelé parfois « mort » [2]. Terme méprisant [3].

[1] Lc 21,11. — [2] 2 S 24,13s; Ap 6,8; 18,8. — [3] 1 M 10,61; Ac 24,5 □.

peuple

1. Le *peuple de Dieu* est appelé ordinairement *laos* [1], deux fois *ethnos* [2]. Ce peuple que Dieu s'est acquis en propre [3] *réconcilie dans la même foi en Jésus Christ l'*Israël de l'ancienne alliance et les *nations païennes [4]; il devient ainsi le *sanctuaire de Dieu où l'*alliance s'accomplit [5]. Demeurant enraciné dans l'histoire, il est en marche vers son achèvement, la *patrie céleste [6].

[1] Ac 4,10; 13,17. — [2] Mt 21,43; 1 P 2,9. — [3] Ex 19,5s; Tt 2,14. — [4] Ac 15,14; Rm 9,24. — [5] 2 Co 6,14-16. — [6] He 4,9; 11,13.

2. *Sens affaibli* : foule, parfois *laos* [7], ordinairement *okhlos* [8]. A ne pas confondre avec l'assemblée *(ekklèsia)*, la masse *(dèmos)* ni avec les nations *(ethnè)*.

[7] Mt 4,23; Lc 1,10; 7,1; 20,1.9; Ac 2,47. — [8] Mt 4,25; 9,33; 13,34; 14,5; Mc 15,15; Lc 3,7.10; Jn 12,9; Ac 1,15; Ap 7,9.

→ *Intr.* X.3. — alliance — Église — élection — Israël — nations — sacerdoce.

pharisien

gr. *pharisaios*, de l'ar. *perichayya* : « le séparé ». Le terme, attesté depuis 135 av. J.C., est diversement interprété : il désigne un juif qui s'est séparé de Judas Maccabée et des Assidéens, ou qui se sépare du péché par la rigueur de sa pratique, ou enfin qui se sépare en ce qu'il distingue dans la Loi ce qui est bien. A travers la systématisation des évangiles, on reconnaît que Jésus a condamné non pas le pharisianisme, mais le pharisaïsme, c'est-à-dire le danger permanent qui menace tout esprit religieux lorsqu'il lie sa quête de Dieu à une pratique de la Loi. D'ailleurs il y eut des pharisiens non seulement pour inviter Jésus à leur table, mais aussi pour prendre son parti, soit en le défendant contre Hérode, soit en embrassant la foi chrétienne [1].

[1] Lc 13,31; Ac 5,34; 15,5; 23,9.

→ *Intr.* XI.2. — Gamaliel — Nicodème — Paul — sadducéen.

Philadelphie

gr. *Philadelpheia*. Ville hellénistique de Lydie, en Asie Mineure, fondée par Attale II Philadelphe (159-138 av. J.C.). Après sa destruction par un tremblement de terre en 17 ap. J.C., elle fut rebâtie par *Tibère sous le nom de Néo-*Césarée. On ignore les origines de la communauté chrétienne du lieu, fidèle dans la persécution [1]. A ne pas confondre avec Rabbat Ammon [2] (auj. *Amman* en Jordanie), appelée Philadelphie par Ptolémée II Philadelphe (285-246 av. J.C.) et devenue en 63 av. J.C. l'une des villes de la *Décapole.

[1] Ap 1,11; 3,7 □. — [2] 2 S 10-12; Jr 49,2; Ez 25,5.

→ *Cartes* 2 et 3.

Philémon

gr. *Philèmôn*. Chrétien chez qui s'assemble l'Église de *Colosses, probablement maître de l'esclave *Onésime. A lui est adressée l'Épître à Philémon [1].

[1] Phm 1 □.

→ Archippe — Onésime.

[Philémon (Épître à)]
La plus brève des lettres de Paul, écrite lors de sa captivité à Rome (ou à Césarée), en même temps que l'Épître aux Colossiens.

→ *Intr*. XV.

Philippe
gr. *Philippos* : « ami des chevaux ».

1. *Hérode Philippe* I, de son vrai nom Hérode Boethos. Fils d'*Hérode le Grand et de Mariamne II, époux d'*Hérodiade. Écarté en 5 av. J.C. de la succession royale, il partit sans sa femme vivre à Rome en simple particulier [1].

[1] Mt 14,3; Mc 6,17 □.

→ Hérode.

2. *Hérode Philippe* II. Né vers 24 av. J.C. d'*Hérode le Grand et de Cléopâtre, époux de Salomé. De 4 av. J.C. à 34 ap. J.C., *tétrarque d'*Iturée, de *Trachonitide et des régions proches du lac de Guennésareth [2].

[2] Lc 3,1 □.

→ *Intr*. I.1.D. — Bethsaïde — Césarée de Philippe — Hérode.

3. L'un des *Douze, originaire de *Bethsaïde. On lui attribue deux apocryphes : l'*Évangile de Philippe*, trouvé à *Nag Hammadi, et les *Actes de Philippe* [3].

[3] Mt 10,3 (= Mc 3,18 = Lc 6,14 = Ac 1,13); Jn 1,43-48; 6,5.7; 12,21s; 14,8s □.

4. L'un des *Sept, baptiseur, appelé : « *évangéliste » [4].

[4] Ac 6,5; 8,5-40; 21,8 □.

Philippes
gr. *Philippoï*. Ville fondée au VIIe s. av. J.C., qui appartenait à la *province romaine de *Macédoine dès 146 av. J.C. Bien située sur la via

Egnatia, elle était une ville stratégique et commerciale. Après la bataille d'Actium (31 av. J.C.), elle devient colonie romaine, jouissant du *jus italicum*, c'est-à-dire des mêmes droits et privilèges que les *citoyens d'*Italie. Paul fut très attaché à la communauté chrétienne qu'il y avait fondée en 51 [1].

[1] Ac 16,12; 20,6; Ph 1,1; 1 Th 2,2 □.

→ Philippiens (Épître aux) — *Carte 2*.

[Philippiens (Épître aux)]

Cette lettre fut écrite par Paul à la communauté de *Philippes, qu'il avait lui-même fondée et à laquelle il demeurait particulièrement attaché. Quoique traditionnellement datée de 63, durant la première captivité romaine, les critiques estiment qu'elle a été envoyée vers 56 d'*Éphèse où Paul put connaître la prison [1]. Certains auteurs pensent que la lettre actuelle assemble des billets originairement indépendants : une lettre de remerciement [2] et une mise en garde contre les *judaïsants [3].

[1] Cf 1 Co 15,32; 2 Co 1,8. — [2] Ph 1,1—3,1; 4,10-23. — [3] Ph 3,1—4,9.

→ *Intr.* XV. — Épîtres.

[Philon d'Alexandrie]

gr. *Philôn*. Philosophe juif (vers 13 av. à 45-50 ap. J.C.). *Apollos en fut peut-être le disciple [1]. L'œuvre de Philon a pu exercer quelque influence sur les auteurs du NT. Ainsi Paul identifiant le rocher de l'*Exode avec le Christ, sagesse de Dieu [2], évoquant les deux *Adam [3] ou appelant le Christ *image et premier-né de Dieu [4]. Ainsi pour l'Épître aux *Hébreux ou pour la conception johannique du *Logos. Sur le Pseudo-Philon, → *Liber Antiquitatum Biblicarum*.

[1] Ac 19,1-3; 1 Co 1,12. — [2] 1 Co 10,1-5. — [3] 1 Co 15,47-49. — [4] Col 1,15.

philosophie

gr. *philo-sophia* : « amour de la sagesse (ou de la science) ». En Col 2,8, il s'agit non pas d'un système de pensée du genre aristotélicien, épicurien, stoïcien (Ac 17,18 □), mais d'une *gnose qui prétend donner le salut.

→ *Intr.* IV.6.C. — connaître — éléments du monde — épicuriens — gnose — sagesse — stoïciens.

Phrygie

gr. *Phrygia*. Région des hauts plateaux de la Turquie actuelle, envahie vers le XIIe s. av. J.C. par des Indo-Européens, passée sous la domination successive des Perses (546 av. J.C.), des Séleucides (312), de *Pergame (188), enfin des Romains qui la rattachent à la *province romaine d'*Asie (vers 120). Lieu d'origine du culte mystérique de Cybèle. Les juifs y étaient nombreux depuis le IIIe s. [1].

[1] Ac 2,10; 16,6; 18,23 □.

→ Colosses — Hiérapolis — Laodicée — *Carte* 3.

phylactère

gr. *phylaktèrion* : « lieu pour garder » (corps de garde), et « moyen de garder » (amulette), talisman ; ici peut-être de *phylassô* : « garder (la Loi) » ; hb. *t^ephillîn*, peut-être dérivé de *t^ephillâ* : « prière » ou de *phâla* : « séparer ». Deux étuis cubiques en cuir, contenant chacun, inscrits sur d'étroits parchemins, quatre passages essentiels de la Loi, dont une partie du *Chema^c* [1], devaient être fixés par des bandeaux, lors de la prière du matin, sur le bras gauche (face au cœur) et sur le front par tout juif adulte, sauf le sabbat [2]. Par dévotion, certains les gardaient durant la journée.

Cette coutume, encore actuelle chez les juifs « orthodoxes », dérive d'une interprétation littérale de Dt 6,8 : « Tu attacheras mes paroles à la main comme un signe, sur le front comme un bandeau. » Jésus ne critique que l'ostentation et l'excès qui conduisait à élargir les phylactères [3].

[1] Ex 13,1-10; 13,11-13; Dt 6,4-9; 11,13-21. — [2] Dt 6,8; cf Ex 13,9.16; Dt 11,18. — [3] Mt 23,5 □.

→ *Intr.* XIII.2.B.a. — frange.

pied

1. Le pied (gr. *pous*) signifie la puissance ou l'autorité de quelqu'un : le vainqueur antique posait le pied sur la nuque du vaincu. « Mettre sous » les pieds de quelqu'un équivaut à soumettre à son pouvoir : ainsi les ennemis du Christ et toutes choses qui seront « sous » lui [1], ou les éléments de l'univers dans les visions de l'Apocalypse [2]. « Se jeter aux » pieds de quelqu'un ou « les étreindre », c'est reconnaître sa supériorité, le supplier, le remercier, l'adorer [3]; « être assis à » ses pieds, c'est être soumis, disciple [4]; « déposer aux » pieds de quelqu'un, une personne ou quelque chose, c'est la lui confier [5].

[1] Dt 2,5; 1 R 5,17; Ps 8,7; 110,1; cf Mt 22,44 (= Mc 12,36 = Lc 20,43); Ac 2,35; 1 Co 15,25.27; Ep 1,22; He 1,13; 2,8. — [2] Ap 10,2; 12,1. — [3] Mt 18,29; 28,9; Lc 17,16; Jn 11,32; Ac 10,25; Ap 3,9; 19,10. — [4] Lc 8,35; Ac 22,3. — [5] Mt 15,30; Ac 4,35; 7,58.

2. Déchausser l'hôte était un office d'esclave [6].

[6] cf Mc 1,7.

3. Secouer la poussière de ses pieds est un geste de rupture [7].

[7] Mt 10,14 (= Mc 6,11 = Lc 9,5); Ac 13,51.

→ chaussure — laver.

pierre

Deux termes apparentés peuvent être considérés comme équivalents :
gr. *petra*, rocher, et gr. *lithos*, pierre. Ce dernier l'emporte en fait.

1. *Petra* en effet, en dehors des cas où il est employé pour désigner le roc sur lequel on bâtit, sur lequel la semence vient à tomber, ou dans lequel on creuse [1], ou encore pour désigner les rochers de la nature [2], ne se trouve qu'en deux applications remarquables. Il désigne le Christ, rocher spirituel d'où coule la vie comme jadis l'eau du rocher frappé par Moïse [3], ainsi que *Képhas-Pierre, le rocher sur lequel Jésus veut bâtir son *Église [4]. Sinon, en particulier dans la prophétie concernant la pierre d'achoppement, le rocher cède la place à la pierre [5]. Si l'on cherche une nuance, peut-être la trouverait-on dans le fait de la solidité et de l'unicité du rocher, semblable à celle de Dieu, Rocher d'Israël et son refuge [6].

[1] Mt 7,24s (= Lc 6,48); 13,5.20 (= Mc 4,5.16 = Lc 8,6.13); 27,60 (= Mc 15,46). — [2] Mt 27,51; Ap 6,15s. — [3] 1 Co 10,4. — [4] Mt 16,18. — [5] Is 8,14; Rm 9,33; 1 P 2,8. — [6] Dt 32,4.

2. Jésus Christ est la pierre d'angle *(lithos)*, sur laquelle on bâtit ou qui couronne le faîte de l'édifice; à travers l'échec apparent, il assure la cohésion du *temple saint [7], auquel les chrétiens sont intégrés, telles des pierres vivantes [8]. Mais, comme jadis Yahweh [9], Jésus est en même temps pierre de *scandale; les incrédules y achoppent [10] puis, à la fin, elle les écrasera [11]. Quant à la pierre par laquelle on pensait enfermer Jésus dans la mort, elle est roulée par l'Ange du Seigneur [12].

[7] Mt 21,42 (= Mc 12,10 = Lc 20,17); 1 P 2,4.7. — [8] Ep 2,20s; 1 P 2,5s. — [9] Is 8,14; 28,16. — [10] Rm 9,33; 1 P 2,8. — [11] Lc 20,18. — [12] Mt 27,60.66; 28,2.

3. Jadis gravée sur la pierre qui devait signifier la pérennité de l'Alliance, la Loi est désormais inscrite par l'Esprit dans les cœurs de *chair [13].

[13] 2 Co 3,3.7.

→ caillou blanc — édifier — Képhas — lapidation.

[Pierre (Épîtres de)]

1. La 1re lettre est attribuée par la tradition à Pierre écrivant de Rome avant 64 (persécution de Néron). Les difficultés soulevées par les critiques contre cette attribution, au moins partielle, ne sont pas insurmontables.

2. La 2e lettre s'apparente au *genre littéraire des « Testaments » (discours d'*adieu d'un mourant); l'attribution à Pierre (1,1) n'impose pas son *authenticité. Certains auteurs la datent de 70-80, la plupart en reculent la composition aux environs de 125. Elle semble adressée à des Églises menacées d'hérésie dans la doctrine et les mœurs. Épître *deutérocanonique.

→ *Intr.* XV. — Épîtres (catholiques).

Pierre (saint)

gr. *Petros* : « *pierre », masculinisation de *Petra* : « rocher », correspondant à son surnom *Kèphas*, lui-même grécisation de l'ar. *Képhâ* : « rocher » [1]. *Simon, fils de Jonas, frère d'André, le premier des *Douze [2]. Pêcheur originaire de *Bethsaïde, il habite *Capharnaüm avec sa belle-mère [3], d'où l'on déduit qu'il était marié. Durant la vie de Jésus et dans l'Église primitive, il occupe une place à part parmi les disciples. Selon une excellente tradition, Pierre vécut un certain temps à Rome et y mourut *martyr, crucifié sous Néron entre 64 et 67. Deux épîtres portent son nom.

[1] Mt 16,18; Jn 1,42. — [2] Mt 4,18; 10,2 (= Mc 3,16 = Lc 6,14); 16,17. — [3] Mc 1,29s (= Lc 4,38); Jn 1,44.

→ *Intr.* I.3-4; VI.2.B. — Képhas.

pierre précieuse

gr. *lithos timios*. Le commerce des pierres précieuses était important, en provenance de l'Inde et de l'Arabie [1]. L'Apocalypse mentionne plusieurs pierres difficiles à identifier exactement : améthyste, béryl, calcédoine, chrysolithe, chrysoprase, cornaline, émeraude, hyacinthe, jaspe, saphir, sardoine, topaze. Elles peuvent symboliser une gloire apparente [2], la splendeur de Dieu [3] ou la transformation glorieuse qu'attend la nouvelle Jérusalem [4].

[1] cf 1 Co 3,12; Ap 18,12. — [2] Ap 17,4; 18,16. — [3] Ex 24,10; Ap 4,3. — [4] Ap 21,11.18-20.

piété, pieux

Attitude religieuse foncière qui accueille l'autorité souveraine de Dieu. Ne se réduisant pas à l'observance des actes cultuels, elle informe la conduite entière du croyant. Le mot dérive du lat. *pietas* : « respect des dieux, de la patrie, de la famille, des engagements », et fondement de la prospérité de la nation romaine; mais il recouvre trois mots grecs qui concourent à en dire le vrai sens biblique.

1. *Eulabeia* : « circonspection, attention révérentielle à la volonté divine, crainte de Dieu »; *eulabès* dit une soumission révérentielle à la volonté divine [1], celle que Jésus a manifestée parfaitement [2].

[1] Lc 2,25; Ac 2,5; 8,2; 22,12; He 11,7; 12,28. — [2] He 5,7 △.

2. *Hosiotès* : « sainteté », *hosios* : « saint », d'un mot grec qui signifie ce qui est permis, autorisé par la loi divine, mais avec le poids hb. du *hèsèd* de l'AT : « lien qui unit parents, amis, alliés », désignant la *fidélité dans l'*Alliance. Elle caractérise aussi bien Dieu [3] que le Christ [4], ainsi que l'homme soucieux de fidélité [5], tels les *pharisiens qui se faisaient appeler les *hassîdîm*, les pieux [6].

[3] Ap 15,4; 16,5. — [4] Ac 2,27; 13,34s; He 7,26. — [5] Lc 1,75; Ep 4,24; 1 Th 2,10; 1 Tm 2,8; Tt 1,8; cf 1 Tm 1,9; 2 Tm 3,2. — [6] 1 M 2,42.

3. *Eusebeia, eusebès* (de *eu* : « bien » et *sebomai* : « vénérer, honorer, rendre un *culte ») : qualité de l'homme qui révère bien; nous dirions aujourd'hui, peut-être, un bon pratiquant [7]. Dans les *Épîtres pastorales, le terme désigne la religion vraie, qui est mystérieuse connaissance du Christ [8]. Elle implique les exercices spirituels et la rectitude d'une vie chrétienne authentique [9]. Les *épreuves acceptées à la suite du Christ en sont un sûr critère [10]. Don actuel de Dieu [11], la piété vise le salut final [12].

[7] Ac 10,2.7. — [8] 1 Tm 3,16. — [9] 1 Tm 4,7s; 2 Tm 3,5; Tt 1,1. — [10] 2 Tm 3,12. — [11] 1 Tm 6,6; 2 P 1,3. — [12] Tt 2,12s.

→ adorer — craindre — culte — fidélité — justice.

Pilate

Pontius Pilatus, chevalier romain, *préfet de Judée sous *Tibère, de 26 à 36. Peu aimé des juifs parce qu'il avait pris à leur égard plusieurs mesures maladroites, il puisa en outre dans le *trésor du Temple pour faire construire un aqueduc et réprima par la force la rébellion ainsi provoquée. En 36 (ou 37), ayant sévi injustement contre les *Samaritains, Pilate fut destitué de ses fonctions par Vitellius, légat de Syrie, et renvoyé à Rome, où l'on perd sa trace. On lui attribue un écrit apocryphe, la *Lettre de Pilate* à Claude qui a pu être connue de Tertullien (avant 197) et une *Correspondance avec Tibère*, datant du Moyen Age [1].

[1] Mt 27 (=Mc 15=Lc 23); Lc 3,1; 13,1; Jn 18,29—19,38; Ac 3,13; 4,27; 13,28; 1 Tm 6,13; cf Mt 28,14; Lc 20,20 □.

pinacle

lat. *pinnaculum* (de *pinna*, aile d'un édifice), gr. *pterygion* (diminutif de *pteryx*, aile d'une bâtisse). Vraisemblablement, le sommet de l'édifice, peut-être surmonté d'une tour; selon d'autres, le point culminant de l'aile sud-est des portiques du Temple ou la corniche supérieure d'une des grandes portes surplombant la vallée du *Kédron [1].

[1] Mt 4,5 (= Lc 4,9) □.

→ temple.

[Pirké Aboth]

« Chapitres des Pères ». Traité de la *Michnah, recueilli également dans le livre de prières juif et lu durant les six sabbats entre la *Pâque et la fête des Semaines (*Pentecôte). En établissant la chaîne ininterrompue de la *tradition depuis Moïse jusqu'aux disciples de Johannan ben Zakkaï (1er s. ap. J.C.), il fonde la légitimité de l'orthodoxie rabbinique (I,1-15; II,8-14). A cela s'ajoute une collection de sentences des différents Pères de la tradition juive (principalement du 1er s. av. J.C. jusqu'au IIe ap. J.C.). Ouvrage de haute valeur religieuse et morale, analogue aux livres bibliques des *Proverbes et du *Siracide.

piscine

gr. *kolymbèthra*. En raison de la sécheresse estivale, des réservoirs d'eau, souterrains ou à ciel ouvert, étaient creusés dans le roc et alimentés par la pluie et par des sources, parfois éloignées, dont l'eau était amenée par une canalisation. A usage public, abreuvoir pour les troupeaux et cuve pour les artisans [1].

[1] 2 S 2,13; 4,12; 1 R 22,38; 2 R 18,17; 20,20; Ne 2,14; 3,15; Is 7,5; 22,9.11; Na 2,9; Jn 5,2.7; 9,7 □.

→ Bézatha — Siloé.

pitié
→ miséricorde.

place publique
gr. *agora* : « assemblée, place du marché » (hb. *chûq* : « souk »). Les places publiques se trouvent à l'entrée des villes et villages, non pas à l'intérieur. C'est le lieu de la vie publique [1], où se rendent les jugements [2], où l'on traîne [3], où l'on joue [4], où l'on se pavane [5]. Les *rues larges ne peuvent leur être assimilées.

[1] Ct 3,2; Mc 6,56; 7,4; Ac 17,17. — [2] Ac 16,19; cf 19,38. — [3] Mt 20,3; Ac 17,5. — [4] Mt 11,16 (= Lc 7,32). — [5] Mt 23,7 (= Mc 12,38 = Lc 20,46) □.

→ agora — porte — rue.

plénitude, plérôme
gr. *plèrôma*. Les interprétations suivantes sont justifiées par les usages du terme que la traduction ne peut toujours rendre exactement.

1. Ce qui remplit quelque chose : des corbeilles [1], la terre [2], ou ce qui complète quelque chose, ainsi un vêtement déchiré [3].

[1] Mc 6,43; 8,20. — [2] 1 Co 10,26. — [3] Mt 9,16 (= Mc 2,21).

2. Ce qui mène un nombre à sa totalité, par opposition à une limite ou à une diminution : ainsi le nombre des nations [4].

[4] Rm 11,12.25.

3. Ce qui dit la surabondance de quelque chose : ainsi pour la bénédiction [5], la grâce [6]; ce qui dit la mesure comble, un état achevé; ainsi pour la Loi [7], le temps [8].

[5] Rm 15,29. — [6] Jn 1,16. — [7] Rm 13,10. — [8] Ga 4,4; Ep 1,10.

4. Ce qui exprime la totalité, l'inexprimable richesse de l'être de Dieu [9] ou du Christ [10].

[9] Ep 3,19; Col 2,9. — [10] Ep 4,13.

5. Le terme employé sans complément déterminatif peut être diversement interprété. Plus probablement, il signifie la totalité de la divinité qui réside dans le Christ et que Dieu veut communiquer [11]. Interprétation difficile aussi, lorsque le complément déterminatif est celui qui précisément est la plénitude même : « l'Église qui est son corps, *to plèrôma tou ta panta en pasin plèroumenou* »; l'Église semble être ici non pas le complément, mais l'expression du Christ en sa plénitude; l'univers lui est peut-être associé [12].

[11] Col 1,19. — [12] Ep 1,23.

→ accomplir — parfait.

plérôme
→ plénitude.

pleurs et grincements de dents
Expression signifiant le dépit et la colère des damnés devant le bonheur des justes [1].

[1] Mt 8,12; 13,42.50; 22,13; 24,51; 25,30; Lc 13,28; cf Ps 112,10; Lm 2,16; Ac 7,54 □.

→ enfer.

[Pline le Jeune]
C. P. Cecilius Secundus Plinius (né en 61 ap. J.C.), neveu de Pline l'Ancien (l'auteur d'une *Histoire naturelle*), fut gouverneur de la province romaine du *Pont/Bithynie à partir de 110. Il écrivit en 112 une fameuse lettre à Trajan où il rapporte que les *chrétiens de la région disaient des chants au Christ comme à un dieu *(carmen Christo quasi deo dicere}.*

pluie
gr. *brokhè, hyetos.* Dieu ouvre à volonté les réservoirs d'eau que les Hébreux imaginaient placés au-dessus du ciel [1]. Cette eau du ciel, parfois catastrophique [2], est pourtant indispensable à la fécondité des champs. Ne pouvant, comme l'irrigation, être produite par le travail des hommes, elle symbolise le don de Dieu gratuit et fécond [3]. Si elle est de feu, elle symbolise le châtiment [4].

[1] Ps 33,7; Mi 5,6; Ap 11,6. — [2] Mt 7,25.27; Ac 28,2. — [3] Lv 26,3s; Is 55,10; Mt 5,45; Ac 14,17; He 6,7; Jc 5,17s. — [4] Gn 19,24; Lc 17,29 □.

→ *Intr.* II.4; V,1.

[poids]

Israël connaissait le *talent (34,272 kg), la *mine (0,571 kg), le *sicle (11,424 g) et le demi-sicle. A l'époque hellénistique, ces mesures étaient en plomb. Elles ont donné leur nom à des monnaies. Le NT mentionne seulement le *talent (gr. *talantiaios*), et la *livre (gr. *litra*) romaine (327,45 g) [1].

[1] Jn 12,3; 19,39; Ap 16,21.

→ mesures — monnaies.

[pointe]

Mot, phrase, thème d'une *unité littéraire où se concentre l'effet que l'écrivain cherche à obtenir. Ainsi une même *parabole peut viser Dieu qui a souci de la brebis qui est « perdue » (Lc 15,4-7) ou les chefs de la communauté qui doivent avoir souci de celle qui est « égarée » (Mt 18,10-14).

poisson

gr. *ikhthys*. Aliment usuel de valeur économique [1]. Les prescriptions alimentaires interdisaient les poissons sans nageoire ni écaille [2]. On connaissait le poisson séché (gr. *opsarion*) [3]. Les premiers chrétiens représentaient volontiers le Christ par l'emblème du poisson, dont les lettres signifiaient *I*èsous *Kh*ristos *Th*eou *Y*ios *S*ôtèr = Jésus Christ de Dieu Fils Sauveur.

[1] Mt 7,10 (= Lc 11,11); 14,17.19 (= Mc 6,38.41.43 = Lc 9,13.16); 15,34.36 (= Mc 8,7); 17,27; Lc 5,6.9; 24,42; Jn 21,6.8.11. — [2] Lv 11,9-12; 1 Co 15,39 △; cf Mt 13,47s. — [3] Jn 6,9.11; 21,9s.13 △.

→ *Intr.* II.6; VIII.1.D.a. — dragon — pêche.

poitrine

gr. *stèthos* : « poitrine » [1], *mastos* : « sein » [2].

[1] Ap 15,6. — [2] Lc 11,27; 23,29; Ap 1,13 △.

1. « Se frapper la poitrine » (en gr. *typtô to stèthos*) est un geste de repentir ou de tristesse [3]. Avec *koptomai*, sans complément, c'est l'équivalent de « se lamenter » [4].

[3] Is 32,12; Ez 23,34; Na 2,8; Lc 18,13; 23,48. — [4] Mt 11,17; 24,30; Lc 8,52; 23,27; Ac 8,2; Ap 1,7; 18,9.

2. Se pencher sur la poitrine d'un ami pendant le repas, durant lequel on était étendu, et non assis, était un geste d'intimité [5]. Autre mot pour dire la même attitude, gr. *kolpos* : sein [6].

[5] Jn 13,25; 21,20. — [6] Jn 1,18; 13,23; cf Lc 6,38; 16,22s △.

[Pompée]

Gnaeus Pompeius (106-48 av. J.C.), grand chef militaire romain, rival de *César qui triompha de lui. Vainqueur de Mithridate, roi du *Pont, il intervint dans les rivalités des chefs de Judée et s'empara de Jérusalem en 63; il entra dans le *Saint des Saints, mais ne pilla pas le Temple et autorisa le culte juif. Il créa la *province romaine de Syrie et fonda la *Décapole.

→ *Intr.* I.1.C.

Pont

Région du nord de la Turquie actuelle, en bordure du Pont-Euxin : gr. *Pontos* : « haute, pleine mer », *euxeinos* : « hospitalière » (par antiphrase?) : la mer Noire. *Province romaine à partir de 65 av. J.C. Elle comptait des juifs dont *Aquilas et sa femme, puis des chrétiens, dont parle *Pline [1].

[1] Ac 2,9; 18,2; 1 P 1,1 □.

→ Bithynie — *Carte* 3.

porc

gr. *khoïros*. Animal sacré dans les religions non sémites et parfois immolé rituellement [1], le porc est pour Israël l'emblème de l'*impureté rituelle [2] et, comme tel, interdit dans l'alimentation et les *sacrifices [3]. Des troupeaux étaient élevés dans la *Décapole hellénisée [4]. Le métier de porcher était infamant, d'autant qu'il impliquait une promiscuité avec les païens [5].

[1] Is 65,4; 66,3.17. — [2] Mt 7,6. — [3] Lv 11,7; Dt 14,8; 2 M 6,18-21. — [4] Mt 8,30-32 (= Mc 5,11-13 = Lc 8,32s); Mc 5,16. — [5] Lc 15,15s □.

→ *Intr.* VIII.1.D.a.

porte

1. gr. *thyra*. Ouverture permettant d'entrer dans une construction ou d'en sortir : maison [1], Temple (ainsi la « Belle Porte ») [2], salle [3] ou chambre [4]; le mot désigne parfois le battant qui ferme l'ouverture [5]. Un autre mot, gr. *pylè, pylôn*, désigne de préférence une grande porte, un portail [6]; au pluriel *(pylai)*, le terme prend une coloration sémitique et désigne l'espace large qui est devant la porte de la ville et correspond souvent à la *place publique, lieu où se concentre la vie de la cité [7].

[1] Mc 1,33; 2,2; 11,4; Lc 11,7; 13,24s; Jn 18,16s. — [2] Ac 3,2; 21,30. — [3] Mt 25,10; Jn 20,19.26; Ac 5,9.19.23; 12,6; 16,26s. — [4] Mt 6,6; 27,60. — [5] Ac 12,13. — [6] Mt 26,71; (Lc 7,12); 16,20; Ac 3,10; 10,17; 12,13; 14,13. — [7] (Lc 7,12); Ac 9,24; (12,10); (14,13); 16,13; He 13,12; Ap 22,14.

2. Le NT connaît l'emploi métaphorique des termes, comme l'ouverture au travail apostolique [8], le danger qui est aux portes [9], l'accès au Royaume et au ciel [10]. *Ciel et *enfers, imaginés comme des espaces fermés, ont aussi des portes, synonymes du lieu même, et dont Dieu détient la clef [11].

[8] Ac 14,27; 1 Co 16,9; 2 Co 2,12; Col 4,3. — [9] Mt 24,33 (= Mc 13,29); Jc 5,9. — [10] Comp. Mt 7,13s et Lc 13,24; Mt 25,10; Ap 4,1. — [11] Mt 16,18; Ap 9,1s.

3. Jésus est lui-même, dès maintenant, la porte par où le croyant entre dans la plénitude de la vie [12]. La Jérusalem céleste a douze portes, toujours ouvertes, face aux quatre points cardinaux, pour symboliser l'invitation adressée à tous les peuples [13].

[12] Jn 10,7.9. — [13] Ap 21,12-25.

→ cité — place publique — rue.

portique

gr. *stoa*. Galerie à l'air libre mais couverte par un toit supporté par des colonnades. Le NT signale le « portique de Salomon » [1], sur le côté Est du Temple, lieu de rendez-vous des habitants de Jérusalem, le fameux Portique d'Athènes [2] où se promenaient les *stoïciens, et les cinq portiques de la piscine de *Bézatha [3].

[1] Jn 10,23; Ac 3,11; 5,12. — [2] Ac 17,22. — [3] Jn 5,2 □.

possédé

gr. *daimonizomenos*, de *daimôn* : « démon ». Être humain envahi par un *esprit qui, tout en étant autre que lui, s'identifie à lui. On dit :

435

« avoir un esprit » [1], « être avec (dans, sous l'empire d') un esprit » [2] : c'est être « possédé ». Le possédé se trouve doué de force surhumaine [3], de pénétration des êtres [4]. Jésus *exorcise les possédés [5] et donne ce pouvoir à ses disciples, du moins à l'aide de la prière et du jeûne [6]. Tandis que dans l'AT, des hommes sont envahis par le « bon esprit » [7], le NT ne connaît que des possessions par le mauvais esprit. Parfois il est difficile de distinguer possession et *maladie [8].

[1] Mc 3,30; 7,25; Ac 8,7. — [2] Mc 1,23; 5,2. — [3] Mc 5,3.5. — [4] Mc 1,24; Lc 4,34.41. — [5] Mt 8,16; Mc 1,27; 3,11. — [6] Mt 10,1; 17,21 (= Mc 9,29); Mc 16,17; Lc 10,20. — [7] Jg 11,29; 14,6. — [8] Comp. Mt 17,16 et 17,19, ainsi que Mt 17,18.

→ démons — esprit — exorciser.

potier

1. gr. *kerameus* (de *keramos* : « terre à potier, jarre, tuile, toit »). Artisan fabriquant sur un tour des vases qu'ensuite il cuit au *four [1]. Au sens métaphorique, probablement par allusion au récit de la création [2], cet antique métier servait à illustrer la souveraine liberté de Dieu vis-à-vis de ses créatures [3].

[1] Si 38,29s. — [2] Gn 2,7. — [3] Sg 15,7; Is 29,16; 45,9; 64,7; Jr 18,2-7; Rm 9,21.

2. Le « champ du potier » situé dans la vallée de la *Géhenne [4] serait devenu après la trahison de Judas le « champ du sang » [5].

[4] Jr 19,2s; Za 11,13. — [5] Mt 27,7.10 □.

pourpre

gr. *porphyra*. Matière colorante, d'un rouge foncé tirant sur le violet, obtenue à partir du liquide que sécrète un mollusque marin *(murex trunculus)*. Étoffe d'un grand prix [1].

[1] Est 8,15; Dn 5,7; Mc 15,17.20; Lc 16,19; Jn 19,2.5; Ac 16,14; Ap 17,4; 18,12.16 □.

Pouvoirs

gr. *exousiai;* Êtres célestes, souvent maléfiques, ordinairement nommés avec les « Autorités »; ils ont été vaincus par le Christ [1].

[1] 1 P 3,22.

→ Dominations.

436

prêcher

Du lat. *prae-dicare* : « annoncer, publier ». En gr. diverses familles de mots correspondent à « proclamer la Bonne Nouvelle »; tout en comportant des nuances propres, elles sont souvent équivalentes [1]. *Eu-aggelizomai* : « annoncer la Bonne nouvelle », *kat-aggellô* : « annoncer », *ex-hègeomai* : « interpréter », *homologeô* : « confesser », *didaskô* : « enseigner », *laleô* : « parler », *martyreô* : « témoigner », et surtout *kèryssô* : « proclamer, annoncer en héraut ». Le verbe d'action l'emporte nettement sur le substantif : celui-ci désigne tantôt l'auteur de l'acte (ainsi *kèryx* : « héraut » [2]), tantôt le contenu annoncé (ainsi *kèrygma* : « annonce, message », ordinairement lié à la parole [3], rarement à la fonction [4]).

[1] Comp. 1 Th 2,2 et 2,9; Ph 1,18; ainsi que Lc 4,43; 9,6 et Mc 1,38; 3,14; 6,12. — [2] 1 Tm 2,7; 2 Tm 1,11; 2 P 2,5. — [3] Mt 12,41 (= Lc 11,32); 1 Co 1,21; 2,4; 15,14. — [4] Rm 16,25; 2 Tm 4,17; Tt 1,3.

1. A la suite des prophètes de l'AT, Jean Baptiste prêche la conversion et le baptême [5]; Jésus prêche la conversion, la Bonne Nouvelle du Royaume [6] et confie à ses disciples la mission de prêcher [7]. Ceux-ci annoncent le Royaume, l'Évangile, la parole de foi [8], et essentiellement la personne du Christ crucifié et présent [9]. Situé en son contexte existentiel, le message précise que l'Esprit Saint est à l'œuvre [10]; il est précédé par un appel à la conversion [11] et référé doublement à un événement passé (la Pâque du Christ) et à un événement futur (l'ultime venue du Seigneur) [12].

[5] Mt 3,1 (= Mc 1,4.7 = Lc 3,3); Ac 10,37; 13,24. — [6] Mt 4,17.23; 9,35; 11,1; Mc 1,14.38s; Lc 4,18s.44; 8,1. — [7] Mt 10,7; Mc 3,14; 6,12; Lc 9,2. — [8] Mc 16,20; Ac 20,25; 28,31; Rm 10,8; Ga 2,2; Col 1,23; 1 Th 2,9; 2 Tm 4,2. — [9] Ac 8,5; 9,20; 10,42; 19,13; 1 Co 1,23; 15,12.14; 2 Co 1,19; 4,5; 11,4; Ph 1,15; 1 Tm 3,16. — [10] Ac 2,4.11.15s; 1 Th 1,5. — [11] Ac 2,38; 1 Th 1,9s. — [12] Ac 2,22-36; 3,12-16.21; 2 Th 1,7.

2. L'acte de prêcher est celui d'un héraut du Christ qui dit la parole de Dieu [13]. Le Ressuscité parle réellement par sa bouche [14] et vient vivre en celui qui annonce son mystère pascal [15]. Aussi le héraut de l'Évangile se montre-t-il plein d'assurance et de *fierté [16], proclamant la Parole à temps et à contretemps [17], toujours soucieux de ne pas affadir la parole divine [18]. Sans crainte il peut appeler à la conversion et susciter la foi [19].

[13] 1 Co 9,27; 1 Th 2,13. — [14] Rm 10,14s.17. — [15] 1 Co 4,9-13; 2 Co 1,3-11; 3,4—5,21. — [16] 2 Co 2,14-16; 4,13. — [17] 2 Tm 4,2. — [18] 1 Co 3,1-22; 2 Co 2,17. — [19] Rm 1,5.

3. La manière de prêcher varie selon l'auditoire et les circonstances; elle peut s'appuyer sur l'accomplissement des Écritures [20], comporter l'évocation de la vie de Jésus [21], inviter à reconnaître le Dieu créateur du ciel et de la terre [22]; toujours elle finit par se concentrer sur le mystère de la croix et de la résurrection de Jésus [23]. Enfin elle débouche sur la catéchèse et l'enseignement.

[20] Ac 2,17; 3,24; 13,33; 1 Co 15,3s. — [21] Ac 10,37-42. — [22] Ac 14,15-17; 17,22-31; 1 Th 1,9s. — [23] 1 Co 1,21; 2,4.

→ catéchiser — confesser — enseigner — évangile — kérygme — parole — témoigner.

prédestiner

gr. *proorizô* (de *pro* : « avant » et *horizô* : « délimiter, fixer ») : « destiner d'avance ». Le substantif n'est jamais employé dans le NT. Ce verbe, avec une constellation d'autres aux sens apparentés, décrit anthropomorphiquement l'agir de Dieu qui domine le temps des hommes; connaissant le dessein de Dieu réalisé, le croyant le montre à l'origine, dès avant la création du monde [1].

[1] Ep 1,4.

1. Dieu a prédestiné Jésus à sa passion rédemptrice [2]; il a aussi prédestiné les « *élus » [3] à accueillir le salut, à devenir fils adoptifs, à recevoir la sagesse, en raison d'un *dessein préétabli [4]. Il les a « connus d'avance » (gr. *pro-ginôskô*), c'est-à-dire « choisis d'avance » [5]. Il les a « préparés d'avance » (gr. *pro-etoimazô*) pour la gloire [6] des œuvres bonnes à pratiquer [7]; il a « préparé » (gr. *hetoimazô*) un Royaume où il y a des places prévues [8], le salut [9], en un mot tout ce qu'il faut pour ceux qui l'aiment [10]. Il a « choisi d'avance » (gr. *pro-kheirizomai*) le Christ ou la mission de Paul [11]. Il a « fixé, déterminé » (gr. *horizô*) des temps et des lieux pour le genre humain [12], le sort du Fils de l'homme qui sera juge de tous comme Fils de Dieu [13] et un nouvel aujourd'hui pour les croyants [14]. Dieu « ordonne » (gr. *tassô*) les moments majeurs de la création [15], ainsi que la vie éternelle [16]. Il « constitue, organise » (gr. *kat-artizô*) les mondes, le corps de Jésus [17]. Il « place pour » (gr. *tithèmi eis*) le salut [18] en sorte que Jésus est « posé pour » (gr. *keimai eis*) le relèvement des hommes, et Paul pour l'Évangile [19]. Ainsi est décrite une présence constante de Dieu qui a présidé à toute chose, et tout cela pour le *salut des hommes. Toutefois il faut noter que les verbes *hetoimazô*, *keimai* et *tithèmi* peuvent aussi avoir pour objet une issue négative : la chute et le feu éternel [20]; mais ces verbes n'ont jamais le préfixe *pro-*, sans parler du fait que la mentalité sémitique télescope volontiers les causes secondes. Il est dit par là que l'initiative salvifique de Dieu mettra en lumière les secrets des cœurs : le Christ est dans le monde un signe de contradiction. Aussi, en dépit des apparences, le langage biblique ne porte pas atteinte à la liberté humaine : tandis que les élus sont dits « préparés d'avance pour la gloire », les autres sont seulement trouvés « tout prêts pour la perdition »[21].

[2] Ac 4,28; cf. 2, 23. — [3] Rm 8,29; 11,2; 1 P 1,2. — [4] Rm 8,29s; 1 Co 2,7; Ep 1,5.11. — [5] 1 P 1,20. — [6] Rm 9,23. — [7] Ep 2,10. — [8] Mt 20,23 (= Mc 10,40); 25,34; Jn 14,2s. — [9] Lc 2,31. — [10] 1 Co 2,9. — [11] Ac 3,20; 22,14; 26,16. — [12] Ac 17,26. — [13] Lc 22,22; Ac 2,23; 10,42; 17,31; Rm 1,4. — [14] He 4,7. — [15] Ac 17,26. — [16] Ac 13,48. — [17] He 10,5; 11,3. — [18] 1 Th 5,9; 1 P 2,8. — [19] Lc 2,34; Ph 1,16. — [20] Mt 25,41; Lc 2,34. — [21] Rm 9,22s.

2. Les verbes utilisés ont une dimension temporelle, soit par la pré-position *pro-* (en avant, en marchant devant : d'où l'idée d'initiative), soit en raison du contexte. Vue à travers le prisme de notre temporalité, la pré-dilection divine ne peut manquer d'apparaître comme une « pré-destination », impliquant même le rejet de ceux qui ne sont pas élus, mais ce n'est là que transposition dans l'espace et le temps d'une réalité qui n'y est pas soumise. Le préfixe *pré-* projette dans le temps une priorité qui est de l'ordre de la relation entre des personnes, entre Dieu et les hommes. Dès lors, c'est dans la transposition en termes personnels que le langage temporel prend son vrai sens : « Dieu, lui, nous a aimés le premier »[22], exerçant sur les hommes son attirance invincible[23].

[22] Ep 1,1.3-5; 1 Jn 4,19. — [23] Jn 6,44; 10,29; 17,2.6.15.24.

→ élection — temps.

[préexistence]

1. Pour percer le secret de l'histoire, l'homme a toujours tenté, par sa foi, de remonter jusque dans l'avant du temps, qui appartient à Dieu. Ainsi l'homme est un dieu tombé qui se souvient des cieux. Chez les juifs, la *Sagesse divine est conçue comme active à l'origine de la création[1]; selon la tradition d'*Hénok, le Fils de l'Homme préexiste à la création.

[1] *Intr.* XII.3.C; Jb 28,20-27; Pr 8,22-31.

2. En concentrant sa foi sur Jésus, le NT, héritier de ce langage, proclame le Christ *image du Dieu invisible, *premier-né de toute créature[2], *Fils de Dieu venu dans le monde pour sauver les hommes[3];

il est Dieu avec Dieu [4]. En outre, probablement au contact de représentations hellénistiques, il est descendu du ciel sur la terre [5].

[2] Col 1,15. — [3] Ga 4,4. — [4] Jn 1,1. — [5] Jn 3,13; 6,38.62.

3. Par ce langage, le croyant est invité non pas à identifier l'affirmation de la foi avec une représentation spatiale ou temporelle, mais à viser, à travers elle, la totalité du mystère de Jésus Christ. Jésus de Nazareth est l'homme unique par qui et en qui tous les hommes reçoivent le salut; ressuscité, il étend sa présence à l'entière durée du temps. C'est ce que dit le langage de la préexistence en situant le Christ dans l'avant du temps.

→ élection — Jésus Christ — prédestiner.

préfet

→ *Intr.* IV.2.B.b. — procurateur.

prémices

gr. *aparkhè*. Terme sacrificiel : prélèvements opérés sur les « premiers » fruits du sol, pour être offerts à Dieu, source de tout bien [1]. La partie valant pour le tout [2], la récolte entière était sanctifiée par ce rite pour l e peuple saint, lui-même « prémices de la récolte de Dieu » [3]. La *métaphore s'applique au Christ ressuscité [4], au don de l'Esprit fait ux croyants [5], aux premiers convertis [6], aux vierges [7].

[1] Dt 26,1-11. — [2] Rm 11,16. — [3] Jr 2,3. — [4] 1 Co 15,20.23. — [5] Rm 8,23. — [6] Rm 16,5; 1 Co 16,15; Jc 1,18. — [7] Ap 14,4 □.

→ *Intr.* VI.3.B.b. — dîme — sacrifice.

premier-né

gr. *prôtotokos*, hb. *bekôr* : « ce qui fend le sein ». L'offrande des premiers-nés mâles, *prémices des hommes, à Yahweh qui a préservé les fils des Hébreux la nuit où périrent les premiers-nés d'Égypte [1], se réalisait par un don substitutif au Temple [2]. Prémices de l'humanité réunie au Père, le Christ est dit premier-né, ce terme évoquant antériorité et excellence [3], celui qui a fendu le sein du *chéol, premier-né d'entre les morts [4]. A leur tour, les croyants, prémices de l'Église, constituent une assemblée de premiers-nés [5].

[1] Ex 22,28s; 34,19; He 11,28. — [2] Ex 13,13; Lc 2,7.22s; cf Gn 22. — [3] Rm 8,29; Col 1,15; He 1,6. — [4] Col 1,18; Ap 1,5. — [5] He 12,23; cf Jc 1,18 □.

→ prémices.

Préparation

gr. *Paraskeuè* : « *Parascève* ». Veille du sabbat ou de la *Pâque, au cours de laquelle on devait tout préparer pour la fête [1].

[1] Mt 27,62; Mc 15,42; Lc 23,54; Jn 19,14.31.42 □.

→ *Intr.* XIII.2.B.b. — fête — sabbat.

prépuce

gr. *akrobystia*. Repli de peau qui entoure l'extrémité (gr. *akros*) du membre viril (gr. *peos, posthè*); les juifs ont peut-être senti une assonance avec le mot hb. *bôchet* : « honte, partie honteuse »; par la *circoncision, il était coupé après avoir été tiré un peu.

1. Au sens propre, les incirconcis sont ceux qui ont conservé leur prépuce [1] ou qui, tels les juifs honteux du temps des Maccabées, s'en font refaire un chirurgicalement [2].

[1] Gn 34,14; Ac 11,3. — [2] 1 M 1,15; 1 Co 7,18s.

2. Au sens métaphorique, les incirconcis désignent les *païens, qui n'appartiennent donc pas à l'Alliance dont la circoncision est le signe distinctif [3], ou même le paganisme [4].

[3] Rm 2,25-27; Ga 5,6; 6,15; Col 2,13. — [4] Rm 3,30; 4,9-12; Ga 2,7; Ep 2,11; Col 3,11 □.

→ circoncision.

presbytre

Du gr. *presbyteros* (adjectif substantivé, comparatif de *presbys* : « le plus ancien des deux », « aîné [1] », « vieillard [2] ») qui désigne un ancien, juif [3] ou chrétien [4] : chef de communauté correspondant à l'épiscope, mais non au prêtre (au sens moderne).

[1] Lc 15,25. — [2] Jn 8,9; Ac 2,17; 1 Tm 5,1s; Ap 4,4.10; 5,5-14... — [3] Mt 15,2; Ac 4,5; He 11,2. — [4] Ac 14,23; Jc 5,14.

→ *Intr.* I.4. — ancien — épiscope — prêtre.

Présentation de Jésus, présenter

gr. *paristèmi* (remplacé au présent par *paristanô*).

1. Emploi intransitif : « se tenir » devant, c'est pour un serviteur être à la disposition de son maître [1], tel un ange, ministre de Dieu [2], tel un prophète [3] ou tel un prêtre qui se tient devant Dieu pour le « servir » (gr. *leitourgeô*) [4]. Semblablement, on peut être appelé à « comparaître » devant César [5] ou devant le jugement de Dieu [6].

[1] 1 R 10,8. — [2] Lc 1,19; Ap 8,2; 11,4. — [3] 1 R 17,1. — [4] Dt 10,8; 18,5.7. — [5] Ac 27,24. — [6] Rm 14,10.

2. Emploi transitif : « présenter » une offrande (gr. *pros-pherô, prosphora*) au Seigneur, dans un contexte cultuel. Ainsi Jésus est « présenté » au Seigneur dans son temple [7]. Dans le NT, le culte devient « spirituel » et le croyant doit « se présenter, s'offrir en victime vivante » [8]. Par le baptême, il a cessé d'offrir (le verbe est à l'impératif présent) ses membres au péché, il doit offrir sans cesse (le verbe est à l'aoriste) ses membres à la justice, c'est-à-dire actualiser à chaque instant cette offrande cultuelle que doit être sa vie [9].

[7] Lc 2,22. — [8] Rm 12,1; cf 1 Co 8,8. — [9] Rm 6,13.16.19.

→ culte — sacrifice.

pressoir

gr. *lènos* : proprement *cuve à faire le vin. Le pressoir était formé de deux parties superposées : la première, une aire dallée où l'on écrasait les raisins avec les pieds, au rythme de chants et de cris de joie [1], la seconde, cuve creusée dans le roc, où s'écoulait le moût [2]. Il existe aussi des pressoirs à huile. Le pressoir symbolise l'épreuve accablante [3], Dieu étant assimilé au vendangeur qui foule au pressoir [4], et la cuve devient la *colère de Dieu [5].

[1] Jg 6,11; Is 16,10. — [2] Nb 18,27. — [3] Lm 1,15. — [4] Is 63,2s. — [5] Ap 14,19s.

→ cuve — huile — vin.

prétoire

gr. *praitôrion*, du lat. *praetorium*.

1. Demeure du préteur, magistrat romain à pouvoirs militaires, chargé aussi de la justice [1].

[1] Mt 27,27; Mc 15,16; Jn 18,28.33; 19,9 □.

2. Palais occupé par un préfet ou un *procurateur, par exemple le palais d'Hérode à Césarée ².

² Ac 23,35 □.

3. Le prétoire désigne aussi un état-major et une « garde » ³.

³ Ph 1,13 □.

prêtre

Le mot dérive du gr. *presbyteros* : « vieux », « ancien » chargé de présider l'assemblée croyante. Mais il a hérité aujourd'hui du sens du terme grec *hiereus* (de *hieros* : « sacré »); c'est en ce dernier sens que le mot est examiné ici.

1. Désigne tout responsable du monde *sacré, chez les païens ¹ comme dans l'AT ². Au temps de Jésus, la prêtrise, réservée héréditairement en Israël aux membres des familles sacerdotales, est le privilège des descendants d'*Aaron. Parmi eux se détache le *Grand Prêtre, désigné et déposé par les Romains; les chefs des prêtres ou grands prêtres sont les membres de l'aristocratie sacerdotale de Jérusalem. A l'âge requis, le prêtre était habilité par une ordination aux actes *sacrificiels ³, à l'exécution des rites ⁴, au service du Temple ⁵ (préparer le sacrifice, brûler les parfums...). Il n'avait plus la charge de l'enseignement de la Loi, que les *scribes se réservaient désormais ⁶. Résidant habituellement dans les villages, où ils avaient des « bénéfices », les prêtres, répartis en classes, officiaient à tour de rôle au Temple durant une semaine ⁷.

¹ Ac 14,13. — ² *Intr.* XIII.1 et 2. — ³ He 10,11. — ⁴ Mt 8,4 (= Mc 1,44 = Lc 5,14); Lc 17,14. — ⁵ Lc 1,5.8s. — ⁶ Mt 7,29. — ⁷ Lc 1,8.

2. Le NT n'applique jamais ce vocabulaire sacerdotal aux ministres de la Nouvelle Alliance, sauf en Rm 15,16 pour le ministère de l'Évangile. Seul Jésus Christ est *Grand Prêtre, et en un sens nouveau : accomplissant l'ancienne Alliance, il opère une mutation du *cultuel au personnel. Le sacrifice cultuel ne vaut désormais que par le sacrifice personnel de Jésus; quand Jésus se « consacre », l'Église est « sanctifiée » ⁸ et se trouve chargée d'offrir le sacrifice spirituel ⁹.

⁸ Jn 17,19s. — ⁹ 1 P 2,5-9; Ap 1,6; 5,10; 20,6; cf Ex 19,6.

→ Aaron — Grand Prêtre — Melchisédek — sacerdoce — sacré — sacrifice.

prier

Il n'y a pas de différence substantielle entre les mots grecs *aiteô* : « demander », *deomai* (soulignant le besoin exposé), *erôtaô* : « solliciter » (soulignant la liberté du donateur); utilisés dans le monde profane comme dans le religieux, ils comportent l'idée de demander avec insistance, prier, mendier...

1. Le NT retient les *formes* juives de la prière : aux repas [1], à certains temps [2], debout [3], à genoux [4], prosterné à terre [5], les mains levées [6], sans cesse [7]. Toutefois il n'est plus question de *phylactères ni de châles de prière; pas de lieu sacré non plus, mais on prie partout, dehors [8], dans la chambre retirée [9] ou au local de l'assemblée [10].

[1] Mt 15,36 (= Mc 8,6); Ac 27,35; 1 Co 10,30. — [2] Ac 3,1; 10,30. — [3] Mc 11,25; He 10,11. — [4] Lc 22,41; Ac 7,60; 9,40; 20,36; Ph 2,10. — [5] Mc 14,35. — [6] 1 Tm 2,8. — [7] Lc 18,1. — [8] Mc 1,35. — [9] Mt 6,6. — [10] Ac 4,31.

2. Nombreuses sont les *expressions* juives de la prière : *alleluia, *hosanna, *amen, *doxologies, *cantiques, *hymnes, prières de demande, d'*intercession, d'*action de grâces ou d'*adoration. Ce qui est neuf, c'est la prière pour les ennemis [11], l'insistance sur l'action de grâces [12], et surtout la prière du Pater [13].

[11] Mt 5,44. — [12] Ph 4,6; 1 Tm 2,1. — [13] Mt 6,9-13 (= Lc 11,2-4).

3. En raison de la situation *eschatologique qui détermine une relation nouvelle avec Dieu — celle de fils —, celui qui prie est certain d'être exaucé [14], car il peut le faire avec le mot même de Jésus : *Abba* [15].

[14] Mt 7,7; Mc 11,23s; Jn 14,13; 15,16; 16,23-26. — [15] Lc 14,36; Mc 11,2; Rm 8,15; Ga 4,6.

→ *Intr.* XIII.2.B. — action de grâces — adorer — bénédiction — culte — intercession — veiller.

[primitif]

Qualifie la tradition, le texte ou le contexte le plus ancien, le plus proche des événements.

Prince de ce monde

→ Satan.

Principautés

gr. *archaï*, pluriel de *archè* (nom d'action) : « commencement, initiative », d'où autorités, puissances célestes [1].

   [1] Rm 8,38; 1 Co 15,24; Ep 1,21; 3,10; 6,12; Col 1,16; 2,10.15 □.

→ Dominations.

Priscille

gr. *Priskilla*, épouse d'*Aquilas [1].

   [1] Ac 18,2 □.

prison

gr. *desmôtèrion* (de *deô* : « lier » et *desmôtès* : « prisonnier »), *phylakè* (de *phylassô* : « garder »). Avant tout, peine préventive en attendant la décision judiciaire [1]; aussi peine répressive, par exemple pour des *dettes insolvables [2]. Les prisonniers étaient ligotés ou enchaînés à des soldats ou au mur par les pieds, les mains ou le cou [3]. En *métaphore, lieu où Satan est enfermé [4] et où sont détenus les hommes non encore sauvés [5] ou captifs du péché [6].

   [1] Mt 14,3 (= Mc 6,17); Lc 3,20; Ac 4,3; 5,18; 12,4s; 16,23; 21,33—28,31; 2 Co 6,5; 11,23; Ep 3,1; Ph 1,7; He 11,36. — [2] Mt 5,25; 18,30. — [3] Jr 29,26; Mt 27,2 (= Mc 15,1); Jn 18,12; Ac 12,6; 16,24; 26,29.31; 2 Tm 2,9. — [4] Ap 20,2.7; cf Jude 6. — [5] Lc 4,18; 1 P 3,19. — [6] Rm 7,6-23.

→ *Intr.* XIV.1.B. — captif.

Probatique

gr. *probatikè (hè pylè)* (de *probaton* : « brebis ») : « la porte des brebis ». L'une des portes, au nord-est de l'enceinte du Temple, par laquelle passaient les bêtes destinées au sacrifice [1]. Non loin d'elle se trouvait la *piscine de *Bézatha [2] où, d'après Origène, on aurait lavé les brebis en question.

   [1] Ne 3,1. — [2] Jn 5,2 □.

→ *Carte* 1.

[procès de Jésus]

1. Le procès de Jésus est transmis en quatre *recensions [1], qui offrent bien des divergences, mais concordent pour l'essentiel. Ce ne sont pas des procès-verbaux des séances, mais des témoignages de la foi chrétienne manifestant des tendances apologétiques évidentes. Aussi est-il difficile de restituer le détail des scènes historiques. Les autres récits de procès rapportés par le NT autorisent quelques conclusions : non pas les comparutions de Pierre et de Jean [2], ou des Douze [3], mais les procès de Paul devant Gallion [4], devant le sanhédrin [5], devant Félix [6], devant Festus et Agrippa [7], enfin la lapidation d'Étienne [8]. Les historiens s'accordent sur ce fait : le droit de peine de mort était lié à la décision du *gouverneur, du moins lorsqu'il exerçait son autorité, donc pas nécessairement à propos de Jean Baptiste par Hérode [9] ou de Jacques par Agrippa [10]. Seule, la lapidation d'Étienne semble être une transgression du *jus gladii* réservé au gouverneur.

[1] Mt 26,57—27,31; Mc 14,53—15,20; Lc 22,54—23,25; Jn 18,12—19,16. — [2] Ac 4,5-22. — [3] Ac 5,17-41. — [4] Ac 18,12-17. — [5] Ac 22,30—23,10. — [6] Ac 23,33—24,26. — [7] Ac 25,1—26,32. — [8] Ac 6,8—7,60. — [9] Mt 14,3-11 (= Mc 6,17-29 = Lc 3,19s); cf Lc 23,3-11. — [10] Ac 12,1-6.

2. Le déroulement juridique d'un procès ne nous est connu qu'à travers les législations de la *Michnah, datant de quelque 150 ap. J.C. De là, des difficultés pour faire concorder ces données avec les récits évangéliques. Selon la Michnah, les sanhédrites sous la présidence du Grand Prêtre se tenaient en cercle sur des gradins. Accusés, accusateurs et témoins se trouvaient au centre. Le jugement ne pouvait pas s'exercer la nuit ni les jours de fête, y compris la veille. Les juges ne pouvaient être en outre accusateurs ni témoins. L'accusé avait auprès de lui un avocat. Avant le jugement, un messager parcourait le pays pour appeler des témoins à décharge. Un seul témoin à décharge suffisait, par contre il en fallait deux pour la charge. Le jugement de condamnation ne pouvait être prononcé qu'au moins 24 h après la première comparution. On discute sur la nature de l'accusation de *blasphème.

→ *Intr*. VI.4.C. — sanhédrin.

prochain

gr. *plèsion* : « proche de », traduction paradoxale par la *Septante de l'hb. *réa'* : « l'autrui », celui qui n'est pas mon frère par le sang, mais dont on veut devenir l'associé ou le compagnon. A l'inverse du *frère auquel on est lié par parenté charnelle, le prochain n'appartient pas à la maison paternelle, mais est celui qui s'en approche. Deux traits différencient le NT de l'AT hébreu. Mon prochain, à qui justice est due, n'est pas seulement le frère israélite [1] ni même l'*étranger résidant [2], mais tout homme qui s'approche de moi, fût-il un ennemi [3]. Ensuite, par la parabole du bon Samaritain [4], Jésus invite à se demander non plus : « Qui est mon prochain? », mais : « Ne suis-je pas le prochain de cet homme en difficulté? » : au centre n'est plus le moi, mais l'autre.

[1] Lv 17,3; 19,11.13.16-18. — [2] Lv 17,8.10.13; 19,34. — [3] Mt 5,43-48. — [4] Lc 10,29-37.

→ *Intr.* VIII.2.A; XIV.1.B. — amour — étranger — frère.

proconsul

du lat. *proconsul*, gr. *anthypatos*. Ancien consul détaché à l'administration d'une *province sénatoriale [1]. Le proconsul n'a donc aucune puissance militaire; sa fonction constitue une fin de carrière honorable pour les membres de l'aristocratie romaine. *Sergius Paulus est intelligent et devient croyant [2]. *Gallion se montre sage dans son intervention [3].

[1] Ac 19,38. — [2] Ac 13,7-12. — [3] Ac 18,12-17 □.

→ *Intr.* IV.2.B; IV.4.

procurateur

du lat. *procurator*, en gr. *hègemôn*. Fonctionnaire subalterne. Appelé « préfet » jusqu'en 42, il dépend directement de l'empereur. En Judée, le procurateur est soumis, en partie, à la surveillance du *légat de Syrie. Il doit compter avec les descendants d'*Hérode, dont les pouvoirs sont mal délimités, d'où de nombreuses frictions. Le procurateur doit assurer le maintien de l'ordre dans une population agitée; aussi, pour les fêtes de la Pâque, monte-t-il à *Césarée, sa résidence, à Jérusalem.

→ *Intr.* IV.2; IV.4. — gouverneur — Pilate.

progrès

→ croissance, croître.

promesse

gr. *epaggelia*. Ce mot, qui en grec profane signifie « annonce, ordre, promesse » est inconnu de l'AT ainsi que des évangiles [1]; il caractérise les écrits de Paul, les Actes et l'Épître aux Hébreux. Il reprend la donnée biblique courante qu'est l'*espérance : Dieu accomplit ce qu'il dit [2]; parole de Dieu et prophétie sont récapitulées dans le mot promesse. Réalisée, la promesse *(ep-aggelia)* devient annonce de la Bonne nouvelle *(ep-aggelizomai)* [3]. Le mot souligne l'aspect radicalement gratuit du *don de Dieu [4], par opposition à la loi des œuvres [5]. Il est ordinairement lié à *héritage [6] et a pour objet la terre [7], le repos [8], le Royaume [9], la vie [10], le Sauveur [11], l'Esprit Saint [12]. En Jésus les promesses ont leur oui [13].

[1] Sauf Lc 24,49. — [2] Jos 23,14; Rm 9,4; 15,8; Ep 2,12; 6,2; He 6,13; 10,23; 11,33. — [3] Ac 13,32; Rm 1,2. — [4] Rm 4,13-21. — [5] Ga 3,17-22. — [6] Ga 3,18-29; He 6,17; 9,15. — [7] Ac 7,5; He 11,9. — [8] He 4,1. — [9] Jc 2,5. — [10] 1 Tm 4,8; 2 Tm 1,1; Tt 1,12; Jc 1,12; 1 Jn 2,25. — [11] Ac 13,23; Ga 3,16. — [12] Lc 24,49; Ac 2,33; Ga 3,14; Ep 1,13. — [13] 2 Co 1,20; Ap 3,14.

→ espérance.

prophète

gr. *prophètès* (de *phèmi* : « dire » et *pro* : « en avant de », « à la place de », « par avance » ou « en public ») : Ce porte-parole est un homme envoyé et inspiré par Dieu pour manifester une chose secrète, rendre un *oracle, dire et faire saisir la pensée et la volonté divine, enfin parfois annoncer l'avenir. Le mot hb. *nâbî* (dérivant de l'*accadien : « appeler », « annoncer ») a sensiblement le même sens. Par le prophète biblique, Dieu actualise son dessein de salut et dit sa parole, engageant une modification du temps présent et annonçant parfois l'avenir.

1. *Les prophètes de l'AT* constituent, avec la *Loi (et les Sages), l'Écriture sainte [1]; parfois leurs noms sont cités, comme ceux d'Isaïe, de Jérémie ou de Samuel [2]. En parlant par leur bouche, Dieu a fait connaître son *dessein, non pour que l'on puisse en vérifier l'exactitude lors de l'accomplissement de la prophétie, mais pour qu'on puisse situer les événements qui arrivent et qui sont scandaleux, comme la croix de Jésus [3]. « Le Prophète comme Moïse » est l'une des *figures sous lesquelles devait se manifester le Christ [4].

[1] Mt 5,17; Ac 13,15; Rm 3,21. — [2] Mt 4,14; 16,14; Ac 3,24. — [3] Ac 3,18.21. — [4] Dt 18,15; Jn 1,21; 6,14; 7,40; Ac 3,22s; 7,37.

2. Autour de Jésus gravitent des hommes qui prophétisent : Zacharie, Anne [5], et surtout *Jean le Baptiste* : celui-ci montre le sens actuel de la Loi [6], annonce le jugement imminent [7], propose le baptême de repentance [8] et discerne Celui qui est là [9]. *Jésus* est pris pour un prophète [10], mais n'en revendique pas le titre; il se contente d'agir comme tel : il dénonce les excès des chefs religieux et des juifs [11], révèle le contenu des *signes des temps [12] et se reconnaît voué au sort tragique typique des prophètes [13], tout en annonçant sa destinée unique [14]. Mais il se situe bien au-dessus des prophètes [15], car il procure le salut [16] et prononce des paroles de sa propre autorité [17].

[5] Lc 1,67; 2,36. — [6] Mt 11,9s.13; 14,4; Lc 3,11-14. — [7] Mt 3,2.8. — [8] Mt 3,11 (= Mc 1,7s = Lc 3,16). — [9] Jn 1,26.31. — [10] Mt 16,14 (= Mc 8,28 = Lc 9,19); Lc 7,16; Jn 6,14; 7,40; 9,17. — [11] Mt 15,7; Mc 11,15-17; Lc 11,52. — [12] Mt 16,2s (= Lc 12,54-56). — [13] Mt 23,37 (= Lc 13,34). — [14] Mt 21,37 (= Mc 12,6 = Lc 20,13). — [15] Mt 12,41 (= Lc 11,32). — [16] Lc 10,24; 1 P 1,10s. — [17] Mt 5,22; 7,29.

3. A la Pentecôte et dans le temps de l'Église, le don de prophétie est renouvelé par l'Esprit saint [18], si bien qu'existe un *charisme de prophétie [19], exercé de fait dans l'Église par toutes sortes d'hommes et de femmes [20]. Le rôle de ces prophètes, sans doute distinct de celui des prophètes qui constituent le fondement de l'Église [21], est de révéler des secrets [22], d'exhorter, de consoler et d'édifier [23]; à l'inverse des faux prophètes (gr. *pseudo-prophètès*) [24], ils prophétisent en accord avec l'autorité apostolique [25].

[18] Nb 11,29; Jl 3,1s; Ac 2,4.17s; 19,6. — [19] 1 Co 14,1-5; 1 Th 5,20. — [20] Ac 11,27s; 13,1s; 21,9s; Ap 10,11; 18,20. — [21] 1 Co 12,28s; Ep 2,20; 4,11. — [22] 1 Co 13,2; Ap 1,3; 22,7.10.18s. — [23] 1 Co 14,3; Ap 10,7; 11,3. — [24] Mt 7,15; 24,11.24 (= Mc 13,22); Lc 6,26; Ac 13,6; 2 P 2,1; 1 Jn 4,1; Ap 2,20; 16,13; 19,20; 20,10 △. — [25] 1 Co 14,27.33; 1 Tm 1,18.

→ *Intr.* XII.2. — Bible — Daniel — Élie — Élisée — Isaïe — Jérémie — Jonas — Moïse — Osée — Zacharie — *Tableau*, p. 76.

propitiatoire

Le gr. *hilastèrion* (de *hilaskomai* : « chercher à se rendre favorable ») traduit l'hb. *kapporèt*, primitivement : « ce qui couvre les péchés », ensuite « ce qui enlève les péchés ». Plaque en or, ornée de deux *chérubins, posée sur l'*arche dans le *Saint des Saints. Siège de la présence divine et lieu surtout du *pardon de Yahweh, moyennant l'*aspersion du sang sacrificiel par le *Grand Prêtre le jour de l'*Expiation. Au temps de Jésus, il ne se trouvait plus dans le Temple [1].

[1] Ex 25,17-22; Lv 16,14; Rm 3,25; He 9,5 □; cf 1 Jn 2,2; 4,10.

→ arche — Expiations (fête des) — expier — pardonner — réconcilier.

prosélyte

gr. *prosèlytos* (se rattache au futur *pros-eleusomai* du verbe *pros-erkho-mai* : « s'approcher de »). Païen converti au judaïsme et agrégé au peuple juif par la *circoncision, un *bain de *purification et un *sacrifice au Temple. Quoiqu'il ne soit pas juif à part entière et bien que soumis à des limitations juridiques, il est spirituellement « nouveau-né », selon l'expression rabbinique, et tenu à observer l'ensemble de la *Loi [1]. A distinguer des *craignant-Dieu.

[1] Mt 23,15; Ac 2,11; 6,5; 13,43 □.

Sur le mouvement missionnaire : → *Intr.* IV.6.E; IV.7; cf XI.2.

prostitution

gr. *porneia* (dérivé de *pernèmi* : « vendre »), traduisant l'hb. *zᵉnût*, terme qui a le sens très large de *débauche ou d'inconduite. Pratique courante des peuples avoisinants à l'occasion de la vente des esclaves [1], la prostitution était réprouvée par la *Loi [2], surtout quand elle prenait un caractère sacré [3]; elle existait cependant en Israël, les relations avec des femmes non mariées ne constituant pas un *adultère. Dans la ligne du symbolisme conjugal de l'Alliance, les prophètes ont vu dans la prostituée une *figure d'Israël infidèle à son Dieu [4]. D'où l'usage du terme pour un culte *idolâtrique [5] et l'appellation de Grande Prostituée pour la ville d'iniquité [6], antithèse de Jérusalem.

[1] Cf 1 Co 6,15s. — [2] Lv 19,29. — [3] Dt 23,18. — [4] Ez 16,26; Os 1—3. — [5] Ap 2,14.20s. — [6] Ap 17,1—19,2.

→ adultère — débauche — divorce — vices.

province

lat. *provincia*, gr. *ep-arkhia* (de *arkhô* : « commander »). Région occupée par les Romains et constituant un état sous l'autorité d'un *gouverneur. Si elle était pacifiée, la province était dite *sénatoriale*, sous l'autorité d'un *proconsul (ainsi l'*Achaïe); si la présence de troupes s'avérait encore nécessaire, elle était dite *impériale*, sous l'autorité d'un légat, préfet ou *procurateur (ainsi la *Judée) [1].

[1] Ac 23,34; 25,1.

→ *Intr.* IV.2.B.

450

psaumes

gr. *psalmos* (de *psallô* : « faire vibrer la corde d'un instrument de musique ») : « poème accompagnant une musique ».

1. Cantiques juifs *inspirés par Dieu, qui forment un des livres de l'AT et constituent la *prière du peuple élu et celle de Jésus. Attribués parfois à David, ils sont interprétés dans un sens *messianique par rapport au Christ [1]. Après le repas pascal était chanté le Hallel, c'est-à-dire les psaumes 115-118, coutume résumée dans le seul verbe *hymneô* (« chanter l'hymne ») [2].

[1] Lc 20,42; 24,44; Ac 1,20; 13,33; cf Rm 15,9.— [2] Mt 26,30 (= Mc 14,26).

2. Chants chrétiens inspirés par l'Esprit Saint [3].

[3] 1 Co 14,15.26; Ep 5,19; Col 3,16; Jc 5,13 □.

→ *Intr.* XII; XIII.2.B. — chant — doxologie — hymne.

psychique

→ esprit 4.

publicain

lat. *publicanus* (dérivé de *publicus* : « public ») : « fermier des deniers publics »; gr. *telônès* (de *telos* : « impôt »). Dans le NT, le mot désigne non pas le personnage important qui centralise la levée de l'*impôt (sorte de fermier général), mais un petit subalterne juif qu'on devrait plutôt appeler « collecteur d'impôts ». Celui-ci était méprisé et assimilé aux *pécheurs publics [1] en raison de son lien avec l'occupant païen [2] et de ses fréquentes exactions [3]; dès lors, il était tenu à l'écart par tout juif observateur de la Loi, mais non par Jésus [4].

[1] Mt 9,11 (= Mc 2,16 = Lc 5,30). — [2] Mt 18,17. — [3] Lc 3,12s. — [4] Mt 5,46; 11,19 (= Lc 7,34); 21,31; Lc 7,29; 15,1s; 18,13s; 19,2-9.

→ *Intr.* VI.3.A. — douane — impôt — Lévi — Matthieu — Zachée.

puissance

Le mot traduit de préférence le gr. *dynamis* qui n'implique pas comme *exousia* (« autorité ») le cadre ordonné dans lequel la puissance s'exerce, mais ajoute à l'idée de force *(iskhys, kratos)* celle d'une potentialité (force prête à s'exercer) : en Jésus la *dynamis* vient plutôt de son *onction par l'Esprit, tandis que son *exousia* est plutôt reliée à sa mission par Dieu.

1. Selon les anciens, le monde est habité par des forces qui se manifestent diversement : l'homme fort, l'homme élevé par sa dignité ou sa fonction, l'État, les forces impersonnelles du chaos, les esprits qui sont mutuellement en guerre. Tandis que les religions avoisinantes versaient dans un certain *dualisme, la Bible, sans mettre en question la réalité de ces « puissances »[1], voit en Dieu le Tout-Puissant[2], créateur de tout, celui qui intervient dans l'histoire par ses hauts faits[3] et qui surélève par son Esprit les capacités de l'homme[4].

[1] Mt 24,29 (= Mc 13,25 = Lc 21,26); Rm 8,38; 1 Co 15,24; Ep 1,21; 1 P 3,22. — [2] Mc 14,62; Lc 1,49. — [3] Mt 22,29 (= Mc 12,24). — [4] Mt 19,26 (= Mc 10,27 = Lc 18,27); Mc 14,36; Jn 3,3.

2. Jésus a révélé que le Dieu Tout-Puissant est *Père, et donc que l'*amour est à l'origine de sa puissance. Jésus a montré cette toute-puissance à l'œuvre dans les actes surprenants de bonté que sont ses *miracles (*dynameis* : « actions puissantes »)[5], produits par une puissance qui est en lui[6] et qu'il donne à ses disciples[7]. Ainsi Jésus a rendu l'*Adversaire impuissant[8].

[5] Mt 12,22-30; Lc 19,37. — [6] Mc 5,30; Lc 4,14; Ac 10,38. — [7] Ac 1,8; 4,7.33; 6,8. — [8] Mc 3,26s; Lc 10,19.

3. La réflexion chrétienne a déclaré que tout, y compris les *Dominations et les Puissances, a été créé dans et pour le Christ[9] : la *résurrection a scellé en effet la victoire de la Toute-Puissance[10] sur les Puissances par excellence que sont la *Mort et le *Péché[11]. Certes Péché et Mort continuent à agir dans le monde, mais ils seront anéantis lorsque le Christ remettra le royaume à son Père[12].

[9] Col 1,16. — [10] Rm 1,4; 2 Co 13,4; Ph 3,10. — [11] 1 Co 15,56. — [12] 1 Co 15,20; Ap 1,18; 20,14.

4. Même si notre langage supporte difficilement la cosmologie impliquée par la personnification de ces puissances, il reste que péché et mort sont à l'œuvre. Aussi convient-il de maintenir le langage qui parle du Père Tout-Puissant. C'est dire en effet que l'amour est plus fort que la mort et, par là même, plus fort que le péché, source ultime de la mort. Le sens de cette Puissance, Jésus l'a montré en l'exerçant par le service et le dévouement jusqu'au don de sa vie.

→ autorité — Dominations — miracle.

Puissances

gr. *dynameis*, pluriel de *dynamis* : « puissance ». Traduit aussi par « *Dominations »[1].

[1] Mt 24,29 (= Mc 13,25 = Lc 21,26); Rm 8,38; 1 Co 15,24; Ep 1,21; 1 P 3,22 □.

→ Dominations — puissance.

pur

La pureté est l'état requis de ce qui (personne, animal ou objet) approche du Dieu *saint. Le terme est d'abord *cultuel et ne prend que secondairement sa dimension morale ou spirituelle. Deux principales familles de mots grecs. *Hagnos*, dérivant ainsi que *hagios* de la racine *hag-* : « saint », souligne davantage l'état que l'homme doit acquérir dans le lien cultuel avec le Dieu Saint [1]. *Katharos* (d'étymologie incertaine), qui peut aussi avoir le sens physique de propre [2], concerne avant tout la condition de l'homme, cultuelle, morale ou spirituelle. Face à Dieu, seul saint, il peut exister de l'*a-kathartos*, mais non pas du non-*hagnos*. En plus de ces deux familles (désignées ci-dessous par leur initiale *H* et *K*), de nombreux termes s'efforcent de décrire l'état de pureté, surtout par un *a* privatif : sans souillure (*a-miantos*, de *miasma*) [3], sans tare *(a-mômos)* [4], sans mélange *(a-keraios)* [5], sans tache *(a-spilos)* [6] ni ride *(rhytis)* [7], ou encore positivement comme *eilikrinès* : « sincère » [8] et négativement comme *koinos* : « profane » [9], *rhypos* : « saleté, crasse » [10].

[1] 1 P 1,15s.22. — [2] Mt 27,59; Ap 15,6; 19,8.14; 21,18.21. — [3] Jn 18,28; Tt 1,15; He 7,26; 12,15; 13,4; Jc 1,27; 1 P 1,4; 2 P 2,10.20; Jude 8 △. — [4] Ep 1,4; 5,27; Ph 2,15; Col 1,22; He 9,14; 1 P 1,19; 2 P 2,13; 3,14; Jude 24; Ap 14,5 △. — [5] Mt 10,16; Rm 16,19; Ph 2,15 △. — [6] Ep 5,27; 1 Tm 6,14; Jc 1,27; 3,6; 1 P 1,19; 2 P 2,13; 3,14; Jude 23 △. — [7] Ep 5,27 △. — [8] 1 Co 5,8; 2 Co 1,12; 2,17; Ph 1,10; 2 P 3,1 △. — [9] Mt 15,11.18.20; Mc 7; Ac 10,14s.28; 11,8s; 21,28; Rm 14,14; He 9,13; 10,29; Ap 21,27 △. — [10] Jc 1,21; 2,2; 1 P 3,21; Ap 22,11 △.

1. *Pureté cultuelle.* Les juifs partagent la pensée de leur époque, en précisant par des rites les conditions d'accès à la zone sacrée que le Dieu saint s'est réservée dans le monde profane [11]. A l'autre extrême, les démons sont par définition des « esprits impurs ». Comme ses contemporains [12], Jésus a observé les prescriptions rituelles [13]; mais il a stigmatisé les excès dans leur observance, surtout dans les tabous alimentaires [14], et il a même déclaré les rites inutiles dans la mesure où ils n'expriment pas la pureté du *cœur [15]. Il a fallu pourtant à l'Église naissante un long temps pour se libérer de ces tabous [16]; Paul les a même combattus en les assimilant aux « *éléments du monde » [17], car, dit-il, « tout est pur pour les purs » [18].

[11] Ex 19,10; Lv 11—16; Nb 6,3. — [12] Lc 2,22; Jn 2,6; 11,55; Ac 21,24-26; 24,18. — [13] Mt 8,4 (= Mc 1,44 = Lc 5,14); Lc 17,14(*K*). — [14] Mt 15,1-20 (= Mc 7,1-23); 23,25.27; Lc 11,39. — [15] Mt 5,8; Mc 7,19; cf 1 Tm 1,5; 3,9; 2 Tm 1,3. — [16] Ac 10,15; 11,9; 15,9; Ga 2,12. — [17] Ga 4,3.9; Col 2,16-23. — [18] Rm 14,14.20; 1 Co 10,23; Tt 1,15.

2. *Pureté chrétienne.* Les croyants ont compris qu'à la source de l'authentique pureté se trouvait Jésus, par sa *parole [19] et son *sang versé [20]. Les mots de purification ou de pureté vont dès lors acquérir une dimension morale et spirituelle qui en transforme le sens. Face à Dieu (racine *K*), au dernier jour, le croyant doit être irréprochable, innocent [21]; face aux hommes (racine *H*), il doit se montrer chaste, pur, « sincère », loyal [22]; négativement, il doit éviter l'impureté (racine *K*) [23]. Ces « vertus » trouvent leur source dans l'Esprit Saint [24].

[19] Mc 7,1-23; Jn 15,3; cf 1 P 1,22. — [20] Jn 13,10; Ep 5,26; Tt 2,14; He 1,3; 9—10; 1 Jn 1,7.9; 3,3. — [21] 1 Co 5,7; 2 Co 7,1; Col 1,22; 1 Th 2,3; 2 Tm 2,21s; Jc 1,27; 4,8. — [22] 2 Co 6,6; 7,11; 11,3; Ph 1,17; 1 Tm 4,12; 5,2.22; Tt 2,5; Jc 4,8; 1 P 3,2. — [23] Rm 1,24; 6,19; Ga 5,19; Ep 4,19; 5,3.5; Col 3,5; 1 Th 2,3; 4,7; Ap 17,4. — [24] Ga 5,22.

→ *Intr.* XIV.1.A; XIV.2.B. — péché — sacré — saint.

Q

[Q]

Initiale du mot allemand *Quelle* : « source », désignant dans la *critique littéraire les matériaux communs à Mt et à Lc non rapportés par Mc. Selon les divers critiques, ce sigle se rapporte tantôt à un document dont on s'estime capable de délimiter l'étendue, la nature et l'origine, tantôt à un amas de matériaux d'origines diverses : en ce dernier cas, c'est une simple étiquette commode pour désigner la « double tradition », c'est-à-dire la tradition sous-jacente à Mt et à Lc, indépendamment de Mc.

[Qoumrân]

Lieu-dit sur la rive nord-ouest de la mer Morte (à 13 km au sud de *Jéricho, près d'*Aïn Fechka*) qui a donné son nom, par extension, à une sorte de « monastère » où, de 150 av. J.C. jusqu'en 68 ap. J.C., vécurent des juifs en rupture avec le judaïsme officiel : rigueur dans les règles de pureté légale (pratique d'*ablutions fréquentes), maintien du *calendrier solaire ancien commandant la liturgie des fêtes, conception *dualiste et déterministe du dessein de Dieu, rejet du Temple de pierre... La secte présente de nombreuses affinités avec les *esséniens, ainsi avec le Document de *Damas. A partir de 1947, les fouilles ont mis au jour une véritable bibliothèque, enfouie dans les grottes avoisinantes : textes hébreux de la Bible et d'*apocryphes, traductions grecques de la Bible, écrits propres à la secte.

Dans les références qui les concernent, la lettre Q désigne l'origine qoumrânienne, le chiffre qui précède indique le numéro de la grotte où a été trouvé le manuscrit, la lettre qui suit caractérise l'ouvrage. Ainsi 1 QS (hb. *sérèk* : « règle » de la communauté, ou Manuel de discipline), 1 QH (hb. *hôdayôt* : « Hymnes »), 1 QM (hb. *milhâmâ* : « guerre » entre les fils de lumière et les fils de ténèbres), 1 Qp (hb. *péchèr* : « interprétation » d'un texte comme Habacuc : 1 Qp Hab).

Les manuscrits de Qoumrân jettent une lumière nouvelle sur les textes du NT, en particulier sur l'existence d'un courant religieux autre que celui des *pharisiens.

→ *Intr.* XI.3. — *Carte* 4.

quadrant

gr. *kodrantès*, lat. *quadrans*. Petite monnaie de bronze (3,10 g), correspondant à un « quart » d'*as, ou encore deux *leptes [1].

[1] Mt 5,26; Mc 12,42 □.

→ monnaies.

quarante

gr. *tesserakonta*. Nombre conventionnel dans l'Antiquité, désignant plus particulièrement le temps nécessaire à la maturité de la vie. Dans l'AT, période assez longue [1], âge du mariage [2], durée d'une génération [3]. Dans le NT : nombre rond [4] ou de signification *archétypale : les années d'Israël au désert [5], les périodes de la vie de Moïse [6], le temps du jeûne [7] ou de la tentation de Jésus [8], la durée des apparitions du Ressuscité [9].

[1] Gn 7,4; Ex 24,18; Lv 12,4; Dt 25,3; 1 S 17,16; Ez 4,6; Jon 3,4. — [2] Gn 25,20. — [3] Ex 16,35; Nb 14,33s; Jg 3,11.30; 2 S 5,4s; 1 R 11,42. — [4] Ac 4,22; 23,13.21; 2 Co 11,24. — [5] Ac 7,42; 13,18.21; He 3,10.17. — [6] Ac 7,23.30.36. — [7] Mt 4,2 (= Mc 1,13 = Lc 4,2); cf Dt 9,9. — [8] Mc 1,13; cf Dt 8,2. — [9] Ac 1,3 □.

→ nombres.

Quirinius

gr. *Kyrènios*. Publius Sulpicius Quirinius, *gouverneur de Syrie à partir de 6 ap. J.C.; consul dès 12 av. J.C., il était chargé de la politique romaine dans le Proche-Orient [1].

[1] Lc 2,2 □.

→ recensement.

R

rabbi

1. Terme hébreu *(rabbî [1])* et araméen *(rabbounî [2])*, équivalant à « mon maître ». Manière respectueuse de s'adresser aux *docteurs de la Loi. Jésus proteste contre cet usage [3].

[1] Mt 26,25; Jn 3,26... — [2] Mc 10,51; Jn 20,16 △. — [3] Mt 23,7s.

2. A partir de 70 ap. J.C., appellation des spécialistes juifs de l'Écriture : ils constituèrent les écoles rabbiniques.

→ *Intr.* XII.1.C. — enseigner — maître.

[rabbinisme]

De l'hb. *rabbî* : « maître ». Tradition d'enseignement du judaïsme qui prit naissance au Ier s. et détermina la vie des communautés juives jusqu'à nos jours.

La littérature rabbinique comprend essentiellement le *Talmud, les *Midrachim et la Tosephta (de l'hb. *âsâph* : « assembler, ajouter »): traditions complémentaires).

raca

gr. *raka*. Terme araméen rare, probablement de l'hb. *réqâ* : « creux ». Tête sans cervelle, ou homme dénué de moralité [1].

[1] Mt 5,22 □.

→ folie.

race

gr. *genos* (de *gignomai* : « naître ») : « race, famille ». Le mot peut désigner l'origine citadine de quelqu'un [1], la catégorie de famille dont il est issu [2], mais plus spécialement l'appartenance à Israël [3], à

457

la race élue pour toujours [4], ou même l'origine divine des hommes [5].

[1] Mc 7,26; Ac 4,36; 7,13; 18,2.24. — [2] Ac 4,6. — [3] Ac 7,19; 13,26; 2 Co 11,26; Ga 1,14; Ph 3,5; Ap 22,16. — [4] 1 P 2,9. — [5] Ac 17,28s □.

→ *Intr.* I.5; III.2.D; IV.6.E. — engendrer — généalogie — naître.

racheter

gr. *agorazô (ex-agorazô)* [1] et *lytroô* [2]. Le premier terme provient de l'image de l'achat, le second de celle de « délivrance ». Le verbe *ex-agorazô* peut aussi signifier « tirer parti de » [3], tandis que les mots de la racine *lytron* sont réservés pour désigner ce qui concerne la « délivrance », la rédemption du peuple par Dieu et par Jésus Christ.

[1] 1 Co 6,20; 7,23; Ga 3,13; 4,5; 2 P 2,1; Ap 5,9; 14,3s △. — [2] Mt 20,28 (= Mc 10,45); Lc 24,21; 1 Tm 2,6; Tt 2,14; 1 P 1,18. — [3] Ep 5,16; Col 4,5 △.

→ libérer — rançon — rédemption.

rameaux

→ palmier.

rançon

gr. *lytron* [1], *antilytron* [2], dérivant de *lyô* : « détacher, délier, libérer ». Rançon versée pour la libération d'un prisonnier de guerre, somme versée pour le rachat d'un esclave.

[1] Mt 20,28 (= Mc 10,45) □. — [2] 1 Tm 2,6 □.

→ libérer — racheter — rédemption.

Rebecca

Fille de Bétouél et sœur de Laban [1], elle épousa *Isaac dont, après vingt années de stérilité, elle eut deux jumeaux [2]. Sa préférence pour *Jacob fut interprétée comme symbolisant la *liberté du choix divin [3].

[1] Gn 24,15. — [2] Gn 25,21; Rm 9,10. — [3] Gn 25,28; 27,5-17; Ml 1,2s; Rm 9,11-13 □.

recensement

lat. *census*, gr. *apographè*. Dénombrement des habitants qui permettait de répartir l'*impôt. Le recensement de *Quirinius en 6-7 ap. J.C. provoqua l'insurrection de Judas le Galiléen contre ce signe de dépendance des *provinces à l'égard de Rome [1]. Luc signale le recensement qui, en 7-6 av. J.C., amena Joseph et Marie à Bethléem [2]; il l'attribue à Quirinius, peut-être parce que l'opération de 6-7 ap. J.C. était la seule notoire, peut-être aussi parce que Quirinius, consul dès 12 av. J.C., avait reçu de fréquentes missions en Orient et donc pu être chargé d'un recensement.

[1] Ac 5,37. — [2] Lc 2,1-5 □.

→ *Intr*. VI.2.B. — Quirinius.

[recension]

1. En *critique littéraire, c'est la mise par écrit d'une *tradition.

2. En *critique textuelle, une recension désigne la lecture d'un texte proposée par tel manuscrit.

récompense

→ rétribution.

réconcilier

Du gr. *allassô* : « rendre autre *(allos)*, échanger », verbe auquel est préfixée une préposition qui en précise la nuance : *dia-*, *kata-*, *apo-kata-*, *syn-*. D'où « se changer à l'égard de quelqu'un », et de là « réconcilier » ou « se réconcilier ». En hb. *râça* : « agréer, prendre plaisir à » [1]; *ytraçèh* : « se concilier la bienveillance » [2]. On trouve le mot au sens profane : faire cesser une inimitié, ramener la paix [3]. Au sens religieux, prédominant dans le NT, c'est l'acte gratuit par lequel Dieu réintroduit le pécheur repentant dans la *grâce [4], en vertu du sang du Christ qui *expie nos péchés [5]. Par cette nouvelle création [6], l'homme vit désormais en paix avec Dieu [7]; juifs et païens forment un seul *corps [8]; l'univers entier est pacifié [9]. Tel est le message du ministère apostolique [10].

[1] 2 S 24,23; Jr 14,10.12. — [2] 1 S. 29,4. — [3] Mt 5,24; Ac 7,26; 1 Co 7,11. — [4] Rm 5,10. — [5] Rm 5,11. — [6] 2 Co 5,17. — [7] Rm 5,1.9. — [8] Ep 2,16. — [9] Rm 11,15; Col 1,20-22. — [10] 2 Co 5,18-20 □.

→ ennemi — expier — paix — pardonner — péché — rédemption — sauver.

[rédactionnel]

Adjectif qualifiant un texte dont le style a été remanié par un auteur dans une certaine intention, ou un passage ajouté à une trame antérieure : ainsi le *Notre Père* au milieu des trois recommandations sur l'aumône, la prière et le jeûne [1].

[1] Mt 6,9-13 dans 6,2-18.

→ critique littéraire — *Redaktionsgeschichte*.

[Redaktionsgeschichte]

Terme allemand désignant une méthode de *critique littéraire qui vient compléter celle de la *Formgeschichte*. Elle s'intéresse à la manière dont les petites *unités littéraires détectées préalablement ont été assemblées par les évangélistes. Elle essaie de caractériser le stade ultime de la formation de l'Évangile, celui de nos textes actuels, en précisant le travail des derniers rédacteurs. En effet les unités littéraires changent de sens en fonction du contexte où elles ont été insérées.

→ *Intr.* XV. 3.

rédemption

1. Du lat. *red-emptio* : « r-achat », traduisant le gr. *apo-lytrôsis* (de *lytron* : « moyen de délivrance, rançon »). En français, le terme recouvre les diverses manières par lesquelles Dieu s'est acquis un peuple : *libération de l'*esclavage, délivrance de la *captivité, *salut d'un péril. Cette représentation s'appuie sur l'expérience d'Israël, dans le contexte global de l'*Alliance. A l'entendre strictement, le terme rédemption souligne l'aspect de « rachat », puisé à deux types de coutumes. Selon le droit familial, le *go'ël (de l'hb. *gâ'al* : « délivrer ») est le proche parent auquel incombe le devoir de *racheter biens et personnes qui seraient devenus la propriété d'un étranger [1]. Ainsi Yahweh est le *go'ël*, le Rédempteur d'Israël, ce qui souligne le lien de parenté entre Yahweh et Israël [2]. Selon le droit commercial, on rachète (hb. *pâdâ* : « délivrer contre équivalent ») la vie des *premiers-nés ou des *esclaves grâce à une rançon [3]. En appliquant cet usage à Yahweh rachetant Israël [4], la Bible évite de mentionner la somme versée, en sorte que l'intérêt se porte non sur celle-ci, mais sur la situation désespérée de celui qui est racheté.

[1] Lv 25,23-55. — [2] Ex 6,6; Is 43,14; 44,6.24; 47,4. — [3] Ex 13,13-15; 21,8; Lv 19,20; Nb 3,46-51. — [4] Dt 7,8; 13,6.

2. Le NT a vu en Jésus celui qui a donné sa vie en rançon (gr. *lytron*) pour la multitude [5], réalisant la délivrance (gr. *lytroô*, [*apo-*]*lytrôsis*) longtemps attendue [6], devenant lui-même notre rédemption [7], si bien que nous avons en lui notre rédemption [8]. Le verbe « acheter » (gr. *agorazô*) est aussi utilisé pour dire la même réalité, sans qu'on soit autorisé à imaginer que Dieu verse une somme d'argent à quiconque [9].

[5] Mt 20,28 (= Mc 10,45); 1 Tm 2,6; Tt 2,14. — [6] Lc 1,68; 2,38; 21,28; 24,21; He 11,35. — [7] Rm 3,24; 1 Co 1,30. — [8] Rm 8,23; Ep 1,7; Col 1,14; He 9,12.15; 1 P 1,18. — [9] 1 Co 6,20; 7,23; Ga 3,13; 4,5; Ep 1,14; 4.30; 2 P 2,1; Ap 5,9; 14,3s.

→ captif — dessein de Dieu — esclave — goël — libérer — péché — racheter — réconciliation — sauver.

règne, roi, royaume

gr. *basileus*, *basileia*, traduisant l'hb. *mèlèk*, *malkût*. La différence entre règne et royaume n'est pas toujours aisée à cerner. Dans les évangiles, on ne devrait traduire par « royaume » que lorsque le contexte impose un sens spatial [1]. De préférence à « règne de Dieu », Mt emploie l'expression rabbinisante « règne des cieux », « *cieux* » étant une tournure équivalente pour dire « Dieu » [2].

[1] Mt 5,20; 7,21; 18,3; 19,23. — [2] Comp. Mt 3,2 et Mc 1,15.

1. Le premier magistrat à Rome est considéré par les peuples d'Orient comme le roi au sens hellénistique, personnage ayant reçu son pouvoir de Dieu [3] pour établir la *justice* en son royaume.

[3] Jn 19,12.

2. Depuis toujours, aux yeux d'Israël, la royauté appartient à Dieu seul, les rois de la terre n'étant que ses lieutenants. Au temps de Jésus il n'est plus de roi ni de royaume, tels qu'Israël les avait connus aux origines de son existence politique. Mais de ce passé les juifs ont hérité un souvenir nostalgique et une catégorie de pensée. Tous attendent que Yahweh règne définitivement sur l'univers entier, Israël et les *nations* [4]. Cette espérance se diversifie selon qu'elle porte sur une restauration politique devant libérer de la servitude romaine ou qu'elle vise une transformation d'ordre spirituel. Le règne de Dieu, en effet, n'est pas proprement un lieu, mais une relation particulière entre Dieu et l'homme, plus spécialement avec les *pauvres*.

[4] Ps 47; 96.

3. Jésus proclame en ce dernier sens que le règne de Dieu est tout proche : telle est la Bonne Nouvelle [5]. Davantage, « le règne de Dieu vient de vous atteindre », dit Jésus à ses détracteurs [6], il est donc là, à l'œuvre. Mais il l'est d'une manière non pas éclatante, sur le mode qu'annonçait Jean, mais mystérieuse, comme une semence, d'irrésistible puissance, déposée par Dieu au cœur de l'homme [7].

[5] Mt 3,2; 4,17; 10,7; Mc 1,15. — [6] Mt 12,28 (= Lc 11,20). — [7] Mt 13,24-30.31-33.36-50.

4. Si Jésus se laisse, vers la fin de sa vie, acclamer comme roi [8], c'est comme un roi pacifique, sans aucune ambition terrestre : sa royauté n'est pas de ce monde [9]. C'est en effet par sa seule *résurrection que Jésus est intronisé par Dieu comme roi; désormais, il étend son activité sur tous les hommes, jusqu'à ce qu'il remette le royaume à son Père [10].

[8] Mt 21,5; Lc 19,38; Jn 12,13.15. — [9] Jn 18,36. — [10] 1 Co 15,24.

→ *Intr.* XII.2.B.

reins

1. gr. *nephroï*. Comme Dieu, le Ressuscité « sonde les reins et les cœurs » [1], c'est-à-dire les régions secrètes de l'homme où se forment les desseins cachés et s'allument les passions violentes.

[1] Jr 11,20; 17,10; Ap 2,23 △; cf Ps 139,12s; Jn 2,25.

2. gr. *osphys*. Les reins désignent aussi la région lombaire où se concentre la vigueur de l'homme [2]; il faut les ceindre pour être prêt à combattre [3]. En eux se concentre la force de la génération [4].

[2] Jb 40,16. — [3] Lc 12,35; Ep 6,14; 1 P 1,13; cf Mt 3,4; Mc 1,6. — [4] Gn 35,11; Ac 2,30; He 7,5.10 △.

rémission des péchés

→ pardonner — péché.

repas

1. Comme le Grec, le juif connaît, après le petit déjeuner qui précède le travail, deux repas [1] : l'un assez léger dans la matinée ou vers midi *(ariston* [2]*)* et l'autre, principal, au soir *(deïpnon* [3]*)*. On s'asseyait ou on s'étendait par terre [4] ou sur des divans [5], appuyé sur le coude gauche, mangeant avec les mains sur la galette de pain. Ordinairement, on se contentait de pain, d'eau, de fruits, avec, le soir, quelque plat chaud. Viande et vin, denrées de luxe, étaient réservées aux grandes occasions, qui du reste ne manquaient pas [6]; de là, ripailles et beuveries [7].

[1] Lc 14,2. — [2] Jn 21,12. — [3] Lc 17,8. — [4] Mt 14,19. — [5] Am 2,8; 6,4; Jn 13,23. — [6] Mt 14,6; 22,2; Lc 15,22-32; Jn 2,1. — [7] Ga 5,21.

2. Le repas sanctionnait parfois une *alliance [8]. Il disait toujours la fraternité dans l'acte qui entretient la vie; cette communauté de table suppose le sens de l'*hospitalité [9] et l'union des cœurs, sous peine d'être trahison satanique [10]. Jésus a exprimé ainsi son amour pour les « pécheurs » [11]. A la suite des prophètes [12], il a dépeint le bonheur céleste comme un joyeux banquet [13] et espéré le repas *eschatologique [14].

[8] Gn 26,30; 31,46.54. — [9] Lc 7,36-50. — [10] Ps 41,10; Jr 41,1s; Jn 13,18.26s. — [11] Lc 15,1s; 19,2-10. — [12] Is 25,6. — [13] Mt 8,11; Lc 13,29; cf Ap 3,20. — [14] Mt 26,29; Lc 22,30.

3. Un repas venait couronner les *sacrifices rituels, signifiant la *communion avec la divinité [15]; de même pour le *repas du Seigneur [16]. La « *fraction du pain » [17], par contre, pouvait n'être qu'un repas ordinaire, exigeant la charité fraternelle, mais elle pouvait devenir repas du Seigneur [18].

[15] Ex 18,12; 24,11; 1 Co 10,18.20s. — [16] 1 Co 10,16s. — [17] Ac 2,42.46. — [18] 1 Co 11,20-34.

4. Le dernier repas de Jésus → Cène.

5. Les repas du Ressuscité avec les disciples [19] commémorent les repas terrestres de Jésus avec les siens en même temps qu'ils anticipent le repas eschatologique.

[19] Lc 24,30; Jn 21,13; Ac 1,4; 10,41.

→ *Intr.* VIII.1.D. — agape — fête — fraction du pain — pain — vin.

repas du Seigneur

gr. *kyriakon deïpnon* (1 Co 11,20) : la plus ancienne dénomination (avec la *fraction du pain) du repas sacrificiel eucharistique des chrétiens. Celui-ci comporte trois aspects complémentaires.

1. *Proclamation de la mort sacrificielle de Jésus* à travers la commémoraison de son dernier repas (la « Cène »). Deux traditions (Luc/Paul et Marc/Matthieu) situent ce dernier repas dans un contexte significatif : montrer comment Jésus a compris sa mort. La première tradition la met en relation avec le sacrifice du *Serviteur d'Isaïe [1]; la seconde y voit l'accomplissement du sacrifice de l'*alliance mosaïque au Sinaï [2]. L'une et l'autre affirment la valeur *rédemptrice de la mort de Jésus pour la *multitude; Jean également [3]. Seule la tradition

Paul/Luc rapporte le commandement de la commémoraison [4], Marc/Matthieu se souciant seulement de montrer le caractère volontaire du sacrifice de Jésus.

[1] Is 53,12; Lc 22,19s; 1 Co 11,25. — [2] Ex 24,4-8; Mt 26,28; Mc 14,24. — [3] Jn 6,51. — [4] Lc 22,19; 1 Co 11,24s.

2. *Communion au Seigneur vivant.* Retenant une ancienne présentation du repas sacrificiel, Paul a mis en relief l'unité que constituent ceux qui prennent part (gr. *met-ekhô*) et communient (gr. *koinôneô*) au corps et au sang du Christ [5]. La coloration pascale du récit assure le caractère réel de la présence du Seigneur ressuscité, caractère que Paul souligne par l'analogie qu'il voit entre repas eucharistique et repas *idolâtrique [6]. Avec la tradition synoptique qui a coloré eucharistiquement les récits de Jésus nourrissant les foules dans le désert [7], Jean a manifesté dans le repas eucharistique l'accomplissement du don de la *manne par celui de la vie éternelle [8].

[5] 1 Co 10,16s. — [6] Mt 26,30 (= Mc 14,26); 1 Co 10,18-21; 11,27. — [7] Mt 14,19 (= Mc 6,41 = Lc 9,16); 15,36 (= Mc 8,6s). — [8] Jn 6,26-58.

3. *Dans la perspective du retour du Christ* est annoncée la mort salutaire de Jésus [9]. Selon une autre tradition retenue dans les récits de l'institution, Jésus lui-même se réfère au banquet *eschatologique [10], la Cène réservant le repas eucharistique au temps de l'absence.

[9] 1 Co 11,26. — [10] Mt 26,29; Mc 14,25; Lc 22,16-18.

→ Cène — communion — coupe — eucharistie — fraction du pain — Maranatha — repas — sacrifice.

repentir

Sous ce mot, nous rangeons les divers sens du gr. *metamelomai* qui implique un changement *(meta)* par rapport à ce qui tient à cœur *(melei [1])*. Il diffère de la *conversion (gr. *metanoia*) en ce qu'il ne signifie pas la transformation radicale de l'être et du jugement *(gr. nous)*, mais la simple possibilité d'une transformation que Dieu seul peut opérer. Le changement vient de ce qu'est constatée une erreur ou une faute [2], mais il n'est pas efficace et peut aboutir ou bien au remords stérile de Judas [3] ou bien à une modification éventuelle de comportement [4]. Quant à Dieu, même si l'AT utilise volontiers des anthropomorphismes [5], il ne revient pas sur ses décisions et ses promesses [6].

[1] Mt 22,16 (= Mc 12,14); Mc 4,38; Lc 10,40; Jn 10,13; 12,6; 1 Co 7,21. — [2] Ex 13,17; Jb 42,6. — [3] Mt 27,3. — [4] Mt 21,29.32; 2 Co 7,8-10. — [5] Jg 2,18; 1 S 15, 11. — [6] Ps 110,4; Jr 4,28; Rm 11,29; He 7,21.

→ conversion — pardonner — péché — pénitence.

repos

En dehors des cas où le terme signifie détente (gr. *anesis*) [1],rafraîchis-
sement *(anapsyxis)* [2] ou demeure (*epi-* ou *kata-skènoô*, mots se
rattachant à *skènoô* : « planter sa tente » [3], ce qui s'oppose au voyage),
le repos est cessation d'un mouvement ou d'un travail *(ana-* ou *kata-
pauomai)* [4]. L'Épître aux Hébreux a élaboré une théologie du repos
de Dieu, celui de la Terre promise dans laquelle tous sont invités à
entrer [5] : tel est le repos du sabbat *(sabbatismos)* réservé au peuple
de Dieu [6]. Jésus donne le repos à ceux qui viennent à lui [7].

[1] 2 Co 2,13; 7,5; 8,13; 2 Th 1,7 △. — [2] Ac 3,20; Ph 2,19; 2 Tm 1,16 △. —
[3] Ac 2,26; 2 Co 12,9. — [4] Mt 12,43 (= Lc 11,24); 26,45 (= Mc 14,41); Mc
6,31; Lc 10,6; 12,19; Ac 7,49; Rm 2,17; 1 P 4,14; Ap 4,8; 6,11; 14,11. —
[5] He 3,7—4,11. — [6] He 4,9. — [7] Mt 11,28s; Ap 14,13.

→ sabbat — sommeil.

restaurer, rétablir

gr. *apo-kath-istèmi* (composé de *apo* : « à partir de », *histèmi* : « établir », *kata* : « en bas, solidement »). Ce terme ne signifie pas *sauver
ni *racheter, mais faire recouvrer un état antérieur perdu [1], faire
revenir à l'état primitif, ainsi pour le rassemblement en Terre sainte
des juifs dispersés [2] ou pour la santé [3]. Plus souvent, le verbe est
employé pour signifier le retour à l'état de la royauté [4] ou de la création
première [5].

[1] Gn 41,13; cf He 13,19. — [2] Jr 16,15; 23,8; 24,6. — [3] Mt 12,13; Mc 3,5;
8,25; Lc 6,10. — [4] Ac 1,6. — [5] Ml 3,24; Mt 17,11; Mc 9,12; Ac 3,21 □.

→ réconcilier — sauver.

reste

gr. *leimma* [1], *hypo-leimma* [2]. « Ce qui subsiste d'un tout », telle est
l'expérience d'Israël qui survit après des catastrophes diverses.
L'expression « le saint reste » ne vise cependant pas le reste historique [3],
mais la communauté qui, au dernier jour, sera sauvée : c'est le reste
*eschatologique [4]. Autre désignation : « le reste fidèle », qui est la
partie *fidèle du peuple élu, celle, par exemple, que Dieu s'est réservée
au temps d'Élie [5].

Les *pharisiens, puis les sectateurs de *Qoumrân voulaient constituer la communauté de la nouvelle Alliance; Jean Baptiste prépare lui aussi un saint reste, mais ouvert à tout juif qui vient faire pénitence [6]. Jésus appelle à lui tout homme qui accueille la grâce de Dieu : tous sont invités au festin [7]. Seul un noyau de juifs répond à l'appel, et cela suffit à justifier la fidélité de Dieu à ses *promesses [8]. En un sens plus large, l'Église constitue désormais cet *Israël de Dieu, gage de la *conversion finale de tout le peuple de Dieu [9].

[1] Rm 11,5 △. — [2] Rm 9,27 △. — [3] Jr 6,9; Ez 9,8; Am 5,15. — [4] Is 4,4; 10,22; Jr 23,3; Mi 5,6-8; So 3,12. — [5] Rm 11,3-5. — [6] Mt 3,9.12. — [7] Mt 22,14. — [8] Rm 11,7. — [9] Rm 11,11-24.

→ *Intr*. III.1. — élection.

résurrection

1. Principale image par laquelle juifs et chrétiens disent ce que devient l'homme après sa *mort : elle ne dit pas un simple retour à la vie terrestre (comme *Lazare), mais l'accession à la *vie pleine et définitive. Le mot évoque le fait de « se mettre debout », soit après s'être couché (gr. *anistamai*) [1], soit après un sommeil (gr. *egeiromai*) [2] : c'est re-surgir après la mort.

[1] Mt 26,62; Lc 11,7s. — [2] Mt 8,26; 9,19; Mc 1,31; Ac 3,7.

2. En Israël, la foi en la résurrection s'est exprimée vers le début du IIe s. av. J.C. à l'occasion du martyre des *Maccabées [3] : puisque Dieu est *juste, il ne peut laisser dans un éternel *chéol ceux qui ont donné leur vie pour affirmer que Yahweh est le vrai Dieu. D'emblée, conformément à l'anthropologie juive, c'est l'être entier qui ressuscite, c'est-à-dire qui remonte du chéol. A la différence de nombreux peuples avoisinants, comme les Égyptiens ou les Grecs, les juifs n'ont pas cru d'abord à l'*immortalité de l'*âme, puis à la résurrection des *corps. La résurrection ne consiste pas dans la reprise du corps par une âme immortelle, mais dans l'acte du Dieu juste qui donne à l'homme sa propre vie, éternelle.

[3] 2 M 7,14; Dn 12,1-3.

3. Les premiers chrétiens ont affirmé à l'aide de deux langages que Jésus était redevenu vivant après sa mort : le langage de l'*exaltation et celui de la résurrection. Par ce dernier, en des *confessions de foi [4], ils ont proclamé que Jésus était *Seigneur, *Christ, *Premier-né d'entre les morts [5]. Ils voient dans le Ressuscité les *prémices de la résurrection générale et le gage de notre espérance [6].

[4] Rm 10,9; 1 Co 15,3-5; 1 Th 1,9s; 4,14. — [5] Ac 2,36; Rm 8,29; Col 1,18. — [6] 1 Co 15,12-28.

4. Jésus est ressuscité corporellement. Cette affirmation, qui n'est pas déduite du récit de la découverte du tombeau vide par les femmes [7], précise ce qui est implicite dans le langage même de la résurrection, à savoir que l'être personnel de Jésus est transformé dans sa totalité. Le Ressuscité est *le même* que Jésus de Nazareth, mais un Jésus pleinement accompli dans la *gloire. Puisque le *corps est la capacité de présence à autrui et à l'univers en général, le corps ressuscité de Jésus n'est pas en rigueur de termes un « cadavre réanimé », mais, selon le mot de saint Paul, un « corps spirituel » [8]. A leur manière, les évangélistes ont décrit le nouveau mode de présence du Ressuscité lors des récits d'*apparitions. Si l'on « touche » son corps, c'est pour adorer le Vivant qui est là, ce n'est pas pour en vérifier la corporéité, qui est évidente [9]. Par son corps glorieux, Jésus peut se rendre présent à ses disciples, en dépit de tous les obstacles [10]. Le corps ressuscité de Jésus s'unit le corps ecclésial, qu'on nomme Église, et l'univers dont il constitue les *prémices glorieuses [11].

[7] Mt 28,1-8 (= Mc 16,1-8 = Lc 24,1-10); Jn 20,1.11s. — [8] 1 Co 15,44.46. — [9] Mt 28,9; Jn 20,17. — [10] Lc 24,36; Jn 20,19.26. — [11] 1 Co 15,20-28.

5. La résurrection générale aura lieu à la *fin des temps. Exceptionnellement, Paul dit que nous sommes déjà ressuscités avec le Christ [12]; on ne peut prétendre pour autant que la résurrection ait déjà eu lieu [13]. Ordinairement, c'est le terme de « *vie » qui caractérise l'effet de la résurrection de Jésus sur les croyants : ils sont passés de la mort à la vie [14]. Les *corps glorieux à venir ne sont jamais décrits dans le NT; Paul se contente de les qualifier de « corps spirituels », par opposition aux corps terrestres périssables [15]. Il est permis de les imaginer sur le modèle décrit pour Jésus dans les récits d'apparitions, à savoir une capacité de présence qui n'est plus limitée par les conditions terrestres habituelles.

[12] Col 3,1-3. — [13] 2 Tm 2,18. — [14] 1 Jn 3,14. — [15] 1 Co 15,35-53.

→ *Intr.* IV.6.B.C; XII.2.A.a. — apparitions du Christ — Corps du Christ — exaltation — gloire — immortalité — mort — vie.

rétablir

→ restaurer, rétablir.

rétribution

gr. *(ant-)apo-didômi* : « donner en retour ».

1. La rétribution n'est pas un salaire dû aux *œuvres en vertu d'un contrat. Elle est le fruit normal accordé par Dieu, lors du jugement, à ses bons serviteurs [1].

[1] Mt 16,27; 25,46; Rm 2,6; 2 Co 5,10.

2. La rétribution touche chaque individu en fonction des œuvres qui expriment sa foi, et non pas en fonction de la fatalité, de son hérédité ou de son appartenance au peuple élu [2].

[2] Ez 18,2s.32; Lc 13,2s; Jn 5,45; 6,29; 9,2s; 2 Tm 4,14; He 10,26-30; Ap 2,23; 22,12.

3. La rétribution ne consiste pas dans des avantages terrestres, richesses ou gloire, mais en Dieu seul et en son Christ [3]; en eux, le fidèle retrouve au centuple les réalités de ce monde-ci : joie, bonheur; plus de mort ni de deuil, mais l'amour et la lumière [4].

[3] Mt 6,4-18; Ph 1,21-26; Col 3,24. — [4] Ap 21,3s; 22,1-5.

→ *Intr.* XIV.2.A. — couronne — jugement — justice — salaire.

révélation

Du lat. *revelare* (de *velum* : « voile ») : « faire connaître, ôter le voile », traduisant le gr. *apo-kalyptô*. Plus précisément, manifestation du Dieu invisible, mystérieux, que l'homme ne peut atteindre par lui-même et qui se donne à connaître et à aimer. Synonymes : manifester (du gr. *phainô*, *phaneroô*), faire connaître, mettre en lumière, « expliquer » (gr. *exègeomai*), montrer, dire, proclamer, enseigner.

1. Dieu se révèle à travers sa création, non pas pour donner une première connaissance, mais pour se faire re-connaître : Dieu engage ainsi un dialogue avec sa créature [1]. Dieu se révèle encore par des *théophanies ou par des *médiateurs : les anges, les paroles, les visions, les *signes.

[1] Rm 1,19-21; cf Sg 13,3-5.

2. Jésus vient couronner la révélation ébauchée dans l'AT [2]. Par ses *paraboles, il livre le mystère du *dessein de Dieu [3], car seul il connaît le *Père [4]. Des révélations spéciales sont accordées par Dieu à ses privilégiés [5]. Tout doit finir par être révélé [6], mais la révélation pleine ne se fera qu'à la *parousie [7].

[2] Jn 1,18; He 1,1s. — [3] Mt 13,35; Mc 4,11. — [4] Mt 11,25-27 (= Lc 10,21s). — [5] Mt 16,17; Ga 1,16; 1 Co 2,10. — [6] Mc 4,22. — [7] 1 Co 1,7; 2 Th 1,7.

→ apocalypse — connaître — vérité.

Rhodes

gr. *Rhodos*. Ile de la mer Égée, face à la côte sud-ouest de la Turquie, comptant une colonie juive [1].

[1] Ac 21,1 □.

→ *Carte* 2.

riche, richesse

1. gr. *ploutos* (apparenté à *polys* : « beaucoup » et à *plèthos*, lat. *plenus* : « grande quantité ») : « plénitude [des biens de la vie] », et plus spécialement des biens matériels. Dans la Bible, le terme correspond souvent à l'hb. *kâbôd* : « gloire » [1]. En manifestant la dimension *eschatologique de l'existence, le NT (surtout Luc et Matthieu) ne condamne pas la richesse, qui peut encore signifier la *bénédiction de Dieu [2], mais il en dénonce les dangers et manifeste le sens de l'état de pauvreté.

[1] 1 R 3,13; Rm 9,23; Ep 1,18; 3,16; Col 1,27. — [2] Gn 49,25; Dt 28,1-4.

2. Dieu seul est riche [3] et enrichit [4]. De son côté, l'homme ne doit pas chercher à s'enrichir par lui-même [5], mais il doit utiliser son argent pour aider les *pauvres [6], par exemple dans la *collecte [7].

[3] Rm 2,4; 9,23; 10,12; 11,33; Ep 1,7; 2,4.7; Ph 4,19; Tt 3,6. — [4] 2 Co 8,9; Jc 2,5. — [5] Lc 12,21. — [6] Lc 12,33. — [7] 2 Co 8—9; Ga 2,10.

3. Les riches sont certes, eux aussi, appelés au Royaume [8] et certains y entrent, allant jusqu'à donner de leurs biens [9], mais cela leur est très difficile [10], au point que Jésus déclare qu'ils sont des « malheureux » [11]. Ils sont livrés à la tentation de suffisance [12], à l'oubli de leur condition de créature [13], à l'ignorance du pauvre [14]. De là les terribles exhortations de Jacques [15].

[8] Lc 19,2. — [9] Mt 27,57; Lc 19,8; Ac 4,37. — [10] Mt 19,23-26 (= Mc 10,23-27 = Lc 18,24-27). — [11] Lc 6,24. — [12] Mt 13,22 (= Mc 4,19 = Lc 8,14); 1 Tm 6,9. — [13] Lc 12,16-21; 1 Tm 6,17s. — [14] Lc 16,19-22; Jc 2,6. — [15] Jc 5,1-6.

4. Au sens de possession, la richesse est désignée par d'autres termes : *khrèma* : « ce dont on dispose » [16], *ktèmata* : « ce qu'on a acquis » [17], *hyparkhonta, hyparxis* : « ce qui, au début (gr. *arkhè*), est sous *(hypo)* la main, les biens dont on dispose » [18], *ousia* : « l'existence et ses biens » [19], et en un sens péjoratif *mamônas* : « ce sur quoi on fait fond », la richesse inique [20] qu'il ne faut pas amasser en des trésors (gr. *thesauros*) [21].

[16] 2 Ch 1,11s; Mc 10,23s (= Lc 18,24); Ac 4,37; 8,18.20; 24,26 △. — [17] Mt 10,9; 19,22 (= Mc 10,22); Lc 18,12; 21,19; Ac 1,18; 2,45; 4,34; 5,1; 8,20; 22,28; 1 Th 4,4 △. — [18] Pr 6,31; Mt 19,21; 24,47 (= Lc 12,44); 25,14; Lc 8,3;

469

11,21; 12,15.33; 14,33; 16,1; 19,8; Ac 2,45; 3,6; 4,32.37; 1 Co 13,3; He 10,34; 2 P 1,8 △. — [19] Lc 11,41; 15,12s △. — [20] Mt 6,24; Lc 16,9.11.13 △; cf Pr 18,10s; Si 31,5s. — [21] Mt 6,19-21 (= Lc 12,33s); 19,21 (= Mc 10,21 = Lc 18,22); Jc 5,3...

→ *Intr.* VII.4. — argent — aumône — cupidité — Mammon — pauvre.

rire

gr. *gelaô* : « rire, se rire de, se moquer de ».

1. Conformément à la loi biblique du renversement *eschatologique des situations, le rire des satisfaits se changera en pleurs et en *deuil [1], tandis que les pleurs des malheureux deviendront un rire de joie sans faille [2], celle d'une âme comblée [3].

[1] Lc 6,25; Jc 4,9. — [2] Lc 6,21. — [3] Jb 8,21; Ps 126,2.

2. Le rire du moqueur, spécialement face au juste qui souffre [4], signifie son incrédulité face à un phénomène inattendu [5]. Ces railleries et moqueries (gr. *khleuazô, mykterizô, empaizô*), qui confinent à l'*insulte, sont provoquées par Jésus souffrant [6], par l'annonce de la Résurrection [7], par les manifestations de l'Esprit Saint [8]; elles connaîtront une recrudescence à la fin des temps [9].

[4] Ps 22,8. — [5] Mt 9,24 (=Mc 5,40 =Lc 8,53). — [6] Mt 27,29.31.41; Mc 15,20.31; Lc 22,63; 23,11.35s. — [7] Ac 17,32. — [8] Ac 2,13. — [9] 2 P 3,3; Jude 18.

→ insulter — joie — tristesse.

robe

Traduction habituelle du gr. *stolè* (de *stellô* : « équiper »). Vêtement de dessus, et pas précisément robe au sens moderne. Sauf dans l'Apocalypse [1], où il équivaut à *himation* (« *manteau »), le terme souligne la situation sociale de celui qui porte ce vêtement [2]. La tenue de noce (gr. *endyma gamou*) est parfois traduite « robe nuptiale »; c'est un habit de cérémonie [3].

[1] Comp. Ap 6,11; 7,9.13 et 3,5.18; 4,4; ainsi que 7,14; 22,14 et 19,13. — [2] Gn 41,14.42; Ex 28,2; 40,13; Nb 20,26; Si 6,29.31; 45,7; 50,11; Mc 12,38 (= Lc 20,46); 16,5; Lc 15,22; cf 1 Tm 2,9. — [3] Mt 22,12 s △.

→ *Intr.* VIII.1.B. — noces — vêtement.

roi

→ règne.

[Romains (Épître aux)]

Lettre de Paul envoyée de *Corinthe à l'Église de Rome, vers 57-58.
Sur le point de porter à Jérusalem le fruit de la *collecte réalisée dans
les églises d'*Asie, Paul se tourne vers l'Occident : il brosse ici une
fresque magistrale du dessein de Dieu.

→ *Intr*. XV.

Rome

gr. *Rômè*. Capitale de l'empire qui domina la Judée dès 63 av. J.C.
Puissance redoutée [1] et fière de sa supériorité [2]; être *citoyen romain
est un privilège [3]. Au temps d'*Auguste, plusieurs milliers de juifs
étaient établis à Rome [4]; en 19 ap. J.C., 4 000 en étaient expulsés vers
la Sardaigne; en 32, *Tibère publia un édit en faveur des juifs; mais
en 49-50 eut lieu une nouvelle expulsion [5]. On ignore les origines de
la communauté chrétienne à laquelle Paul écrivit une lettre [6]. Lui-
même y arrive enchaîné et y reste deux ans sous surveillance [7]. Rome
est stigmatisée comme *Babylone [8].

[1] Jn 11,48; Ac 28,17. — [2] Ac 16,21. — [3] Ac 22,25-29. — [4] Ac 2,10. — [5] Ac
18,2. — [6] Rm 1,7.15; cf Ac 19,21; 23,11. — [7] Ac 28,14-16.30; 2 Tm 1,17. —
[8] 1 P 5,13; Ap 17,5; 18,2 □.

→ *Intr*. III.2.G; IV.1-2; IV.4.D; VI.2. — *Carte* 3.

ronce

Sous ce terme sont désignés divers arbrisseaux (acacia, acanthe,
aubépine, chardon, houx, jujubier, ronce, mais non pas les cactus
ni les figuiers de Barbarie importés ultérieurement), tous à piquants;
on insiste sur leur aspect buissonneux (en gr. *batos* [1]) ou sur les épines
(en gr. *akantha* : « pointu » ou *tri-bolos* : « à trois pointes » [2]). Le NT
ne distingue pas entre ces termes [3]. Très communs dans les régions
méditerranéennes et semi-désertiques ou subtropicales [4], buissons et
broussailles d'épines devaient être arrachés avant les semailles et brûlés,
soit pour fumer le sol, soit comme combustible [5]. Métaphoriquement,
les arbustes épineux représentent ce qui contrarie l'accueil de la révélation [6].

[1] Mc 12,26; Lc 6,44; 20,37; Ac 7,30.35 △. — [2] Mc 7,16; He 6,8 △. — [3] Comp.
Mt 7,16 et Lc 6,44. — [4] *Intr*. II.5. — [5] Jr 4,3; Mt 13,7 (= Mc 4,7 = Lc 8,7).
— [6] Mt 7,16 (= Lc 6,44); 13,22 (= Mc 4,18s = Lc 8,14); He 6,8.

→ couronne (d'épines).

471

roseau

gr. *kalamos*.

1. Sorte de jonc, commun en Palestine et le long du Jourdain. Il pouvait servir d'instrument de mesure [1], et sa tige, coupée, de verge [2] ou de plume [3]. Dès l'AT, image de faiblesse [4], de fragilité [5] et d'inconstance [6].

[1] Ez 40,3-9; Ap 11,1; 21,15s. — [2] Mt 27,29s.48 (=Mc 15,19.36). — [3] Ps 45,2; 3 Jn 13. — [4] Is 42,3; Mt 12,20. — [5] Is 9,13. — [6] Mt 11,7 (= Lc 7,24) □.

2. En tant que mesure, le roseau équivaut à 3,15 m.

→ mesures.

royaume

→ règne.

rue

Le même mot hb. *rᵉhov* est traduit par la *Septante par deux termes grecs [1], dont il est difficile de saisir la différence : *rhymè* désigne la ruelle, sans doute du genre des espaces réservés depuis toujours entre les maisons pour permettre aux gens de passer [2]; *plateia* est un adjectif substantivé (*platys* : « large ») qui précise la nature de la *rhymè* (ou de l'*hodos* : « chemin ») : c'est une « large rue », plus fréquente dès l'époque hellénistique. Il est moins indiqué de traduire ce mot par « place » [3]. Ce qui caractérise la *plateia*, c'est que, tout comme sur l'*agora* : « place du marché », on peut y rendre publique une annonce : de là, la redondance de Lc 14,21.

[1] Is 15,3; cf Tb 13,17. — [2] Mt 6,2; Lc 14,21; Ac 9,11; 12,10 △. — [3] Mt 6,5; 12,19; Lc 10,10; 13,26; 14,21; Ac 5,15; Ap 11,8; 21,21; 22,2 △.

→ agora — place publique.

S

Sabaoth

hb. *çᵉba'ôt*. Souvent associé au nom de Yahweh, le terme (pluriel hébreu : « multitude organisée ») a un sens qui évolue avec le temps : d'abord les armées d'Israël, puis le monde des *astres et des puissances célestes. Celui-ci était pour les anciens un monde de vivants et, pour les religions païennes, un monde de dieux. Dans le NT, ce titre divin équivaut à Dieu souverain, disposant de toutes les puissances de l'univers [1].

[1] Cf 1 S 1,3 ; 17,45 ; Is 1,9 ; So 2,10 ; Rm 9,29 ; Jc 5,4 □.

sabbat

1. gr. *sabbaton*. L'étymologie est incertaine et évoque l'hb. *chabât* : « s'arrêter, cesser, chômer » (ou *chibeᶜat* : « septième »). De là, le mot a été interprété en « se reposer » ou, par déduction, en « s'arrêter pour louer (Dieu) ».

2. Particularité d'Israël, d'origine prémosaïque, le commandement du *repos au septième jour est lié au rythme sacré de la *semaine et de la *lune. Deux motivations principales : aspect humanitaire du repos, surtout pour les esclaves [1], ou imitation de Dieu qui s'est reposé après le travail de la création [2]. L'observer, c'est se montrer fidèle.

[1] Ex 23,12 ; Dt 5,14 ; cf 5,15. — [2] Gn 2,2s ; Ex 20,11 ; 31,17.

3. La législation du sabbat devint de plus en plus minutieuse, imposant d'innombrables interdits : préparer la nourriture, allumer du feu, ramasser du bois [3], pratiquer la cueillette, aider un animal ou un homme en danger, porter des fardeaux, marcher plus de 1 250 m [4] et même défaire un nœud ou tracer plus d'une lettre de l'alphabet. Aussi les casuistes se divisaient-ils sur l'extension et l'obligation de ces diverses pratiques.

[3] Ex 16,23 ; 35,3 ; Nb 15,32. — [4] Mt 12,2.11 ; Jn 5,10 ; Ac 1,12.

4. Jésus a pratiqué le sabbat [5], mais a durement critiqué le formalisme des *docteurs de la Loi, non seulement en paroles [6], mais par ses actes [7]. Maître du sabbat, il en restaurait ainsi la vraie finalité [8] et en montrait le sens par l'évocation du Père qui agit sans cesse en donnant la vie [9].

[5] Mc 1,21; Lc 4,16. — [6] Mt 12,12. — [7] Mc 3,2-5; Lc 13,10-16; 14,1-6; Jn 5,8s; 9,14. — [8] Mc 2,27s. — [9] Jn 5,16s.

5. Les disciples de Jésus ont d'abord continué d'observer le sabbat [10] et l'ont utilisé pour annoncer l'Évangile [11]. Mais rapidement le lendemain du sabbat, premier jour de la semaine, devint le « jour du Seigneur », le dimanche. Quant au sabbat — notre samedi —, il ne conserve plus qu'une valeur *figurative, celle du repos céleste [12].

[10] Mt 28,1; Jn 19,42. — [11] p. ex. Ac 13,14; 16,13. — [12] He 4,1-11; cf Ap 14,13.

→ *Intr*. XIII.2.B.b. — dimanche — repos.

sac

1. gr. *sakkos*, hb. *saq* : « étoffe grossière », faite de poil de chèvre ou de chameau. Le terme latin *cilicium*, qui désigne le même tissu, indique qu'il était communément fabriqué en *Cilicie; Paul exerçait le métier de fabricant de tentes [1].

[1] Ac 18,3.

2. Pagne ou tunique de coupe et de tissu grossier [2], non décoré, recouvrant le corps du cou aux chevilles, comme pour l'ensevelir; *vêtement de pénitence et de *deuil qu'on portait nuit et jour autour des reins [3]. Survivance du costume sommaire primitif, le sac, en peau ou en cuir [4], peut-être aussi le vêtement des prophètes [5].

[2] Is 3,24; 50,3; Ap 6,12. — [3] Ne 9,1; Is 15,3; Jon 3,5.8; Mt 11,21 (= Lc 10,13). — [4] Mt 3,4. — [5] Is 20,2; Ap 11,3.

3. Au sens de « besace », cf *bourse (autres mots gr.).

sacerdoce

lat. *sacerdotium*, mot abstrait disant l'état du *sacerdos*, de l'homme qui « établit, fait » *(do)* les objets sacrés, le « sacré » *(sacer)*, celui qui consacre *(sacrificium)*. Ce mot traduit divers mots gr. : *hierôsynè* [1] (qualité du sacerdoce), *hierateia* [2] (fonction du sacerdoce), *hierateuma* [3] (corporation sacerdotale).

[1] He 7,11s 24 △. — [2] Lc 1,9; He 7,5 △. — [3] 1 P 2,5.9 △; cf Lc 1,8.

1. La fonction sacerdotale connaît dans l'AT et le judaïsme une longue évolution. D'abord exercée par le chef de famille ou par le roi, elle fut confiée à une *tribu spécialisée, celle de *Lévi [4]. D'où une institution hiérarchisée : au sommet, le *Grand Prêtre avec deux fonctions principales, offrir les sacrifices et servir la *Torah; puis les *prêtres, fils d'*Aaron; enfin les *lévites.

[4] Ex 32,25-29; Dt 33,8-11; He 7,5.

2. Les chrétiens mettent fin à l'institution sacerdotale ancienne en voyant en Jésus le Grand Prêtre unique et définitif, selon l'ordre de *Melchisédek [5] : le Christ s'est offert lui-même en sacrifice parfait [6].

[5] He 7,11-24. — [6] Ep 5,2; He 9,14.

3. Le peuple chrétien est le corps sacerdotal chargé d'offrir des *sacrifices spirituels par Jésus Christ et de répandre la Parole du Christ [7]. La vie chrétienne devient tout entière un *culte spirituel [8].

[7] 1 P 2,5.9; Ap 1,6; 5,10; 20,6. — [8] Rm 12,1; Ph 2,17; 4,18; He 13,15s.

4. Le sacerdoce du peuple est-il exercé par quelques « représentants » à un titre spécial? La réponse n'est pas explicite dans le NT; elle ne peut venir d'un prolongement ni d'un renouvellement de l'institution sacerdotale de l'AT, mais elle semble impliquée par la structure de l'*Église et par le rite de l'imposition des *mains qui transmet un pouvoir d'ordre, participation au sacerdoce unique du Christ.

→ Culte — peuple — prêtre — sacrifice.

sacré

1. gr. *hieros*. Selon l'antique conviction des hommes, le sacré qualifie une réalité (lieu, personne ou objet) qui a été soustraite au monde profane (lat. *pro* : « devant, hors de » et *fanum* : « temple »; gr. *bebèlos* : « où l'on peut marcher », auquel s'oppose *abaton* : « lieu où l'on ne marche pas » = « lieu sacré ») et au monde commun (gr. *koïnos*), en raison de son contact avec la divinité et parfois en vue d'un service déterminé. La division entre le sacré et le profane provient de l'esprit humain qui, pour rencontrer la divinité, la localise en telle ou telle partie du monde; mais elle n'est que la projection d'une distinction authentique entre le *saint et le *pécheur.

2. L'AT sacralise des lieux (ainsi le *hieron* : « *temple »), des personnes (ainsi le *hiereus* : « *prêtre »), des temps (le *sabbat) ou des aliments qu'il déclare *purs. Jésus a respecté le sacré dans la mesure où il n'empêchait pas l'exercice de la sainteté (l'amour de Dieu et du prochain) dont il est une projection sur terre. Ni le temps du sabbat, ni les prescriptions alimentaires, ni le « péché » (de nature) des *Samaritains ou des publicains, rien ne sépare Jésus du monde ordinaire.

3. Le NT ne retient les termes de la famille *hieros* qu'en de rares occasions : la *viande immolée en sacrifice aux idoles [1], les actions sacrilèges [2], et, exceptionnellement, les Écritures [3], le service de l'Évangile [4], ou telle personne vouée à une vie sainte [5]. Par la présence de l'Esprit, il n'y a plus ni sacré, ni profane, pas plus qu'il n'y a ni juif ni grec : tous les croyants sont saints dans le Christ Jésus, et donc tout peut devenir saint (gr. *hagios*). La distinction sacré/profane passe dans la distinction saint/pécheur.

[1] 1 Co 10,28. — [2] Ac 19,37; Rm 2,22. — [3] 2 Tm 3,15. — [4] Rm 15,16; 1 Co 9,13. — [5] Tt 2,3.

→ culte — pur — sacrifice — saint.

sacrifice

gr. *thysia* : « sacrifice », *prosphora* : « offrande », *holokautôma* : « holocauste », *spendô* : « offrir en libation ».

1. Le rituel israélite présente plusieurs types de sacrifices : l'holocauste, le sacrifice de communion, le sacrifice pour le péché, les offrandes végétales, les pains d'oblation, les offrandes d'encens. Aussi, d'une façon générale, peut-on *définir* le sacrifice comme toute offrande, animale ou végétale, présentée à Dieu sur l'autel et soustraite, par sa destruction partielle ou entière, à tout usage profane.

2. Le *rite* de l'*offrande est commun à tous les sacrifices : le fidèle impose les *mains sur les dons acceptés par le prêtre; sans doute signifie-t-il par là qu'en offrant ce don il s'offre lui-même. Puis l'offrande est tantôt consumée par le *feu, tantôt répartie entre le prêtre et l'offrant. Dans le cas du sacrifice animal, le symbolisme se précise à partir de la signification biblique du sang, qui est la vie même [1] et qui ne peut être consommé avec la *chair (*viandes immolées) [2]. Après l'immolation (qui n'a pas de sens particulier), la chair est répartie ou brûlée, tandis que le sang est répandu sur l'autel [3], qui symbolise Dieu même.

[1] Lv 17,11.14; Dt 12,23. — [2] Dt 12,16. — [3] Lv 1,5.11.

3. Le *sens* exact du rite est difficile à préciser. Tentons-le. Un croyant, ou le peuple, est en quête de l'intimité avec Dieu par le partage d'un don irrévocable. Il veut ainsi combler la distance qu'un péché ou un interdit violé a creusée entre lui et Dieu. Il symbolise ce désir par une offrande et il s'approche de Dieu par la médiation du sang versé sur l'*autel, rétablissant ainsi le contact. Grâce à cette « *expiation », il redevient agréable à Dieu. L'*holocauste, s'il a lieu, dit le caractère irrévocable du don; la montée du *parfum signifie l'entrée dans l'invisible. Ainsi s'est opéré le passage du profane au *sacré. L'*alliance étant renouée symboliquement, la *communion est retrouvée.

4. Le rite est mal interprété quand on ramène son sens à celui de la destruction et de la souffrance. Le rite est faussé quand il est séparé de son sens et devient formalisme : les prophètes, et Jésus après eux, ont protesté contre une telle utilisation de type magique [4].

[4] Mt 5,23s; 9,13; 12,7.

5. Jésus n'a pas condamné le sacrifice, il est la victime pascale; mais, les anciens sacrifices étant par eux-mêmes impuissants à obtenir le *pardon définitif, il a accompli pour toujours le sacrifice parfait, s'offrant une fois pour toutes en une oblation unique pour notre sanctification [5]. Le caractère sacrificiel de l'*eucharistie est attesté par Paul, qui la situe par rapport aux sacrifices païens [6]. Les rites n'ont de sens que s'ils expriment le don de la personne, s'ils sont un culte rationnel [7] : tels sont les sacrifices spirituels offerts par l'Église, corps *sacerdotal [8]. Le nom de sacrifice est alors appliqué non seulement à l'offrande faite à Dieu, mais aussi à celle donnée à autrui pour le secourir [9].

[5] Lv 4,26; He 7,27; 9,12; 10,1. — [6] 1 Co 10,16-21. — [7] Rm 12,1. — [8] 1 P 2,5. — [9] Ph 4,18; He 13,16.

→ *Intr.* XIII.2.A. — alliance — autel — culte — eucharistie — expier — feu — holocauste — pardonner — parfum — prémices — présenter — rédemption — saint — sang — temple.

sadducéen

gr. *saddoukaios*, de l'ar. *zaddûqâyâ*, dérivant du nom propre du Grand Prêtre rival d'Abiathar [1], Sadoq (gr. *Sadôk*), dont le nom lui-même provient de l'hb. *çaddîq* : « juste ». La descendance de Sadoq exerça une grande influence sur le clergé de Jérusalem, au point que l'on en vint à parler non plus des « fils d'Aaron » mais des « fils de Sadoq » [2]. Dans Mt, ils sont ordinairement en compagnie des *pharisiens [3], mais ils se distinguent nettement de ceux-ci par leurs croyances [4], par leur comportement politique [5] et par leur attitude vis-à-vis de Jésus et des premiers chrétiens [6].

[1] 2 S 8,17; 1 R 1,8. — [2] 2 R 15,33; Ez 40,46. — [3] Mt 3,7; 16,1.6.11s; 22,34. — [4] Mt 22,23 (= Mc 12,18 = Lc 20,27); Ac 23,6-8. — [5] *Intr.* XI.1. — [6] Ac 4,1; 5,17 □; cf Mt 26,57 (= Mc 14,53).

→ *Intr.* VI.4.A; XI.1. — pharisien.

sagesse

1. Dans l'hellénisme *stoïcien ou populaire, comme dans l'Ancien Orient, la sagesse (gr. *sophia*, hb. *hôkmâ*) caractérise un comportement que l'on attribue à une certaine connaissance (gr. *sophos* : « habile, avisé »). Selon la Bible, le sage est un technicien de classe, un bon architecte [1], ou encore c'est un homme d'une grande instruction [2]. Il sait surtout se conduire avec habileté pour réussir dans la vie [3]. Cette nuance est aussi rendue par le terme gr. *phronimos* : « prudent, avisé » [4]. A la source de la sagesse, se trouve le don divin, qui est la *crainte de Dieu [5]. Jésus est un sage, un maître de sagesse : proverbes, paraboles, règles de vie étonnent ses contemporains [6]; et même « il y a ici plus que Salomon » [7].

[1] Ex 35,31; 1 Co 3,10. — [2] 1 R 5,9-14; 1 Co 6,5. — [3] Pr 8,12-21. — [4] Pr 14,6; Si 21,21-26; Mt 7,24; 10,16; 24,45 (= Lc 12,42); 25,2-9; Lc 16,8; Rm 11,25. — [5] Pr 9,10; Is 11,2; Lc 21,15; Ac 6,3.10; 7,10. — [6] Mt 13,54 (= Mc 6,2); Lc 2,40.52. — [7] Mt 12,42.

2. La Sagesse personnifiée dans l'AT [8] a été reconnue à travers les actions de Jésus [9]; quand Jésus appelle à lui les petits, ce n'est pas un maître de sagesse qui offre quelques recettes d'existence, c'est le Fils qui révèle les secrets de Dieu [10] et qui, par son sacrifice, devient sagesse de Dieu [11].

[8] Pr 8,22-31; Sg 7,25s; Lc 11,49. — [9] Mt 11,19 (= Lc 7,35). — [10] Mt 11,25-30; Jn 6,35; cf Pr 9,5; Si 24,19-21. — [11] 1 Co 1,24-30; Col 2,3.

3. En appelant non les sages de ce monde mais les petits [12], Dieu a condamné la sagesse humaine qui prétend tout savoir [13] et il offre le salut par la *folie de la croix [14]. Aussi celui qui reçoit d'en haut la Sagesse [15] peut-il *goûter et communiquer les choses spirituelles [16]; il se conduit avec mesure, pondération, bon sens [17].

[12] Mt 11,28-30; cf Dn 2,28-30. — [13] 1 Co 1,19s; 3,19s. — [14] 1 Co 1,17-25; 4,10. — [15] Ep 1,8.17; Jc 1,5; 3,13-17. — [16] 1 Co 2,6-16; 12,8. — [17] Ep 5,15; Col 4,5.

→ *Intr.* IX.4; XII.3. — connaître — croix — folie — philosophie.

[Sagesse (Livre de la)]

Écrit sapientiel grec *deutérocanonique, attribué fictivement à Salomon, composé à Alexandrie vers l'an 50 av. J.C. Sa doctrine est celle de l'AT, présentée en vue des juifs de la *diaspora, sous un vêtement hellénisé; ainsi la foi en la résurrection des morts est dite en termes de croyance en l'*immortalité.

→ *Intr.* XII.3. — *Tableau*, p. 76.

saint

« Saint » ne doit pas être confondu avec *sacré (gr. *hieros*) qui désigne une réalité de ce monde qui a été mise à part de l'usage profane pour être vouée à la divinité. Dans la Bible, la sainteté, qui est le propre de Dieu, peut caractériser un être (personne ou chose); elle signifie qu'une relation nouvelle a été établie entre Dieu et cet être, soit en soulignant la présence en lui du Dieu saint (gr. *hagios*), soit en rappelant la fidélité de cet homme à l'*Alliance, requise par cette relation nouvelle (gr. *hosios*).

1. Le terme gr. *hagios* traduit ordinairement l'hb. *qâdôch*, d'étymologie incertaine, signifiant « séparer » et « appartenir à la divinité ». Comme dans l'AT, le NT proclame que Dieu seul est saint [1], que son *nom doit être sanctifié, c'est-à-dire que Dieu doit être reconnu comme Dieu par tous les hommes [2]. De fait, la sainteté divine rayonne et se communique à son entourage : les anges [3], les prophètes [4], les élus [5], le Temple [6], la Loi [7], les Écritures [8]. Ce qui est neuf dans le NT, c'est que l'appel à la sainteté [9] ne peut être entendu qu'en Jésus, le Saint de Dieu [10], qui se sanctifie (et se sacrifie) pour que les hommes soient sanctifiés [11]. Cet appel ne peut être réalisé que par l'Esprit qui est le Saint par excellence [12] : Esprit donné par Dieu au baptême, faisant participer le croyant à la sainteté même de Dieu [13], le conduisant à être digne de l'appel entendu [14] et à répandre autour de lui l'Amour qu'est l'Esprit Saint [15].

Le verbe *hagiazô* : « sanctifier » [16] n'implique pas nécessairement le sens cultuel de *consécration qu'a le verbe *hagnizô* [17]; sanctifier, c'est faire exister au cœur de Dieu.

« *Le Saint* » (pluriel *ta hagia*, sauf He 9,1) [18] désigne le lieu saint au cœur de l'esplanade du Temple. L'entrée en était protégée par un grand *voile. Au-delà, le *Saint des Saints*.

[1] Os 11,9; Jn 17,11; 1 P 1,15s; Ap 4,8; 6,10. — [2] Is 6,3; Mt 6,9; Lc 1,49. — [3] Mc 8,38; Ac 10,22; Ap 14,10. — [4] Lc 1,70. — [5] Lv 19,2; 1 P 1,15s. — [6] Mt 24,15; Ac 6,13. — [7] Rm 7,12. — [8] Rm 1,2. — [9] 1 Th 4,7; 2 Tm 1,9. — [10] Mc 1,24; Lc 1,35; Jn 6,69; Ac 4,27; Ap 3,7. — [11] Jn 17,17.19. — [12] Lc 3,16; 1 Co 3,16s; passim. — [13] Ep 2,21; 1 P 2,9. — [14] 1 Th 3,13; Ap 22,11. — [15] Rm 5,5; 15,30; Ep 4,16; 2 Tm 1,7. — [16] Jn 17,19. — [17] Jc 4,8; 1 P 1,22. — [18] He 8,2; 9,2-25; 10,19; 13,11.

2. Le terme gr. *hosios* caractérise l'attitude fidèle de l'homme envers Dieu ou la correspondance des choses à la loi divine. La *Septante le relie entre autres à l'idée de *piété, au sens biblique du terme, c'est-à-dire à la fidélité des *hassidim* (les « pieux ») à l'Alliance proposée par Dieu. Le NT ne connaît pas l'appellation courante des *hosioi* pour désigner les chrétiens membres de la communauté élue;

elle l'a remplacée par *hagioi* ou par « élus » [19]. Cependant Dieu est encore dit saint [20]; Jésus est le fidèle qui ne verra pas la corruption [21], l'être innocent et sans péché [22]. Le comportement du croyant peut être « religieux », « pieux » [23], ou, à l'inverse, sacrilège [24].

[19] Ac 9,13; Rm 1,7... — [20] Ap 15,3s (Ps 145,17); 16,5 (Dt 32,4). — [21] Ac 2,27; 13,34s (Ps 16,10). — [22] He 7,26. — [23] Lc 1,75; Ep 4,24; 1 Th 2,10; 1 Tm 2,8; Tt 1,8. — [24] 1 Tm 1,9; 2 Tm 3,2 △.

→ amour — anathème — bénédiction — justice — péché — piété — prêtre — pur — sacré — sacrifice.

Saint des Saints

gr. *Hagia tôn Hagiôn*. La description d'He 9,3-5 se réfère à Ex 26,33. Au temps du NT, c'est une chambre cubique, de 4,40 m de côté, située dans le *Temple de Jérusalem, derrière le *Saint. Totalement obscure et vide, elle est le lieu par excellence de la présence divine, accessible une fois l'an au seul *Grand Prêtre [1].

[1] He 9,3; cf Lv 16 □.

→ saint — temple.

salaire

gr. *misthos* : « gages, paye, salaire, solde, honoraires », d'où le « mercenaire » (gr. *misthôtos*) et la « juste rétribution » (gr. *misth-apo-dosia*).

1. Le NT connaît la stricte rétribution : « l'ouvrier mérite son salaire » [1] et il faut convenir d'une juste paye avec ceux qu'on embauche [2], les « salariés » [3]. C'est un grave péché que de retenir le salaire d'un ouvrier [4]. Au sens figuré, le salaire désigne la conséquence inéluctable d'un acte [5].

[1] Lc 10,7 (cf Mt 10,10); Jn 4,36; Rm 4,4; 1 Co 3,8.14; 9,17s; 1 Tm 5,18; Ap 22,12; cf Mt 20,8. — [2] Mt 20,2; Lc 3,14. — [3] Mc 1,20; Lc 15,17.19. — [4] Lv 19,13; Dt 24,14; Jc 5,4. — [5] Rm 1,27; 6,23; He 2,2; 10,35; 2 P 2,13.

2. Appliquée aux relations avec Dieu, la *rétribution cesse d'être sous le régime de la *justice commutative. Tandis que le mercenaire n'a souci que de son salaire [6], le fidèle reçoit tout de Dieu non comme un dû, mais comme un *don [7]. En ce sens seulement, on parle de Dieu rémunérateur et d'une récompense [8] qui en définitive est Dieu même [9].

[6] Jn 10,12s. — [7] Mt 20,14s; Rm 4,4s. — [8] Mt 5,12; 6,1; 10,41s; He 11,6; Ap 11,18. — [9] Mt 6,4-18.

→ *Intr.* XIV.2.A. — justice — rétribution.

Salamine

gr. *Salamis*, port sur la côte ouest de *Chypre, visité par Paul, Barnabé et Marc [1].

[1] Ac 13,5 □.

→ *Carte* 2.

Salomé

gr. *Salômè*.

1. Fille d'Hérode *Philippe I et d'Hérodiade, non nommée dans le NT[1].

[1] Cf Mt 14,6-11 (= Mc 6,22-28).

→ *Tableau*, p. 289.

2. L'une des femmes qui, après avoir suivi et servi Jésus depuis la Galilée, assistent à la crucifixion et à l'ensevelissement, puis constatent que le tombeau de Jésus est vide. Peut-être sœur de Marie et mère des fils de Zébédée [1].

[1] Mc 15,40; 16,1; cf Mt 27,56; Jn 19,25 □.

Salomon

gr. *Salmôn, Solomôn*. Fils de David et de Bethsabée [1], roi d'Israël de 970 à 931 av. J.C. [2], ancêtre de Jésus [3]. La tradition a retenu sa sagesse [4], la magnificence de son règne [5] et le Temple qu'il bâtit [6]. La tradition lui attribue le Livre de la *Sagesse. Avec Jésus, il y a plus que Salomon [7].

[1] Mt 1,6. — [2] 1 R 1—11; 2 Ch 1—9. — [3] Mt 1,7-16. — [4] Mt 12,42; Lc 11,31. — [5] Mt 6,29; Lc 12,27. — [6] Jn 10,23; Ac 3,11; 5,12; 7,47. — [7] Mt 12,42; Lc 11,31 □.

[Salomon (Psaumes de)]

Collection *apocryphe de dix-huit psaumes datant de 70 av. J.C., en majeure partie d'orientation *pharisienne, reflétant bien les aspirations *messianiques au temps de Jésus. Ils ont été composés à l'origine en hb., mais conservés seulement en gr. et en syriaque.

saluer, salutation

1. gr. *aspazomai* : « accueillir avec empressement, avec joie, saluer ».

Le mot est d'usage classique dans le NT, sans qu'on puisse y introduire l'idée de « salut », au sens de « sauver »[1].

[1] Mt 5,47; 10,12; 23,7; Mc 15,18; Lc 1,29.40s; Ac 18,22; 20,1; Rm 16...

2. gr. *khaire* (impératif de *khairô* : « se réjouir, être joyeux ») : « réjouis-toi!, joie à toi! salut à toi! Dieu te protège ! », souhait grec de bienvenue dans les rencontres, transformé souvent dans la Bible par le souhait de *paix (hb. *chalôm*) et de *grâce (gr. *kharis*)[2].

[2] Mt 26,49; 27,29 (= Mc 15,18 = Jn 19,3); 28,9; Lc, 1,28; Ac 15,23; 23,26; Jc 1,1; 2 Jn 10s △.

salut
gr. *sôtèria*, de *sôzô* : « *sauver ».

Samarie, Samaritains
gr. *Samareia*. Capitale du royaume du Nord, fondée par Omri vers 880[1]. Elle a donné son nom à la région environnante[2]. Après la déportation de 722, sa population est un mélange de races[3]. Détruite en 108 av. J.C., rebâtie en 30 av. J.C. sous le nom de *Sébaste*. Au Ier s., les Samaritains étaient traités comme des hérétiques, légalement impurs[4]. Le comportement de Jésus à leur égard est d'autant plus surprenant[5], et celui de l'Église primitive également[6].

[1] 1 R 16,24. — [2] Lc 17,11; Jn 4,4s; Ac 8,1-8. — [3] 2 R 17,3-6.24. — [4] Lc 9,52; Jn 4,9; 8,48. — [5] Lc 10,33; 17,16; Jn 4,5-40. — [6] Mt 10,5; Ac 1,8; 8,5-25; 9,31; 15,3 □.

→ *Intr*. II; III.2.E; XI. — *Carte* 4.

sanctuaire
Ce mot devrait traduire le grec *naos*, désignant l'édifice du Temple sous son aspect de lieu saint[1].

[1] Mt 23,16s; 27,40...

→ saint — Saint des Saints — temple.

sandale
gr. *sandalion*, mot d'origine persane.

→ chaussure.

sang

gr. *haïma*.

1. Le sang, c'est la *vie [1] et la vie est à Dieu.

[1] Lv 17,11-14.

2. Il ne peut donc être consommé avec la viande immolée [2]. Répandu sur l'*autel, il rend en certains cas *expiatoire le sacrifice [3]. Mais seul le sang de Jésus est efficace [4], car le Christ est le *propitiatoire même [5]; son sang est celui de l'*Alliance pour le *pardon des péchés [6], celui qui est bu dans le repas eucharistique [7].

[2] Dt 12,23s; Ac 15,20.29. — [3] He 9,7; 13,11. — [4] He 10,4.19. — [5] Rm 3,25. — [6] Ex 24,6-8; Mt 26,28 (= Mc 14,24). — [7] Jn 6,53s; 1 Co 10,16.

3. On ne peut impunément répandre le sang innocent [8], car Dieu le vengera [9]. Mais Jésus l'a versé volontairement, renouvelant l'Alliance [10]. Tel est le précieux sang qui a jailli du côté de Jésus [11].

[8] Mt 23,29-36; 27,4.24s. — [9] Ap 6,10; 19,2. — [10] Is 53,12; Lc 22,20. — [11] Jn 19,31-37; 1 P 1,19; 1 Jn 5,6-8.

4. L'expression « chair et sang » désigne l'homme dans sa condition terrestre [12].

[12] Si 14,18; Mt 16,17; 1 Co 15,50; Ga 1,16; Ep 6,12; He 2,14.

→ sacrifice.

sanhédrin

gr. *synedrion* (de *hedra* : « siège » et *syn* : « ensemble »), correspondant à l'hb. *sanhedrîn*, terme attesté vers 65 av. J.C. L'institution semble l'héritière de la « Grande Assemblée » (hb. *k^enessèt gedôlâ*) du temps d'*Esdras. Le sanhédrin comprenait 71 membres, peut-être en souvenir de Moïse et des 70 anciens (Ex 24,1; Nb 11,16). Ac 5,21 l'identifie au Sénat des Grecs (*gerousia*). Sur son rôle et sa compétence → *Intr*. VI.4.A.

Sara

gr. *Sarra*, hb. *Sârâ* : « princesse ». Épouse d'Abraham [1], mère d'Isaac. Par sa condition libre, contrastant avec la servitude d'*Agar, et par sa maternité liée à une promesse divine [2], elle est *figure de la Jérusalem d'en haut, qui engendre des hommes libres par rapport à la Loi et vivant de l'Esprit [3].

[1] Gn 11,29; 1 P 3,6. — [2] Gn 18,10; Rm 4,19; 9,9; He 11,11. — [3] Ga 4,22-31 □.

Sardes

gr. *Sardeïs*. Ancienne capitale de la Lydie, dont Crésus fut roi au VIᵉ s. av. J.C., reconstruite par *Tibère après un tremblement de terre en 17 ap. J.C. Connue pour son industrie lainière [1].

[1] Ap 1,11; 3,1.4 □.

→ *Cartes* 2 et 3.

Saron

gr. *Sarôn*. Plaine côtière entre Jaffa et le Carmel, d'une fertilité proverbiale [1].

[1] Jos 12,18; Ct 2,1; Is 35,2; Ac 9,35 □.

→ *Intr.* II.3.A. — *Carte* 4.

Satan

1. hb. *sathan* : « adversaire », nom commun, parfois personnifié afin de désigner la puissance réelle qui s'oppose à Dieu et au salut des hommes (par exemple Pierre [1]). Beaucoup d'appellations lui correspondent : Accusateur, *Adversaire, *Béelzéboul, prince des démons, *Bélial, (Bête), *Diable, *Dragon, Ennemi, Homicide, Malin, Mauvais, Menteur, *Monde, Prince de ce monde, *Séducteur, *Serpent, Tentateur. Lui est attribué tout ce qui contrecarre le dessein de Dieu [2], l'action de l'*Antichrist [3], l'origine du Péché, les contrariétés dans l'apostolat [4], la trahison de *Judas [5], la fraude d'*Ananie [6], certaines maladies [7], l'empire de la mort [8], l'engeance des menteurs et des homicides [9], la tentation de pécher [10]. Il agit en ce monde pour détourner les hommes de Dieu [11].

[1] Mt 16,23; cf 1 P 5,8. — [2] Mt 13,39; Mc 4,15. — [3] 2 Th 2,3s. — [4] 2 Co 12,7; 1 Th 2,18. — [5] Lc 22,3; Jn 13,27; 14,30. — [6] Ac 5,3. — [7] Lc 13,16. — [8] He 2,14. — [9] Jn 8,44. — [10] 1 Co 7,5; 1 Th 3,5. — [11] 1 Ch 21,1; Jb 1,6-12; Za 3,1; Lc 22,31; Jn 12,31; 16,11.

2. Le NT représente diversement la défaite de Satan. Le récit de la triple *tentation [12] récapitule en une scène mystérieuse, dont Satan est le protagoniste, les principales tentations qui ont été faites à Jésus par les hommes [13]. Mais Jésus a vaincu Satan [14]. Le croyant qui a choisi le Christ [15] triomphe de Satan en déjouant les ruses, pièges, duperies, manœuvres [16] de celui qui se camoufle en ange de lumière [17]. L'Apocalypse [18] décrit la défaite de l'Adversaire en des tableaux symboliques difficiles à interpréter.

484

[12] Mt 4,1-11 (= Lc 4,1-13). — [13] Mt 16,23; 27,42; Jn 6,15; cf Lc 22,28. — [14] Mt 12,28; Lc 10,18; Jn 12,31; 16,11.33; Ap 12,9-13. — [15] 2 Co 6,14; 1 Jn 5,18s. — [16] 2 Co 2,11; Ep 6,11; 1 Tm 3,7; 6,9. — [17] 2 Co 11,14. — [18] Ap 12—20.

3. Essentiellement, Dieu n'est pas l'auteur du *mal qui est dans le monde. Quant à la personnification satanique, elle permet d'apprécier le combat dans lequel se trouve engagée la liberté de l'homme face à Dieu qui l'appelle. Parmi ses multiples noms, celui de « Prince de ce monde » pourrait aider à dépouiller cette figure de ses oripeaux légendaires et inconnus de la Bible, sans pour autant liquider la réalité de cette puissance du mal qui nous dépasse.

→ ange — démons — Dominations — mal.

Saul

gr. *Saoul, Saulos*, de l'hb. *châ'ûl*. Nom originaire de Paul, forme latine du même nom [1].

[1] Ac 9,4; 13,9.

→ Paul.

sauterelle

gr. *akris*. Aliment des pauvres [1]. L'invasion des sauterelles, châtiment [2], malédiction [3], est une image du *Jugement [4] ou symbolise l'assaut des forces hostiles au Royaume [5].

[1] Lv 11,22; Mt 3,4 (= Mc 1,6). — [2] Ex 10. — [3] Dt 28,38. — [4] Jl 1,4. — [5] Ap 9,3.7 □.

→ *Intr*. II.6; VIII.1.D.

sauver

gr. *sôzô* (de *saos* : « sain ») : « maintenir en bonne santé, conserver, préserver ». A ce sens premier s'adjoint l'idée du danger dont on préserve ou d'où l'on tire. Le contexte ou la préposition adjacente aide à choisir l'un ou l'autre.

1. *Sauvegarder*, préserver dans le danger, maintenir sain et sauf. Dans la tempête ou parmi des gens hostiles (ordinairement le gr. *diasôzô* [1] ou *rhyomaï apo* [2]). Ce sens peut être pris pour « sauvegarder sa vie » [3] ou pour « passer sain et sauf à travers l'heure » [4].

¹ Ac 23,24; 27,31.34.43s; 28,1.4. — ² Mt 6,13; Rm 15,31; 2 Th 3,2; 2 Tm 4,18 △. — ³ Mt 16,25 (= Mc 8,35 = Lc 9,24). — ⁴ Jn 12,27.

2. *Tirer du danger* : outre *sôzô*, on rencontre « arracher hors de » (gr. *ex-aireô*, désigné ci-dessous par la lettre *E*) : « extraire » ou gr. *rhyesthai ek* (ci-dessous : *R*) : « délivrer de » de la tempête ⁵, de la maladie ⁶, des persécutions ⁷, de la puissance du mal et de la mort ⁸, etc. Le résultat de l'action est de « guérir » (également sens de *sôzô*), en sorte que les guérisons effectuées par Jésus symbolisent le salut ⁹. La foi maintient la relation vitale à travers laquelle Dieu produit la guérison : « Ta foi t'a sauvé » ¹⁰; le doute entraîne la perte ¹¹, l'espérance garantit le salut définitif ¹². Jésus n'a pas voulu se sauver lui-même de la mort ¹³.

⁵ Mt 8,25. — ⁶ Mt 9,21s (= Mc 5,28 = Lc 8,48). — ⁷ Lc 1,71; (avec *E*) : Ac 7,10.34; 12,11; 26,17; (avec *R*) : Lc 1,74; 2 Tm 3,11; 2 P 2,9. — ⁸ Mt 1,21; (avec *R*) : Rm 7,24; 2 Co 1,10; Col 1,13; 1 Th 1,10; 2 Tm 4,17. — ⁹ Mt 9,22; 14,36; Jn 11,12. — ¹⁰ Mc 10,52; Lc 17,19; 18,42. — ¹¹ Mt 8,26; 14,31. — ¹² Rm 8,24. — ¹³ Mt 27,40.42 (= Mc 15,30s = Lc 23,35.37.39); He 5,7.

3. *Le Sauveur*, c'est Dieu, le vivant ¹⁴; c'est aussi Jésus, dont le nom, qui signifie « Yahweh sauve » ¹⁵, apporte le salut ¹⁶. Appliqué au Messie, le titre semble d'origine hellénistique ¹⁷. Il met en relief l'aspect universaliste du salut ¹⁸.

¹⁴ Ps 25,5; Lc 1,47; 1 Tm 1,1; Tt 1,3; 3,4; 2 Tm 1,10. — ¹⁵ Mt 1,21. — ¹⁶ Ac 4,12. — ¹⁷ Lc 2,11; Ac 5,31; 13,23. — ¹⁸ Jn 4,42; 1 Tm 4,10; 2 Tm 1,10; Tt 1,3; 2,10s; 3,4-6; 1 Jn 4,14.

→ guérir — libérer — rédemption — restaurer.

scandale

Traduction du gr. *skandalon*, ce terme prête souvent à confusion : ce n'est pas un mauvais exemple ni un fait révoltant, mais un piège, posé sur le chemin, qui fait tomber.

→ chute.

sceau

gr. *sphragis*. Telle une signature, le sceau atteste un droit de propriété ou l'*authenticité d'un document.

1. Par la fermeture, il assure juridiquement la maîtrise de la tombe de Jésus ¹, de l'abîme ², de l'histoire ³. En un sens dérivé, sceller est « rendre secret » ⁴.

¹ Mt 27,66; cf Dn 6,18. — ² Ap 20,3. — ³ Ap 5,1-9; 6,1-12; 8,1. — ⁴ Ap 10,4; 22,10.

2. Par l'impression du sceau du Dieu vivant [5], qui, chez Ézéchiel, avait la forme d'une croix (forme ancienne du *tav*, dernière lettre de l'alphabet hb.) [6] et qui dans l'Apocalypse paraît porter les noms de Dieu et (ou) de l'Agneau [7], le sceau dit l'appartenance radicale, exclusive de Jésus [8], des élus [9], des croyants qui reçoivent l'Esprit [10]. On peut en rapprocher les marques (gr. *stigma*) que Paul porte dans son corps [11] et en différencier la marque (gr. *kharagma*) de la *Bête [12].

⁵ Ap 7,2. — ⁶ Ez 9,4.6. — ⁷ Ap 14,1; 22,4. — ⁸ Jn 6,27. — ⁹ Ap 7,3-8; 9,4. — ¹⁰ 2 Co 1,22; Ep 1,13; 4,30. — ¹¹ Ga 6,17 △. — ¹² Ap 13,16s; 14,9.11; 16,2; 19,20; 20,4 △.

3. Un sceau vient authentifier la véracité de Dieu [13], la justice d'Abraham [14], l'apostolat de Paul [15] ainsi que la *collecte [16].

¹³ Jn 3,33. — ¹⁴ Rm 4,11. — ¹⁵ 1 Co 9,2; 2 Tm 2,19. — ¹⁶ Rm 15,28; cf Tb 9,5 □.

scorpion

gr. *skorpios*. Abondant en Palestine (dix espèces), redouté pour sa piqûre douloureuse, cet animal caractérise un monde hostile et cruel. Immobile, sa couleur blanchâtre peut le faire prendre pour un œuf [1].

¹ Dt 8,15; 1 R 12,11-14; Si 26,7; 39,30; Ez 2,6; Lc 10,19; 11,12; Ap 9,3.5.10. □.

scribe

gr. *grammateus* (de *grammata* : « les lettres, les écrits, les textes », cf *graphô* : « écrire ») : « secrétaire » [1], hb. *sôphér* (de *sâphar* : « compter ») : « homme du Livre ».

1. Spécialiste et interprète officiel des saintes Écritures [2]. Au terme de longues études, vers l'âge de 40 ans, on était ordonné scribe, ce qui conférait autorité dans les décisions juridiques (autre mot gr. *nomikos* : « *légiste »), surtout au *sanhédrin où il siégeait de droit. Parmi les scribes réputés : *Hillel et Chammaï (20 av. J.C.), *Gamaliel [3], Johannan ben Zakkaï (vers 70 ap. J.C.). Les scribes étaient souvent des *pharisiens.

¹ Ac 19,35. — ² 1 M 2,42; 7,12s; Si 38,24—39,11; 1 Co 1,20. — ³ Ac 5,34; 22,3.

2. Ni Jésus ni les apôtres n'avaient reçu cette savante formation [4]. Jésus leur reproche les excès dus à leur science et le souci des honneurs [5]. Le terme est sur les lèvres de Jésus pour désigner ses propres disciples [6].

⁴ Jn 7,15; Ac 4,13. — ⁵ Mt 23,1-22.29-36; Lc 11,45-52; 20,46s; cf Mt 5,21-48. — ⁶ Mt 13,52; 23,34 (cf Lc 11,49).

→ *Intr*. XII.1.C. — docteur — légiste.

[secondaire]

lat. *secundarius*, de *sequor* : « suivre ». Ce qui suit n'est pas premier, ni « *primitif ». L'épithète s'applique en *critique littéraire à un texte qui a été remanié, ou à un contexte qui a été modifié.

secte

lat. *secta*, de *sequor* : « suivre »; gr. *hairesis* (apparenté à *haireomai* : « choisir », *diaireô* : « répartir ») : « parti » des *Nazaréens ou chrétiens ¹, des *pharisiens ², des *sadducéens ³. Désigne aussi les scissions ⁴ ou les sectes hérétiques ⁵. Abréviation pour désigner la communauté de *Qoumrân.

¹ Ac 24,5.14; 28,22. — ² Ac 15,5; 26,5. — ³ Ac 5,17. — ⁴ 1 Co 11,19; Ga 5,20; Tt 3,10. — ⁵ 2 P 2,1 □.

séduire

De nombreux mots grecs pourraient être traduits par « séduire ». Le plus proche serait *apataô*, qui est utilisé pour décrire l'action du Tentateur qui séduisit Ève ¹, ainsi que l'activité des faux docteurs ou des vains *philosophes et des *impies ², enfin de la *richesse ³. D'autres mots insistent sur divers aspects de la séduction. Égarer (gr. *planaô*), voilà l'office de Satan, le Séducteur par excellence ⁴, le maître des séducteurs qui sévissent de par le monde ⁵ et de ceux qui égarent les hommes ⁶. D'autres hommes « prennent à l'amorce » (gr. *deleazô*) les esprits faibles ⁷, fourvoyent (gr. *meth-odeia*) dans l'erreur ⁸, abusent et dupent (gr. *para-logizomai*) ⁹, agissent avec ruse et fourberie (gr. *dolos*) ¹⁰, et avec astuce (gr. *panourgia*) ¹¹. A la différence de l'AT qui présente Dieu séduisant Israël ou le prophète ¹², le NT n'emploie jamais le mot dans ce sens positif.

¹ Rm 7,11; 2 Co 11,3; 1 Tm 2,14; He 3,13. — ² Rm 16,18; Col 2,8; 2 P 2,13. — ³ Mt 13,22 (= Mc 4,19). — ⁴ 2 Jn 7; Ap 12,9; 20,3. — ⁵ Ep 4,14; 1 Tm 4,1; 2 Jn 7. — ⁶ Mt 24,5.11.24; Mc 13,6.22; 1 Jn 2,26; 3,7; Jude 11. — ⁷ Jc 1,14; 2 P 2,14.18 △. — ⁸ Ep 4,14; 6,11 △. — ⁹ Col 2,4; Jc 1,22 △. — ¹⁰ Rm 1,29; 2 Co 11,13. — ¹¹ 2 Co 11,3; Ep 4,14. — ¹² Jr 20,7; Ez 14,9; Os 2,16.

→ erreur.

seigneur

gr. *kyrios*, traduisant l'hb. *âdôn*, l'ar. *mâra* : « maître », celui qui dispose de quelqu'un ou de quelque chose.

1. Titre royal de *Yahweh, dont le nom, exprimé par le tétragramme sacré, a été transposé en *Adonaï* : « Mon Seigneur »[1]; il signifie la confiance qu'ont les serviteurs en son absolue souveraineté. Ce titre est devenu le nom propre de Dieu et a été traduit en grec par *Kyrios*, qui signifie tantôt la seigneurie, tantôt le nom incommunicable de Dieu.

[1] Gn 15,2.8.

2. A partir du Ps 110, Jésus montre que le Messie est « seigneur », donc supérieur à David dont il est le fils[2]. Les premiers chrétiens voient en Jésus le Seigneur[3], ce qui vise non pas la nature mais le pouvoir de Jésus Christ : il lui est attribué la même souveraineté qu'à Yahweh[4].

[2] Mt 22,43-45 (= Mc 12,35-37 = Lc 20,41-44). — [3] Ac 2,36; Rm 10,9; 1 Co 12,3; 16,22; Ap 22,20s. — [4] Ph 2,9.11; Jn 20,28.

3. Ce titre pourrait être une manière de protester contre la prétention des empereurs[5].

[5] 1 Co 8,5s; Ap 17,14; 19,16.

→ Ascension — exaltation du Christ — maître — Maranatha.

Seigneuries

gr. *kyriotètes* (pluriel de *kyriotès* : « souveraineté ») : êtres célestes, inférieurs au Christ[1]. Au singulier, le terme pourrait désigner le Christ[2].

[1] Ep 1,21; Col 1,16. — [2] 2 P 2,10; Jude 8 □.

→ Dominations.

sel

gr. *halas*. Substance abondante dans la région de la mer Morte ou mer de Sel[1]. Elle rend les aliments savoureux[2] et les conserve[3]. Condiment indispensable du repas[4] et, peut-être, complément purificateur sur les offrandes *sacrificielles[5]. Il donne du goût à l'existence[6] et qualifie le langage fraternel[7].

[1] Gn 14,3. — [2] Jb 6,6; Mt 5,13. — [3] Ba 6,27. — [4] Ac 1,4. — [5] Lv 2,13; Ez 43,24; Mc 9,49. — [6] Mc 9,50; Lc 14,34. — [7] Col 4,6; cf Jc 3,12 □.

→ *Intr*. II.2; VIII.1.D.b; VIII.2.C.a.

semaine

Période de sept jours, désignée par le septième : gr. *sabbaton*[1]. Les différents jours sont simplement numérotés, sauf le sixième qui, à l'époque hellénistique, s'appelle *Préparation (gr. *para-skeuè*)[2]. Leur désignation romaine par les planètes n'est attestée qu'au Ier s. ap. J.C. La semaine fut d'abord déterminée par la division du *mois selon les phases de la lune; par la suite, elle prit consistance en elle-même, comportant sept jours fixes et devenant indépendante de la lune : elle fut caractérisée par le septième jour, ou *sabbat[3].

[1] Mt 28,1; Mc 16,2.9; Lc 18,12; 24,1; Jn 20,1.19; Ac 20,7; 1 Co 16,2 △. — [2] Mt 27,62; Mc 15,42; Lc 23,54; Jn 19,14.31.42 △. — [3] Ex 23,12; 34,21.

→ calendrier — mois — sabbat — sept.

[sémitique]

De Sem, l'un des fils de *Noé, *éponyme des tribus d'Asie occidentale parlant des langues apparentées : l'*accadien, le cananéen, le phénicien, l'*hébreu, l'*araméen, le syriaque, enfin l'arabe et l'éthiopien. Le terme désigne des expressions ou des conceptions relevant de ce monde culturel.

[sémitisme]

Certains passages du NT trahissent l'influence d'une pensée *sémitique et d'un style *araméen. A ne pas confondre avec les hébraïsmes qui sont, dans la *Septante par exemple, des textes traduits littéralement de l'hébreu.

sénevé

gr. *sinapi*[1].

[1] Mt 13,31 (= Mc 4,31 = Lc 13,19); 17,20 (= Lc 17,6) □.

→ moutarde.

sept

gr. *hepta*.

1. Nombre rendu sacré par le 7e jour, celui du *repos de Dieu[1] et ayant une fonction dans le *calendrier[2], le rituel[3] et les objets du *culte[4].

¹ Ex 20,11; He 4,4. — ² Ex 12,15. — ³ Lv 4,6. — ⁴ Ex 25,37.

2. Il peut symboliser la plénitude, la totalité [5].

⁵ Mt 18,21s; Mc 8,5.20; Ap 1,4.11s.20; 5,1.6; 8,6; 21,9.

3. Les collaborateurs des *Douze, choisis dès les origines de l'Église [6].

⁶ Ac 6,3-6; 21,8 □.

→ Étienne — nombres — sabbat — semaine.

[Septante]

Première traduction grecque de l'AT, la Septante fut composée, selon la légende de la *Lettre d'Aristée*, par 72 docteurs juifs qui la réalisèrent en 72 jours, sur l'ordre de Ptolémée Philadelphe (283-246 av. J.C.); de là, sa dénomination de Septante (= 70). Selon l'histoire, elle fut faite par de nombreux auteurs dont le travail s'échelonne de 250 à 150 av. J.C. (le prologue du *Siracide en parle vers 116). Elle a été destinée aux juifs parlant grec, spécialement à Alexandrie en Égypte. Par rapport au *canon hébraïque, elle comprend en plus les *deutérocanoniques Jdt, Tb, 1 et 2 M, Sg, Si, Ba, Lettre de Jérémie, des additions à Esther et à Daniel, ainsi que des *apocryphes : 1 Esd, 3 et 4 M, Odes et Ps Salomon. En plus de quelques papyrus du IIe s. av. J.C., la Septante est connue surtout par les travaux d'Origène (fin IIe s. ap. J.C.) et par le codex du IVe s. appelé *Vaticanus*. Le juif Aquila publia à partir de 130 une version grecque strictement « littérale », le chrétien Symmaque en proposa une autre vers 170, et Théodotion offrit à la fin du IIe s. une version corrigée de la Septante. Les spécialistes discutent sur l'origine de la Septante : un ou plusieurs textes? La Septante est le texte de la Bible utilisé par les chrétiens des origines (ainsi Mt 1,23).

→ *Intr.* III.3; XV. — Bible — deutérocanoniques. — *Tableau*, p. 76.

sépulcre, sépulture
→ tombeau.

[séquence]

Suite de *péricopes organisées pour former un tout. Ainsi la journée de Capharnaüm (Mc 1,21-38) ou les trois premiers miracles rapportés par Mt 8,1-17.

Sergius Paulus
*Proconsul de *Chypre en 46-47 ou 49-50 [1].

[1] Ac 13,7 □.

serment
1. gr. *horkos, horkizô*. Le serment tient une grande place dans l'AT [1], non pas pour prendre Dieu à témoin de ce qu'on avance, mais pour en appeler à Dieu afin qu'il agisse sur celui qui parle : tel est le sens de « prendre le Nom de Dieu » [2]. Aussi les serments étaient-ils volontiers déconseillés [3]. Il convenait de « jurer » (gr. *omnyô*) par des substituts du *Nom ; Jésus ne dénonce pas seulement le risque de parjure, il déclare qu'il ne faut pas jurer du tout [4]. Jésus ajoute même une consigne positive, différemment interprétée. Selon Mt [5], « que votre parole soit 'Oui oui', 'Non non' ; tout le reste vient du Mauvais », c'est-à-dire : Votre langage doit être absolument vrai. Selon Jc [6] : « Que votre Oui soit un Oui et votre Non un Non », c'est-à-dire : La bouche doit dire ce qui est dans le cœur. L'homme ne peut jurer par Dieu qui ne lui appartient pas ; la seule garantie de son langage est la sincérité fraternelle.

[1] Lv 5,4s. — [2] Ex 20,7. — [3] Si 23,9s. — [4] Mt 5,33-35. — [5] Mt 5,36s. — [6] Jc 5,12.

2. Jésus a introduit ses formules les plus solennelles par « *Amen, je vous le déclare », qui pourrait être comme la réponse à une révélation intérieure du Père. Il a accepté de répondre au Grand Prêtre qui lui défère le serment [7]. Dieu s'est lui-même engagé par promesse ou par serment [8], tandis que les hommes, Hérode [9] ou Pierre [10], le font à leur dam.

[7] Mt 26,63s. — [8] Lc 1,73; Ac 2,30; He 3,11.18; 4,3; 6,13.17; 7,20s.28. — [9] Mt 14,7.9 (= Mc 6,23.26). — [10] Mt 26,72.74 (= Mc 14,71).

serpent
gr. *ophis*.

1. Fréquent en Palestine (30 espèces), parfois mortellement venimeux.

2. Le NT ne retient pas le symbolisme chthonien qui en a fait l'attribut des dieux guérisseurs (l'emblème grec d'Esculape), mais la tradition du serpent d'airain qui guérissait les Hébreux mordus au désert par les serpents : il préfigure Jésus élevé en croix sauvant les croyants qui le regardent avec foi [1].

[1] Nb 21,8s; Sg 16,5-7; Jn 3,14; cf 19,37; 1 Co 10,9.

3. Figure mythique de *Satan, le serpent du paradis terrestre, le séducteur [2].

[2] Gn 3; 2 Co 11,3; Ap 12,9; 20,2.

4. Animal *impur [3], se nourrissant de poussière [4], rusé [5], méchant [6], hypocrite [7], à la langue venimeuse [8]. Les disciples ont reçu le pouvoir de le fouler aux pieds [9] et les croyants n'ont pas à le craindre : ils peuvent même le prendre dans leurs mains [10]. Ainsi symbolise-t-il la puissance du mal, qui est vaincue.

[3] Lv 11,10.42; cf Ac 10,12; 11,6. — [4] Gn 3,14s; Is 65,25; Mi 7,17. — [5] Mt 10,16. — [6] Mt 7,10 (= Lc 11,11); cf 12,34. — [7] Mt 23,33; cf 3,7 (= Lc 3,7). — [8] Jb 20,16; Ps 58,5; Rm 3,13. — [9] Ps 91,13; Lc 10,19. — [10] Is 11,8; Mc 16,18; Ac 28,3.

→ bêtes — dragon.

servir

1. gr. *douleuô* : « être lié à un maître ». Le français supporte difficilement l'assimilation du « service » et de l' « esclavage », préférant réserver le service pour dire la soumission fidèle à Dieu [1], au Christ [2] ou à la Loi de Dieu [3], et qualifiant d'*esclavage l'asservissement à un homme [4] ou à une puissance mauvaise [5]. Le service de Dieu est exclusif de tout autre [6]. Les chrétiens servent Dieu non pas dans la *crainte, mais dans la liberté, non pas en esclaves mais en fils [7]. N'étant plus serviteurs, mais amis de Jésus [8], ils participent au service de Dieu qu'il a lui-même réalisé pour la cause de l'Évangile [9]; ils doivent même se faire les « esclaves » d'autrui [10].

[1] Rm 6,22; 1 Th 1,9. — [2] Rm 14,18; 1 Co 7,22; Ga 1,10; Ep 6,6s; Col 3,24. — [3] Rm 7,25. — [4] Rm 9,12; 1 Co 7,15. — [5] Rm 6,6; 8,21; Ga 4,3.8. — [6] Mt 6,24. — [7] Jn 8,33-36; Rm 6—7; Ga 4. — [8] Jn 15,15. — [9] Jn 15,20; Ph 2,7.22. — [10] Mt 20,27 (= Mc 10,44); Ga 5,13.

2. gr. *diakoneô* : « servir » : acte de servir à table, ou quelque prestation semblable [11]. Dans des gestes de service accomplis par Jésus [12], les disciples sont invités à découvrir un renversement de valeurs : ils ont à devenir, comme lui, serviteurs [13]. Davantage, ces gestes symbolisent le don que Jésus fait de sa vie. Ainsi le terme caractérise l'attitude fondamentale de Jésus sur terre [14] et au dernier jour [15]. Servir Jésus, c'est le *suivre [16]; servir autrui, c'est servir Jésus lui-même [17]. Dans l'Église primitive, le terme a le sens spécifique d'assurer une fonction d'assistant à l'intérieur de la communauté [18].

[11] Mt 4,11; 8,15; Lc 10,40; Jn 12,2. — [12] Lc 22,27; cf Jn 13,1-20. — [13] Mt 20,26 (= Mc 10,43 = Lc 22,26); 1 P 4,10. — [14] Mt 20,28 (= Mc 10,45); Rm 15,8.

— [15] Lc 12,37. — [16] Jn 12,26. — [17] Mt 25,44. — [18] Ac 6,1.4; 12,25; 20,24; 21,19; Rm 11,13; 12,7; 2 Co 3,3-9; 5,18; Ep 3,7; Col 1,23; 1 Tm 1,12; 1 P 1,12.

→ esclave — serviteur.

serviteur

1. gr. *doulos* : « esclave », puis, dans la relation (avec le roi ou) avec Dieu [1], titre d'honneur revendiqué dans l'AT par les envoyés de Dieu [2] et dans le NT par Paul et les Apôtres [3]. Le gr. *païs* : « jeune serviteur, garçon, enfant », désigne aussi les domestiques, les servantes [4], peut-être pour adoucir la connotation qu'entraîne le terme « esclave ». Le mot indique une allégeance parfaite à Dieu : « serviteurs et servantes de Dieu » [5], radicalement différente de la dépendance du salarié, mercenaire, serviteur à gages (gr. *misthios*, *misthôtos*) [6].

[1] 2 M 7,33. — [2] Ap 10,7; 11,18; 15,3. — [3] Rm 1,1; Ga 1,10; Col 4,12; Tt 1,1; Jc 1,1; 2 P 1,1; Jude 1. — [4] Mt 8,6; 14,2; 26,69 (= Mc 14,66 = Lc 22,56); Lc 12,45; 15,26; Ac 12,13; 16,16; Ga 4,22-31. — [5] Lc 1,38.48; 2,29; Ac 2,18; 4,29; 16,17; 2 Tm 2,24; 1 P 2,16; Ap 2,20; 7,3; 15,3; 19,2; 22,3.6. — [6] Mc 1,20; Lc 15,17.19; Jn 10,12s △.

2. Jésus, qui a pris les traits du *doulos* [7], n'est jamais appelé de ce titre, honorifique pour les hommes. C'est le mot *païs*, employé dans l'AT pour désigner tel ou tel homme de Dieu [8] ou le Serviteur de Yahweh dans les chants d'Isaïe [9], qui a été retenu pour montrer en Jésus le Serviteur de Dieu. L'Église primitive en a détaillé les fonctions : Jésus annonce aux nations le jugement, il offre sa vie en sacrifice pour la *multitude, il est glorifié par son Père [10].

[7] Ph 2,7. — [8] Gn 32,11; Nb 12,7s; 2 S 3,18; 2 R 9,7s; Sg 2,13; 9,4s; Ba 1,20; 2,20.28; Lc 1,69; Ac 4,25. — [9] Is 42,1-4; 49,1-6; 50,4-11; 52,13—53,12; Ac 8,34; 1 P 2,22-25. — [10] Mt 12,18-21; 20,28 (= Mc 10,45); Ac 3,13.26; 4,27.30; Ph 2,5-11.

→ esclave — servir.

shéol

→ chéol.

[sibyllins (Oracles)]

Compilation hellénistique de traditions d'origine juive, à tendance apologétique, avec interpolations chrétiennes (sûrement les Livres VI,

494

VII, VIII, XIII), datant des Ve et VIe s. ap. J.C. Au livre III, le plus ancien (IIe s. av. J.C.), Virgile dut de connaître la prophétie de la Vierge-mère (Is 11,6).

[sicle]

gr. *siklos*, hb. *chéqèl* : « poids ». Ancienne mesure de poids (14 g), devenue unité monétaire juive, en argent, équivalant au *statère ou au tétradrachme des Grecs. Il correspondait environ au salaire de quatre journées de travail (quatre deniers). Pour désigner une pièce de monnaie, il fallait qualifier le sicle « d'argent » *(gr. argyria)* [1].

[1] Mt 26,15; 27,3-9; 28,12.15; Ac 19,19 △.

→ monnaies — poids.

Sidon

gr. *Sidôn*, de l'hb. *çidôn* : « pêcherie », auj. *Saïda* (Liban). Vieux port phénicien sur la Méditerranée [1].

[1] Mt 11,21s; 15,21; Mc 3,8; 7,31; Lc 4,26; 6,17; Ac 27,3 □.

→ *Carte 3.*

siècle

Traduction de l'hb. *'ôlâm*, du gr. *aiôn*, de même racine que *aei* : « toujours » (cf lat. *aevum, aeternus*).

1. Le terme ne désigne pas proprement une période de cent ans ni même une longue période déterminée; il équivaut à *éternité [1].

[1] 2 Co 9,9; He 5,6; 1 P 1,25.

2. L'expression « les siècles des siècles » est un hébraïsme, semblable à « Cantique des cantiques », il équivaut à « pour toujours » et désigne un temps illimité, soit dans le passé, soit dans le futur [2].

[2] Rm 16,27; He 1,8; Ap 4,9.

3. Le mot peut aussi désigner le *monde, soit présent, soit à venir [3].

[3] Mt 12,32; Ep 1,21.

→ éon — éternel — temps.

signe

gr. *sèmeion* (même racine que *sèmainô* : « faire un signe, signifier, faire comprendre », d'où « dire le sens »).

1. Réalité qui renvoie à une autre et, ce faisant, la suggère. Annonce une réalité absente ou la rend présente. Le signe révèle et cache à la fois. Le NT connaît ce sens ordinaire : donner un signe [1], signifier quelque chose [2].

[1] Mt 26,48 (= Mc 14,44); Lc 2,12; 2 Th 3,17. — [2] Jn 12,33; 18,32; 21,19; Ac 11,28.

2. Dieu, qui parle aux hommes à travers sa création, leur fait aussi signe de manière spéciale par des actions qui suscitent l'étonnement. Ainsi, selon la tradition juive, les temps messianiques devaient être inaugurés par des signes merveilleux, semblables à ceux de l'Exode ou du temps d'*Élie; on emploie alors volontiers l'expression *sèmeia kai terata*. Le NT évoque l'attente de ces signes précurseurs [3]. Face aux juifs qui voulaient voir les signes pour se dispenser de croire, Jésus se refuse à en donner de spectaculaires et renvoie à sa prédication [4] : là sont les « signes des temps », c'est-à-dire de « ce *temps-ci », qualifié par la présence et l'activité de Jésus, à interpréter à la manière dont on scrute le visage du ciel pour savoir quel temps il va faire [5].

[3] Mt 24,3; 1 Co 1,22. — [4] Mt 12,38s (= Lc 11,29-32); 16,1.4 (= Mc 8,11s); Lc 17,20s. — [5] Mt 16,2s (= Lc 12,54-56).

3. Le IVe évangile ajoute au sens classique chez les juifs le sens précis de « *miracle » : les « actes de puissance » *(dynameis)* de Jésus sont des « signes »; il enchâsse en effet les miracles dans des discours qui en explicitent le sens [6], ou dans un contexte qui aide à en saisir la signification [7]. D'un autre point de vue, les signes sont les « *œuvres » (gr. *erga*) de Dieu qui invitent à croire en Jésus et à voir sa gloire [8].

[6] Jn 5,1-47; 6,5-65; 9,1-41 (cf 8,12); 11,25. — [7] Jn 2,1-11; 4,46-54. — [8] Jn 12,37.

4. De même que Jésus a été accrédité par des signes prodigieux [9], ainsi les disciples aux fondations des Églises [10]. Au temps de l'Église, il y aura des signes trompeurs, face auxquels devra s'exercer le discernement [11]. Le seul signe, qui s'identifie avec la réalité, sera la venue du *Fils de l'homme [12].

[9] Ac 2,22. — [10] Mc 16,20; Ac 2,43; 4,30; 5,12; Rm 15,19; 2 Co 12,12; 1 Th 2,13. — [11] Mt 24,24 (= Mc 13,22); 2 Th 2,9; Ap 13,13s; 16,14; 19,20. — [12] Mt 24,30 (= Mc 13,26 = Lc 21,27).

→ miracle — symbole.

Silas

gr. *Silas*, grécisation de Saül, ou *Silvanos* (du lat. *Silvanus* : « Silvain »). Citoyen romain, chrétien de Jérusalem, *prophète, homme considéré. Délégué à Antioche, compagnon de Paul, coauteur des Épîtres aux Thessaloniciens et de la 1re de Pierre [1].

[1] Ac 15,22.27.32.34.40; 16,19.25.29; 17,4.10.14s; 18,5; 2 Co 1,19; 1 Th 1,1; 2 Th 1,1; 1 P 5,12 □.

Siloé
gr. *Silôam*, hb. *Chîlôaḥ*.

1. *La piscine*. Point d'aboutissement du « canal » (en hb. *ha chîlôaḥ*) construit par Ézéchias vers 700 av. J.C. au sud-est de Jérusalem. Là se déversaient les eaux de la source de Guihon, destinées à alimenter la ville. A l'époque du NT, bassin entouré d'un portique avec colonnades, œuvre d'★Hérode le Grand [1].

[1] 2 R 20,20; Si 48,17; Is 8,6; 22,11; Jn 9,7.11 □.

→ piscine — *Carte* 1.

2. *La tour*. Sans doute élevée dans un quartier situé de part et d'autre du ★Kédron et avoisinant la piscine qui lui avait donné son nom [1].

[1] Lc 13,4 □.

Silvain
→ Silas.

Siméon
gr. *Symeôn*, de l'hb. *chîmôn* : « Dieu a entendu ».

1. Deuxième fils de Jacob et de Léa, éponyme d'une des douze ★tribus d'Israël [1].

[1] Gn 29,33; Ap 7,7 □.

2. Ancêtre de Jésus [2].

[2] Lc 3,30 □.

3. Juif « juste et pieux » de Jérusalem [3].

[3] Lc 2,25.34 □.

4. Chrétien d'Antioche, prophète ou docteur [4].

[4] Ac 13,1 □.

5. Personnage très probablement identique à Simon-Pierre en Ac 15,14, et certainement en 2 P 1,1 □.

497

Simon

gr. *Simôn*, de l'hb. *chîmôn* = *Siméon.

1. Fils de Jean (Jona), premier nom de *Pierre* [1].

[1] Mt 16,17; Jn 1,42; 21,15 □.

2. *Le Cananéen*, l'un des *Douze, dont le nom ne signifie pas qu'il était originaire de Cana ou de Canaan, mais « zélé », d'un terme araméen signifiant « zélé, zélote » [2].

[2] Mt 10,4; Mc 3,18; Lc 6,15; Ac 1,13 □.

3. Un des « *frères du Seigneur* » [3].

[3] Mt 13,55; Mc 6,3 □.

4. Un *pharisien* [4].

[4] Lc 7,40.43s □.

5. *Lépreux* de Béthanie, peut-être à identifier au précédent [5].

[5] Mt 26,6; Mc 14,3 □.

6. *Simon le *Cyrénéen*, un passant réquisitionné pour porter la croix de Jésus [6].

[6] Mt 27,32; Mc 15,21; Lc 23,26 □.

7. *Simon Iscariote*, père de *Judas Iscariote [7].

[7] Jn 6,71; 13,2.26 □.

8. *Magicien* de Samarie [8].

[8] Ac 8,9.13.18.24 □.

9. *Corroyeur* de Joppé [9].

[9] Ac 9,43; 10,6.17.32 □.

Sinaï (mont)

gr. *Sina*, hb. *Sînay*. Appelé aussi Horeb dans l'AT. *Montagne difficile à identifier, traditionnellement localisée au sud de la péninsule sinaïtique (2 285 m). Lieu de la *théophanie du buisson ardent, de l'*Alliance et du don de la Loi [1].

[1] Ex 3,1; 19,1-20; Ac 7,30.38; Ga 4,24s; He 8,5; 12,20 □.

Sion

gr. *Siôn*, hb. *çiôn*. Colline de Jérusalem située au sud du *Temple et au nord du quartier de *Siloé. Identifiée à *Jérusalem, sous son aspect essentiellement religieux, annonçant le ciel [1].

[1] 2 S 5,7; Is 2,2s; 4,5; Mt 21,5; Jn 12,15; Rm 9,33; 11,26; He 12,22; 1 P 2,6; Ap 14,1 □.

[Siracide]

Écrit sapientiel composé en hb. vers 180 av. J.C. par Jésus Ben Sira. Son petit-fils l'a traduit en grec à Alexandrie vers 132 av. J.C. C'est un *deutérocanonique. On l'appelle encore *Ecclésiastique*.

→ *Intr.* XII.3. — *Tableau*, p. 76.

Smyrne

gr. *Smyrna* : « myrrhe »; auj. *Izmir* en Turquie. Ancienne colonie éolienne, devenue, après sa reconstruction par Alexandre le Grand, la ville portuaire la plus active d'Asie Mineure. Soumise à Rome depuis 133 av. J.C., elle est l'un des centres du culte de l'empereur, avec un temple érigé en 26 ap. J.C. [1].

[1] Ap 1,11; 2,8 □.

→ *Intr.* IV.2.C. — *Carte* 2.

soir

gr. *hespera* [1], *opsia (hôra)* : (heure) tardive (de *opse* [2] : « tard »). Début de la nuit, ou même fin de la 1re veille (21 h).

[1] Lc 24,29; Ac 4,3; 28,23 △. — [2] Mt 28,1; Mc 11,19; 13,35 △.

→ heure — journée — nuit — veille.

soleil

gr. *hèlios*.

1. Nécessaire à la vie, Dieu en dispense à tous le bienfait, image de sa bienveillance universelle [1]. Mais son ardeur peut accabler et brûler [2].

[1] Dt 33,13s; Ps 19,5-7; Mt 5,45. — [2] Mt 13,6 (= Mc 4,6); Jc 1,11; Ap 7,16; cf Is 49,10.

2. Luc en signale l'obscurcissement à la mort de Jésus [3]. Sa transformation en *ténèbres caractérise les représentations de la fin des temps [4].

[3] Lc 23,45. — [4] Jl 2,10; Ha 3,11; Mt 24,29 (= Mc 13,24); Lc 21,25; Ac 2,20; Ap 6,12; 8,12; (9,2;) 16,8; 19,17.

3. Image pour évoquer le resplendissement des justes, des êtres célestes, de Jésus transfiguré, du *Fils de l'Homme [5].

4. Dans la *Jérusalem céleste, son éclat n'aura plus de raison d'être, Dieu et l'Agneau étant la lumière des élus [6].

[6] Is 60,19s; Ap 21,23; 22,5.

→ *Intr*. V.1. — astres — lune — orient.

sommeil

gr. *hypnos*.

1. *Repos qui régénère, le sommeil est signe de *confiance filiale [1]; il est le temps privilégié des visites divines [2].

[1] Ps 4,9; Mc 4,38; 1 Th 4,14. — [2] Gn 15,2.12; 28,16; Mt 1,24; 2,13s.19-23.

2. Le sommeil, plongée dans la nuit ténébreuse, peut signifier un état de culpabilité [3], par opposition à la vigilance (gr. *agr-hypnia* [4]).

[3] 1 R 19,4-8; Jon 1,5; Mc 14,34.37.40. — [4] Mc 13,33; Lc 21,36; 2 Co 6,5; 11,27; Ep 6,18; He 13,17 △; cf Rm 13,11.

3. Le sommeil symbolise la mort, état dont la résurrection éveille [5].

[5] Dn 12,2; Mc 5,39; 13,36; Jn 11,13; 1 Co 15,20.51; Ep 5,14; 1 Th 5,6.10.

songe

gr. *kat'onar* : « en songe ». La suite de phénomènes psychiques se produisant pendant le *sommeil, que nous appelons rêve et où nous sommes enclins à voir une manifestation de la personnalité profonde, est interprétée en certains cas chez les anciens comme une communication avec l'invisible. Inférieures à la parole prophétique, des révélations par songe (gr. *en-hypnion*) sont promises [1] ou ont lieu, soit pour éclairer des individus [2], soit pour assurer le dessein de Dieu [3]. Le NT ne rapporte aucun songe de Jésus. A ne pas confondre avec les *apparitions, les *théophanies ou les visions.

[1] Ac 2,17. — [2] Mt 27,19; Ac 18,9. — [3] Mt 1,20; 2,12s.19.22 □.

souci

1. Mot ambigu pouvant signifier la sollicitude ou l'inquiétude; les deux mots gr. peuvent avoir cette double signification, *melô(ML)* allant davantage dans le sens de l'occupation, du soin, de l'intérêt porté, *merimnaô(MR)* allant davantage dans le sens de la préoccupation, de l'inquiétude. La distinction se montre bien en deux cas, à propos de Marthe et Marie ¹ ainsi qu'à propos du soin de Dieu face à l'inquiétude de l'homme ².

¹ Comp. Lc 10,40(*ML*) et 10,41(*MR*). — ² 1 P 5,7(*MR* + *ML*).

2. L'expression vient souvent de façon positive pour ce qui concerne la sollicitude envers les hommes ou envers l'Église ³; plus souvent encore de façon négative, pour dire ce dont on n'a cure ⁴. Parfois la frontière entre ce sens et le suivant est flottante ⁵.

³ Lc 10,34s; 15,8; Ac 27,3; 1 Tm 3,5; 4,15(*ML*); 1 Co 12,25; 2 Co 11,28; Ph 2,20(*ML*). — ⁴ Mt 22,5.16 (= Mc 12,14); Mc 4,38; Jn 10,13; 12,6; Ac 18,17; 1 Co 9,9; 1 Tm 4,14; He 2,3; 8,9(*ML*). — ⁵ 1 Co 7,32-34(*MR*).

3. Jésus condamne les soucis qui rendent inquiets ⁶, plus spécialement les soucis du monde ⁷, de sorte que dans la foi on peut parvenir à un état d'authentique liberté ⁸.

⁶ Mt 6,25-34 (= Lc 12,22-26); 10,19 (=Mc 13,11=Lc 12,11)(*MR*); Lc 21,14(*ML*). — ⁷ Mt 13,22 (= Mc 4,19 = Lc 8,14)(*MR*). — ⁸ 1 Co 7,21(*ML*); Ph 4,6(*MR*).

→ angoisse — confiance.

souffle

→ esprit.

souffrir

gr. *paskhô* : « éprouver un sentiment, souffrir ».

1. Jésus Christ a souffert et est mort. Le fait est affirmé sans cesse dans le NT ¹; ces souffrances ont été annoncées par Jésus ² et situées par le Ressuscité et par les croyants dans le dessein de Dieu ³. Ainsi elles manifestent un sens, celui de la libération du péché ⁴ : le Christ a souffert pour nous ⁵, par « com-passion » à nos faiblesses ⁶. Cette interprétation a été rendue possible parce que Jésus, tel le *Serviteur de Yahweh, est mort et a été exalté au ciel ⁷.

¹ Lc 22,15; Ac 1,3; He 2,18; 5,8; 13,12; 1 P 2,23; 4,1; 5,1. — ² Mt 16,21 (= Mc 8,31 = Lc 9,22); 17,12 (= Mc 9,12); Lc 17,25. — ³ Lc 24,26.46; Ac 3,8; 17,3; 26,23; 1 P 1,11. — ⁴ 1 P 3,18. — ⁵ 2 Co 1,5; 1 P 2,21. — ⁶ He 4,15. — ⁷ Is 53; Ph 2,8-11; He 2,9s.

2. Le fidèle du Christ est appelé à « communier » aux souffrances du Christ ⁸; ainsi ce qui n'a pas de sens par soi peut être situé dans un plus grand ensemble et être valorisé ⁹ : à son tour, le croyant parachève ce qui manque aux souffrances du Christ ¹⁰ et peut « compatir » aux souffrances des autres [11]. La consolation peut l'envahir, car la *gloire est déjà à l'œuvre à travers les souffrances d'un moment [12]. Il peut alors comprendre le paradoxe de la *béatitude des persécutés [13].

[8] Ac 9,16; 2 Co 1,5; Ph 3,10; 1 P 4,1.13; Ap 2,10. — [9] Rm 8,17; Jc 5,10. — [10] Ph 1,29; Col 1,24; 2 Tm 2,3. — [11] 1 Th 2,14; 2 Th 1,5; 2 Tm 3,11; He 10,34; 1 P 3,8; 5,9. — [12] Rm 8,18; 2 Co 1,5s; 1 P 5,10. — [13] Mt 5,10-12 (= Lc 6,22s); 1 P 3,14.

→ épreuve — persécution — tribulation.

soufre

gr. *theïon*. Substance minérale abondante dans la région de la mer Morte, rendant le sol improductif. Le châtiment de Sodome par une *pluie de feu et de soufre est typique [1]. Ce supplice [2] devient, dans l'Apocalypse, la plongée dans un étang [3].

[1] Gn 19,24; Dt 29,22; Ps 11,6; Is 34,9; Ez 38,22; Lc 17,29. — [2] Jb 18,15; Is 30,33; Ap 9,17s; 14,10. — [3] Ap 19,20; 20,10; 21,8 □.

→ étang de feu — feu.

[sources]

Terme de critique littéraire par lequel sont désignés les documents, oraux ou écrits, utilisés par les écrivains du NT. A l'origine de Mt et de Lc, en plus de leurs sources particulières, se trouvent selon certains critiques deux sources, à savoir Mc et *Q, d'où l'hypothèse des « Deux-sources ». A l'origine des trois Synoptiques, selon d'autres critiques, se trouvent ou bien de multiples sources transformées au cours de leur transmission orale dans les divers milieux de l'Église primitive, ou bien deux documents principaux : l'un déjà fortement structuré (ce qui entoure le ministère de Jésus en Galilée), l'autre à l'état encore fluide (correspondant à Mt 5—13).

→ critique littéraire — Q — synoptique.

sourd

gr. *kôphos* [1] : « émoussé », mot qui peut signifier « sourd » et «*muet », du fait que les deux infirmités sont ordinairement liées [2]. La surdité n'est pas, à la différence du mutisme, le résultat d'une possession démoniaque, sauf pour l'enfant épileptique [3]. En la guérissant,

502

Jésus a fait des gestes messianiques [4]. La surdité peut symboliser le refus d'obéir à la *Parole de Dieu : on est alors « incirconcis d'oreille » [5].

[1] Mc 7,37. — [2] Mc 7,32. — [3] Mc 9,25. — [4] Is 35,5; Mt 11,5 (= Lc 7,22). — [5] Jr 6,10; Ac 7,51.

→ maladie — oreille.

Souverainetés
Traduction du gr. *Kyriotètes*.

→ Seigneuries.

stade
gr. *stadion*.

1. Mesure grecque de longueur variant en fonction de la longueur de la coudée et du pied comme unité de mesure. Le stade olympique mesure 192,67 m, le stade d'Alexandrie 184,8375 m, le stade de Delphes 177,55 m. On retient ordinairement le stade d'Alexandrie, arrondi à 185 m. Cette mesure équivalait à la piste de course du stade. Elle servait à mesurer les distances sur terre [1] et sur mer [2].

[1] Lc 24,13; Jn 11,18; Ap 14,20; 21,16. — [2] Mt 14,24; Jn 6,19 △.

2. Par extension, emplacement où se disputaient les courses [3].

[3] 1 Co 9,24 △.

→ mesures.

statère
gr. *statèr*. Monnaie grecque d'argent (8,60 g), valant 4 drachmes (tétradrachme), correspondant environ au salaire de quatre journées de travail [1].

[1] Mt 17,27 □.

→ monnaies.

stérilité
De quelque nom qu'elle soit désignée, la stérilité est un *mal. Dieu en triomphe, comme le montre l'AT [1] et le NT [2].

[1] Gn 15,2s; 16,4s; 30,1. — [2] Rm 4,18-24.

1. gr. *steiros* désigne la stérilité, le fait d'être sans enfants, ce qui est une honte [3].

[3] Lc 1,7.36; 23,29; Ga 4,27 △.

2. gr. *argos* (de *ergon* : « œuvre » et *a* privatif) : « inactif, paresseux » : ainsi est condamnée la foi sans *œuvres [4].

[4] Jc 2,20; 2 P 1,8; cf Mt 12,36; Tt 1,12; 2 P 2,3 △.

3. gr. *kenos* : « vide, vain, sans réalité » [5].

[5] 1 Co 15,10.

4. gr. *akarpos* (de *karpos* : « fruit » et *a* privatif) : « sans fruit ». Corrélativement au devoir de porter du *fruit, la stérilité de l'arbre [6], du figuier [7] ou de la semence [8] symbolise l'absence de vraie conversion, la foi sans œuvres, les œuvres stériles des ténèbres [9].

[6] Mt 3,10 (= Lc 3,9); 7,16-20 (= Lc 6,43s). — [7] Mt 21,19 (= Mc 11,14); Lc 13,6-9. — [8] Mt 13,22 (= Mc 4,7.19). — [9] Ep 5,11; Tt 3,14; 2 P 1,8; Jude 12.

→ *Intr.* VIII.2.B.d.e. — fruit — vierge.

stigmates

gr. *stigmata*, pluriel de *stigma* : « piqûre au fer rouge, marque faite par le maître sur le corps d'un esclave en signe de son appartenance, tatouage sacré ». Paul fait allusion non pas à quelque « stigmatisation » au sens moderne du mot, mais aux cicatrices résultant des coups reçus au service du Christ [1].

[1] Ga 6,17 □.

→ sceau.

stoïciens

gr. *stôïkoï*. Disciples de Zénon (336-264 av. J.C.) qui enseigna sous le Portique d'Athènes *(Poikilè stoa)*. Selon eux, l'homme possède un souffle de la Raison universelle qui ordonne et gouverne le monde. Est libre celui qui suit en tout cette raison; déchu, celui qui s'abandonne aux passions. L'impassibilité (gr. *ataraxia*) est donc condition de toute vertu. Les dieux sont des *mythes, utiles pour guider le peuple incapable de se conduire lui-même. Par la suite, l'évidence du mal dans le monde convainquit le stoïcien Cléanthe d'assimiler cette Raison universelle à une providence insondable. Dès lors, la sagesse consiste dans une soumission inconditionnelle au destin. Au temps du NT, Sénèque fit prévaloir le côté éthique de cette doctrine. Plus tard, *Épictète (50-130 ap. J.C.) érigea la raison en seul bien inaliénable de l'homme : par elle, il reste libre en toute situation, y compris l'esclavage. Par ses exigences, le stoïcisme, tout en exerçant une énorme et durable influence, demeura cependant le propre d'une élite intellectuelle [1].

[1] Ac 17,18 □.

→ *Intr*. IV.7.A.

[structure]

Du latin *structura* : « organisation, arrangement, construction ». Vaste ensemble formé à partir de petites *unités littéraires. Ce terme caractérise la composition, l'architecture, l'orientation d'un ensemble : les parties assemblées sont consciemment organisées en fonction d'un tout, si bien que le déplacement de l'une entraîne le déplacement des autres. Le mot peut traduire le gr. *skhèma* en 1 Co 7,31.

→ création — critique littéraire — figure — forme.

suaire

gr. *soudarion* (emprunté au lat. *sudarium*). Sorte de foulard ou de mouchoir [1], destiné à essuyer la sueur. Il pouvait aussi servir à enfouir de l'argent [2] ou à envelopper la tête des morts [3].

[1] Ac 19,12. — [2] Lc 19,20. — [3] Jn 11,44; 20,7 □.

→ *Intr*. VIII.2.D.b.

sueur de sang

A *Guethsémani, lors de son *agonie, « la sueur (de Jésus) devint comme des caillots de sang (gr. *thromboi haimatos*) qui tombaient (gr. *katabainontes*) à terre » [1]. Vers la fin du IIIe s. le passage est absent de plusieurs manuscrits; sans doute a-t-il été rayé par scrupule théologique. Il est difficile de préciser la nature du phénomène, même si certains veulent l'assimiler à l'hématidrose, sueur dont la teinte rosée provient du passage de l'hémoglobine dans la sécrétion sudorale.

[1] Lc 22,44 □.

suivre

1. gr. *akoloutheô*, de *akolouthos* (*a* copulatif et *keleuthos* : « chemin ») : « compagnon », traduisant l'expression hb. « aller derrière », « aller à la suite » (gr. *erkhomai opisô*), sans nuance valable. Deux notations remarquables : l'expression et le verbe ne se trouvent guère que dans les évangiles [1] et concernent, au sens métaphorique, Jésus terrestre [2]. L'AT ne les utilise guère à propos de Dieu, mais assez volontiers pour désigner l'*idolâtrie [3]; le judaïsme s'en sert en outre pour caractériser l'attitude du *disciple et du serviteur du *rabbi.

[1] En outre 1 P 2,21; Ap 14,4. — [2] En outre, Jn 21,19-22; Ac 5,37; 20,30; 1 Tm 5,15; 2 P 2,10; Jude 7; Ap 13,3; 19,14. — [3] Dt 4,3; 13,5; Jg 2,12; 1 R 18,21; Os 2,7.

2. Jésus appelle les hommes à sa suite [4]. Comme dans l'AT, cela signifie non pas « imiter », ni « enseigner une conduite », mais « s'attacher à, *obéir » [5], ce qui, selon Jn, équivaut à « croire » [6]. Suivre Jésus, c'est entrer dans le Royaume de Dieu qui est là, c'est se lier à son sort et plus spécialement à sa croix et à sa gloire [7]. Après Pâques, il ne s'agit plus de suivre Jésus [8], mais d' « être dans le Christ » [9].

[4] Mt 4,19 (= Mc 1,17.20); 9,9 (= Mc 2,14 = Lc 5,27); 19,21 (= Mc 10,21 = Lc 18,22); Jn 1,43. — [5] Dt 13,5; 1 R 14,8. — [6] Jn 8,12; 10,4s.27. — [7] Mt 8,19.22 (= Lc 9,57.59); 10,38; 16,24 (= Mc 8,34 = Lc 9,23); Jn 12,26. — [8] Sauf en Jn 21,19-22; Ap 14,4. — [9] Ga 3,28.

Sychar

gr. *Sychar*. Ville de *Samarie, peut-être sur l'emplacement de l'ancienne Sichem, détruite en 128 av. J.C., et reconstruite en 72 ap. J.C. [1].

[1] Jn 4,5 □.

→ *Carte* 4.

sycomore

Du gr. *syko-morea* (de *sykè* : « figuier », *moron* : « mûre »). Arbre du bas pays, qui appartient au genre des figuiers et dont les branches inférieures poussent à courte distance du sol. Utile pour le bois de construction [1].

[1] 1 Ch 27,28; Is 9,9; Am 7,14; Lc 19,4 □.

[symbole]

1. gr. *symbolon* (de *syn* : « avec » et *ballô* : « placer, mettre ») : « signe de reconnaissance ». Primitivement objet coupé en deux parties, confiées à deux hôtes qui les transmettaient éventuellement à leurs enfants; rapprochées, ces deux parties permettaient de se reconnaître entre porteurs et de prouver les relations d'hospitalité qui les unissaient. De là, par extension, tout signe de reconnaissance, toute convention. Le mot ne se trouve dans la Bible qu'en Sg 16,6 pour désigner le serpent d'airain qui devait être regardé par les Hébreux pour être sauvés, comme « symbole du salut ».

2. Le symbole est en général ce par quoi se constitue une convention de langage, un gage de reconnaissance mutuelle entre des libertés. C'est une réalité signifiante, introduisant au monde des valeurs qu'elle exprime et auquel elle appartient.

3. Le symbole ne doit pas être identifié avec l'*allégorie (par ex. la balance pour la justice), car en lui la réalité est première par rapport à l'idée. Ni avec *forme ou *structure, car son contenu est inséparable de l'expression. Ni avec *signe, car le symbole participe à ce qu'il représente.

4. On distingue deux types de symboles : le symbole traditionnel, constitutif de la société (ainsi le langage, ainsi l'eucharistie) et le symbole conventionnel, produit par la société (ainsi les *nombres *sept ou *douze).

→ allégorie — figure — signe — typologie.

synagogue

1. gr. *syn-agôgè* : « réunion », d'où « lieu de rassemblement », traduisant le mot ar. *kᵉnichtâ* : « maison de prière ».

2. *L'édifice* est orienté en direction de Jérusalem, car tout juif se tourne vers le *Temple pour prier [1]. Il consiste en une salle, où il n'y a pas d'*autel, mais une armoire sacrée (souvenir de l'*arche) contenant les rouleaux de la *Loi et des Prophètes. Le préposé n'est pas un prêtre, mais un laïc, le *chef de la synagogue*, choisi parmi les notables du village ou du quartier. Il est assisté du *hazzan*, sorte de sacristain, qui fait aussi fonction de chantre et même de maître d'école. L'*office du *sabbat* se compose de prières, de lectures de la Loi et d'un passage prophétique, le tout aussitôt traduit de l'hébreu en araméen, enfin d'une instruction qu'assurent le plus souvent des *pharisiens, mais qui peut être confiée à l'un des assistants [2]. La réunion se termine par une bénédiction [3]. En semaine, des *scribes enseignaient aux jeunes gens le sens des Écritures. Les synagogues deviennent ainsi le point d'attache de l'annonce chrétienne [4].

[1] Cf Dn 6,11. — [2] Lc 4,16-22; Ac 13,15. — [3] Nb 6,24-26. — [4] Ac 17,10-12; cf 16,13; He 10,25; Jc 2,2.

→ *Intr*. I.5; IV.7.A; XIII.1.B. — Église.

[synopse]

gr. *synopsis* : « action de voir ensemble ». Ouvrage reproduisant le texte des trois premiers évangiles, en grec ou en français, non pas successivement, mais simultanément en colonnes qui permettent de les confronter dans leurs ressemblances et leurs différences. Chaque évangile doit être représenté intégralement à la fois dans sa séquence propre (quitte à répéter son texte plusieurs fois) et dans sa condition synoptique (la relation qu'il a avec les deux autres évangiles). Chaque évangile est donc imprimé à la suite, mais aussi découpé en fonction des autres. Certains auteurs ont morcelé le IVe évangile en fonction des évangiles synoptiques, mais c'est au détriment de sa cohérence; mieux vaudrait le reproduire intégralement en fin de volume, avec les comparaisons indispensables. A ne pas confondre avec la *Concordance.

[synoptique]

gr. *synoptikos*, adjectif correspondant à *syn-opsis* : « action de voir ensemble », permettant d'embrasser d'un seul regard plusieurs éléments.

1. Les trois premiers évangiles (Mt, Mc, Lc) sont dits synoptiques, parce qu'ils présentent, sur une trame commune, de nombreuses divergences et ressemblances.

2. Qualifie un tableau reproduisant plusieurs textes apparentés, par exemple une *synopse.

Syrie

gr. *Syria*, forme abrégée de *Assyria*. Cœur de l'ancien royaume grec persécuteur des juifs [1], devenue *province romaine en 65 av. J.C., englobant la *Palestine, le Liban, une partie de la Syrie actuelle et du sud-est de la Turquie, avec *Antioche pour capitale. Contiguë à la *Galilée [2], elle rend le paganisme présent aux portes d'Israël [3]. Elle offre un milieu souvent hostile, mais en même temps habitué au contact avec les juifs, qui y sont nombreux [4].

[1] 1 et 2 M. — [2] Mt 4,24. — [3] Mc 7,24.26. — [4] Ga 1,21; Ac 11,26; 15,23; 18,18; 20,3; 21,3.

→ *Carte* 3.

T

Tabernacles (fête des)

→ Tentes (fête des).

table

gr. *trapeza*.

1. Table destinée aux *repas [1], au *culte [2] ou au travail des *changeurs [3]. A l'époque du NT, ces tables comportaient des pieds de table; le psaume 69 évoque une ancienne coutume où la table consistait simplement en un tapis étendu à même le sol, et donc dans lequel on pouvait s'empêtrer [4]. La table peut désigner métaphoriquement la communauté de table [5] ou le repas cultuel [6].

[1] Mt 15,27 (= Mc 7,28); — [2] He 9,2. — [3] Mt 21,12 (= Mc 11,15 = Jn 2,15). — [4] Rm 11,9. — [5] Lc 16,21;22,21.30; Ac 16,34. — [6] 1 Co 10,21.

2. Comme le mot italien *banca* : « banc » a fini par désigner la « table des changeurs », ainsi le gr. peut aussi désigner la *banque [7].

[7] Lc 19,23; cf Mt 25,27.

3. « Servir aux tables », ce n'est pas « servir à table », mais être chargé du ravitaillement des repas (pour ne pas supposer qu'il s'agisse plus largement de la fonction générale d'intendant, ou d'économe) [8].

[8] Ac 6,2 □.

talent

gr. *talanton*. La plus forte monnaie grecque de compte, correspondant à un *poids d'argent variant selon les estimations de 26 à 34 et même 41 kg et valant quelque 6 000 deniers. L'impôt annuel pour la Galilée jointe à la Pérée était de 200 talents; le revenu annuel d'Hérode était de 900 talents. Cela permet d'apprécier la somme fabuleuse de

10 000 talents, soit le salaire de 16 000 hommes pendant 10 années [1].

[1] Ex 25,39; Mt 18,24; 25,15-28 □.

→ monnaies — poids.

[talion]

Mot dérivé du lat., apparenté à l'adjectif *talis* : « tel ». Mot spécifié pour désigner la loi de l'AT qui proportionnait le châtiment à l'offense subie [1], à la différence de la *vengeance excessive, comme celle qu'exerça Lamech [2]. Au lieu de « œil pour œil, dent pour dent », Jésus appelle ses disciples à aimer leurs *ennemis [3].

[1] Ex 21,23-25; Lv 24,18-21; Dt 19,21. — [2] Gn 4,23s. — [3] Mt 5,38; cf Rm 12,19s.

→ *Intr*. VI.4.C.b. — ennemi — vengeance.

[Talmud]

hb. *talmûd* : « étude, doctrine ». Recueil d'explications de textes juridiques et haggadiques (→ *midrach) de la *Torah.

Il comprend, en plus de la *Michnah (« enseignement »), la *Guemara* : « enseignement », puis « complément », et les *Baraïtôt* : « (traditions) extérieures ». Le Talmud est la Torah au sens large.

Le Talmud de Jérusalem ou palestinien resta inachevé vers 425 ap. J.C.; le Talmud de Babylone avant 550. Ce dernier est quatre fois plus long que le palestinien.

Les *talmidim* sont les disciples des rabbis du *rabbinisme.

→ *Intr*. XII.1.C. — tradition.

[Targoum]

ar. *targûm*. Terme d'origine hittite : « annoncer, expliquer, traduire ». Paraphrase araméenne de la Bible, rendue nécessaire aux juifs à partir du retour de l'*exil. Du *Pentateuque on connaît le Targoum de Jérusalem II, palestinien (dont on a récemment découvert un manuscrit entier, dénommé Targoum Neofiti), le Targoum d'Onkelos, babylonien, d'autorité officielle, et celui du Pseudo-Jonathan (Targoum de Jérusalem I, palestinien), dérivé des deux précédents.

→ *Intr*. V.3.B.

Tarse

gr. *Tarsos, Tarseus*. Ville principale de *Cilicie. Important centre intellectuel gréco-romain. Patrie de Paul [1].

[1] Ac 9,11.30; 11,25; 21,39; 22,3 □.

→ *Intr.* IV.2.C; IV.3.C. — *Carte* 2.

Tartare

gr. *Tartaros*. Dans la mythologie gréco-latine, un des noms désignant les *enfers, comme lieu de supplice pour les méchants, par opposition aux Champs Élysées, lieu de félicité pour les bons [1].

[1] 2 P 2,4; cf Jude 6 □.

→ enfers.

témoin, témoignage

gr. *martys, martyria*.

1. Dans une situation de *procès, quelqu'un atteste l'existence d'un fait ou son sens à un auditoire qui l'ignore et ne peut le vérifier oculairement. Ainsi dans l'usage du terme par Paul, Mt ou Mc : témoigner de la *justice de Dieu [1], de la résurrection de Jésus [2], de l'activité messianique de Jésus [3], de l'authenticité du comportement de Paul [4]. Les juifs requièrent deux témoins pour rendre valide une déposition [5]. On trouve aussi le sens affaibli d'attester [6].

[1] Rm 3,21. — [2] 1 Co 15,15. — [3] Mt 8,4 (= Mc 1,44 = Lc 5,14); 10,18 (= Mc 13,9 = Lc 21,13); Mc 6,11. — [4] Rm 1,9; 9,1; 2 Co 1,23; Ph 1,8; 1 Th 2,5.10. — [5] Dt 17,6; 19,15; Mt 18,16; 26,60; Jn 8,17; 1 Tm 5,19; He 10,28. — [6] Rm 10,2; 2 Co 8,3; Ga 4,15; Col 4,13.

2. Selon Luc, fidèle à la tradition isaïenne [7], Jésus a fait du collège des *Douze ses témoins [8], non seulement de sa résurrection, mais aussi de sa vie terrestre, en vertu d'une élection spéciale [9]. L'Esprit Saint est avec eux pour témoigner [10]. Paul et Étienne sont, eux aussi, appelés témoins [11]. Les Douze identifient le Ressuscité avec Jésus de Nazareth, Paul l'identifie avec l'Église, Étienne avec le témoin céleste qui nous assiste. Le témoignage des disciples s'appuie sur les prophètes [12], l'Esprit Saint [13], le Seigneur Jésus [14]. Il concerne la résurrection de Jésus [15], sa messianité [16], sa vie publique [17], sa seigneurie [18], le royaume de Dieu [19]. Il est porté devant le peuple [20], les chefs [21], les nations [22], à Jérusalem [23], à Rome [24], devant petits et grands [25].

[7] Is 43,8-13. — [8] Lc 24,48; Ac 1,8; 10,41; 13,31. — [9] Ac 1,21-26. — [10] Ac 3,15; 5,32; cf Jn 15,27. — [11] Ac 22,20; 26,16. — [12] Ac 10,43; 13,22. — [13] Ac 5,32;

20,23. —[14] Ac 14,3; 15,8. — [15] Ac 4,33. — [16] Ac 18,5. — [17] Ac 10,42. — [18] Ac 20,21. — [19] Ac 28,23. — [20] Ac 2,32.40; 13,31. — [21] Ac 3,15; 5,32. — [22] Ac 10,39-42. — [23] Ac 22,18. — [24] Ac 23,11. — [25] Ac 26,22.

3. Avec Jean, le mot acquiert une valeur spéciale. Dans un sens unique, Jésus est le témoin de la *vérité [26], de ce qu'il a vu et entendu auprès du Père [27]. Jean le Baptiste, les œuvres de Jésus, le Père lui-même, voilà ce qui fonde son propre témoignage [28]. Il faut recevoir celui-ci sous peine de faire de Dieu un menteur [29]. Au cœur du croyant l'Esprit rend témoignage à Jésus [30], de sa filiation divine et de la justice de sa cause [31]. Jean rejoint les affirmations de Paul [32] et l'Apocalypse résume en faisant de Jésus le Témoin fidèle [33].

[26] Jn 18,37. — [27] Jn 3,11.32s. — [28] Jn 5, 19-47. — [29] 1 Jn 5,9-11. — [30] Jn 15,26. — [31] Jn 16,8-11. — [32] Rm 8,16; He 10,15. — [33] Ap 1,5; 3,14.

4. Le témoignage ultime est celui du *sang, celui qu'après avoir prophétisé les deux témoins ont versé [34]. En français, on l'appelle du mot même « martyre » : le témoin est associé à la destinée de celui dont il témoigne [35].

[34] Ap 11,3-12. — [35] Ap 2,13; 17,6; 22,20.

→ *Intr*. VI.4.C.a. — confesser — martyr.

temple

1. Le gr. *hieron* (de *hieros* : « sacré ») désigne l'ensemble de l'édifice, le « temple »; le gr. *naos* désigne la partie du temple où habite le dieu, le « sanctuaire »; cette distinction n'est pas toujours respectée par les traductions.
Autres termes, plus rares : « le lieu (saint) » (gr. *topos hagios*) [1], « le Saint » (gr. *to hagion, ta hagia*) [2]. Seul, *naos* est utilisé pour désigner le temple au sens spirituel dans le NT.

[1] Mt 24,15; Jn 4,20; 11,48; Ac 6,13s; 7,49; 21,28. — [2] He 8,2; 9,1.2.3.8.12.24.25; 10,19; 13,11 △.

2. Le Temple de Jérusalem est une bâtisse imposante, au périmètre d'environ 1 500 m, reconstruit sous Hérode le Grand, puis détruit en 70. Deux parties le caractérisent : une enceinte, libre d'accès à quiconque, et le sanctuaire proprement dit, inaccessible aux non-juifs [3]. L'enceinte, le *parvis des païens*, est une vaste esplanade qui sert de place publique. Elle est entourée de *portiques* (dont celui de Salomon [4] à l'est, avec des colonnes de 11 m de haut), sous lesquels la foule se promène [5] ou se rassemble pour écouter l'enseignement de la *Loi [6]. Des vendeurs [7] fournissent les animaux pour les offrandes,

et des changeurs la monnaie juive, seule admise pour payer l'*impôt d'un demi-*sicle. Au centre de l'esplanade on entre par la Belle Porte [8], d'abord au *parvis des femmes*, carré d'environ 65 m de côté, où sont, près de la salle du Trésor, les troncs des oboles [9]; de là, on passe au *parvis des hommes*, lui-même entourant la *cour des prêtres* où domine l'*autel des holocaustes. On accède enfin à un édifice comprenant une première salle, le *Saint* [10], où se trouvent l'autel de l'encens, le *chandelier d'or, la table des *pains de l'offrande; un double rideau isole une chambre qui était vide au temps de Jésus, le *Saint des Saints* [11].

[3] Ac 21,28. — [4] Jn 10,23. — [5] Mt 21,14s; Mc 11,27. — [6] Mt 26,55; Jn 7,14. — [7] Mc 11,15. — [8] Ac 3,2. — [9] Mc 12,41. — [10] Lc 1,9. — [11] He 9,3.

3. Le Temple est le cœur de la vie d'Israël. Chaque jour y sont offerts l'*holocauste et les sacrifices de l'*encens; on y prie à heure fixe [12]; trois fois l'an, sinon du moins pour la *Pâque (à supposer que l'obligation fût absolue), on est tenu à y monter en *pèlerinage, de tout le pays et même de plus loin [13]; enfin c'est là qu'on doit immoler l'agneau pascal qui sera consommé à la maison.

[12] Ac 3,1. — [13] Lc 2,41.

4. Jésus observe et approuve les pratiques cultuelles du Temple, tout en condamnant le formalisme qui vient à les vicier [14]. Il veut qu'on le respecte [15], tout en annonçant sa destruction prochaine [16]. A sa mort, le *voile se déchire et le sanctuaire perd son caractère sacré [17]. Les croyants ont vu en Jésus Christ le sanctuaire véritable, sanctuaire de chair qui sera rebâti lors de sa résurrection et où doit désormais se faire le nouveau culte [18].

[14] Mt 5,23s; 12,2-7 (= Mc 2,24-26 = Lc 6,2-4); 23,16-22; Lc 2,22-50. — [15] Mt 21,12-17 (= Mc 11,11-17 = Lc 19,45s); Mc 11,16; Jn 2,13-17. — [16] Mt 23,38s (= Lc 13,35); 24,2 (= Mc 13,2 = Lc 21,6); 26,60s (= Mc 14,58); 27,39s (= Mc 15,29). — [17] Mt 27,51 (= Mc 15,38 = Lc 23,45). — [18] Jn 2,19-21.

5. Après avoir quelque temps fréquenté le Temple [19], les croyants savent que l'Église (p. ex. celle de Corinthe) est le sanctuaire de Dieu; son fondement est le Christ [20], païens et juifs peuvent y avoir accès [21]. Chaque chrétien est lui-même temple de Dieu, sanctuaire de l'Esprit [22], pierre vivante du sanctuaire non fait de main d'homme, celui dont avaient rêvé les *prophètes [23].

[19] Ac 2,46; 3,1-11; 21,26. — [20] 1 Co 3,16s; 2 Co 6,16-18. — [21] Ep 2,14-22. — [22] 1 Co 3,17; 6,19; 2 Co 6,16. — [23] Is 66,1s; Ac 7,49-51; 17,24.

6. Le sanctuaire céleste est pour l'Épître aux *Hébreux le modèle du sanctuaire terrestre, celui où est entré J.C., *Grand Prêtre unique, pour nous donner accès auprès de Dieu [24]. L'Apocalypse décrit ce sanctuaire qui, en définitive, n'est autre que Dieu lui-même, et l'*Agneau [25].

[24] He 4,14; 6,19s; 9,11-14.24; 10,19s. — [25] Ap 5,6-14; 7,15; 21,22.

→ *Intr.* XIII.1.A. — culte — pinacle — sacrifice — Saint — Saint des Saints — trésor — voile.

temps

Trois mots grecs désignent le temps. Quoique la distinction ne soit pas toujours tranchée, on peut tenter de préciser la nuance propre à chacun.

1. *Temps-durée.* La durée, dont la notion est liée à l'expérience de la continuité de la vie depuis la naissance jusqu'à la mort [1], est exprimée par le mot *aiôn* (hb. *'ôlâm*), qui, employé absolument, peut aussi signifier : « *monde ». Une préposition permet ordinairement d'indiquer si la durée concerne l'avant ou l'après de celui qui parle : « depuis *(apo, ek, pro)* toujours » ou bien « pour (*eis*, littéralement : " vers ") toujours ». La nature du vivant précise quelle est cette durée : celle de la vie d'un arbre [2], d'un individu [3], d'un groupe et d'une génération [4], ou, sans proportion avec ces limites, celle de l'œuvre salvifique de Dieu qui s'impose au flux des générations, bien en deçà [5] et bien au-delà [6] de l'existence terrestre individuelle, ou celle de Jésus Christ [7], ou encore de Dieu lui-même [8]. Dans ces deux derniers cas, le pluriel est volontiers utilisé avec l'expression sémitique : « (pour) les siècles des siècles » [9]. Ainsi l'esprit, qui cherche à dominer la durée du temps, est orienté vers l'*éternité. Celle-ci n'est pas conçue comme une abstraction, mais comme la plénitude des générations qui constituent la vie prodiguée par le Créateur. Vivre « pour toujours » équivaut à vivre « éternellement » [10].

[1] Comp. 1 S 1,22 et 1,11. — [2] Mt 21,19 (= Mc 11,14). — [3] Jn 13,8; 1 Co 8,13; Phm 15. — [4] Jn 14,16; Ac 7,51; 2 Co 4,11; 6,10; Col 1,26; Tt 1,2. — [5] Lc 1,70; Jn 9,32; Ac 15,18; 1 Co 2,7; Ep 3,9; Jude 25. — [6] Mc 3,29; He 9,26. — [7] He 5,6; 7,24.28; 13,8.21; 1 P 4,11; Ap 1,18. — [8] Lc 1,55; 2 Co 9,9; 11,31; 1 P 1,25. — [9] Lc 1,33; Rm 1,25; 9,5; 11,36; 16,27; 1 Tm 1,17; 6,16; 2 Tm 4,18; Ap *passim*. — [10] Comp. Jn 6,51 et 6,54; 8,51s; 11,26.

2. *Temps-succession.* D'ordinaire c'est le gr. *khronos* qui désigne un espace déterminé de temps, précisé par un adjectif (bref, long, délimité) [11] ou par le contexte [12]; c'est encore une époque, le moment d'un événement [13], rarement un instant bref [14]. Parfois le gr. *kaïros* pourrait n'avoir que ce sens : « en ce temps-là » [15] ou le temps des saisons [16] ou le moment venu [17]; mais il convient d'y sentir déjà la nuance d'un temps qualifié par la foi au Dieu créateur.

[11] Mt 25,19; Mc 2,19; 9,21; Lc 8,27.29; 20,9; 23,8; Jn 5,6; 7,33; 12,35; 14,9;
Ac 14,3.28; 18,20.23; 19,22; He 5,12; 11,32. — [12] Rm 7,1; 1 Co 7,39; Ga 4,1.
— [13] Mt 2,7.16. — [14] Lc 4,5. — [15] Mt 11,25; 12,1... — [16] Mt 21,34; Ac 14,17;
Ga 4,10. — [17] Mc 12,2.

3. *Temps qualifié.* La foi en Dieu, Seigneur des temps et des moments [18],
confère ordinairement une consistance nouvelle à tout moment vécu.
Le gr. *khronos* est rarement employé dans ce sens prégnant. On le
trouve cependant dans les cas suivants, en plus de celui qui désigne
le temps humainement qualifié par le moment d'enfanter [19] : le temps
de l'ignorance [20], de la promesse [21], du désert [22], de l'exil [23], les derniers
temps [24], la plénitude des temps [25], les temps éternels [26]. D'habitude,
c'est le mot gr. *kaïros* (proprement le point juste, qui touche au but,
d'où soit « le point critique », soit « le bon moment ») qui est réservé
à ce sens. Selon le *dessein de Dieu, chaque être a son temps [27], un
temps marqué [28]. La venue de Jésus Christ a déterminé un nouveau
temps, celui du règne de Dieu qui s'est approché [29], celui d'un
aujourd'hui qui modifie le cours du temps [30]. Désormais il y a un
« temps favorable » [31], dont il faut tirer parti [32], à ne pas manquer [33].
On doit reconnaître les *signes des temps [34], en ce temps du *combat
où il faut s'encourager pour ne pas faiblir [35]. Le temps du répit [36],
la fin des temps demeure inconnue [37], mais elle est pour le croyant
le retour du Christ [38], ce qui l'engage à *veiller et à *prier [39].

Parmi les temps qualifiés, le commencement (gr. *arkhè*) et la fin
(gr. *telos*, ou *hèmera* : « Jour ») des temps le sont par excellence : ils
permettent d'unifier sous l'action du Dieu créateur et juge la multiplicité successive des générations humaines [40]. Avec le Christ, « la
fin des temps nous a rejoints » [41], si bien que l'aujourd'hui (gr. *sèmeron*)
devient par excellence le temps qualifié, actualisant ce qui, pour
Jésus, était visé par « l'*heure » (gr. *hôra*) : il est l'emprise de l'éternel
dans la succession des temps [42].

[18] Ac 1,7; 1 Th 5,1. — [19] Lc 1,57. — [20] Ac 17,30. — [21] Ac 7,17. — [22] Ac 7,23;
13,18. — [23] 1 P 1,17. — [24] 1 P 1,20; Jude 18. — [25] Ac 3,21; Ga 4,4. — [26] Rm
16,25; 2 Tm 1,9; Tt 1,2. — [27] Mt 8,29; 26,18; Jn 7,6.8. — [28] Lc 4,13. — [29] Mc
1,15. — [30] Rm 3,26; 5,6. — [31] 2 Co 6,2. — [32] Ga 6,10; Ep 5,16; Col 4,5. —
[33] Lc 19,44. — [34] Mt 16,3; Lc 12,56. — [35] Lc 8,13; Rm 8,18; He 3,12s. —
[36] Ac 3,20. — [37] Mc 13,33; Ac 1,7; 1 Th 5,1; 1 P 1,5. — [38] 1 Co 4,5; 1 Tm 6,14;
1 P 4,17s; Ap 11,18. — [39] Lc 21,36; Ep 6,18. — [40] Mt 19,4; 24,14; 28,20;
Jn 1,1; 1 Co 15,24; He 1,10; Ap 21,6. — [41] 1 Co 10,11. — [42] He 3,7—4,11.

→ *Intr.* XII.2. — accomplir — année — calendrier — éon — éternel —
fête — fin du monde — heure — jour, journée — Jour du Seigneur — matin — midi — minuit — mois — monde — nuit —
semaine — siècle — soir — veille.

ténèbres

gr. *skotos*, *skotia*.

1. Absence de *lumière, caractérisant la *nuit [1]. Par métaphore, elles peuvent qualifier ce qui est caché [2].

[1] Jn 6,17; 12,35; 20,1. — [2] Mt 10,27; Lc 12,3.

2. Puissance dont Dieu a triomphé lors de la *création et qu'il a rangée dans la nuit [3]. Image de la terreur [4], du malheur [5], de la corruption [6] et de la mort [7], elles qualifient ce qui est méchant [8].

[3] Gn 1,2; Is 45,7. — [4] Am 5,18. — [5] Ps 23,4. — [6] Ps 88,7. — [7] Jb 10,21; 17,13; Ps 88,13. — [8] Mt 6,23 (= Lc 11,34-36); 27,45 (= Mc 15,33 = Lc 23,44s); Lc 22,53.

3. Les ténèbres sont le royaume de *Satan et du péché [9], ainsi que des hommes qui y naissent enténébrés [10] et produisent des œuvres mauvaises [11]. Dieu est le maître des ténèbres [12] et en arrache qui il veut pour la lumière [13]. L'homme, lui, est pris dans un *combat entre lumière et ténèbres (cf *Qoumrân), dont le chrétien sort vainqueur à la suite du Christ [14]. Cette victoire suppose la foi et l'amour fraternel [15]. A l'inverse, les ténèbres extérieures sont le lieu du châtiment, situé en dehors du *ciel [16].

[9] Ac 26,18; Ep 6,12. — [10] Is 9,1; Mt 4,16; Lc 1,79; Rm 1,21; 2,19; Ep 4,18; 5,8. — [11] Jn 3,19; Rm 13,12; Ep 5,11. — [12] Ac 13,11; 2 Co 4,6. — [13] Col 1,13; 1 P 2,9. — [14] Jn 1,5; 3,19; 8,12; 12,46; 2 Co 6,14; 1 Jn 1,5. — [15] 1 Jn 1,6; 2,9.11. — [16] Mt 8,12; 22,13; 25,30; Ap 16,10.

→ lumière.

tentation, tenter

1. Le gr. *peirasmos*, *peirazô* : ordinairement, « mettre à l'épreuve », peut signifier aussi, en un sens péjoratif : « tenter », lorsqu'il s'agit de mettre en question la relation de l'homme avec Dieu. Si Dieu peut mettre l'homme à l'épreuve sans le tenter (« Dieu ne tente pas » [1]), l'homme ne peut mettre Dieu à l'épreuve sans douter de sa puissance, sans contester son amour et sa fidélité. Dans l'AT, le lieu typique de la tentation est Massa, qui s'appelle aussi Meriba, c'est-à-dire contestation [2]. A la différence des Hébreux, Jésus n'a pas tenté Dieu [3]. Mais il a été tenté à diverses reprises durant sa vie par les hommes : Pierre appelé *Satan [4], les foules rassasiées qui veulent faire de lui le roi [5], les chefs juifs qui l'invitent à se sauver lui-même en descendant de la croix [6]; tentations variées qui sont récapitulées en une scène grandiose dans le désert, où Jésus triomphe du Tentateur par excellence qu'est *Satan, là où Israël avait succombé [7].

[1] Jc 1,13. — [2] Dt 6,16; 33,8s; Ps 95,8s; 1 Co 10,9; He 3,8s. — [3] Mt 4,7 (= Lc 4,12); Ac 15,10. — [4] Mt 16,23. — [5] Jn 6,15. — [6] Mt 27,42 (= Mc 15,30). — [7] comp. 1 Ch 21,1 et 2 S 24,1; Mt 4,1 (= Mc 1,13 = Lc 4,2); 4,3; Lc 4,13.

2. La tentation est un piège [8] dans lequel le Tentateur essaye de faire tomber les croyants [9]. Aussi faut-il prier non pas pour que Dieu ne nous soumette pas à la tentation, mais pour qu'il fasse que nous n'entrions pas dans la tentation, pour qu'il nous sauvegarde du Tentateur [10] : il faut *veiller et *prier pour cela [11].

[8] 1 Tm 6,9. — [9] Lc 8,13; 1 Co 7,5; Ga 6,1; 1 Th 3,5; Ap 2,10. — [10] Mt 6,13 (= Lc 11,4). — [11] Mt 26,41 (= Mc 14,38 = Lc 22,40.46).

3. A l'origine de la tentation, Paul place le *Péché personnifié qui produit la *convoitise [12]; Jacques met la convoitise à l'origine du péché et de la mort [13]; Jean accuse le *monde comme source de la convoitise elle-même [14]. Qu'à l'origine de la tentation se trouvent, plus ou moins personnifiés, Satan, le Péché ou la convoitise, ces langages veulent tous montrer de façon imagée que ce n'est pas Dieu qui transforme l'épreuve en tentation et que l'enjeu a lieu entre Dieu et la liberté de l'homme [15]; l'homme doit veiller et prier, avec les armes de la foi et sous l'impulsion de l'Esprit [16].

[12] Rm 7,8. — [13] Jc 1,14. — [14] 1 Jn 2,16. — [15] Lc 22,31; 1 Co 7,5; 1 Th 3,5; Ap 2,10. — [16] Mt 6,13; 26,41; Ep 6,16.

→ *Intr.* XIV.2.A. — éprouver.

tente

gr. *skènè* (*skènoô* : « dresser une tente »).

1. Habitation des Hébreux à l'époque nomade [1].

[1] He 11,9.

2. « Tente du témoignage » : le sanctuaire portatif du désert, contenant l'arche d'alliance, considéré comme la demeure de *Yahweh parmi son peuple, la *ch^ekinah* selon le judaïsme tardif. D'où l'expression « établir sa tente » utilisée à propos de Dieu, au sens non pas d'habitation provisoire mais de « demeure » permanente [1].

[1] Jn 1,14; Ac 7,44.46; Ap 12,12; 13,6; 15,5; 21,3.

3. En métaphore, la tente désigne l'existence terrestre ou céleste [1].

[1] Lc 16,9; 2 Co 5,1.4; 2 P 1,13s.

→ demeurer — Tentes (fête des).

Tentes (fête des)

hb. *Sukkôt*, gr. *skènopègia* (de *skènè*; « tente » et *pègnymi* : « ficher, fixer »).

1. *Fête d'automne, à l'occasion de la récolte [1] ou de la vendange [2], destinée à remercier Dieu en lui offrant une corbeille pleine de fruits [3]. Appelée ensuite *fête des Tentes* pour évoquer les huttes de branchages sous lesquelles on campait durant la récolte et celles que l'on dressait à Jérusalem durant les sept jours de la fête, conclus par un huitième [4]. De là, dérive un sens supplémentaire : la commémoraison de la marche au désert, lorsque les Hébreux s'abritaient sous des tentes [5].

[1] Ex 23,16. — [2] Jg 9,27. — [3] Dt 26,2. — [4] Lv 23,34-36; Nb 29,35; Jn 7,2 □. — [5] Lv 23,42s.

2. Semaine de réjouissances populaires, avec libations et sacrifices supplémentaires. En plus du merci à Dieu, la liturgie s'achevait au 7e jour sur une prière de demande de la *pluie : rite de libation de l'eau puisée à *Siloé, avec lecture des récits de miracles lors de l'Exode et de prophéties annonçant, sous le symbole de la source, le renouvellement eschatologique de *Sion [6]. Ce jour-là, Jésus se présente comme celui qui peut désaltérer [7]. En annonçant que Jésus est la lumière du monde, Jn 8,12 a pu faire allusion au rite vespéral de la lumière, tandis que l'on exécutait des danses sacrées.

[6] Za 14,16-19; Ez 47,1-12; Is 12,3. — [7] Jn 7,37s.

→ *Intr*. XIII.3.B.

terre

gr. *gè* : « sol, terre, pays », *epigeios* : « terrestre ».

1. A Dieu le *ciel [1], et la terre [2] aussi, qu'il a donnée aux hommes. Le couple ciel/terre peut être utilisé comme binôme de totalité [3] pour dire, par exemple, la seigneurie de Jésus Christ sur l'*univers [4]. Il peut aussi être utilisé par mode d'opposition [5] : le couple terrestre/céleste qualifie l'origine, le comportement et la destinée des hommes [6]. Créature de Dieu, la terre est bonne, mais elle est en souffrance jusqu'à ce qu'elle soit transformée [7].

[1] Ps 115,16; Mt 5,35; 11,25. — [2] Ps 24,1; 1 Co 10,26. — [3] Mc 13,27; Lc 21,35. — [4] Mt 5,18; 28,18. — [5] Mt 16,19. — [6] Jn 3,12; 1 Co 15,47-49; 2 Co 5,1s; Ph 3,19; Jc 3,15. — [7] Rm 8,19-22.

2. Le pays de Juda ou d'Israël est sans doute la portion de terre qui avait été promise à Abraham [8]; mais la *promesse porte au-delà : sur la terre nouvelle [9], la vraie terre du *repos définitif [10]. De là, l'usage symbolique de valeurs terrestres pour parler du ciel [11]. Jésus béatifie les *doux qui posséderont la terre en héritage [12].

[8] Mt 2,6.20; 27,45; Ac 7,3s.29; He 11,9. — [9] 2 P 3,13; Ap 21,1. — [10] He 3,7—4,11. — [11] Ps 63,2; Is 28,23s; Os 10,12s; Mt 6,26-28; 22,2-10; Jn 2,1-11. — [12] Mt 5,4.

→ *Intr.* V.1. — ciel — monde — travail — univers.

testament

Du lat. *testamentum*, traduisant le gr. *diathèkè* : « *alliance ».

1. Le terme ne signifie pas seulement « disposition testamentaire », acte juridique par lequel quelqu'un « dispose de » (gr. *dia-tithèmai*) ses biens pour le moment de sa mort [1], il comporte également le sens du mot hb. *beʳrît* (rendu lui aussi en grec par *diathèkè*), pacte d'alliance par lequel Dieu s'engage, moyennant conditions, à combler de biens celui qui est devenu son peuple. Le mot tend à estomper le caractère bilatéral de toute alliance, pour mettre en relief l'autorité du testateur.

[1] Lc 22,29; Ga 3,15.17; He 9,16.

2. Livre de l'alliance contractée entre Dieu et son peuple [2]. Le « nouveau testament » est ainsi qualifié en référence aux paroles de Jésus à la dernière *Cène [3], évoquant la prophétie de Jérémie [4]. S'il est appelé « nouveau », ce n'est pas pour supplanter mais pour *accomplir l'ancien avec lequel il demeure en vivante et constante relation [5].

[2] 2 Co 3,14. — [3] Lc 22,20. — [4] Jr 31,31. — [5] 2 Co 3,6.

3. *Genre littéraire des discours d'adieu, dont le type se trouve dans les *Testaments des XII Patriarches*.

→ *Intr.* VI.4.B.c. — adieu (discours d') — alliance.

[Testaments des XII Patriarches]

Discours d'*adieu attribués aux douze fils de Jacob. Cet *apocryphe juif, composé entre 100 av. J.C. et 100 ap. J.C., offre un enseignement de caractère moral, proche de la doctrine de *Qoumrân.

tête

gr. *kephalè*. Partie du corps. Le terme offre plusieurs sens métaphoriques.

1. *Ce qui est au sommet*, comme dans le corps de l'homme; ainsi, probablement, la *pierre d'angle couronnant l'édifice [1].

[1] Mt 21,42 (= Mc 12,10s = Lc 20,17); Ac 4,11; 1 P 2,7.

2. *Ce qui est en avant*, comme dans le corps des animaux [2], tel le chef exerçant la primauté, conduisant les autres [3]. Ainsi le Christ par rapport à l'univers [4] et par rapport à l'Église [5].

[2] Is 9,13. — [3] Ex 6,14. — [4] 1 Co 11,3; Ep 1,10.22; Col 2,10. — [5] Ep 5,23; cf 1 Co 11,3-5.

3. *Ce qui est principe de vie*, conformément à la physiologie des anciens, source de cohésion et de croissance : ainsi le Christ par rapport à l'Église [6].

[6] Ep 4,15s; Col 2,19.

→ chevelure — corps — Corps du Christ.

tétrarque
gr. *tetr(a)-arkhès* (« quatre » et « chef ») : « qui gouverne une région sur les quatre d'une province ». Titre des gouverneurs dans les royaumes grecs d'Orient. Rome le concède à des princes trop peu importants pour être appelés rois, tel *Hérode Antipas [1].

[1] Mt 14,1; Lc 3,1.19; 9,7; Ac 13,1 □.

→ *Intr.* I.1.D.

Thaddée
gr. *Thaddaios*. L'un des *Douze, appelé Lebbée dans certains manuscrits, remplacé chez Lc par Jude [1].

[1] Mt 10,3; Mc 3,18; Lc 6,16; Ac 1,13 □.

[théophanie]
Apparition (gr. *phainesthai* : « apparaître », *phaneros* : « visible ») de Dieu *(Theos)*, non pas simplement au cours d'un *songe ou d'une vision, mais lors d'une manifestation sensible, sous forme humaine ou angélique, ou encore dans des phénomènes cosmiques. Les théophanies sont très rares dans le NT [1].

[1] cf Mt 28,3-4; Ac 7,2.30.35.

→ révélation — voir.

[Thessaloniciens (Épîtres aux)]

1. La 1re lettre, l'écrit le plus ancien du NT (sauf pour quelques rares critiques qui datent l'Épître aux Galates de 49), a été envoyée de Corinthe par Paul, en l'an 50/51 (relire Ac 15,36—18,17), à la communauté de Thessalonique, fondée par lui peu auparavant et en butte à des persécutions.

2. La 2e lettre est adressée par Paul de Corinthe, probablement vers 52, aux mêmes destinataires dont les difficultés s'étaient aggravées. Selon certains critiques, lettre inauthentique, rédigée après 70.

→ *Intr.* XV.

Thessalonique

gr. *Thessalonikè*. Auj. *Thessaloniki*. Fondée vers 315 av. J.C., cette ville de *Macédoine est cité libre depuis 42 av. J.C. Sise au départ de la *via Egnatia* (grande route terrestre vers l'Italie), elle est très fréquentée. L'une des premières Églises fondées par Paul en Europe [1].

[1] Ac 17,1.4s.11.13; 20,4; 27,2; Ph 4,16; 1 Th 1,1; 2 Th 1,1; 2 Tm 4,10 □.

→ *Intr.* XV. — Thessaloniciens (Épîtres aux) — *Carte* 2.

Theudas

Émeutier qui souleva la Palestine contre les Romains, à l'occasion de la mort d'Hérode (4 av. J.C.) [1]. Josèphe, de son côté, situe cette révolte sous le gouvernement de Fadus (44-46 ap. J.C.) .

[1] Ac 5,36 □.

→ zélote.

Thomas

gr. *Thomas*, forme abrégée d'un mot dérivant de l'hb. *tô'âm* : « jumeau », rendu en gr. par Didymos. L'un des *Douze. Selon Jn, type de celui qui croit après avoir douté [1].

[1] Mt 10,3; Mc 3,18; Lc 6,15; Jn 11,16; 14,5; 20,24-28; 21,2; Ac 1,13 □.

[Thomas (Évangile de)]

1. Évangile *apocryphe grec racontant l'enfance de Jésus. Le manuscrit date du VIe s., mais l'original est du IIe s. De tendance gnostique, il veut montrer la puissance divine à l'œuvre dans l'enfant Jésus.

2. Collection *apocryphe de paroles du Seigneur et de paroles d'origine gnostique. Livre écrit en copte, provenant de *Nag Hammadi, reflétant un original grec du IIe s. Des quelque cent treize *logia, dont certains étaient déjà connus par d'autres écrits apocryphes, deux originaux sont des *agrapha (nos 8 et 82). La plupart sont teintés de *gnosticisme.

→ apocryphes — Nag Hammadi.

Thyatire

gr. *Thyateira*. Centre économique important sur la route de *Pergame à *Sardes. Patrie de Lydie, la marchande de *pourpre [1].

[1] Ac 16,14; Ap 1,11; 2,18.24.

→ *Carte* 2.

Tibère

gr. *Tiberios*. Tiberius Julius Caesar. Fils adoptif d'*Auguste; 2e empereur romain (14-37 ap. J.C.) [1].

[1] Lc 3,1 □; cf 20,22; 23,2; Jn 19,12.

Tibériade

gr. *Tiberias*. Du nom de l'empereur *Tibère, ville fondée vers 17-22 ap. J.C. par *Hérode Antipas sur la rive sud-ouest du lac de *Guennésareth, nouvelle capitale de la Galilée à la place de Sepphoris, avec palais royal, stade et parlement (600 membres). Les juifs répugnaient à habiter cette cité bâtie sur d'anciens tombeaux; peu après sa fondation, l'interdit fut levé. Ses bains chauds attiraient du monde, et au IIe s. elle vit s'installer la fameuse école rabbinique de Juda le Saint, rédacteur principal de la *Michnah. Les évangiles ne montrent jamais Jésus en cette ville, mais Jn la cite [1] ainsi que son lac [2].

[1] Jn 6,23. — [2] Jn 6,1; 21,1 □.

→ *Carte* 4.

Timothée

gr. *Timotheos* (de *timaô* : « honorer », et *Theos* : « Dieu »). Né à

*Lystres d'un père païen et d'une mère juive devenue chrétienne [1]. Disciple aimé et collaborateur de Paul pendant quelque quinze ans [2], il fut chargé de nombreuses missions auprès des Églises [3]; il est co-auteur de la plupart des lettres pauliniennes [4]. Les *épîtres pastorales en font un des principaux *épiscopes de la deuxième génération [5].

[1] Ac 16,1; 2 Tm 1,5; 3,15. — [2] Rm 16,21; 1 Co 4,17; 16,10; Ph 2,20-22; 1 Th 3,2; 1 Tm 1,2.18; 2 Tm 1,2; 3,10s. — [3] Ac 17,14s; 18,5; 19,22; 20,4; 1 Co 4,17; 2 Co 1,19; Ph 2,19; 1 Tm 3,6. — [4] 2 Co, Ph, Col, 1 Th, 2 Th, Phm. — [5] 1 Tm 6,20; cf He 13,23 □.

→ Timothée (Épîtres à).

[Timothée (Épîtres à)]

1. La 1re lettre à Timothée aurait été rédigée par *Paul après sa première captivité romaine, entre 63 et 66. Mais la vie de Paul après 62 échappe à l'histoire du NT. Certains critiques repoussent la composition de la lettre à l'époque postapostolique, vers 75 ou même 110-115.

2. La 2e lettre est la dernière que Paul aurait écrite. Les partisans de l'*authenticité la datent d'une seconde captivité romaine (64-68?), précisément vers 67. D'autres critiques la placent vers la fin du 1er s.

→ *Intr.* XV. — Épîtres.

Tite

gr. *Titos*. Le premier missionnaire, chrétien d'origine païenne, collaborateur très efficace de Paul [1].

[1] 2 Co 2,13; 7,6.13s; 8,6.16.23; 12,18; Ga 2,1.3; 2 Tm 4,10; Tt 1,4 □.

→ Tite (Épître à).

[Tite (Épître à)]

Selon les partisans de l'*authenticité paulinienne, lettre de Paul, écrite de *Macédoine entre 63 et 66 à Tite, l'un de ses auxiliaires, chargé de soutenir l'Église de *Crète. L'historien n'ose toutefois se prononcer en faveur de l'authenticité, car il n'a aucune donnée sûre pour la vie de Paul après 62.

→ *Intr.* XV. — Épîtres.

[Titus]

Flavius Titus (39-81 ap. J.C.), fils aîné de l'empereur Vespasien, mena à 27 ans la première Guerre juive (66-70), au cours de laquelle Jérusalem fut assiégée et détruite (avril-sept. 70). Empereur en 79, il se montra favorable aux juifs, et par suite aux chrétiens. Il n'avait pu épouser *Bérénice, plus âgée que lui de onze années.

toit

1. gr. *stegè* : au sens propre [1] et métaphorique d'habitation [2].

   [1] Mc 2,4. — [2] Mt 8,8 (= Lc 7,6) △.

2. gr. *dôma* : « terrasse » sur le toit, lieu à la fois retiré [3] et public [4].

   [3] Mt 24,17 (= Mc 13,15 = Lc 17,31); Ac 10,9. — [4] Mt 10,27 (= Lc 12,3); Lc 5,19 △.

→ *Intr*. VIII.1.A.

tombeau

Au temps du NT, les tombeaux (gr. *mnèma*, *mnèmeion* : « mémorial », monument destiné à perpétuer la mémoire du défunt) ou sépulcres (gr. *taphos*, de *thaptô* : « ensevelir ») sont des caveaux aménagés dans des grottes ou creusés dans le roc [1]. A chaque printemps, on en blanchissait l'extérieur à la chaux [2], pour qu'en les reconnaissant, les passants évitent de contracter une impureté légale à leur contact [3]. L'entrée, basse et parfois décorée [4], était habituellement fermée à l'aide d'une grosse pierre roulée devant, et quelquefois scellée [5]. A l'intérieur et en contrebas [6], la chambre funéraire présentait des banquettes de pierre, ou des niches creusées dans les parois, qui servaient à recevoir les cadavres. Les tombeaux étaient groupés en dehors des villes, par exemple au *Golgotha. Les étrangers avaient à Jérusalem un lieu de sépulture distinct de celui des Israélites [7]. Ne pas avoir de tombe était un terrible châtiment [8], car c'était ne pouvoir « être réuni à ses pères » et se trouver voué à l'oubli, exposé à tout venant [9].

   [1] Mt 27,60 (= Mc 15,46 = Lc 23,53). — [2] Mt 23,27. — [3] Lc 11,44. — [4] Mt 23,29. — [5] Mt 27,66; Mc 15,46; 16,3. — [6] Jn 20,5.11. — [7] Mt 27,7. — [8] Ap 11,9. — [9] 2 R 9,10.34-37; Jr 22,18s.

→ *Intr*. VIII.2.D.b. — cercueil — ensevelir.

[Torah]

hb. *tôrâ* (de *yârâ* : « montrer ») : « indication, enseignement ».

1. Les cinq livres de *Moïse (*Pentateuque), distingués des « Prophètes »[1], constituent non seulement une doctrine ou loi, mais une règle pratique : enseignement normatif pour l'action. La Torah est, par excellence, la *révélation.

[1] Mt 5,17; 7,12; 22,40; Lc 16,16; 24,44; Jn 1,45; Ac 13,15; 24,14; 28,23; Rm 3,21.

2. Dans le judaïsme, le mot désigne non seulement la *Bible en son entier[2], mais la loi orale dont l'autorité n'est pas moindre : celle-ci complète et interprète la loi écrite[3], ce qui amène à la constitution du Talmud.

[2] Jn 10,34. — [3] Mt 15,6.

→ *Intr.* XII. — *Tableau*, p. 76 — loi — Pentateuque — Talmud.

tourterelle

gr. *trygôn.* Oiseau sans défense devant les rapaces[1], qui fait entendre « sa voix »[2] au printemps jusqu'au temps de son « retour »[3] à l'automne. Offrande des pauvres pour des rites de purification[4].

[1] Ps 74,19. — [2] Ct 2,12. — [3] Jr 8,7. — [4] Lv 5,7; 12,6.8; Lc 2,24.

→ colombe.

Trachonitide

gr. *Trachônitis* (de *trachys* : « rocheux »). Région païenne située au nord-est de la *Décapole et à l'est de la *Galilée, au-delà du *Jourdain; après la mort d'Hérode le Grand, elle fut donnée à *Philippe avec l'*Iturée, la Gaulanitide, la Batanée et l'Auranitide[1].

[1] Lc 3,1 □.

→ *Carte* 4.

tradition

Du lat. *traditio* : « transmission », gr. *paradosis.* D'abord au sens actif « transmettre » (gr. *para-didômi*, hb. *mâsar*, d'où l'hb. *mâssorâ* : « exégèse juive »); au sens passif « recevoir » (gr. *para-lambanô*, hb. *qibbél*), « chose transmise » (gr. *para-dosis*, hb. *qabbâlâ* : d'où « kabbale »).

1. La tradition juive forme une chaîne qu'on fait remonter à Moïse et qui permet de garantir la vérité des affirmations proposées[1]; elle est assurée par la tradition écrite des livres canoniques et par les traditions orales des anciens [2]. Après 70, elle tend à se laisser entièrement fixer par écrit en des couches successives que délimitent trois générations : les *tannaïm* (de l'hb. *chânâ* : « répéter »), les *amoraïm* (de l'hb. *âmar* : « dire ») et les *rabbis* (de l'hb. *rab* : « maître »), et qui constituent le *Talmud (de l'hb. *limmad* : « enseigner »). Jésus conteste non pas la tradition en général, mais la valeur et l'autorité de la tradition des anciens [3]. Selon Jean, c'est que Jésus, lui, transmet les paroles et les œuvres qu'il a reçues du Père [4].

[1] Esd 7,6; Ne 1,7; Si 24,23; Dn 9,11; Ac 7,38. — [2] Mt 15,2s.6 (= Mc 7,3.5.8s. 13); Ac 6,14; cf Mt 5,21. — [3] Mt 15,1-20 (= Mc 7,1-20). — [4] Jn 5,36; 17,4.8.14.

2. La tradition chrétienne primitive comporte, en plus de la tradition narrative sur Jésus [5], des *confessions de foi et des règles de vie présentées sous forme de traditions activement reçues et communiquées [6]. Ainsi Paul, qui s'est libéré des traditions des pères [7] et les caricature en parlant de « traditions tout humaines » [8], transmet les paroles du Seigneur et certaines traditions ecclésiastiques [9]. Ce faisant, il ne se montre pas esclave de la tradition, mais du seul *Kyrios qui l'a rencontré dans une *révélation [10]. Dans les écrits tardifs du NT, l'enseignement tend à se condenser en un donné fixé [11], qui sera appelé « *dépôt ».

[5] Lc 1,2. — [6] Ac 16,4; 1 Co 11,2.23; 15,3; 2 Th 2,15; 3,6. — [7] Ga 1,14. — [8] Col 2,8. — [9] 1 Co 7,10; 9,14; Ph 4,8s; 1 Th 4,1-3; 2 Th 2,15. — [10] Ga 1,15s. — [11] 2 P 2,21; Jude 3.

→ *Intr.* IX.1; XII.1.B. — catéchiser — dépôt — mémoire.

[tradition historique]
1. Souvenir transmis sur un événement.

2. Transmission du souvenir d'un événement.

[tradition littéraire]
Chaîne d'écrits concernant un même sujet, allant du manuscrit originel au texte actuel.

[tradition théologique]
1. Transmission de la *Révélation.

2. Tout ce que les Apôtres ont transmis pour la vie et la foi du peuple de Dieu, et que l'Église maintient au cours des siècles.

trait (de la Loi)

gr. *keraia* : « corne ». Petit signe graphique quelconque; plus précisément, il est en forme de corne ou de crochet, destiné à différencier les lettres hébraïques de forme identique [1].

[1] Mt 5,18 (= Lc 16,17) □.

transfiguration

du gr. *metamorpho-omai* (« changer de *morphè* » : « forme »), *meta-skhèmatizô* (« changer de *skhèma* » : « aspect, figure »).

1. Scène de la vie de Jésus, située par les *Synoptiques comme un rais de lumière lors de la montée à Jérusalem [1].

[1] Mt 17,1-9 (= Mc 9,2-10 = Lc 9,28-36); cf 2 P 1,16-18.

2. Transformation spirituelle des croyants [2].

[2] Rm 12,2; 2 Co 3,18; Ph 3,21.

→ apparence — forme — image.

travailler

gr. *ergazomai* (de *ergon* : « travail »), *kopiaô* : « travailler, prendre de la peine, se fatiguer », dérivé de *kopos* : « labeur ».

1. Si le NT ne recommande guère de travailler [1], c'est qu'il suppose acquis le commandement du Créateur [2]. Jésus a été *charpentier (gr. *tektôn*) [3], et, du monde du travail, il a tiré des enseignements [4]; il ne faut pas être « timoré » (gr. *oknèros*) dans l'usage des talents [5], sans pour autant se livrer à l'appât du gain et aux *soucis excessifs [6]. Paul peinait à travailler de ses mains [7] et il stigmatise le comportement des oisifs qui attendent passivement la fin des temps [8]. Les ouvriers méritent leur salaire [9].

[1] Ep 4,28; Col 3,23; 1 Th 4,11. — [2] Gn 1,28; 2,15; Pr 6,6-11; Si 22,1s; 38,34. — [3] Mc 6,3. — [4] Mt 4,19; 20,1-8; 21,28. — [5] Mt 25,26. — [6] Lc 10,41s; 12,13-34. — [7] Ac 18,3; 1 Co 4,12; 1 Th 2,9; 2 Th 3,8. — [8] Ep 4,28; 2 Th 3,10-12. — [9] Rm 4,4; 1 Tm 5,18; Jc 5,4.

2. Le *service de Dieu et de l'Évangile requiert des ouvriers [10] qui méritent leur nourriture [11] et qui doivent peiner sans compter, comme Paul [12].

[10] Mt 9,37s (= Lc 10,2); Ph 3,2. — [11] Mt 10,10 (= Lc 10,7). — [12] Ac 20,35; Rm 16,6.12; 1 Co 3,8; 15,10; 16,16; 2 Co 6,5; 10,15; 11,23.27; Ga 4,11; Ph 2,16; Col 1,29; 1 Th 2,9; 3,5; 5,12; 1 Tm 4,10; 5,17; Ap 14,13.

tremblement de terre

gr. *seïsmos* (de *seïô* : « ébranler »). La Palestine a connu des tremblements de terre, ainsi au VIIIe s. av. J.C. [1] ou en 31 av. J.C. La Bible y voit une manifestation de la toute-puissance du Créateur qui vient aider ou juger son peuple [2]. Ainsi à la mort et à la résurrection de Jésus [3], lors de la libération de prison de Paul et de Silas [4], à la fin des temps [5]. Le même mot *seïsmos* est utilisé encore pour dire un violent ébranlement [6].

[1] Am 1,1; Za 14,5. — [2] Ex 19,18; Jg 5,4; 1 R 19,11; Ps 99,1; Is 13,13; He 12,26. — [3] Mt 27,51.54; 28,2. — [4] Ac 16,26. — [5] Mt 24,7 (= Mc 13,8 = Lc 21,11); Ap 6,12; 8,5; 11,13.19; 16,18. — [6] Mt 8,24; Ap 6,13 □.

trésor (du Temple)

gr. *gazophylakeïon* (du perse *gaza* : « trésor du roi [de Perse] » et du gr. *phylakeïon* : « lieu où l'on tient sous sa garde »), ou *korbanas* (de l'hb. *qorban* : « voué à Dieu »).

1. La salle contenant le trésor du Temple, inaccessible au public [1].

[1] Ne 10,39; 2 M 3,6; Ml 3,10; Mt 27,6 △.

2. Par extension, le portique attenant à la salle [2].

[2] 1 Ch 9,26; Jn 8,20 △.

3. Le tronc des offrandes, en forme de trompe [3].

[3] Mc 12,41.43; Lc 21,1 △.

→ corban.

tribu

gr. *phylè*. Chez les juifs, groupe ethnique qui s'estime descendre d'un même ancêtre. A l'époque du NT, les juifs désignent l'ensemble du peuple par l'expression stéréotypée : « les douze tribus d'Israël ». En Ap 7,4-8, celles-ci portent le nom des fils de Jacob : Juda, Ruben, Gad, Aser, Nephtali (Manassé), Siméon, Lévi, Issachar, Zabulon, Joseph, Benjamin. L'ordre est différent de celui de la Genèse, et Manassé (issu de Joseph, avec Éphraïm) est substitué à Dan (dont certaines traditions disaient que l'*Antichrist devait sortir, par allusion au *serpent auquel Dan est comparé en Gn 49,17) [1].

[1] Gn 35,22-26; Mt 19,28; Ap 7,4-8; 21,12.

tribulation

Ce mot regroupe ici certains termes de saveur *eschatologique, souvent associés dans le NT [1], décrivant une situation de contrainte (gr. *anagkè*), d'oppression (gr. *thlipsis*), d'écrasement (gr. *stenokhôria*) : détresse, *épreuve par excellence. Héritées de la tradition *daniélique, ces expressions caractérisent le *temps que détermine la *parousie [2] : le *salut « doit » en effet être précédé par une époque de catastrophes : haine, persécution, trahison, mort... [3]. Les églises ont connu une telle tribulation [4], l'apôtre Paul plus spécialement pour compléter les *souffrances du Christ [5]. Tous les croyants seront livrés à cette détresse généralisée [6]; le sachant, ils ne doivent pas s'en montrer surpris [7], mais supporter l'épreuve avec endurance et *persévérance [8], et même dans la joie, comme la femme qui va enfanter [9].

[1] Rm 2,9; 8,35; 2 Co 6,4; cf Dt 28,55; Is 8,22; 30,6. — [2] Dn 12,1; Mt 24,21 (= Mc 13,19). — [3] Dn 2,1.28s.45; Ac 20,23; 1 Th 3,3; Ap 2,9.22; 7,14. — [4] Ac 11,19; 2 Co 1,4; 8,2; Ph 4,14; 1 Th 1,6; 3,7; 2 Th 1,4; He 10,33; Ap 1,9; 2,10. — [5] Col 1,24; cf 2 Co 1,4; 4,8; 7,4s; 1 Th 3,7. — [6] Mt 13,21 (= Mc 4,17); 24,9. — [7] Ac 14,22; 1 Th 3,4; 1 P 4,12. — [8] Rm 5,3-5; 8,35; 2 Th 1,4.7. — [9] Jn 16,21s; Rm 8,22.

→ épreuve — persécution — souffrance.

tribun

gr. *khiliarkhos* (de *khilioï*, mille, et *arkhos*, chef) : chef de *cohorte, officier [1].

[1] Ac 21,31—24,22 □.

tribunal

1. gr. *kritèrion*. Lieu où l'on rend la justice [1].

[1] Jc 2,6 △.

2. gr. *bèma* : « siège du juge » [2].

[2] Mt 27,19; Jn 19,13; Ac 18,12.16s; 25,6.10.17; Rm 14,10; 2 Co 5,10 △.

3. gr. *hèmera* : « jour (assigné pour rendre la justice) »; cf « diète », du lat. *dies*, jour [3].

[3] 1 Co 4,3 △.

→ *Intr*. VI.4.A.

tribut

lat. *tributum* : « *impôt réparti entre les tribus », gr. *phoros* (de *pherô* : « produire » ou « apporter » la) « contribution » [1].

[1] Lc 20,22; 23,2; Rm 13,6s □.

→ impôt.

tristesse

1. Nombreuses sont les manifestations de la tristesse : pleurer (gr. *dakryô, klaîô*) [1], pousser des cris de douleur [2], se *lamenter en chœur sur des rythmes plus ou moins traditionnels [3], prendre un air sombre [4], jeûner [5], se frapper la poitrine [6], se couvrir la tête de poussière [7].

[1] Lc 7,13; Jn 11,33.35. — [2] Mt 9,23; Jc 5,1. — [3] Mt 2,18; Lc 7,32; Ap 18,11. — [4] Mt 6,16; Lc 24,17. — [5] Mc 2,20. — [6] Mt 11,17; Lc 23,27; Ac 8,2. — [7] Ap 18,19.

2. Les motivations en sont variées : le conflit entre l'appel de Jésus et l'attrait des richesses [8], l'annonce d'un mal [9], l'endurcissement des hommes et de Jérusalem [10], le péché du reniement [11], la séparation de l'être aimé [12], surtout la mort qui est proche ou qui vient [13]. Toute tristesse n'est pas bonne : l'une est de Dieu, l'autre du monde [14].

[8] Mt 19,22 (= Mc 10,22 = Lc 18,23). — [9] Mt 17,23; 26,22 (= Mc 14,19). — [10] Mc 3,5; Lc 19,41; Rm 9,2. — [11] Mt 26,75 (= Lc 22,62). — [12] Mt 9,15; Jn 16,6.20; 20,11.13.15; Ph 2,27s. — [13] Mt 26,37s (= Mc 14,34); Jn 11,35; He 5,7. — [14] 2 Co 7,10s; cf Mt 14,9; 2 Co 9,7; 1 Th 4,13.

3. Le paradoxe de la vie chrétienne, unie au vainqueur de la mort, c'est que de la tristesse naît la *joie et la consolation [15], en attendant la disparition définitive des larmes [16].

[15] Jn 16,22; 17,13; 20,20; 1 Co 7,30; 2 Co 6,10. — [16] Ap 7,17; 21,4.

→ deuil — jeûner — lamentation — rire.

Troas

gr. *(Alexandreia hè) Trôas*. Petite ville fondée à quelque 15 km de l'antique Troie sur la côte nord-ouest de l'actuelle Turquie, devenue colonie romaine sous *Auguste. Port d'embarquement pour la Macédoine, où Paul eut une vision [1].

[1] Ac 16,8.11; 20,5s; 2 Co 2,12; 2 Tm 4,13 □.

→ *Intr.* IV.2.C. — *Carte* 2.

Trogyllion

gr. *Trôgyllion*. Ville d'Asie Mineure, peu éloignée de *Milet [1].

[1] Ac 20,15 □.

trompette

gr. *salpinx*, hb. *chôphâr*. Instrument de musique [1], soit en corne d'animal, soit en métal. D'après la représentation sur l'arc de *Titus, la trompette pouvait avoir 50 cm de longueur. Utilisée pour donner le signal du combat [2] ou d'une festivité [3]; le NT ne signale pas celle des *fêtes de la nouvelle *lune (devenue dans le judaïsme fête du Nouvel an) ou du Kippour [4]. Corne et trompette font partie de l'attirail littéraire des *théophanies pour annoncer une révélation : celle de la Loi au Sinaï [5], de la fin des temps [6]; selon l'Apocalypse, la voix puissante de Dieu (ou du Fils de l'homme) est telle une trompette [7], tandis que les sept anges soufflent dans la trompette [8].

[1] Ap 18,22. — [2] Nb 10,9; 2 Ch 13,12.14; 1 M 4,40; 1 Co 14,8. — [3] Jl 2,15; Mt 6,2. — [4] Lv 23,24; 25,8s; cf Nb 10,10; 2 Ch 5,12s; Ps 98,6. — [5] Ex 19,16; He 12,19. — [6] Mt 24,31; 1 Co 15,52; 1 Th 4,16. — [7] Ap 1,10; 4,1. — [8] Ap 8,2—11,15 □.

Trônes

→ Dominations.

troupeau

gr. *poimnè*, *poimnion* (se rattache à *poimainô* : « paître ») [1].

[1] Mt 26,31 (= Mc 14,27); Lc 2,8; 12,32; Jn 10,16; Ac 20,28s; 1 Co 9,7; 1 P 5,2s □.

→ *Intr*. VII.1.B. — berger — brebis — chèvre.

tunique

lat. *tunica*, gr. *chitôn*. Vêtement principal qu'on porte sous le *manteau [1], sorte de longue chemise portée à même le corps, avec des manches courtes ou serrées aux poignets. D'ordinaire blanche, décorée de liserés en couleur et pouvant être ou paraître sans couture [2]. On la gardait pour le travail, mais en la retroussant à l'aide d'une *ceinture [3]. Certaines, plus festives ou solennelles, descendaient jusqu'aux pieds (en gr. *podèrès*) [4]. Les riches en endossaient parfois une deuxième, sans manches [5].

[1] Ct 5,3; Mt 5,40 (= Lc 6,29); Ac 9,39; Jude 23. — [2] Jn 19,23. — [3] Ex 12,11; 2 R 4,29; Lc 17,8; Ac 12,8. — [4] Gn 37,3; Ex 29,5; 2 S 13,18; Sg 18,24; Ez 9,3; Ap 1,13 △. — [5] Mt 10,10 (= Mc 6,9 = Lc 9,3); Mc 14,63; Lc 3,11 □.

→ *Intr*. VIII.1.B. — manteau — vêtement.

[typologie]

Du gr. *typos* : « marque, forme, figure, exemple, modèle » [1].

[1] Rm 5,14; 1 Co 10,6.11; He 9,24; 1 P 3,21; cf Jn 20,25.

→ figure.

Tyr

gr. *Tyros*, auj. *Sûr* au Liban, de l'hb. *çor* : « rocher ». Port antique de Phénicie, situé sur une île qu'Alexandre le Grand rattacha au continent. Ville jalouse de son indépendance jusqu'en 332 av. J.C., redevenue libre dès 126 [1].

[1] 2 S 5,11; 1 R 5,15-26; Is 23; Ez 26—29; Mt 11,21s; 15,21s; Mc 3,8; 7,24.31; Lc 6,17; 10,13s; Ac 12,20; 21,3.7 □.

→ *Carte* 4.

U

[unité littéraire]
*Péricope, ou suite de péricopes organisées.

univers
A la différence des Grecs qui voient dans le *kosmos* un ensemble harmonieux et clos sur lui-même, intelligible à l'homme qui est lui-même un « micro-cosme », la Bible ne conçoit pas l'univers en dehors de son rapport avec le Créateur. Aussi n'a-t-elle utilisé que tardivement ce terme *kosmos* pour dire l'ensemble de la création, et Jean lui a même attaché une qualification négative; il peut indiquer le *monde actuel en tant qu'il est dominé par la puissance du *mal [1]. Pour dire l'univers elle a employé originairement le couple totalisant « ciel et terre » [2], qui renvoie directement au Créateur, ou la formule hébraïque plus sommaire « le tout » (gr. *ta panta*, hb. *hakkôl*) [3]. Viennent ensuite les mots « terre habitée » (gr. *oikoumenè*) [4] et *aiôn* (qui signifie aussi le *temps-durée) [5], parfois au pluriel [6]. Dieu est le Seigneur du ciel et de la terre, jamais du *kosmos* [7]. Ciel et terre passeront comme le monde [8], mais « le tout » sera assumé dans le Christ [9]. Alors sera créé un nouvel univers, qui n'est jamais appelé un « nouveau cosmos », mais des cieux nouveaux et une terre nouvelle, ou le royaume de Dieu [10].

[1] Jn 1,10.29; 7,7; 12,31; 14,17; 16,8.11; 17,9; 1 Jn 2,15-17; 5,19. — [2] Gn 1,1; 2,4; Ex 20,11; Ps 146,6; Ac 4,24; 17,24; He 1,10; Ap 10,6; 14,7. — [3] Ps 8,7; Sg 9,1; Is 44,24; Jr 10,16; 1 Co 8,6; 15,27s; Ep 1,10; Ph 3,21; Col 1,16s.20; He 1,2s; 2,8.10; 1 P 4,7. — [4] Sg 9,9; 1 Co 3,22. — [5] Mt 24,14; Lc 2,1; 4,5; 21,26; Ac 11,28; 17,6.31; 19,27; 24,5; Rm 10,18; He 1,6; 2,5; Ap 3,10; 12,9; 16,14. — [6] He 1,2; 6,5; 11,3. — [7] Gn 24,3; Is 66,1; Mt 5,34; 11,25 (= Lc 10,21); 28,18; Mc 13,27; Ac 7,49; 17,24; 1 Co 7,31; 1 Jn 2,17. — [8] Is 13,13; 51,6; Jr 4,23-26; Am 8,9; Mt 5,18 (= Lc 16,17); 24,35 (= Mc 13,31 = Lc 21,33); Lc 21,25s; He 12,26; 2 P 3,10.12s; Ap 20,11; 21,1. — [9] 1 Co 8,5s; Ep 1,10; Col 1,16.20. — [10] Is 65,17; 66,22; 2 P 3,13; Ap 21,1.

→ *Intr.* V.1. — ciel — éon — exaltation du Christ — monde — terre — siècle.

V

van

gr. *ptyon*. Instrument agricole permettant de trier dans les épis hachés le grain plus lourd, de la balle et de la paille plus légères. Le terme désigne tantôt la fourche à plusieurs dents (ou pelle), tantôt le panier à fond plat [1].

[1] Is 30,24; Jr 15,7; Mt 3,12; Lc 3,17 □.

→ *Intr.* VII.1.A.

vautour

gr. *aetos* : « *aigle [1], vautour ». La Bible distingue difficilement entre ces deux rapaces, de même qu'on ne peut préciser s'il s'agit du gypaète barbu, du grand vautour cendré ou du percnoptère. Il se nourrit de charognes [2]; c'est un animal impur [3]. Quand on signale son col pelé, il s'agit plus sûrement de vautour [4].

[1] Probablement en Ap 4,7; 8,13; 12,14. — [2] Jb 39,30; Mt 24,28 (= Lc 17,37). — [3] Lv 11,13; Dt 14,12. — [4] Mi 1,16.

veille (de la nuit)

gr. *phylakè* (cf *phylassô* : « garder »). A l'origine, veille militaire durant la nuit, avec trois relèves chez les juifs, quatre chez les Romains. Au temps de Jésus, la division romaine de la nuit était adoptée par les juifs : première veille (environ 18 h à 21 h : le *soir), la deuxième (21 h à 24 h : le milieu de la nuit), la troisième (0 h à 3 h : le *chant du coq), la quatrième (3 h à 6 h : le *matin).

→ chant du coq — heure — matin — nuit — soir — veiller — *Tableau*, p. 321.

535

veiller

Ne pas dormir (gr.*grègoreô*) [1], avoir le *sommeil ôté (gr. *agr-hypneô*, indiqué ci-dessous par la lettre *A*), signifie métaphoriquement « se tenir prêt » [2], ce que favorisent *jeûne et sobriété [3]. Les motivations en sont variées : *prier [4], attendre le Jour du Seigneur [5], se tenir en garde contre l'*Adversaire et la *tentation [6]. De là, le sens plus général de « prendre garde à » (gr. *blepô* [7], *pros-ekhô* [8]), « se garder de » (gr. *phylassô* [9]), « surveiller » (gr. *episkopeô* [10]).

[1] Mt 26,38.40; Mc 14,34.37; Lc 9,32; 1 Th 5,10. — [2] Mt 25,13; Ap 16,15. — [3] 2 Co 6,5(*A*); 11,27(*A*); 1 Th 5,6; 1 P 5,8. — [4] Mt 26,41; Mc 14,38; Lc 21,36 (*A*); Ep 6,18(*A*); Col 4,2. — [5] Mt 24,42s; Mc 13,33(*A*).35; Lc 12,37.39; Ac 20,31. — [6] Mt 26,41; Mc 14,38; 1 Co 16,13; 1 P 5,8 △. — [7] Mt 24,4... — [8] Mt 7,15... — [9] Lc 1 !⸱15... — [10] He 12,15; 1 P 5,2 △.

vendange

Le NT, qui connaît l'action de vendanger le raisin (gr. *trygaô*) [1], ne retient pas qu'elle est le temps de *joie pour les fidèles [2], mais seulement qu'elle est image du *jugement de Dieu [3].

[1] Lc 6,44. — [2] Jg 21,19-21; Is 16,10; Am 9,13. — [3] Jr 25,15-30; Ap 14,18s □.

→ *Intr.* VII.1.A. — cuve — moisson — pressoir — vigne — vin.

vengeance

gr. *ekdikèsis*. La *dikè* est la règle, le droit, la justice objective (la *dikaiosynè* désignant la justice subjective, le sens de la justice); *dikèn didonai*, c'est donner à quelqu'un satisfaction, réparation, ou « être puni »; *dikèn lambanein*, c'est obtenir satisfaction de son droit; de là, *ekdikeô*, c'est demander ou exiger la justice. Se venger, c'est donc avant tout rétablir la justice lésée.

Seul le Dieu juste et sauveur peut légitimement venger la *justice [1], lui qui l'exerce non seulement contre les ennemis d'Israël [2], mais contre son propre peuple [3]. Aussi l'homme ne doit-il pas se venger lui-même [4], mais s'en remettre au « Dieu des vengeances » qui rétablira toutes choses au dernier jour [5]. Le *pardon signifie cet abandon à Dieu [6]. L'autorité déléguée par Dieu peut toutefois exercer la vengeance [7]. Le mot désigne enfin la punition du coupable, résultat du rétablissement de la justice [8].

[1] Jb 19,25; Lc 18,3-9; Ac 28,4; Rm 3,19; 1 Th 4,6; 2 Th 1,8; He 10,30; Ap 19,2. — [2] Is 47,3; Jr 50,15; 51,36. — [3] Is 1,24; Jr 5,9; 9,9; Ez 24,8. — [4] Lv 19,17s; Mt 5,38-42. — [5] Ps 94,1; Jr 15,15; 20,12; Ap 6,10. — [6] Jr 11,20; Rm 12,19-21.

— ⁷ Rm 13,4; cf Ac 7,24. — ⁸ Lc 21,22; 2 Co 7,11; 10,6; 2 Th 1,9; 1 P 2,14; Jude 7 □.

→ châtier — goël — justice — libérer — sauver.

vent

gr. *anemos, pneuma* (de *pneô*, souffler).

→ *Intr.* II.4. — esprit.

ver

1. gr. *skôlèx*. Insecte s'attaquant à la matière organique vivante ou en décomposition. Les douleurs abdominales étaient attribuées à une infection de vers, qui, expulsés du corps, signifiaient la mort [1]. Symbole de la décomposition totale des impies au dernier jour [2].

¹ 2 M 9,9; Ac 12,23. — ² Is 14,11; 66,24; Mc 9,48 △.

2. gr. *brôsis*, mot utilisé à la place de *brôma* pour dire la « nourriture [3], » mais aussi « ce qui mange » : « ver » ou « rouille » [4].

³ Jn 4,32.34. — ⁴ Mt 6,19s △.

→ mite.

Verbe

Du lat. *verbum* : « parole », traduisant le gr. *logos*. Appellation de Jésus, propre aux écrits johanniques [1].

¹ Jn 1,1.14; 1 Jn 1,1; Ap 19,13 □.

→ parole.

vérité

Le mot français se trouve au confluent de deux courants de pensée. Selon la tradition hellénistique, le gr. *alètheia* (de *a* privatif, *lanthanô* : « être caché pour ») signifie la réalité dé-voilée, l'être subsistant qui peut être connu, la correspondance entre le réel et l'esprit. Selon la tradition sémitique, l'hb. *emèt* (de *âmân* : « être solide, stable ») désigne celui en qui (ce à quoi) on peut se fier. D'un côté, une réalité objective, une vérité intemporelle; de l'autre, une relation qui s'éprouve au cours du temps. Autre différence : pour la Bible, c'est Dieu, c'est Jésus Christ qui est la vérité, celle qui résiste à l'usure du temps. Le

contraire de la vérité est, pour le Grec, l'*erreur ou le *mensonge :
pour le sémite, c'est la rupture du lien entre deux personnes.

1. Les *Synoptiques utilisent le mot au sens grec. Il s'agit de dire ou
d'enseigner une vérité conforme à la réalité ou d'attester qu'on parle
en conformité avec le réel [1].

[1] Mt 14,33; 22,16 (= Mc 12,14 = Lc 20,21); 26,73 (= Mc 14,70 = Lc 22,59);
27,54 (= Mc 15,39); Mc 5,33; 12,32; Lc 16,11.

2. Paul offre un certain nombre d'expressions qui relèvent du grec,
comme « dire la vérité » [2] ou « être véridique » [3]. D'ordinaire il fait écho
à la pensée sémitique : ce qui mérite *confiance [4], la *fidélité [5], l'*obéissance due à la vérité qu'est l'Évangile [6]. Proclamer « l'évangile de
vérité », c'est libérer l'homme en lui révélant qu'il est lié à son Créateur et à Jésus Christ [7].

[2] Rm 9,1; 2 Co 12,6; Ep 4,25; 1 Tm 2,7; Jc 3,14. — [3] 2 Co 6,8; 7,14; Ph 1,18.
— [4] Rm 15,8. — [5] Rm 3,3-7. — [6] Rm 2,8; Ga 2,14; 5,7; 1 P 1,22. — [7] Rm
1,18.25; 2 Co 4,2; Ga 4,16; 5,7; Ep 1,13; 4,21.

3. Les *Épîtres pastorales sont davantage sous l'influence du courant
hellénistique, par exemple à propos de la « *connaissance de la vérité » [8]
qui semble consister en la « saine doctrine » [9]. Dans le même sens va
l'épître aux Hébreux qui, en outre, oppose le véritable (céleste) à
l'*image (terrestre) [10]. En revanche, l'Apocalypse demeure dans le courant sémitique, ainsi quand elle rapproche « véritable » de « saint,
fidèle, juste » [11].

[8] 1 Tm 2,4; 2 Tm 2,25; 3,7; Tt 1,1. — [9] 1 Tm 1,10; 2 Tm 4,3s; Tt 1,9; 2,1. —
[10] He 8,2; 9,24; 10,22.26. — [11] Ap 3,7.14; 6,10; 15,3; 16,7; 19,2.9.11; 21,5;
22,6.

4. Pour Jean, la vérité s'est mise à exister en Jésus Christ [12], vérité
en personne [13], vérité qu'il dit et atteste [14], de sorte que ses paroles
et ses actions sont l'expression même de Dieu [15]. Il faut « faire la
vérité » [16], à savoir laisser la *Révélation s'intérioriser en soi; la
refuser, c'est tuer le Révélateur [17]. L'Esprit de vérité est chargé d'attester la *justice de Jésus [18].

[12] Jn 1,17. — [13] Jn 1,9.14; 14,6. — [14] Jn 8,40.45s; 16,7; 18,37. — [15] Jn 5,19s.36s;
8,19.26.28; 12,50. — [16] Jn 3,21. — [17] Jn 8,44. — [18] Jn 4,23s; 14,17; 15,26; 16,13.

→ amen — connaître — mentir — oui.

vertu

1. lat. *virtus* (de *vir*, homme) : force de caractère, conduisant à des
actions courageuses. Gr. *aretè*, à rapprocher du préfixe *ari-*, indiquant

538

l'excellence (gr. *aristos*); cette excellence varie selon l'idéal qu'on se fait de l'homme : guerrier (Homère), citoyen (Platon). Ensuite peut s'y trouver la qualité spécifique convenant exactement à une personne ou à un objet. L'hb. ne connaît pas de mot correspondant. La *Septante utilise le terme pour les actions glorieuses de Dieu (hb. *t^ehillâ*) [1]. La littérature judéo-hellénistique célèbre le courage, la virilité, la fidélité, la prudence des martyrs *Maccabées [2]. On trouve même les quatre vertus platoniciennes (devenues les vertus chrétiennes cardinales) : tempérance et prudence, justice et force [3]. Les écrits de *Qoumrân offrent des affinités avec le *stoïcisme et ses catalogues de vertus : soumission à Dieu, patience, bienveillance, force, sagesse, pureté. Les « fils de la vérité » montrent par là leur appartenance au domaine de la lumière.

En dépit de certaines ressemblances verbales, autre est la conception du NT. La vertu chrétienne n'a pas son origine dans l'homme, mais dans le renouvellement de l'être par la foi au Christ et par son Esprit [4]. Dès lors, pas de distinction aristotélicienne entre vertus pratiques et théoriques : les actions bonnes ne sont qu'expression de l'attitude intérieure. Il ne s'agit pas d'une « harmonie de l'âme » permettant au sage une vie sereine (Platon), mais du fruit de l'Esprit, de *dons accordés aux membres d'une communauté pour qui est déjà inaugurée la nouvelle création. Qoumrân supposait une action divine dans l'homme fidèle ; la nouveauté chrétienne est le primat de l'amour, auquel toutes les vertus sont subordonnées comme des exigences qui en découlent. La récolte est la vie éternelle [5].

[1] Is 42,8.12 ; 43,21 ; 63,7 (repris en 1 P 2,9 ; cf 2 P 1,3). — [2] 2 M 6,31. — [3] Sg 8,7. — [4] Ga 5,22-24. — [5] Ga 6,7s.

2. *Les listes des vertus* [6] ne comportent qu'une trentaine de termes : amour, foi, espérance, paix, joie, bonté, bienveillance, douceur, accord avec les autres, sympathie, pardon, disponibilité, fidélité, vérité, justice, hospitalité, humilité, constance, patience, maîtrise de soi, sobriété, pureté, sainteté de vie. La perspective est plus théologique que morale. Il serait difficile de les distribuer en des catégories tranchées (Dieu, autrui, conduite individuelle). Trois cependant ont une place à part et sont souvent groupées : *foi, *charité, *espérance [7]. Animé par la foi, éclairé par la connaissance du Christ, le croyant suit l'Esprit [8].

[6] 2 Co 6,6s ; Ga 5,22s ; Ep 4,2s.32 ; 5,9 ; Ph 4,8 ; Col 3,12 ; 1 Tm 4,12 ; 6,11 ; 2 Tm 2,22.24s ; 3,10 ; Tt 1,8 ; 3,1 ; 1 P 3,8 ; 2 P 1,5-7. — [7] 1 Co 13,13 ; Ga 5,5s ; Col 1,4s ; 1 Th 1,3 ; 5,8 ; He 10,22s. — [8] Ga 5,25.

3. *Vertus*: Catégorie d'anges → Dominations.

→ *Intr*. XIV. — amour — liberté — vices.

vêtement, vêtir

A ces termes correspondent divers mots grecs. Le terme générique est *en-dyô* : « faire entrer dans », d'où *en-dyma* : « vêtement »; *peri-ballô* : « jeter autour, envelopper »; *amphi-azô* [1] : « mettre autour *(amphi)* ». Divers vêtements sont mentionnés. Ceux de dessous : *tunique et *pagne. Ceux de dessus, aux traductions fort approximatives : *manteau, *robe, habit, *chlamyde, *ceinture et *chaussures.

[1] Mt 6,30; 11,8 (= Lc 7,25) △.

1. Le vêtement est une condition primordiale de l'existence [2]. Dieu y pourvoit et dispense de l'inquiétude à ce sujet [3]. Revêtir le pauvre est une obligation [4].

[2] Si 29,21; Rm 8,35; 1 Tm 6,8; 2 Tm 4,13; cf Ac 20,33. — [3] Mt 6,25.28s; Lc 12,22.27. — [4] Ez 18,7; Mt 25,36.38.43; Lc 3,11; Ac 9,36.39; Jc 2,15; cf Mt 5,40.

2. Élément constitutif de la vie sociale, le vêtement signifie la dignité de la personne [5] et la distinction des sexes [6]; il caractérise l'individu : le prophète [7], le roi [8], le Grand Prêtre [9], le riche et le pauvre [10], l'épouse [11], la femme honnête [12], l'homme dont on se moque [13]. La tenue varie selon les circonstances : le *travail [14], la *fête [15], l'apparat [16], le *deuil et la *pénitence [17], ou enfin la *gloire [18].

[5] Mt 27,28; Lc 8,27.35; Jn 21,7; Ac 10,30; 12,8; Ap 1,13. — [6] Dt 22,5; 1 Co 11,5-15. — [7] Za 13,4; Mt 3,4 (= Mc 1,6); 7,15; Ap 11,3; cf Mt 11,8. — [8] Ac 12,21; Ap 17,4; 18,16; cf Mt 6,29 (= Lc 12,27). — [9] Lv 21,10. — [10] Lc 7,25; Jc 2,2s. — [11] Ap 19,8. — [12] 1 Tm 2,9; 1 P 3,3. — [13] Mt 27,28; Lc 23,11; Jn 19,2. — [14] Mt 24,18; Lc 17,8. — [15] Mt 22,11s; Lc 15,22. — [16] Mc 12,38. — [17] Mt 11,21 (= Lc 10,13). — [18] Mt 28,3.

3. Puisque le vêtement forme une unité avec la personne [19], il exprime l'être par certains gestes et en certaines *métaphores. Quelques actions symboliques sont courantes en Israël : « toucher » l'habit d'un envoyé de Dieu, c'est entrer en contact avec son pouvoir [20]; « déchirer » ses vêtements, c'est exprimer sa douleur ou son courroux [21]; « secouer » (la poussière de) ses vêtements, c'est rompre avec quelqu'un qu'on quitte [22]. Déposer ses vêtements peut être un mime de la mort [23]. Quelques expressions sont métaphoriques : « laver » ou « souiller » ses vêtements équivaut à se purifier ou pécher [24]; « se ceindre » (les reins) : se tenir prêt [25]; « garder » ses vêtements : rester vigilant [26].

[19] Jude 23. — [20] Mc 5,27-30 (= Lc 8,44; cf Mt 9,20s); 6,56; Ac 19,12; cf 1 R 19,19. — [21] Mt 26,65; Ac 14,14. — [22] Ac 18,6. — [23] Jn 13,4. — [24] Ap 3,4; 22,14. — [25] Lc 12,35. — [26] Ap 16,15.

4. Dans la perspective biblique, le vêtement signifie l'intégrité définitive de l'homme ou le renouvellement de l'être réuni à Dieu. Les habits de peau dont Dieu revêt la nudité des premiers parents, devenue honte, indiquaient cette intégrité espérée [27]. Paul multiplie les métaphores empruntées au thème du vêtement pour désigner la transformation actuelle du chrétien [28], qui par le baptême revêt le Christ même [29], et celle à venir de son corps [30]. Les êtres célestes apparaissent en habits resplendissants [31]; ainsi Jésus transfiguré [32]. Le vêtement blanc symbolise la nouveauté de l'être (ou la condition) des élus [33].

[27] Gn 3,21. — [28] Rm 13,12; Ep 4,24; 6,11.14; Col 2,11; 3,9s.12; 1 Th 5,8; cf Lc 24,49. — [29] Rm 13,14; Ga 3,27. — [30] 1 Co 15,53s; 2 Co 5,2-4. — [31] Lc 24,4; Ap 15,6; 19,14. — [32] Mt 17,2 (=Mc 9,3=Lc 9,29). — [33] Ap 3,5.18; 4,4; 6,11; 7,9.13.

→ *Intr.* VII.2; VIII.1.B. — combat — étoffes — lin — pourpre.

veuve

gr. *khèra* : « vide, privée de ».

1. Le veuvage définitif, vraiment orienté au service de Dieu, est préférable, selon Paul, au remariage [1], surtout s'il est voué institutionnellement au service de la communauté [2].

[1] 1 Co 7,8.39s; cf Lc 2,36s. — [2] 1 Tm 5,5-16.

2. Secourir la veuve, être sans appui, exposé à l'injustice [3] et à la misère [4], est, selon la Loi, un acte essentiel de la piété [5]. L'Église primitive l'exerce et le recommande [6].

[3] Lc 20,47. — [4] Mc 12,42s (= Lc 21,2s). — [5] Ex 22,21s; Is 1,17. — [6] Ac 6,1; 1 Tm 5,3s; Jc 1,27.

→ *Intr.* VIII.2.B.e. — femme — lévirat.

viande

1. *Viande d'animaux non égorgés.* Gr. *pniktos* : « étouffé ». Comme la Loi interdisait de consommer le *sang, qui contient la vie, il était défendu de manger la viande d'animaux dont on n'aurait pas versé le sang [1].

[1] Lv 7,26s; 17,10-14; Ac 15,20.29; 21,25 △.

→ *Intr.* XIV.1.A.

2. *Viande sacrifiée aux idoles.* gr. *eidôlothyton* (de *eidôlon* : « image », *thyô* : « sacrifier »); cette appellation provient de la polémique juive avec le paganisme : celui-ci qualifiait cette viande d' « immolée en sacrifice » (gr. *hiero-thyton*) [2]. Surplus des chairs d'animaux immolés avec le sang aux idoles, qui étaient vendus au marché [3] ou consommés dans les dépendances des temples [4]. Le *concile de Jérusalem en demanda l'abstention [5], tandis que Paul précise les conditions de leur consommation [6].

[2] 1 Co 10,28 △. — [3] 1 Co 10,25. — [4] 1 Co 8,10. — [5] Ac 15,28s; 21,25; cf Ap 2,14.20. — [6] Rm 14,1—15,13; 1 Co 8,1-13; 10,14-33 △.

→ culte — idolâtrie — sacrifice.

vices

1. Défauts et penchants mauvais que réprouvent religion et morale sont volontiers stigmatisés dans le NT : 96 termes dont 83 dans le corpus paulinien (30 uniquement dans les *Épîtres pastorales).

2. Comme chez les philosophes populaires et les *stoïciens et comme dans le judaïsme, spécialement à *Qoumrân, les vices sont, dans le NT aussi, souvent groupés en des listes [1]. Il est remarquable que, à la différence de celui des *vertus, le vocabulaire des vices est largement emprunté au milieu païen. Mais la conception du NT diffère profondément. Selon le monde grec, les vices proviennent de l'ignorance, de la sottise ou de la faiblesse des hommes. Selon Qoumrân, les actions de chacun correspondent à l'esprit qui le domine entièrement, la lumière ou les ténèbres. Pour le NT, les vices proviennent du cœur de l'homme [2] ou de la « chair » [3], ils sont le fruit du péché, non de l'erreur. Ils engendrent la mort [4].

[1] Mt 15,19 (= Mc 7,21s); Rm 1,29-31; 13,13; 1 Co 5,10s; 6,9s; 2 Co 12,20; Ga 5,19-21; Ep 4,31; 5,3-5; Col 3,5.8; 1 Tm 1,9s; 6,4s; 2 Tm 3,2-5; Tt 3,3; 1 P 4,3; Ap 21,8; 22,15. — [2] Mt 15,19 (= Mc 7,21). — [3] Rm 7,5.18.25; 8,8; 13,14; Ga 5,16-19; Ep 2,3; Col 2,18.23; 1 P 2,11; 2 P 2,10.18; 1 Jn 2,16. — [4] Rm 1,29-31; 8,13; Ga 6,8.

3. Le terme le plus général est : « ce qui ne convient pas » (gr. *ta mè kathèkonta*) [5] ou « le mal » (gr. *ta ponèra*) [6]. Comme les listes n'offrent pas de principe d'agencement, nous tentons de grouper en trois catégories les vices les plus souvent cités.

[5] Rm 1,28; cf Ep 5,4. — [6] Mc 7,23.

4. *Énumération*
– *Contre Dieu*. *Idolâtrie, *prostitution sacrée, *magie, sorcellerie, impiété, *blasphème, opposition à Dieu, *orgueil, injustice, *folie ou conduite insensée.
– *Contre autrui et la vie en commun*
• Les comportements qui entraînent la désunion tiennent la plus grande place. Par ordre de fréquence : meurtres, diffamation, *injures, outrages, discordes, intentions mauvaises, emportement passionnel et *colère, *jalousie et *envie, *convoitises, détractions, esprit de que-

relle, divisions, chicanes, ruse, fourberie et *mensonge, faux *témoignages, manque de cœur, *hypocrisie, *haine...
• Les atteintes à la propriété d'autrui; *cupidité, avarice, avidité, rapacité, *vol...
– *Contre la pureté au sens large*
• en général : *impureté, immoralité, inconduite, impudicité, libertinage, *débauche, dépravation, volupté...
• *adultère, *prostitution, coucheries, homosexualité...
• orgies, beuveries, ripailles de toutes sortes, crapulerie...

vie

gr. *zôè*, correspondant à *zèn* : « vivre ».

1. La vie comporte l'idée d'une force qui se manifeste particulièrement à travers le souffle (= l'*âme) et le *sang [1]. Ce qui bouge est dit « vivant », ainsi l'eau de source est une « eau vivante » [2]. La donnée primordiale de la Bible, c'est que Dieu (Père) est le Vivant par excellence, le seul vivant de source, tandis que toute vie créée est fragile et périssable, quoique précieuse aux yeux de Dieu [3].

[1] Lv 17,14. — [2] Jn 4,10s; 7,38. — [3] 1 R 17,1; Jb 7,7; Ps 36,10; Is 40,7s; Mt 6,25-34; 16,16; 26,63; Jn 6,57; Ac 14,15; 1 Th 1,9; He 10,31; Ap 4,9s.

2. Dans le NT, en dehors de Paul et de Jean, la vie est présentée dans le prolongement de la conception de l'AT. La vie terrestre est le bien par excellence, c'est l' « âme » ou l'existence (gr. *psykhè*) [4]; mais elle n'est pas assurée par les biens dont dispose l'homme [5], elle est reçue comme un don du Vivant [6]. Être loin de Dieu, c'est être comme mort [7]; vivre, c'est se nourrir de sa Parole [8], se confier pleinement à lui pour son « âme » [9]. Aussi Jésus qui a vécu ainsi sur terre devient-il, par excellence, « le Vivant » [10]; la « vie éternelle » c'est « la vie » tout court [11].

[4] Mt 10,39 (= Lc 17,33); 16,25s (= Mc 8,35-37 = Lc 9,24). — [5] Lc 12,15. — [6] Ac 17,25. — [7] Lc 15,24.32. — [8] Mt 4,4 (= Lc 4,4). — [9] Mt 6,25 (= Lc 12,22s). — [10] Lc 24,5; Ap 1,18; cf Ac 1,3; 3,15; 25,19; He 7,25; cf Dt 30,19. — [11] Mt 18,8s (= Mc 9,43.45).

3. Paul réinterprète la vie en fonction de celle que Jésus a reçue après sa mort lors de sa résurrection [12]. Vivre, en définitive, c'est le Christ en personne [13]; c'est donc se laisser envahir par la foi dans le Vivant [14], ne plus vivre pour soi-même mais appartenir pour toujours au Seigneur [15]; cette vie nouvelle, déjà commencée ici-bas, ne sera pourtant pleinement réalisée qu'avec la destruction du dernier ennemi, la Mort [16].

[12] Rm 14,9; 2 Co 13,4. — [13] Ga 2,20. — [14] Rm 14,7s; 2 Co 5,15. — [15] Ph 1,21. — [16] 1 Co 15,22.26; Ga 5,25; Col 3,3s.

4. Jean saisit la vie dans le Verbe préexistant, force créatrice divine [17]. Jésus n'apporte pas seulement la vie authentique [18], il est la vie même [19], une vie qui est aussi pure lumière [20]. Cette vie propre, il la livre par amour pour le Père et pour les hommes [21]; mais c'est pour la recevoir à nouveau [22] et la communiquer en surabondance [23]. Pour que l'homme en soit investi, il doit croire [24], il doit aussi aimer ses frères, sous peine de demeurer dans la mort [25].

[17] Jn 1,4; 1 Jn 1,1s. — [18] Jn 6,58; 10,28. — [19] Jn 6,35.57; 11,25s. — [20] Jn 8,12. — [21] Jn 10,15s; 15,13; 1 Jn 3,18. — [22] Jn 10,17s. — [23] Jn 4,14; 5,26; 6,35.47.51. 57; 10,10; 1 Jn 5,12. — [24] Jn 3,15s; 6,40.47. — [25] 1 Jn 3,14s.

→ âme — éternel — mort.

vieillard, vieillesse

Le vieillard (gr. *gerôn, presbytès*) est digne de respect et de soumission [1], en raison de son grand âge et de son expérience. Tel l'Ancien des jours de Dn 7,9, apparaît le Fils d'homme avec des cheveux blancs [2]. Les notables portent le nom d'anciens (gr. *presbyteroï*), chez les juifs comme chez les chrétiens [3]. Les vieillards de l'Apocalypse évoquent les responsables d'Israël ou des églises, ou encore symbolisent le caractère éternel de la cour de Dieu [4].

Par ailleurs, la richesse d'une expérience acquise peut amener à se refermer sur le passé et à se refuser à la nouveauté apportée par Jésus [5]. En ce cas, il s'agit d'un vieillissement (gr. *palaiotès*) qui est blâmable, celui du vieil homme qui doit céder la place à l'homme nouveau [6].

[1] 1 Tm 5,1s. — [2] Ap 1,14. — [3] Mt 21,23; Ac 11,30; 15,4. — [4] Ap 4,4... — [5] Mt 15,2; 27,1.41. — [6] Rm 6,6; 7,6; Ep 4,22; Col 3,9s; He 8,13.

→ *Intr*. VIII.2.C.e. — ancien.

vierge

1. gr. *parthenos* : « jeune fille, vierge » [1], par extension : « célibataire » [2]; en *métaphore, l'Église, épouse du Christ [3].

[1] Mt 1,23; 25,1-11; Lc 1,27. — [2] Ac 21,9; 1 Co 7,25-38; cf Lc 2,36. — [3] 2 Co 11,2; Ap 14,4 △.

2. Mt et Lc, indépendamment l'un de l'autre, rapportent que Marie était vierge [4] lorsqu'elle conçut Jésus par l'intervention de l'Esprit Saint [5].

4 Mt 1,23.25; Lc 1,27. — 5 Mt 1,20; Lc 1,34s; cf Gn 1,2.

3. La virginité chrétienne désigne l'état de vie d'un célibat volontairement accueilli, en réponse à un appel personnel de Dieu [6]. A la différence du mariage, qui s'inscrit dans le prolongement de la création, elle est un *charisme propre au NT, nullement obligatoire pour les ministres de la communauté [7]. Elle ne doit pas être confondue avec la stérilité qui est un mal, mais elle se justifie par le *règne de Dieu qui vient [8]. A sa manière, elle connote une fidélité intégrale à Dieu seul, d'où le terme de vierge appliqué à l'Église présentée au Christ [9] et aux élus qui ont préservé leur foi de toute contamination avec l'idolâtrie ou ses pratiques [10]. La virginité figure l'état de *résurrection [11].

6 Mt 19,11. — 7 1 Co 7,7s. — 8 Mt 19,12; 1 Co 7,7.26-31. — 9 2 Co 11,2; Ep 5,27. — 10 Ap 14,4. — 11 Lc 20,35; cf Mt 22,30 = Mc 12,25.

→ mariage — stérilité.

vigne

1. Arbrisseau (gr. *ampelos*) produisant des fruits [1] en grappe (gr. *botrys* [2]) qu'on appelle raisin (gr. *staphylè* [3]); le *vin est le « produit » (gr. *genèma*) de la vigne [4]. Jésus est la vraie vigne sur laquelle doivent rester attachés les pampres (gr. *klèmata*) que sont les croyants pour vivre et porter du *fruit (gr. *karpos*); sinon, tels les sarments stériles, ils deviennent un bois inutilisable [5].

1 Jc 3,12. — 2 Ap 14,18 △. — 3 Mt 7,16; Lc 6,44; Ap 14,18 △. — 4 Mt 26,29 (= Mc 14,25 = Lc 22,18) △. — 5 Jn 15,1.4.5 △.

2. En continuité avec l'AT, Jésus dépeint volontiers Dieu sous les traits du propriétaire d'un vignoble (gr. *ampelôn*), objet de sa sollicitude amoureuse, mais déçue; il fera appel à des vignerons (gr. *ampelourgos*) fidèles qui constitueront son vrai peuple [6].

6 Is 5,1-7; Mt 20,1-8; Mt 21,28.33-41; Mc 12,1-9 (= Lc 20,9-16); Lc 13,6; 1 Co 9,7 △.

→ *Intr.* II.5; VII.1.A — pressoir — vendange — vin.

vin

1. Chez les juifs, le vin (gr. *oïnos*) n'est pas d'usage quotidien; c'est la boisson de la fête : il réjouit le cœur de l'homme [1] et annonce le banquet *eschatologique [2]. Il ne faut pas en abuser [3], tout en sachant l'utiliser en vue de la santé [4].

1 Jg 9,13; Ps 104,15; cf Ap 6,6; 18,13. — 2 Is 25,6; Mt 26,29 (= Mc 14,25 =

Lc 22,18). — [3] Si 31,25-31; Ep 5,18; 1 Tm 3,3.8; Tt 1,7; 2,3; 1 P 4,3. — [4] Lc 10,34; 1 Tm 5,23; cf Mt 27,34 (= Mc 15,23).

2. A la différence de Jean-Baptiste [5], Jésus ne s'est pas abstenu de vin [6]; il connaissait l'acidité du vin trop vert et la bonté du vin vieux [7]. Il a fourni lui-même à Cana un vin meilleur et en abondance [8].

[5] Nb 6,3s; Jg 13,4; Lc 1,15; 7,33. — [6] Mt 11,19 (= Lc 7,34). — [7] Mt 9,17 (= Mc 2,22 = Lc 5,37s); Lc 5,39; — [8] Jn 2,3.9.10.

3. Dans le NT, le vin n'apparaît jamais en contexte cultuel, sauf lors du dernier repas de Jésus où il est appelé « produit de la vigne » [9] et à propos des controverses alimentaires [10]. Métaphoriquement, il désigne la *colère de Dieu à la fin des temps [11].

[9] Mt 26,29 (= Mc 14,25 = Lc 22,18). — [10] Rm 14,21. — [11] Is 51,17.22; Ez 23,31...; Ap 14,8.10; 16,19; 17,2; 18,3; 19,15 □.

→ *Intr*. VIII.1.D. — coupe — myrrhe — vendange — vices — vigne.

vinaigre

gr. *oxos*, lat. *posca*. Non pas ce qu'on appelle auj. vinaigre, mais un *vin aigre mélangé d'eau, boisson populaire qui était donnée aux travailleurs [1] et aux soldats [2]; elle était interdite aux *naziréens [3]. Fort acide, cette boisson était peu appréciée [4].

[1] Rt 2,14. — [2] Mt 27,48 (= Mc 15,36). — [3] Nb 6,3. — [4] Ps 69,22; Pr 10,26; Lc 23,36 □.

violence

gr. *bias*, *biazomai*. Ces derniers mots, rares dans le NT, sont employés au sens de force (gr. *bia*) [1], de contrainte (gr. *parabiazomai*) [2] ou de violence proprement dite (gr. *biazô*, *biastès*). A l'origine de la violence se trouve la force vitale qui, pour se maintenir, tend à détruire la vie de l'autre. Dans le NT, les violents sont les attaquants, les ennemis, ceux qui empêchent les hommes d'entrer dans le Royaume, qui, dès lors, « est assailli avec violence » [3]. Luc interprète à l'inverse la parole de Jésus, en attribuant aux disciples la violence qu'ils montrent en luttant pour entrer dans le *Royaume [4]. De toute manière, l'irruption du Royaume de Dieu déchaîne la violence.

[1] Ac 5,26; 21,35. — [2] Lc 24,29; Ac 16,15 △. — [3] Mt 11,12 △. — [4] Lc 16,16; cf 13,24 △.

→ combat — cupidité — haine — puissance — zèle.

Vivants

gr. *zôa* (pluriel de *zôon*, se rattachant à *zèn* : « vivre ») : « animaux » [1] ou, dans l'Apocalypse, êtres étranges conçus d'après la vision des *chérubins d'Ez 1,5-14 et des séraphins d'Is 6,2s [2]. Selon quelques anciens écrivains, ils figurent les quatre évangélistes d'après le début de leurs récits : Matthieu par l'homme (dont il présente la généalogie), Marc par le lion (du désert où prêche le Baptiste), Luc par le taureau (offert au Temple en sacrifice par Zacharie), Jean par l'aigle (qui scrute les profondeurs du Verbe).

[1] He 13,11; 2 P 2,12; Jude 10 △. — [2] Ap 4,6-9; 5,6.8.11.14; 6,1.3.5.6.7; 7,11; 14,3; 15,7; 19,4 △.

vocation

lat. *vocatio* : « appel », correspondant au gr. *kaleô* : « nommer, appeler », avec ou sans les préfixes *epi-* ou *pros-*.

1. Dieu invite tous les hommes aux *noces de son Fils [1], mais tous ne répondent pas [2]. Jésus appelle les pécheurs, de façon absolue selon Mt/Mc, « à la pénitence », précise Lc [3]. Paul élabore une théologie de l'appel divin. Selon son *dessein éternel, en toute liberté et sans repentance de sa part, Dieu appelle juifs et païens [4], en sorte que ceux qui répondent peuvent être qualifiés « les appelés » (gr. *klètoï*) [5], constituant l'Église (gr. *ek-klèsia* : « convocation ») [6]. Cet appel ne modifie pas la condition de vie [7], mais est une véritable création d'un autre ordre [8]. Le croyant se voit donc appelé à la *communion avec Jésus, à la liberté, à l'espérance, à la paix du Christ, au Royaume, à la sanctification, à la lumière de Dieu, à la vie éternelle, mais aussi à la souffrance qui conduit à la gloire [9].

[1] Mt 22,3-9; Lc 14,16-24; Ap 19,9. — [2] Mt 22,14. — [3] Mt 9,13 (= Mc 2,17 = Lc 5,32). — [4] Ac 2,39; Rm 8,28; 9,24; 11,29; 1 Co 1,24; 1 Th 5,24. — [5] Rm 8,28; 1 Co 1,2; Jude 1. — [6] cf Rm 9,24; 1 Co 11,18. — [7] 1 Co 7,17-24. — [8] Rm 4,17; cf 2 Co 5,17. — [9] 1 Co 1,9; Ga 5,13; Ep 1,18; Col 3,15; 1 Th 2,12; 4,7; 1 Tm 6,12; 1 P 2,9.21; 5,10.

2. Dieu appelle aussi des individus en vue d'une mission précise; comme jadis Abraham, Moïse, les prophètes [10], ainsi Jésus appelle à le *suivre [11] et Dieu, par le Christ, appelle tel ou tel, plus spécialement l'apôtre Paul, à une tâche déterminée [12].

[10] Gn 12,1; Ex 3,10.16; Is 8, 11; Jr 1,2...; He 11,8. — [11] Mt 4,21 (= Mc 1,20); Mc 3,13; 6,7; Lc 9,1. — [12] Ac 13,2; 16,10; 1 Co 1,1; Ga 1,6.15; Ph 3,14.

→ élection — envoyer — nom — prédestiner — suivre.

vœu

Se lier par vœu (gr. *eukhè*, signifiant aussi « prière ») était courant en Israël [1], et en général dans l'Antiquité; acte religieux spontané pour demander une faveur ou rendre grâce, il engageait gravement. La Loi et les prophètes eurent à en limiter les excès ou les abus [2]. Le vœu du *naziréat temporaire [3] comportait, parmi d'autres pratiques pénitentielles, de ne pas se couper les cheveux, signe de force virile. Au terme, il fallait offrir des sacrifices au Temple, se raser la tête et brûler les cheveux sur l'autel.

[1] Ac 18,18. — [2] Mt 15,5s (= Mc 7,11-13). — [3] Nb 6; Jg 13,5; Ac 21,23 □.

→ corban — prier — serment.

voie

gr. *hodos*. Chemin formé peu à peu par les traces répétées de ceux qui l'utilisent.

1. Dieu, qui a conduit son peuple durant l'Exode, a son style de vie, son comportement, ses préférences : on parle donc des « voies de Dieu » [1], et par là même de sa volonté [2]; elles conduisent à la vie [3]. Jésus est le chemin vrai qui conduit à la vie, ou le chemin qui conduit à la vérité et à la vie, ou le chemin véritable et vivant qui conduit au Père [4].

[1] Ps 25,10; 67,3; Is 40,3; 55,8s; Mt 3,3; Rm 11,33; He 3,10; Ap 15,3. — [2] Ps 18,22; 27,11; Mt 21,32; 22,16 (=Mc 12,14 =Lc 20,21). — [3] Ac 2,28; 13,10. — [4] Jn 14,4-6.

2. La « conduite » de l'homme est appelée « voie », désignant sa manière de vivre [5]. Le thème des « deux voies », fréquent dans les littératures, se retrouve dans le NT à la suite de l'AT [6]. L'homme cherche ainsi à « entrer dans » le royaume des cieux [7]. Il le peut parce que Jésus est entré dans le sanctuaire de Dieu [8].

[5] Ac 14,16; Rm 3,16; 1 Co 4,17; Jc 1,8; 5,20. — [6] Dt 30,9; Pr 8,13; Jr 25,5; Mt 7,13s. — [7] Mt 5,20; 18,8s; 25,21.23. — [8] He 9,8; 10,19s; 2 P 1,11.

3. Dans les Actes, l'expression « la Voie », prise absolument, est synonyme de la nouvelle vie dans la foi chrétienne [9].

[9] Ac 9,2; 18,25s; 19,9.23; 22,4.14.22 □.

→ dessein de Dieu — rue — volonté de Dieu.

voile

En gr. *kalymma* (de *kalyptô* : « couvrir »). Tissu recouvrant la tête et souvent le visage.

1. En public la femme juive portait ordinairement le voile de tête, selon la coutume orientale [1] dont Paul est l'écho [2]. On discute sur les raisons de cette coutume : pudeur [3] avant le mariage [4], moyen pour n'être pas reconnue [5], signe d'appartenance à un mari [6]. S'opposant aux coutumes des cultes païens à *mystères, Paul prescrit le voile dans les assemblées liturgiques [7].

[1] Is 47,2. — [2] 1 Co 11,6. — [3] Gn 24,65; Ct 4,1.3. — [4] Gn 29,23.25. — [5] Gn 38,15.19; 1 P 2,16. — [6] 1 Co 11,9s. — [7] 1 Co 11,5s.13.

2. Le voile peut servir à masquer un visage, soit pour se moquer de quelqu'un [8], soit pour se protéger des reflets de la gloire de Dieu [9].

[8] Mc 14,65 (= Lc 22,64). — [9] Ex 34,33-35; 2 Co 3,13-18.

→ femme — vêtement.

voile du Temple

Dans le *Temple d'Hérode, comme jadis dans le sanctuaire nomade des Hébreux, un rideau (gr. *katapetasma*) fermait l'accès au *Saint, et un autre au * Saint des Saints [1]. C'est le premier qui, selon l'Épître aux Hébreux, se déchira à la mort de Jésus [2]. Sa déchirure signifie l'abrogation de l'ancien culte et surtout l'accès devenu libre au sanctuaire céleste.

[1] He 9,3. — [2] Mt 27,51 (= Mc 15,38 = Lc 23,45); He 10,19s △.

voir

gr. *horaô, blepô, theaomai, theôreô*. Entre ces différents verbes les nuances sont moins appréciables que dans le grec classique; c'est le contexte qui permet de préciser : voir, apercevoir, constater, remarquer, prendre garde, regarder, contempler, rencontrer...

1. Dieu voit : son regard est une manière de dire son attention aimante, sa présence au cœur de l'homme [1]. De même, Jésus pénètre les pensées des hommes [2].

[1] Ex 3,7; 1 S 16,7; Ps 139,3.7.16; Mt 6,4; Lc 1,25.48; Ac 7,34. — [2] Mt 9,2.4; Jn 1,48.50; cf 2,25.

2. Voir Dieu, tel est le désir de l'homme que les Grecs ont si fort souligné. La Bible, elle, met en relief l'*écouter, remettant au temps du *ciel l'assouvissement du désir [3] : Dieu est invisible, nul ne l'a jamais vu [4]. Cependant, selon Jean, le Fils a vu Dieu [5]; voir Jésus, c'est voir le Père [6]; plus précisément, c'est la *foi qui fait voir la *gloire de Jésus à travers ses œuvres et sur la croix [7]. La foi n'a pas besoin de voir le Ressuscité [8], mais elle s'appuie sur les *apparitions accordées aux premiers *témoins du Christ vivant, dans lesquelles le voir est toujours subordonné à un écouter, un obéir, une mission [9]. Le croyant voit dans le Crucifié la gloire du Christ [10].

[3] Mt 5,8; 1 Jn 3,2; Ap 22,4. — [4] Jn 1,18; Col 1,15; 1 Tm 1,17; 6,16; He 11,27; 1 Jn 4,12.20. — [5] Jn 3,11; 6,46. — [6] Jn 12,45; 14,7.9s. — [7] Jn 2,23; 4,48; 6,36.40. — [8] Jn 20,29. — [9] Mt 28,7.10.17; Mc 16,7; Lc 24,34.39; Jn 20,18. 20.25.27; Ac 1,3; 9,17; 13,31; 26,16; 1 Co 15,5-8; 1 Tm 3,16. — [10] Jn 19,37.

→ apparitions du Christ — aveugle — connaître — foi — œil — signe.

voix

gr. *phônè*, hb. *qôl* : bruit du vent, des eaux, des ailes, du tonnerre [1], son de la parole ou d'un instrument [2], cri [3], voix divine ou humaine [4].

[1] Jn 3,8; Ac 2,6; Ap 1,15; 9,9; 10,3; 14,2; 18,22; 19,6. — [2] Mt 2,18; Lc 1,44; 1 Co 14,10s. — [3] Mt 27,46.50 (= Mc 15,34.37); Lc 23,21.23; Ac 12,22; 21,34; 22,24. — [4] Lc 11,27; Ac 7,31; 12,14; He 12,26.

1. Écouter la voix de Dieu et celle de Jésus, c'est recevoir le salut [5].

[5] Jn 5,25.37; 10,3s.16.27; 18,37; He 3,7; 4,7; Ap 3,20.

2. Comme dans les religions cananéenne et babylonienne, la Bible associe volontiers voix de Dieu et tonnerre [6]. Après la cessation de la prophétie, le judaïsme tardif appela *bath qôl* : « fille de la voix », un des modes de la *révélation de Dieu. On en trouve la transposition dans la « voix du ciel » qui se fait entendre au baptême et à la transfiguration de Jésus [7]; Jn ne la signale pas car c'est la voix du Précurseur qui déclare qui est Jésus [8]; il fait même de la voix du ciel une critique radicale [9].

[6] Ex 19,16-20; 20,18-21; Dt 4,12s.33; 5,22-24; Jb 37,2-5; Ps 18,14; 29,3-6; Ap 4,5; 6,1; 8,5; 10,3s; 11,19; 14,2; 16,18; 19,6. — [7] Mt 3,17 (= Mc 1,11 = Lc 3,22); 17,5 (= Mc 9,7 = Lc 9,35s); 2 P 1,17s. — [8] Jn 1,23. — [9] Jn 12,28.30.

→ chant du coq — parole — révélation.

voleur

gr. *kleptès*. Le vol est considéré comme un crime fort grave [1], sans que pour autant il relève du droit pénal : le voleur n'avait d'autre obligation que de restituer le bien volé, avec quelque chose en plus.

A la différence de l'AT, le NT ne craint pas de comparer à l'action du voleur le *Jour du Seigneur qui vient [2], le Fils de l'homme qui surprend [3] dans la *nuit.

[1] Ex 20,15; Lv 19,11; Dt 5,19; Jr 7,9; Mt 15,19 (= Mc 7,21); 19,18 (= Mc 10,19 = Lc 18,20). — [2] 1 Th 5,2.4. — [3] Mt 24,43 (= Lc 12,39); Ap 3,3; 16,15.

volonté de Dieu

gr. *thelèma tou Theou*. A la différence du *dessein de Dieu, la volonté de Dieu peut viser tel ou tel événement particulier et entrer en relation avec la volonté de l'homme qui se sent plus ou moins en accord avec elle. Ce n'est donc pas au sens global de *prédestination, d'*élection, de *vocation, de *promesse, de dessein que le terme est pris ici.

1. Jésus est venu accomplir la volonté de son Père [1]; elle est sa nourriture [2]. Au moment de mourir, il a senti dans sa chair un désaccord foncier, mais s'est *abandonné avec confiance à la volonté bienveillante du Père [3], et dans cet abandon, il a été exaucé en recevant la vie en plénitude [4].

[1] He 10,7.9; cf Ac 13,22. — [2] Jn 4,34; 5,30; 6,38-40. — [3] Mc 14,36; Lc 22,42 — [4] He 5,7.

2. Le croyant doit prier le Père pour que sa volonté se réalise sur terre [5]; et il doit s'efforcer de discerner quelle est précisément la volonté divine sur lui [6], grâce à l'Esprit Saint qui lui révèle les secrets du dessein (gr. *nous* : « pensée ») du Seigneur [7]. L'homme reconnaît que, pour accomplir cette volonté, c'est Dieu qui « opère le vouloir et le faire » [8], car dans l'activité de l'homme tout est de lui-même et tout est de Dieu : les tâches ne sont pas réparties entre eux, mais les rôles sont divers dans la communauté d'action. Dieu donne, l'homme accueille.

[5] Mt 6,10. — [6] Rm 12,2; Ep 5,17. — [7] 1 Co 2,16. — [8] Ph 2,13.

→ commandement — dessein de Dieu — éprouver.

[Vulgate]

Du lat. *vulgata (versio)* : « traduction répandue ». Le terme désigne la traduction latine effectuée par saint Jérôme au IVe s. et officiellement reconnue par l'Église catholique romaine au concile de Trente en 1546.

Y

[Yahweh]

Certains traducteurs écrivent Yahvé ou Iahvé; mais, seule, la graphie *Yahweh* (qui rectifie la vocalisation de l'ancien *Jéhovah*) respecte le tétragramme sacré dans la tradition juive : YHWH. Nom hébreu, provenant du verbe *hâwah* ou *hâyah* : « arriver, devenir, être », selon l'étymologie populaire fournie dans le récit de la révélation du ★Nom que Dieu s'est donné, lors de l'apparition du Buisson ardent (Ex 3,14). On discute pour savoir si le sens du verbe est actif (« l'étant », ainsi que traduit la ★Septante) ou causatif (« le faisant être »); de toute manière, ce n'est ni un pronom, ni un substantif, mais un verbe d'action, décrivant l'activité même de Dieu. Loin d'enfermer Dieu dans un concept, ce terme le montre dans son activité fidèlement présent à son peuple. Selon les linguistes, le mot est apparenté à la forme *Yau* qui, à Babylone, désigne le Dieu invoqué par celui qui porte son nom, ainsi la mère de Moïse s'appelle *Yô-kèbèd* : « gloire de Yô ».

→ Dieu.

Z

Zacharie

gr. *Zakharias*, de l'hb. *Z^{e}kar-yâ* : « Yahweh se souvient ».

1. Nom d'un prophète assassiné dans le Temple, peut-être fils de Joïada, quoique appelé fils de Barachie [1].

[1] 2 Ch 24,20-22; Mt 23,35 (= Lc 11,51) □.

2. Fils de Barachie, prophète cité quoique non nommé, l'un des douze petits ★prophètes [2].

[2] Za 1,1; 9,9; Mt 21,4; 27,9 □.

3. Prêtre de la classe d'Abia, époux d'Élisabeth, père de Jean Baptiste, habitant une ville de Juda [3].

[3] Lc 1,5-67; 3,2 □.

Zachée

gr. *Zakkhaïos*, nom juif correspondant à l'hb. *zakkay* : « pur, juste ». Chef des collecteurs d'impôts à Jéricho [1].

[1] Lc 19,1-9 □.

→ publicain.

Zébédée

gr. *Zebedaios*, de l'hb. *zabdî* : « mon cadeau ». Pêcheur du lac de Galilée, époux de Salomé, père de Jacques et de Jean [1].

[1] Mt 4,21 (= Mc 1,20) □.

zèle

1. Le mot grec *zèlos* (peut-être en rapport avec *zèteô* : « chercher ») traduit l'hb. *qin'â* (de la racine *qâna*, désignant la rougeur qui monte au visage d'un homme passionné). Le terme implique une intransigeance jalouse et même de la *violence.

2. Au sens d'intérêt empressé pour quelqu'un ou quelque chose, on trouve en plus de *zèlos* [1] le terme gr. *spoudè*, qui comporte l'idée de hâte [2], d'intense désir [3] et vise l'application qu'on met à faire quelque chose [4].

[1] 1 Co 12,31; 14,1.12.39; 2 Co 7,7.11 □. — [2] Ex 12,11; Lc 1,39... — [3] Lc 7,4; 1 Th 2,17... — [4] Rm 12,8.11; Ep 4,3; He 4,11; 6,11...

→ jalousie — souci — zélote.

zélote

gr. *zèlôtès* : « le zélé ». Surnom de l'apôtre Simon [1]. Partisan de la Loi [2]. Homme fervent, plein de désirs [3]. Partisan d'un mouvement révolutionnaire [4].

[1] Lc 6,15; Ac 1,13. — [2] Ac 21,20; Ga 1,14. — [3] Ac 22,3; 1 Co 14,3; Tt 2,14; 1 P 3,13. — [4] *Intr.* XI.4.

Liste des mots grecs communs cités
dans le Dictionnaire du Nouveau Testament

Les mots grecs sont classés d'après l'orthographe française. Les crochets enclavent les mots qui ne sont pas dans le texte du NT. Chaque mot grec renvoie aux notices où il est mentionné.

A

[abaton]	sacré
abyssos	abîme
adelphos	frère
adelphotès	frère
adikia	iniquité — péché
adô	chant
aei	éternel — siècle
aetos	aigle — vautour
agalliaomai	joie
agalliasis	joie
agapaô	amour
agapè	agape — amour — charité
agapètos	bien-aimé
[ageirô]	fête
aggellô	évangile
aggelos	ange
agôn	combat
agônia	agonie — angoisse
agônizomai	athlète
agora	agora — place publique — rue
agoraios	assemblée
agorazô	racheter — rédemption
[agoreuô]	allégorie
[agrapha]	agrapha
agrypneô	veiller
agrypnia	sommeil

aikhmalôsia	diaspora
aikhmalôtos	captif
aikhmè	captif
aiôn	Dominations — éon — éternel — fin du monde — monde — siècle — temps — univers
aiônios	éon — éternel
aiskhynè	Baal
aiteô	mendiant — prier
aithiops	Éthiopien
[aithô]	Éthiopien
akantha	ronce
akarpos	stérilité
akatharsia	débauche
akathartos	pur
akeraios	pur
akharistos	action de grâces
akoè	obéir, obéissance
akoloutheô	suivre
akouô	écouter — obéir
akrasia	débauche
akris	sauterelle
akrobystia	circoncision — prépuce
akros	prépuce
alalos	muet
alazoneia	orgueil
aleiphô	oindre

555

alektôr	chant du coq	anthypatos	proconsul
alektorophônia	chant du coq	antidikos	adversaire — ennemi
alètheia	vérité	antikeimenos	adversaire — ennemi
ep'alètheias	amen	antikhristos	Antichrist
alèthôs	amen	antilytron	rançon
allassô	réconcilier	antlèma	cruche
allègoreô	allégorie	apalgeô	folie
allèluia	Alléluia	aparkhè	prémices
allos	allégorie — réconcilier	apataô	erreur — séduire
allotrios	étranger	apeitheô	obéir, obéissance
aloè	aloès	[apeleutheroô]	affranchi
amemptos	parfait	apeleutheros	affranchi
amèn	amen	aphièmi	pardonner
amiantos	pur	aphistamai	apostasie
amnos	Agneau de Dieu	aphistèmi	divorce
amômos	parfait — pur	aphônos	muet
ampelôn	vigne	aphorizô	excommunier
ampelos	vigne	aphrôn	folie
ampelourgos	vigne	aphtharsia	immortalité
amphiazô	vêtement, vêtir	apistia	incrédulité
amphiblèstron	pêche	apodidômi	rétribution
anabainô	Ascension — pèlerinage	apographè	recensement
		[apoikia]	diaspora
anagaion	cénacle	apokalypsis	apocalypse
anagennaomai	naître, renaître	apokalyptô	révélation
anagkè	tribulation	apokaradokia	espérer, espérance
analambanô	Ascension — exaltation du Christ	apokatallassô	réconcilier
		apokatastasis	restaurer, rétablir
anamnèsis	mémoire	apokathistèmi	restaurer, rétablir
anapauomai	repos	apokryphos	apocryphes
anapherô	Ascension — exaltation du Christ	apokteinô	mort
		apolyô	guérir
anapsyxis	repos	apolytrôsis	rédemption
anatellô	orient	aporia	angoisse
anathema	anathème	apostasia	apostasie
anatolè	orient	apostasion	divorce
anekhomai	patience	apostellô	apôtre — envoyer — ministère
anemos	vent		
anesis	repos	apostolos	apôtre
anèthon	fenouil	aposynagôgos	excommunier
anistamai	résurrection	ara	malheureux!
anoètos	folie	aretè	vertu
anokhè	patience	argos	stérilité
anomia	iniquité	argyria	sicle
antapodidômi	rétribution	argyrion	argent
anthrôpos	citoyen — Fils de l'homme — homme — pêche	ariston	repas
		[aristos]	vertu
		arkhè	archétype — Domina-

	tions — Principautés — temps	batos	bath — ronce
arkhègos	pèlerinage	bdelygma tès eremôseôs	Abomination de la désolation
arkhô	province	[bdelyros]	Abomination de la
arkhôn	Dominations		désolation
[arkhos]	tribun	bebèlos	sacré
arnion	Agneau de Dieu	bèma	tribunal
arrabôn	arrhes	bia	violence
arrôstos	infirmité — maladie	biastès	violence
arsenokoitès	débauche	biazô	violence
artos	fraction du pain — pain — pains de l'offrande	biazomai	violence
		biblion	livre
		biblos	Bible — livre
aselgeia	débauche	[blabè]	blasphémer — injurier
asiarkhès	asiarque	[blas]	blasphémer — injurier
askos	outre	blasphèmeô	blasphémer — injurier
asophos	folie		— insulter
asôtia	débauche	blepô	veiller — voir
aspazomai	saluer, salutation	botrys	vigne
aspilos	pur	boulè	dessein de Dieu
assarion	as	boulomai	dessein de Dieu
astèr	astres	brakhion	bras (du Seigneur)
astheneia	infirmité	brephos	enfant
asthenès	maladie	brokhè	pluie
asynetos	folie	brôma	ver
ataraxia	stoïciens	brôsis	ver
athanasia	immortalité	byssos	lin
athleô	athlète		
aulè	parvis		
aulos	flûte	**D**	
auxanô	croissance, croître		
auxô	croissance, croître	daimôn	démons — possédé
azymos	azymes	daimonizomenos	possédé
		dakryô	tristesse
B		daktylos	doigt de Dieu
		dekhomai	hospitalité
		deigma	exemple
[bainô]	sacré	deiknymi	exemple — justice, justification
baion	palmier		
ballantion	bourse	deipnon	repas — repas du Seigneur
ballô	création — lapidation		
baptisma	baptême	deka	décalogue — Décapole
baptismos	ablution — baptême	dekatè	dîme
baptizô	ablution — baptême	deleazô	séduire
baptô	baptême	[demô]	édifier
barbaros	barbare	dèmos	assemblée — peuple
basileia	règne, roi, royaume	dènarion	denier
basileus	règne, roi, royaume	dendron	arbre

G

[gaia]	cénacle
gala	lait
gamos	noces — mariage — robe
gaza	trésor (du Temple)
gazophylakeion	trésor (du Temple)
gè	terre
gelaô	rire
gennaô	engendrer — naître, renaître
genèma	vigne
genos	race
gerôn	vieillesse
gerousia	sanhédrin
geuomai	goûter
gignomai	engendrer — race
ginôskô	connaître
glôssa	langue
glôssokomon	bourse
gnapheus	foulon
gnôsis	gnose — connaître
gonypeteô	adorer
gramma	lettre
grammateus	scribe
graphè	apocryphes — Écriture
graphô	agrapha — lettre — scribe
grègoreô	veiller
gymnazô	combat
gynè	femme

H

hagiazô	consacrer — saint
hagios	pur — sacré — saint — Temple
hagnizô	saint
hagnos	pur
haïdès	chéol
haima	sang — sueur de sang
haireomai	secte
hairesis	secte
halas	sel
halieus	pêche

halieuô	pêche
hamartanô	péché
hamartia	péché
haptô	feu
harmozô	époux
hebraios	Hébreu
[hedra]	sanhédrin
hèdyosmon	menthe
hègemôn	gouverneur — procurateur
hekatontarkhès	centurion
hèlios	soleil
hellèn	Grec
hèmera	dimanche — Jour du Seigneur — midi — temps — tribunal
heortè	fête
hepta	sept
hermèneuô	herméneutique
hespera	soir
hetairos	amour
hetoïmazô	prédestiner
hierateuma	culte — sacerdoce
hiereus	ancien — culte — prêtre — sacré
hieron	sacré — temple
hieros	prêtre — sacré — saint — temple
hierothyton	viande
hilaskomai	expier — propitiatoire
hilasmos	expier
hilastèrion	propitiatoire
hileôs	expier
himation	manteau — robe
[himeros]	désirer
hippos	cheval
hodos	rue — voie
holokautôma	holocauste — sacrifice
holos	holocauste
homeiromai	désirer
homologeô	confesser — prêcher
[homos]	confesser
hoplon	combat
hôra	heure — temps
horaô [ôphthè]	apparitions du Christ — œil — voir
horasis	apparence
horizô	prédestiner

horkizô	exorciser — serment	ioudaïsmos	judaïsme
horkos	serment	ioudaizô	judaïsant
hosios	piété, pieux — saint	iskhys	puisssance
hosiotès	piété, pieux	israèlitès	israélite
hydôr	eau		
hydria	cruche	**K**	
hydrôps	hydropique		
hyetos	pluie		
hygiainô	guérir	kainos	nouveau — Nouveau Testament
hyios	enfant — Fils de Dieu — Fils de l'homme — poisson	kaiô	feu — holocauste
		kairos	temps
hyiothesia	adoption	kakologeô	insulter — maudire — médire
hymneô	hymne		
hymnos	hymne	kakos	insulter — mal — médire
hypakoè	obéir, obéissance		
hypakouô	écouter	kakôs	insulter — maladie
hyparkhonta	riches(se)	kalamos	roseau
hyparxis	riches(se)	kaleô	vocation
hyperairô	orgueil	kalymma	voile
hyperanô	exaltation du Christ	kalyptô	apocalypse — voile
hyperèphania	orgueil	kamèlos	chameau
hyperogkos	orgueil	kaminos	four
hyperôon	cénacle	kanôn	canon des Écritures
hyperphroneô	orgueil	[kara]	espérer, espérance
hypnos	sommeil	kardia	cœur
hypodeigma	exemple	karpos	collecte — fruit — stérilité — vigne
hypodèma	chaussure		
hypokrinomai	hypocrite	katabainô	sueur de sang
hypokritès	hypocrite	katabolè	création
hypoleimma	reste	kataggellô	prêcher
hypolènion	cuve	kataginôskô	condamner
hypomenô	espérer, espérance	kataklysmos	déluge
hypomonè	constance — espérer, espérance — patience	katakrinô	condamner — jugement
hypostasis	confiance	katalaleô	médire
hypsoô	crucifiement — exaltation du Christ — humilité — orgueil	katallassô	réconcilier
		katalyma	hôtellerie
		katalyô	hôtellerie
hyssôpos	hysope	katapauomai	repos
		katapetasma	voile du Temple
I		kataphileô	baiser
		kataraomai	maudire
iaomai	guérir	katartizô	prédestiner
iatros	médecin	kataskènoô	repos
ikhthys	poisson	katèkheô	catéchiser
iôta	iota	katharizô	guérir
ioudaïos	juif	katharos	débauche — pur
		kathedra	chaire de Moïse

561

562

kopos	travailler	lampas	lampe
koptô	croissance, croître	lanthanô	vérité
koptomai	poitrine	laos	culte — peuple
korban	corban — trésor (du Temple)	latreia	culte — idolâtrie, idoles
korbanas	trésor (du Temple)	latreuô	culte
[korè]	œil	[latron]	culte
koros	mesure — mesures	legiôn	légion
kosmeô	monde	legô	bénédiction — collecte — confesser — insulter
kosmokratôr	Dominations		
kosmos	monde — univers		
kraipalè	débauche	leimma	reste
kraspedon	frange	leitourgeô	collecte — culte — Présentation de Jésus, présenter
kratos	puissance		
kremazô	crucifiement		
krinô	condamner — discerner — jugement	leitourgia	collecte — culte
		lènos	cuve — pressoir
krinon	lis	lention	linge
kryptô	apocryphes	leôn	lion
krisis	jugement	lepra	lèpre
kritèrion	tribunal	lepton	lepte
krithè	orge	leukos	blanc — caillou blanc
ktèmata	riches(se)	leyitès	lévites
ktisis	création	libanos	encens
ktistès	création	limné	étang de feu
ktizô	création	linon	lin
kymbalon	cymbale	lithazô	lapidation
kyminon	cumin	lithoboleô	lapidation
kynation	chien	lithos	lapidation — pierre
[kyneô]	adorer	litra	livre — poids
kyôn	chien	logeia	collecte
kyriakos	dimanche — repas du Seigneur	logikos	culte
		logion	agrapha — genre littéraire — logia — oracle
kyrieuô	maître		
kyrios	allégorisation — bras du Seigneur — Jour du Seigneur — maître — seigneur	logos	chronologie — décalogue — parole — Verbe
		loidoreô	insulter
		loimos	peste
		louô	bain
kyriotètes	Dominations — Seigneuries — Souverainetés	loutron	bain
		lykhnia	chandelier — lampe
		lykhnos	lampe
kômos	débauche	lyô	lier et délier — délier — rançon.
kôphos	muet — sourd		
		lytron	racheter — rançon — rédemption
L			
		lytroô	racheter — rédemption
laleô	prêcher		
lambanô	hospitalité		

nomikos	légiste — scribe
nomos	commandement — iniquité — loi — Pentateuque
nosos	maladie
notos	midi
nous	cœur — conversion — folie — volonté de Dieu
nykhthèmeron	journée
nymphè	époux — noces
nymphios	époux — noces
nymphôn	noces
nyx	nuit

O

[obolos]	obole
ôdè	chant
odyrmos	lamentation
oikia	maison
oikodespostès	maître
oikodomeô	édifier
oikonomia	dessein de Dieu — ministère
oikos	édifier — exil — maison
oikoumenè	univers
oiktirmos	miséricorde
oinophlygia	débauche
oïnos	débauche — vin
okhlos	peuple
oknèros	travailler
oligopistia	incrédulité
omnyô	serment
oneidizô	insulter
onoma	nom
onos	âne
opheilè	dette
opheilèma	dette
opheilô	dette
ophis	serpent
ophthalmos	œil
[ôps]	face — front
opsarion	poisson
opse	soir
opsia [hôra]	soir
opsis	apparence

oregomai	désirer
orgè	colère
orgyia	brasse
orkheomai	danser
oros	montagne — Oliviers (mont des)
orphanos	orphelin
orthros	matin
osmè	parfum
osphys	reins
osteon	os
othonè	bandelette — nappe
othonion	bandelette
ouai	malheureux!
ouranos	ciel
ous	oreille
ousia	richesse
oxos	vinaigre

P

paidagôgos	pédagogue
paidion	enfant
pais	enfant — insulter — serviteur
paizô	insulter
pakhynô	endurcir
palaiotès	vieillesse
palè	combat
paliggenesia	naître, renaître
pandokheion	hôtellerie
panègyris	fête
panoplia	combat
panourgia	séduire
panta	univers
parabainô	péché
parabasis	péché
parabiazomai	violence
parabolè	figure — parabole
paradeisos	paradis
paradidômi	don — tradition
paradosis	tradition
parakaleô	Paraclet
paraklèsis	Paraclet
paraklètos	Paraclet
parakoè	obéir, obéissance
parakouô	obéir, obéissance
paralambanô	tradition

565

paralogizomai	séduire	pharmakeia	magie
paraskeuè	Parascève — Préparation — semaine	phatnè	crèche
		phèmi	blasphémer — injurier
parathèkè	dépôt	philadelphia	frère
paratithèmi	dépôt	philèma	baiser
pareimi	parousie	phileô	amour — baiser
parepidèmos	étranger — pèlerinage	philia	amour
paristèmi	Présentation de Jésus, présenter	philosophia	philosophie
		philoxenia	hospitalité
paroikeô	exil	phlogizô	feu
paroikos	étranger	phobeomai	craignant - Dieu — craindre
paroimia	allégorie — parabole		
parousia	parousie	phoinix	palmier
parrèsia	confiance — fierté — parabole	phônè	chant du coq — voix
		phoron	Appius (forum d')
parthenos	vierge	phoros	impôt — tribut
paskha	Pâque	phôs	Dédicace — lumière
paskhô	Passion du Christ — souffrir	phôsphoros	astres
		phragelloô	flagellation
patèr	père	phrèn	folie — joie
pathos	convoitise	phronimos	folie — sagesse
patris	patrie	phthonos	envie — jalousie
pègnymi	Tentes (fête des)	phylakè	prison — veille
peirasmos	tentation, tenter	[phylakeion]	trésor (du Temple)
peirazô	épreuve, éprouver — tentation, tenter	phylaktèrion	phylactères
		phylassô	phylactères — prison — veille (de la nuit) — veiller
peithomai	confiance — foi — obéir, obéissance		
		phylè	tribu
pèkhys	coudée	[physaô]	orgueil
pempô	envoyer — ministère	physioô	orgueil
pentèkostè	Pentecôte	pinô	coupe — débauche
penthos	deuil	pisteuô	foi
[peos]	prépuce	pistis	confiance — fidèle, fidélité — foi
pepoithèsis	confiance		
pèra	bourse	pistos	fidèle, fidélité
periballô	vêtement, vêtir	planaô	erreur — séduire
perisseuô	croissance, croître	planè	erreur
peristera	colombe	plassô	création
peritomè	circoncision	plateia	rue
[pernèmi]	débauche — prostitution	platys	rue
		plègè	fléau
petra	pierre	pleô	naviguer
phailonès	manteau	[pleon]	cupidité
phainô	révélation — théophanie	pleonazô	croissance, croître
		pleonexia	convoitise — cupidité
phaneroô	révélation		
phaneros	théophanie		
pharisaios	pharisiens	plèrôma	plénitude

1. Plan de Jérusalem

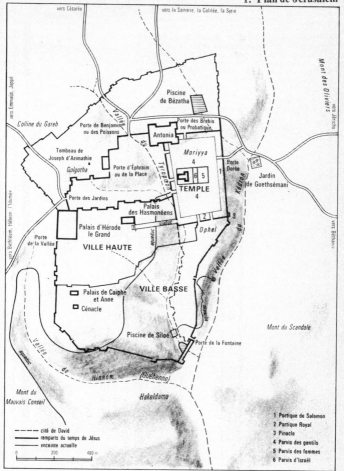

vers Césarée

vers la Samarie, la Galilée, la Syrie

Mont des Oliviers

vers Jéricho

Piscine de Bézatha

Colline du Gareb

vers Emmaüs, Joppé

Vallée du Tyropœon

Porte de Benjamin ou des Poissons

Porte des Brebis ou Probatique

Antonia

Moriyya
4

Porte Dorée

Tombeau de Joseph d'Arimathie

Golgotha

Porte d'Éphraïm ou de la Place

6 5

Jardin de Guethsémani

TEMPLE
4

Porte des Jardins

Palais des Hasmonéens

1

Vallée du Kédron

Palais d'Hérode le Grand

Nouvelle

2

3

Ophel

vers Bethléem, Hébron, l'Idumée

Porte de la Vallée

VILLE HAUTE

VILLE BASSE

Palais de Caïphe et Anne

Cénacle

Mont du Scandale

Piscine de Siloé

Porte de la Fontaine

vers Béthanie

Vallée du Cédron

Vallée de Hinnom (Géhenne)

Hakeldama

Mont du Mauvais Conseil

vers Bethléem

cité de David
remparts du temps de Jésus
enceinte actuelle

0   200   400 m

1 Portique de Salomon
2 Portique Royal
3 Pinacle
4 Parvis des gentils
5 Parvis des femmes
6 Parvis d'Israël

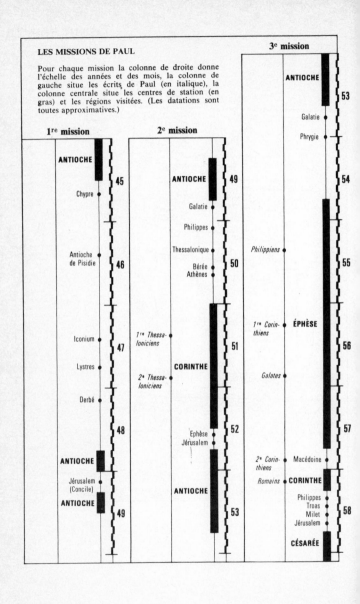

LES MISSIONS DE PAUL

Pour chaque mission la colonne de droite donne l'échelle des années et des mois, la colonne de gauche situe les écrits de Paul (en italique), la colonne centrale situe les centres de station (en gras) et les régions visitées. (Les datations sont toutes approximatives.)

3ᵉ mission

ANTIOCHE — 53
Galatie
Phrygie
— 54
Philippiens — 55
1ʳᵉ Corinthiens — **ÉPHÈSE** — 56
Galates
— 57
2ᵉ Corinthiens — Macédoine
Romains — **CORINTHE**
Philippes
Troas
Milet — 58
Jérusalem
CÉSARÉE

1ʳᵉ mission

ANTIOCHE — 45
Chypre
Antioche de Pisidie — 46
Iconium — 47
Lystres
Derbé
— 48
ANTIOCHE
Jérusalem (Concile)
ANTIOCHE — 49

2ᵉ mission

ANTIOCHE — 49
Galatie
Philippes
Thessalonique — 50
Bérée
Athènes
1ʳᵉ Thessaloniciens — 51
CORINTHE
2ᵉ Thessaloniciens
Éphèse — 52
Jérusalem
ANTIOCHE — 53

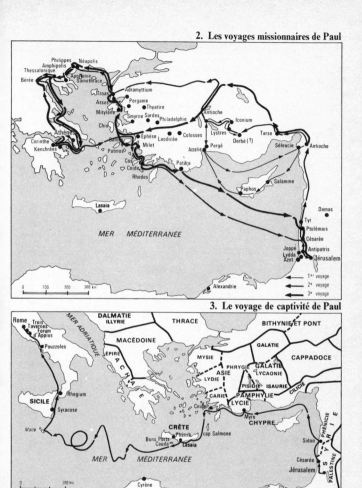

2. Les voyages missionnaires de Paul

Néapolis
Philippes
Amphipolis
Thessalonique
Apollonie
Bérée
Samothrace
Troas
Adramyttium
Assos
Pergame
Thyatire
Mitylène
Smyrne Sardes
Chio
Philadelphie
Antioche
Iconium
Éphèse
Laodicée
Colosses
Lystres
Tarse
Athènes
Patmos
Milet
Attalie
Pergé
Derbé (?)
Corinthe
Samos
Séleucie
Antioche
Kenchrées
Cos
Pataca
Cnide
Rhodes
Paphos
Salamine
Lasaia
Damas
MER MÉDITERRANÉE
Tyr
Ptolémaïs
Césarée
Joppé
Antipatris
Lydda
Jérusalem
Azot
Alexandrie

1er voyage
2e voyage
3e voyage

0   100   200   300 km

3. Le voyage de captivité de Paul

Rome
Trois
Tavernes
Forum
d'Appius
MER ADRIATIQUE
DALMATIE
ILLYRIE
THRACE
BITHYNIE ET PONT
Pouzzoles
MACÉDOINE
ÉPIRE
GALATIE
A C H A Ï E
MYSIE
GALATIE
CAPPADOCE
PHRYGIE
ASIE
LYCAONIE
LYDIE
PISIDIE
ISAURIE
SICILE
Rhegium
CARIE
PAMPHYLIE
CILICIE
Syracuse
Cnide
LYCIE
Malte
Myre
CHYPRE
CRÈTE
cap Salmone
Bons Ports
Phénix
Sidon
Cauda
Lasaia
PHÉNICIE
MER MÉDITERRANÉE
Césarée
Jérusalem
0   300 km
S Y R I E
PALESTINE
Syrte
Cyrène
ÉGYPTE

4. La Palestine du Nouveau Testament

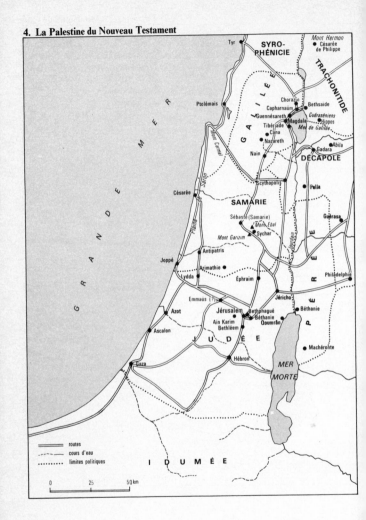

COMPOSITION : FIRMIN-DIDOT
IMPRESSION : HÉRISSEY À ÉVREUX (6-91)
D.L. 2ᵉ TR. 1978. Nᵒ 4884-5 (54881)

LIVRE DE VIE

27, RUE JACOB, PARIS 6ᵉ